Encyclopédie de la peinture

Dominique Spiess

Encyclopédie de la peinture

Des origines aux Impressionnistes

Production : EDITA S.A. Lausanne
Direction éditoriale : Michel FERLONI.

L'ensemble des documents photographiques de cet ouvrage
appartient à EDITA S.A. et Compagnie du Livre d'Art
Office du Livre (CLA).

Avis au lecteur

"Des origines de la peinture aux Impressionnistes", traiter ces siècles d'art posait la question de la méthode.

En histoire de l'Art, plus que dans tout autre domaine, il n'y a pas de certitude absolue, il n'y a que des degrés de vraisemblance. Rien n'est plus vague et plus arbitraire que les classifications en général, et en matière de peinture, en particulier. Pendant longtemps, par exemple, on a pris l'habitude de classer sous l'étiquette des peintres primitifs, tous les artistes antérieurs à la Renaissance qu'on situait au début du XVIᵉ siècle.

Très vite, cette classification s'est montrée insuffisante. Valable peut-être pour l'Italie, à condition d'y apporter de nombreux correctifs, elle ne peut s'appliquer ni à l'Allemagne, ni à la France, ni à l'Espagne, et encore moins au Portugal. Quant à l'Art flamand, il est vraiment difficile de tracer une ligne de démarcation nette entre l'époque dite primitive et l'époque de la Renaissance.

A la suite de ces considérations, il nous est apparu évident de devoir diviser cet ouvrage en chapitres représentant chronologiquement les siècles. Certes, les faits n'ont pas cette simplicité élémentaire. La division même de l'histoire, le brusque passage d'un siècle à un autre, l'insertion rigoureuse des événements dans des compartiments limités, toute cette logique a posteriori est toujours arbitraire.

Par des passages intermédiaires, les idées nouvelles laissent percevoir leurs germes avant de s'imposer tandis que les idées mortes laissent longtemps traîner derrière elles des survivances.

Il nous a fallu accepter cette simplification. Pour suivre d'au plus près la réalité historique, nous avons donc opté pour une méthode chronologique en y insérant alphabétiquement par siècle, les peintres les plus représentatifs de leur temps. Le choix se posait pour les artistes nés dans le dernier quart d'un siècle ; nous les avons inscrits dans la période de leur plus grande productivité.

Afin de donner une vision plus large, nous avons fait précéder chacun des chapitres d'une présentation générale sur l'histoire de l'Art de chacun des pays d'Europe, situé dans son contexte historique.

Enfin, nous avons voulu cette histoire de l'Art très largement visuelle, pour que le lecteur puisse ''s'en mettre plein les yeux'' et comprenne, par le seul regard, les mouvements et les tendances de la peinture à travers les siècles.

Des origines aux Impressionnistes

ANTIQUITÉ

Les premières manifestations de l'Art remontent à quinze ou vingt mille ans avant notre ère. Dès l'âge de la pierre, l'homme a su tailler le silex, sculpter et graver des objets d'os et de corne. Ayant installé sa demeure et son foyer dans des cavernes, parfois il dessinait sur les parois des figures d'animaux, rennes, mammouths, bisons, et même des figures humaines. Quelques-unes de ces images sont peintes en rouge, noir ou ocre. Les plus célèbres des cavernes ornées sont dans le Sud-Ouest de la France et le Nord de l'Espagne (Les Eyzies, Altamira).

Dans l'Antiquité classique, telle qu'on l'entend ordinairement, les peuples illustres par leur civilisation et leurs arts habitaient les rivages de la Méditerranée, tels les Egyptiens, les Phéniciens, les Grecs, les Etrusques, les Romains ; les Assyriens, qui en paraissent éloignés, ont étendu quelque temps leur domination sur l'Asie antérieure. Si alors la Méditerranée a servi de centre à la civilisation, c'est qu'elle offrait une voie de communication naturelle : les peuples fixés sur ses bords entrèrent en relation entre eux, fondèrent des colonies sur des points éloignés de leur patrie, propagèrent leurs institutions, leurs industries, leurs arts. De là des influences multiples et des analogies fréquentes.

ÉGYPTE

L'art de l'Egypte historique, celle des pharaons, commence vers l'an 4000 avant J.-C. De 4000 à 3000 environ, fleurit l'Ancien Empire ; de 3000 à 2000, le Moyen Empire est détruit par l'invasion des pasteurs du désert de Hyesos ; puis, de 1700 à 1100, arrive le Nouvel Empire. Alors s'ouvre une longue période de décadence, interrompue seulement de 720 à 525, par une brillante renaissance sous les pharaons originaires de Saïs (période saïte). En 525, l'Egypte est conquise par les Perses, en 332 par Alexandre, puis par les Romains, les Arabes, les Turcs, les Français et les Anglais. Les Egyptiens considérant leurs maisons comme des lieux de passage et leurs tombeaux comme des demeures durables, l'art égyptien nous est surtout connu pour ses tombes. Les sépultures des riches sont ornées à l'intérieur de sculptures, de peintures et de bas-reliefs qui offrent une grande variété de sujets : la plupart représentent les victoires des pharaons, les cérémonies du culte, des scènes de la vie journalière ou du voyage de l'âme au pays des morts. Les fonds de paysage sont très fréquents : mais comme les Egyptiens ignoraient la perspective, leurs vues de campagnes ou de jardins s'étalent sur les parois verticales à la façon de cartes, sans raccourcis et sans différences de plans. La peinture égyptienne procède par tons francs qu'elle juxtapose : l'ensemble forme une décoration éclatante. Toutes les figures qu'elle repré-

sente sont saisies de face : le sommet de la tête, la naissance du cou et le milieu du corps, sont sur un même plan vertical. Lorsque plusieurs figures sont groupées sur un même piédestal, les axes verticaux de leurs corps sont exactement parallèles. En second lieu, toutes les figures, immobiles ou en marche, reposent de tout leur poids sur la plante des pieds. L'artiste égyptien n'a jamais représenté un personnage portant sur une seule jambe et ne touchant le sol que du bout de l'autre pied.

ASIE ANTIQUE

Dans les plaines des bassins du Tigre et de l'Euphrate, se sont développées deux grandes monarchies : au sud, la Chaldée avec Babylone pour centre ; au nord, l'Assyrie avec Ninive. Rivales l'une de l'autre, elles ont eu chacune leur période de prépondérance : la Chaldée d'abord, qui plus tard, vers la fin du XIVe siècle, tomba sous la suprématie de l'Assyrie.

Sans cesse mêlés, malgré leurs luttes, Chaldéens et Assyriens, ont confondu leurs civilisations, ou plutôt, l'Assyrie dut les éléments de la sienne à la Chaldée.

La peinture chaldéo-assyrienne et les arts industriels

Les Assyriens n'avaient pas de pierre de taille ; ils construisaient en briques leurs vastes palais qu'ils décoraient de sculptures et de peintures. La peinture se manifeste chez eux surtout sous la forme de briques émaillées, aux tons éclatants, qui forment sur les parois extérieures et intérieures des décorations d'un effet très original : des personnages, des animaux y sont représentés. Ces qualités de coloris, il les appliquent encore à la fabrication et à la broderie d'étoffes et de tapis qui étaient partout recherchés ; les traditions s'en maintiennent à Rome : au temps d'Auguste, on vante encore les tissus d'Assyrie. Sur les bas-reliefs, les rois sont représentés quelquefois avec des manteaux décorés de véritables compositions. Des meubles, des coupes, des armes richement ornés prouvent que les Assyriens n'étaient pas moins habiles à travailler le bronze et les divers métaux. Le commerce répandait au loin les produits de leur industrie ; ils abondaient sur les marchés de la Syrie, de l'Asie Mineure, dans ces pays où leurs rois faisaient sentir la force de leurs armes. Sur les rochers de ces régions, de grands bas-reliefs attestent encore çà et là le passage des guerriers d'Assour, tandis que dans les nécropoles se retrouvent les objets sortis de leurs ateliers. Du sud-est au nord-ouest, on peut suivre ainsi la marche de la civilisation assyrienne vers les contrées grecques.

Revêtement extérieur du sarcophage de Khonsou, provenant d'une tombe de Deir el-Médineh.
XIIe siècle avant J.-C.

PHÉNICIE

Originaires des bords du golfe Persique, liés aux Chaldéo-Assyriens par une étroite parenté, les Phéniciens vinrent s'établir en Syrie vers le XXe siècle avant Jésus-Christ. Dans cette région, longtemps fertile, les populations se pressaient nombreuses dès l'antiquité la plus reculée ; les Phéniciens durent se contenir d'une mince bande de terrain entre le Liban et les flots de la Méditerranée. Ainsi placés, ils touchaient à peine au continent et ne pouvaient se développer vers l'Est ; mais à l'Ouest s'étendait devant eux la mer, pleine de promesses. Ils lui demandèrent la fortune et furent longtemps les navigateurs et les marchands par excellence du monde antique.

Tant en Phénicie qu'à Chypre, les Phéniciens ont été, vers l'an 1000, de médiocres imitateurs des Assyriens. Vers l'époque de la Renaissance égyptienne, sous la dynastie saïte, ils ont imité les Egyptiens en même temps qu'ils imitaient les Grecs, sans rien y ajouter de personnel. Les œuvres d'art figurent dans leurs articles de commerce. On peut leur reconnaître toutefois une certaine habileté dans la fabrication de verreries multicolores et de coupes gravées en métal ; mais ces produits industriels, où les motifs sont d'inspiration étrangère, ne suffisent pas à constituer un art.

Ainsi, si l'on fait abstraction de l'art infiniment ancien des chasseurs de rennes, le monde n'a connu, avant la floraison du génie hellénique, que deux grandes écoles d'art, l'une en Egypte, l'autre en Chaldée. La première exprima surtout l'idée de la durée, la seconde, celle de la force ; il était réservé à l'art grec de réaliser l'idée de la beauté.

GRÈCE

C'est en Grèce que naît une civilisation européenne qui doit amener les formes d'art à une perfection encore inconnue jusqu'alors.

L'art y apparaît tout d'abord imprégné d'influences orientales ; les plus beaux objets, les plus riches étoffes sortent des ateliers de Tyr et de Sidon. Dès le XVe siècle avant Jésus-Christ, les Grecs étaient en rapport avec l'Egypte, ainsi que l'attestent les monuments de Thèbes. D'autre part, à quelques heures de distance des côtes de l'Asie Mineure, s'étendaient de vastes régions où s'était implantée la civilisation assyrienne ; quelques-uns des peuples qui y habitaient et qui se mêlaient aux Hellènes de la côte, les Lydiens, les Phrygiens, les Lyciens, ont ainsi servi d'intermédiaires entre la Grèce et l'Orient. Les légendes helléniques, celles de Cadmos, de Dardanos, etc. rappellent fréquemment ces influences étrangères. On ne devra donc pas s'étonner que l'art grec, à ses débuts, en porte également la marque. Toutefois, si les arts étrangers ont fourni aux Grecs des matériaux et des modèles, ceux-ci ne les ont pas acceptés indistinctement ; ils ne sont pas réduits au rôle de copistes, et de bonne heure, à ce qui leur venait du dehors, ils ont joint leurs inventions propres.

L'Art grec du VIIIe siècle au Ve siècle avant Jésus-Christ

Du VIIIe siècle au Ve siècle environ, l'art grec traverse sa période d'adolescence : c'est ce qu'il est convenu d'appeler l'époque archaïque, d'un mot vague et qui s'applique ainsi à des œuvres de date et de valeur fort diverses. Dès lors, les centres artistiques sont aussi nombreux que les grandes cités elles-mêmes, et c'est tour à tour dans le Péloponèse, en Attique, à travers l'Archipel, en Asie, en Sicile ou dans le sud de l'Italie (la Grande-Grèce) qu'il faut étudier les monuments qui ont survécu.

Sur les côtes d'Asie Mineure, dans les douze villes de la confédération ionienne, à Milet, à Ephèse, à Chios, à Samos, etc., la civilisation hellénique se développe avec éclat. A Ephèse, se dresse le sanctuaire de la confédération, le temple d'Artémis (VIe siècle), œuvre de Chersiphron et de Métagène ; à Chios, dès la fin du VIIe siècle, se perpétue toute une famille d'artistes habiles à travailler le marbre, et dont les plus célèbres furent Boupalos et Athénis ; à Samos, au VIIe siècle, Rhoecos et Théodore découvrirent, disait-on, l'art de fondre le bronze autour d'un noyau : grâce à eux se forma une école célèbre dont l'influence se fit sentir au loin. La Crète, île dorienne, est encore un des lieux d'origine de la sculpture grecque : là travailla le fabuleux Dédale ; et des maîtres crétois, sculpteurs en marbre, Dipoenos et Scyllis (VIe siècle), s'en allèrent exercer et enseigner leur art dans le Péloponèse. Ici que de villes, que d'écoles à citer ! Corinthe qui, grâce à sa situation, était un des grands entrepôts de commerce de la Grèce, contribue à fixer les règles de l'architecture. Tout près de là Sicyone est célèbre par ses sculpteurs : des Sicyoniens, Téléphane, Butade, s'il fallait en croire quelques légendes grecques, auraient inventé la plastique et la peinture. Dipoenos et Scyllis y fondèrent une école fameuse dont Canachos fut le meilleur artiste. A Argos, de l'atelier d'Agéladas sortiront Phidias, Myron et Polyclète. Près de la côte de l'Attique, à Egine, l'école de sculpture, dont les origines remontent à Smilis, est une des plus actives à la fin du VIe siècle et au commencement du Ve ; Onatas surtout est connu par son habileté à travailler l'airain, à composer des groupes de combattants. Plus à l'Ouest, Olympie, sanctuaire de Zeus, est un des centres de la vie hellénique, grâce aux jeux qui s'y célèbrent. Ville sacrée, elle deviendra comme un vaste musée où se presseront les monuments de tous les arts.

Dans le Péloponèse, la métropole de la puissance dorienne est Sparte. Fondée par des guerriers, régie par des institutions qui visent à faire de tous les citoyens de vigoureux soldats, Sparte semble ne pas offrir aux arts un terrain

Amphore modelée par Amasis.
Seconde moitié du VIIe siècle avant J.-C.
Musée national de Naples.

Coupe attique de Nikosthènes.
520-510, avant J.-C.
Musée du Louvre, Paris.

favorable : Lycurgue a même été jusqu'à défendre de teindre les vêtements « parce que la couleur lui semblait propre à flatter les sens ».

Dans la Grèce continentale, la grande cité ionienne, Athènes, va devenir le centre des arts. Sa situation même l'y prédestine. L'Attique ouvre sur la mer, vers l'Archipel, et de là vers l'Asie, ses ports du Pirée, de Munychie et de Phalère, tandis que du côté de la terre les montagnes de l'Hymette, du Pentélique et du Parnès l'enserrent et la défendent. Au centre de la plaine se dresse le rocher sacré, l'Acropole, où Athéna et Poseidon se disputèrent le protectorat de la cité naissante. Nulle part l'esprit grec ne s'est manifesté avec plus d'éclat, de finesse et de grâce. Au VIe siècle, grâce aux institutions démocratiques établies par Solon, commence la grandeur d'Athènes. Pisistrate, qui s'empare pour quelque temps du pouvoir, est épris de la gloire de la cité ; il protège les lettres et les arts. Par ses soins sont recueillis et coordonnés les poèmes homériques ; pour lui travaillent les architectes Antistates, Callaeschros, Antimachides, Porinos, qui commencent le grand temple de Jupiter Olympien et qui élèvent le premier Parthénon, dont les débris se reconnaissent encore, encastrés dans le mur d'enceinte de l'Acropole. En même

temps se développe la première école de sculpture attique avec Endoios, Antenor, Critios, Nesiotès, plus tard enfin Calamis, qui fut même le contemporain de Phidias, mais qui resta plus attaché que lui aux vieilles traditions. Délivrée de la tyrannie des Pisistratides, Athènes dirige l'héroïque résistance de la Grèce contre les Perses et acquiert sur le monde hellénique une suprématie que Sparte seule lui disputera. Ceux qui la gouvernent aiment, comme Pisistrate, les lettres et les arts. Cimon qui, de 471 à 449, dirigea presque constamment les affaires d'Athènes, protège Eschyle, dont la tragédie, *Les Perses*, célèbre les victoires nationales ; il fait élever le temple de Thésée, il attire à Athènes le peintre Polygnote de Thasos, qui retrace les vieilles légendes de la Grèce, les épisodes de la guerre de Troie. Celui-ci fut le premier, d'après Pline l'Ancien, à représenter les femmes avec leurs parures, leurs vêtements aux broderies brillantes, leurs coiffures variées. Il rompit l'immobilité et la rigueur des traits du visage, tradition de ses prédécesseurs ; il ouvrit la bouche de ses personnages, sut les faire sourire.

A Athènes, aux grandes fêtes de la déesse nationale, les prix offerts aux vainqueurs étaient des vases dits *panathénaïques*. Le commerce emportait au loin les vases grecs ; beaucoup ont été retrouvés en Etrurie. Pourtant, au VIe siècle, on se contentait en général de détacher les figures en noir sur un fond rouge, et ce procédé même avait encore quelque chose de primitif et d'archaïque.

L'Art grec du temps de Périclès

Au Ve siècle, et surtout à Athènes, l'art grec atteint son apogée. Dans cette ville prospère et puissante, domine Périclès. Pour lui, tout doit concourir à la grandeur d'Athènes : armes et commerce, lettres et arts. Historiens, poètes, philosophes, savants viennent s'y établir.

Dans le domaine des arts, Phidias, né à Athènes vers le commencement du siècle, s'inspire de la pensée de Périclès et il est l'âme de toutes les entreprises. Autour de lui se pressent des artistes d'élite : son parent, le peintre Panoenos, les architectes Ictinos et Mnésiclès, les sculpteurs Alcamène, Agoracrite, Colotès, etc. Périclès leur prodigue les ressources, et le peuple, chez qui le goût des arts est comme un sentiment inné, les admire. Pourtant, dans les dernières années de leur vie, Périclès et Phidias connurent l'impopularité. Pour atteindre l'homme politique, on persécuta l'artiste.

La peinture est mal connue ; on en est toujours réduit à quelques noms, à la mention d'œuvres disparues. A la décoration d'un portique d'Athènes (le *Poecile*), avaient travaillé, avec Polygnote, Micon et Panaenos. A côté d'épisodes légendaires on y voyait la représentation d'événements récents, tels que la bataille de Marathon. On ne saurait douter que là aussi de remarquables progrès ne se soient accomplis, si l'on étudie les vases de cette époque. Aux figures noires sur fond rouge se substituent peu à peu les figures rouges sur fond noir mieux dessinées, et où le détail des traits et des draperies est indiqué avec plus d'exactitude et de finesse. Parmi les peintres céramistes, Epictétos, Sosias, Euphronios, Chachrylion, etc. ont signé des compositions qui, par les conceptions et le style, sont dignes d'être attribuées au Ve siècle. Plus d'une fois, sans doute, ils se sont inspirés des œuvres des grands maîtres de la peinture, qui ne nous sont pas parvenues.

L'Art grec après le Ve siècle

Vers la fin du Ve siècle un Athénien, Apollodore, a contribué à substituer à la grande peinture murale le tableau de chevalet et il est devenu célèbre par son habileté dans le jeu des lumières et des ombres. Les peintres du IVe siècle vont plus avant dans cette voie ; ils créent l'illusion par leur science du dessin et de l'effet, ils séduisent l'œil par le charme de leurs coloris. Zeuxis d'Héraclée, Parrhasius d'Ephèse, Apelle de Colophon, avec des nuances diverses, représentent en peinture les mêmes tendances que Praxitèle en sculpture. On racontait des merveilles sur leur habileté : Zeuxis avait peint une grappe de raisin que les oiseaux étaient venus becqueter ; Parrhasius un rideau sur lequel Zeuxis lui-même s'était trompé et qu'il avait voulu soulever. Si ces anecdotes sont vraies, elles prouvent que ces maîtres excellaient dans l'art du trompe-l'œil.

Apelle étudia à Sicyone où existait alors une école de peinture célèbre. Pamphile, qui en était le maître, exigeait que ses élèves s'engagent à y rester dix ans. Ils devaient étudier la philosophie, l'histoire, les mathématiques, la perspective, etc. ; aussi les peintres qui en sortaient se distinguaient-ils surtout par leur correction et leur science. Apelle y était encore quand Philippe de Macédoine le fit venir auprès de lui ; il s'attacha ensuite à Alexandre et devint le peintre officiel de la cour. « Alexandre enfant, adolescent, homme et même dieu, Alexandre à cheval ou sur un char, couronné par la Victoire ou assisté par les Dioscures, sur son trône ou sur un champ de bataille, les compagnons d'Alexandre, ses chevaux, ses maîtresses, tels

Amphore attique de Exékias.
VIe siècle avant J.-C.
Musée du Vatican, Rome.

furent pendant le règne d'Alexandre ses sujets de prédilection. Quel contraste avec les pages grandioses et vraiment nationales que Polygnote traçait sur le Pœcile et que Phidias sculptait sur le Parthénon ! ». Joignons-y les figures nues, les Grâces, les Aphrodites, les allégories ; dans toutes ces œuvres, fort nombreuses, se montre semble-t-il, un talent souple et gracieux, plein de finesse et d'habileté, mais qui manque de grandeur. Après la mort d'Alexandre, Apelle vécut quelque temps à Alexandrie, à la cour de Ptolémée, puis, chassé par les calomnies d'un rival, mourut dans l'île de Cos. Bientôt les peintres cultiveront le genre, mais la peinture est à la mode : Zeuxis, Parrhasius se promènent vêtus de pourpre, une couronne d'or sur la tête ; Apelle gagne une fortune, dit-on, avec un seul portrait.

Les œuvres de tous ces artistes ont disparu. Cependant, parmi les peintures murales d'Herculanum et de Pompéi, exécutées à la hâte par des artistes obscurs, il en est qui reproduisent certainement des compositions célèbres des maîtres du IVe siècle ; ainsi l'Agamemnon se voilant la face, lors du sacrifice d'Iphigénie, œuvre du peintre Timanthe, a été copié sur un mur de Pompéi. En outre, les vases peints donnent une idée exacte du goût et du style de ce temps. Les plus beaux sont ceux qui paraissent dater de la fin du Ve siècle et de la première moitié du IVe et où les traditions de l'époque antérieure se conservent encore en se mêlant aux tendances des écoles nouvelles ; tels certains lécythes funéraires d'Athènes où sur un fond blanc s'enlèvent en traits rouges des figures d'une exquise beauté. Sur les vases à figures rouges, les représentations mythologiques sont toujours fréquentes ; mais les divinités chères aux sculpteurs et aux peintres du temps, Dionysos et ses Satyres, Aphrodite et ses Amours, occupent la plus large place. On se plaît à reproduire les scènes de la vie quotidienne, et le luxe croissant des costumes, des tissus brodés, donne une idée de la civilisation raffinée qui s'épanouit alors. La technique même est plus riche : on applique sur les vases des couleurs nouvelles, parfois de l'or.

A partir du IVe siècle, l'art grec est en complète décadence. Pourtant, au moment où les Romains font la conquête de l'Orient, il se montre encore vivace et exerce sur eux une profonde influence. Bien des artistes grecs prennent le chemin de l'Italie où ils sont accueillis et admirés. Les maîtres forment bientôt des élèves. Ainsi l'art grec prend-il une nouvelle forme et se transforme-t-il en un art gréco-romain.

ITALIE

Après que l'empire romain eut conquis la Grèce, il adopta la civilisation du pays vaincu et la répandit à travers l'Europe. Mais Rome n'a pas attendu ce moment pour avoir une civilisation originale. La plus ancienne remonte aux Etrusques, formant vers le Xe siècle avant Jésus-Christ une confédération puissante dans le centre de l'Italie. Pendant longtemps le peuple romain a donc emprunté ses arts, comme une partie de ses institutions, à l'Etrurie.

La peinture étrusque

C'est à l'intérieur des tombeaux et des tours les surplombant qu'il est possible d'étudier la peinture étrusque. Il est intéressant de constater que l'influence grecque, cependant assombrie et assauvagie par le caractère étrusque qui se plaît aux scènes violentes, aux combats et aux massacres, prédomine. Les morts par exemple sont représentés se livrant dans l'autre monde aux joies de la table. C'est à Cervetri, à Chiusi, à Vuici, à Orvieto, mais surtout à Corneto qu'ont été découvertes ces peintures. Dans ces mêmes tombes abondaient des vases peints dont la provenance grecque n'est pas douteuse, et à côté s'en trouvaient d'autres, fabriqués dans le pays, où se voit l'effort de l'artisan étrusque qui imite lourdement les œuvres étrangères. Ce même caractère d'imitation se traduit dans la décoration des miroirs, des cistes ou boîtes à toilette, dans les bas-reliefs qui ornent les sarcophages en terre cuite : parfois cependant les figures en ronde bosse placées sur le couvercle des sarcophages, par le type et par le costume, rappellent plutôt l'Asie. Les Etrusques étaient assez renommés comme sculpteurs de bronze, leurs villes étaient peuplées de statues : un général romain qui s'était emparé de Vulsinies fit transporter de cette ville à Rome deux mille statues.

En fait, l'art étrusque est de valeur médiocre ; mais ce qui en accroît l'intérêt, c'est que, après avoir subi l'action de l'Orient et de la Grèce, à son tour il a exercé sur Rome une influence profonde.

La peinture romaine

La peinture romaine est mieux connue que la peinture grecque, grâce aux découvertes faites à Rome aux thermes de Titus, au tombeau des Nasons, etc. et dans le Sud de l'Italie, à Pompéi, à Herculanum. A travers l'exemple de ces deux dernières villes, on peut voir qu'il n'y avait guère de maison romaine appartenant à un bourgeois aisé dont les murs ne soient couverts de peintures. Ainsi s'agit-il souvent d'œuvres exécutées à la hâte et par des artisans plutôt que par des artistes ; les peintures murales remplaçaient alors le papier peint. Beaucoup représentent des édifices de fantaisie, soutenus par de frêles colonnettes, et qu'anime la présence de quelques personnages. Ailleurs, ce sont des scènes mythologiques où le peintre se contente souvent de reproduire quelque composition grecque célèbre ; parfois des scènes familières, ou des Amours qui jouent entre eux à cache-cache, qui travaillent à divers métiers, cordonniers, menuisiers, marchands, etc. L'artiste ne songe pas à emprunter des sujets à l'histoire de Rome ou de l'Italie ; il puise à pleines mains dans le répertoire grec, sans autre souci que d'égayer les yeux par de riantes images. Les peintures sont souvent exécutées d'après les procédés de l'encaustique qui consistaient à délayer les couleurs dans de la cire fondue et à les faire mieux pénétrer dans l'enduit du mur par l'action du feu.

A côté de ces peintres anonymes, on en pourrait citer d'autres dont on ne connaît que les noms ; mais la plupart de ceux dont parlent les écrivains latins sont des Grecs. Les Romains forment l'exception ; cependant, dès l'époque républicaine, un patricien, un Fabius, l'historien de la seconde guerre punique, n'avait pas dédaigné d'exercer la peinture, ce qui lui avait valu le surnom de *Pictor* (peintre). Parfois ces artistes reproduisaient des épisodes des guerres de leur temps, et on vit même des généraux vainqueurs se tenir sur le Forum à côté de tableaux de ce genre pour expliquer leurs exploits à la foule.

Dans la décoration de leurs monuments et de leurs maisons, les Romains ont fait aussi un fréquent emploi de la mosaïque, déjà connue des Grecs, et, aux cubes de marbre et de pierre de diverses nuances, ils mêlèrent des pâtes de verre colorées. Ils s'en servirent surtout pour les pavements, mais parfois ils l'appliquèrent aux murs. Parmi les mosaïques anciennes très nombreuses qui nous sont parvenues, beaucoup sont fort simples et ne présentent que des ornements ; mais il en est où se déroulent de grandes compositions. Un des exemples les plus remarquables qu'on en puisse citer est la mosaïque conservée au musée de Naples, sur laquelle est retracée la bataille d'Arbèles.

Persistance des traditions de l'Art antique

L'histoire de l'art antique ne se termine pas avec la chute de l'empire d'Occident. De même que les traditions et les institutions romaines se maintiennent, en se combinant avec des éléments nouveaux, à travers tout le Moyen Âge, de même les influences artistiques se perpétuent et apparaissent souvent avec une remarquable évidence. En Orient, l'art byzantin s'inspire plus d'une fois de l'art hellénique ; en Occident, les monuments romains, par leur grandeur et leur force, étonnent les imaginations. Longtemps on les imite avec plus ou moins d'habileté : l'église chrétienne dérive en partie de la basilique ancienne ; l'art roman, son nom même l'indique, est fils de l'art romain. Même dans l'art gothique, qui paraît rompre avec ces traditions, on pourrait signaler plus d'une fois des réminiscences antiques. Puis, au XVᵉ et au XVIᵉ siècles, les artistes se reportent vers l'Antiquité, avec un enthousiasme parfois excessif ; l'étude et l'imitation du passé deviennent pour beaucoup une référence. Longtemps l'art romain a bénéficié presque seul de ce culte, avant que l'art grec ne soit réhabilité.

Fresque de la tombe de la Chasse et de la Pêche.
520-510 avant J.-C.
Tarquinia.

Le
MOYEN ÂGE

L'Art chrétien

Le terme *art chrétien* convient à proprement parler, à toutes les manifestations de l'art depuis les premières peintures des catacombes de Rome jusqu'à nos jours, dans les pays où le christianisme a prévalu. Toutefois l'usage s'est établi de réserver la désignation d'*ancien art chrétien* à celui de l'Occident chrétien jusqu'à Charlemagne, après lequel commence *l'époque romane* ; on appelle *art byzantin*, celui de l'Orient chrétien, depuis que Byzance devint capitale en 330 après Jésus-Christ, jusqu'à la prise de Constantinople, et même au-delà. Il existe trois centres artistiques principaux : Rome, Ravenne et Constantinople.

L'ART CHRÉTIEN EN OCCIDENT

Au fond des nécropoles, la peinture chrétienne a pris naissance dès la fin du Ier siècle. Les formes en sont souvent symboliques ou allégoriques ; le poisson est l'image du Christ, la colombe est l'image de l'âme du fidèle, bien qu'il faille se garder de chercher dans les moindres détails la trace d'un mysticisme compliqué. Dans l'Ancien et le Nouveau Testament l'artiste choisit aussi les sujets qui lui paraissent le mieux se rapporter aux dogmes les plus importants et les plus populaires du christianisme : Noé, dans l'arche, rappellera la Rédemption ; Jonas, qui passa trois jours dans le ventre d'un monstre marin, la Résurrection. Aussi, sur les parois des catacombes, rencontre-t-on les mêmes compositions sans cesse répétées : Adam et Eve, Noé dans l'arche, le sacrifice d'Isaac, Moïse frappant le rocher dans le désert, l'histoire de Jonas, Daniel dans la fosse aux lions, les miracles du Christ, le bon Pasteur. Chaque peinture est un enseignement moral qui, par les yeux, s'adresse à l'âme ; du reste, nulle préoccupation historique dans le choix et dans la disposition des sujets. Si l'on rappelle sans cesse l'intervention salutaire du Christ, on ne retrace jamais encore sa Passion, non plus que les souffrances des martyrs.

Par le style, ces peintures ne diffèrent pas de celles qu'exécutaient alors les artistes païens ; les procédés sont les mêmes, et souvent les peintres chrétiens avaient fait leur

Mosaïque du Christ triomphant.
Détail de l'abside dans la Basilique des saints
Cosme et Damien à Rome.
VIe siècle après J.-C.

éducation dans les ateliers profanes. De là ces figures allégoriques, ces bucranes, ces masques, tous ces ornements qu'on retrouve de part et d'autre, et auxquels on n'attachait pas de signification religieuse. Même certains sujets sont tout à fait profanes, mais deviennent chrétiens par le sens qu'on leur donne : Orphée, charmant les animaux aux sons de sa lyre, est l'image du Christ et de son action bienfaisante. Dès l'origine, la peinture chrétienne a ses conceptions propres qu'elle tend à revêtir de formes de plus en plus personnelles.

Transformation de l'Art chrétien au IVe siècle. La Basilique

Au commencement du IVe siècle, la situation nouvelle que Constantin assura au christianisme modifia les destinées de l'art comme celles de la société. Désormais le culte s'exerça partout en plein jour, dans de vastes édifices. Les églises ou basiliques, par leurs dispositions, rappelaient à la fois les basiliques profanes, les maisons des Romains et l'architecture des catacombes. Pour décorer ces grands édifices, les peintures des catacombes ne pouvaient suffire. Les sentiments qu'elles exprimaient ne répondaient plus d'ailleurs à la situation de la nouvelle société chrétienne ; rattaché plus étroitement à la terre, transformé en puissance politique, le christianisme, dans ses arts, devait faire une part plus large à l'élément historique et en même temps s'attacher à exprimer les idées de grandeur et de domination. Ces tendances se manifestent partout. On veut connaître les traits du Christ, de la Vierge, des Apôtres et, si les documents authentiques manquent, on en invente, on crée des types qui, en se propageant, acquièrent en quelque sorte un caractère officiel. On se plaira bientôt à représenter le Christ, non plus sous les humbles traits du bon Pasteur, mais comme un monarque oriental, assis sur le trône, escorté d'une cour d'anges. D'autre part, aux sujets traités et groupés d'après des conceptions symboliques, on substitue des séries historiques de l'Ancien et du Nouveau Testament, et plus tard, en reproduisant des scènes de martyre, on glorifie le passé de l'Eglise.

Ainsi, au IVe siècle, tandis que les peintres des catacombes et les sculpteurs de sarcophages restaient encore fidèles aux traditions, les artistes chargés de la décoration des basiliques créaient peu à peu un nouveau style. Les peintures qu'ils exécutèrent ne nous sont pas parvenues ; mais, en même temps que la fresque, ils employaient aussi la mosaïque ; ils en couvraient les parois des murs, le fond des absides, et lui donnaient ainsi une grande importance.

Plusieurs églises de Rome ont conservé des mosaïques des IVe, Ve et VIe siècles ; telles sont celles du mausolée de Constance, des églises de Sainte-Pudentienne, de Sainte-Marie-Majeure, des saints Cosme et Damien, etc., où se manifestent ces caractères.

Cependant l'art s'affaiblissait en Occident, sous l'influence des événements qui amenèrent la ruine de l'empire et l'établissement des royaumes barbares. Les monuments étaient plus grossièrement construits, les figures des fresques et des sculptures plus lourdes et plus gauches. A partir du VIe siècle, en Gaule comme en Italie, il faudra attendre de longs siècles avant d'assister à une véritable renaissance des arts.

L'ART BYZANTIN

Tandis que l'empire d'Occident disparaissait, l'empire d'Orient se maintenait et son existence devait se prolonger jusqu'au XVe siècle, à travers des alternatives de grandeur et de décadence. Là s'épanouit encore une civilisation brillante dont l'influence s'exerça au loin. Constantinople en était le centre ; au fond de l'Orient comme de l'Occident circulaient de merveilleux récits sur sa splendeur ; les étrangers, marchands, artisans, aventuriers y affluaient du monde entier, et, par sa situation même, elle semblait destinée à servir de trait d'union entre l'Asie et l'Europe. Tel est aussi le caractère de l'art byzantin ; aux anciens éléments helléniques il mêle les éléments orientaux, mais il sait en outre se montrer créateur et revêtir une physionomie originale ; jusqu'au XIIe siècle, il sera l'art chrétien par excellence. Au VIe siècle déjà, sous le règne de Justinien, il est constitué avec quelques-uns des caractères qu'il conservera toujours. Au VIIIe siècle, de graves dangers le menacent : c'était surtout au service de la religion qu'il s'était développé ; or plusieurs empereurs, qui s'occupaient de réformer tout à la fois l'Eglise et l'Etat, proscrivirent les images sacrées comme entachées d'idolâtrie. La querelle des iconoclastes, qui commença vers 726, ne se termina définitivement qu'en 842, par le triomphe du culte des images. Il se trouva que l'art avait plutôt gagné à ces épreuves. Les peintres religieux, loin de céder devant les menaces et les poursuites, avaient travaillé avec obstination ; mais à côté d'eux s'était formée une école plus indépendante et qui paraît s'inspirer avec une ferveur nouvelle des modèles antiques. Aussi, depuis le milieu du IXe siècle jusqu'au XIe, tandis que les princes de la maison macédonienne assurent la prospérité de l'empire, l'art fleurit dans tout son éclat. Au XIe siècle, il commence à faiblir ; il devient plus raide, plus monastique, et tend souvent à s'immobiliser dans la tradition. Les malheurs qui, pour l'empire grec, signalèrent le XIe et le XIIe siècle, la fondation éphémère de l'empire latin au XIIIe siècle, eurent leur contrecoup sur l'art ; si, dans la suite, quelques efforts furent tentés pour lui donner une vie nouvelle, le succès en fut restreint. Cependant il a survécu à l'empire même, et il a trouvé un asile dans les monastères, surtout au mont Athos, où, de nos jours, il agonise lentement.

Si les plus anciennes peintures des églises byzantines ont disparu, en revanche, pour le VIe et le VIIe siècle, il reste un certain nombre de mosaïques. Sainte-Sophie en était entièrement décorée : sur un fond d'or ou de bleu foncé se détachaient des compositions sacrées et de grandes figures d'anges et de saints ; la plupart ont été ruinées ou couvertes de badigeon par les Turcs, qui ont transformé l'église en mosquée.

Ravenne, alors la capitale de l'Italie byzantine, possède plusieurs églises de cette époque qui conservent en partie leur ancienne décoration. Une des plus intéressantes est celle de Saint-Vital, contemporaine de Sainte-Sophie : parmi les mosaïques du chœur, il en est deux qui représentent Justinien et Théodora, entourés de personnages de leur cour et offrant des présents à l'église. En général, les sujets ont un caractère plus exclusivement religieux, la plupart sont empruntés aux livres saints. Dans ces vastes compositions les artistes byzantins cherchent surtout la symétrie et ils ont un sentiment fort juste de la décoration. On peut consulter encore les miniatures dont ils ornaient les manuscrits : celui de la Genèse conservé à Vienne, ceux de Josué, de Cosmas Indicopleustès au Vatican en offrent de beaux exemples. Un manuscrit syriaque, exécuté en 586 et qui se trouve à la bibliothèque Laurentienne de Florence, contient la plus ancienne représentation connue de la Crucifixion.

Dans la période qui suit les iconoclastes, les miniatures acquièrent une importance d'autant plus grande qu'elles sont souvent les seuls monuments qui restent de la peinture. Quelques-unes attestent une influence fort vive dans l'art antique. Ce n'est pas un fait qui doive surprendre : depuis le IVe siècle, Constantinople s'était peuplée de statues enlevées aux temples païens, et d'ailleurs l'action des traditions antiques avait dû se maintenir dans les ateliers, bien que modifiée et altérée. Sans doute, dès le Ve et le VIe siècle, si on étudie l'ornementation byzantine, apparaissent des motifs dont l'origine orientale est évidente ; mais, comme les anciens Grecs, les artistes byzantins recherchent la grandeur et l'harmonie dans l'ordonnance des compositions, la noblesse des attitudes, l'élégance des draperies ; ajoutons aussitôt qu'à tous égards ils restent toujours bien loin de leurs modèles. Dans la seconde moitié du IXe siècle et au Xe, il semble qu'il ait existé une école qui voulût se rattacher plus étroitement encore à l'art antique. Nulle part cette tendance n'est plus évidente que dans un psautier grec du Xe siècle, conservé à la Bibliothèque nationale de Paris : David, le roi biblique, s'y montre sans cesse escorté de figures allégoriques qui paraissent empruntées à l'Olympe hellénique. Cependant cette invasion de la mythologie dans l'art chrétien, si elle ne fut pas entièrement repoussée, fut du moins contenue : la plupart des manuscrits ont une physionomie plus religieuse et on y peut étudier surtout la constitution définitive de l'iconographie byzantine. Tel est, entre tous, le magnifique ménologe de

La Vierge Marie.
Mosaïque de la Basilique Sainte-Sophie, Istanbul.
VIe siècle après J.-C.

Le Pharisée et le Publicain.
Mosaïque de la Basilique de Saint-Appollinaire Nouveau, Ravenne.
VIe siècle après J.-C.

l'empereur Basile II (976-1025), à la Bibliothèque vaticane, qui contient quatre cents miniatures, signées par huit artistes. Dans plusieurs manuscrits du XIe siècle, le style est déjà moins libre, le dessin moins correct ; ainsi commence une décadence qui s'accentue par la suite.

Les peintres du mont Athos

Au XIIIe et au XIVe siècles, les Paléologues, qui cherchèrent à relever l'empire, encouragèrent les arts. La peinture, presque exclusivement monastique, fut surtout cultivée au fond des couvents de l'Athos ; là travailla, peut-être vers cette époque, Manuel Pansélinos, considéré dans la suite comme le maître par excellence. Un de ses admirateurs, le moine Denys, écrivit un *Guide de la Peinture* dans lequel il enseigne non seulement les procédés techniques, mais encore les compositions qu'il faut adopter pour les sujets sacrés. Ce manuel commode, qui dispense de chercher et d'inventer, eut une grande vogue dans les ateliers monastiques, et pour beaucoup d'artistes la peinture ne fut plus qu'un métier mécanique. Les couvents de l'Athos sont décorés de fresques de cette dernière période : quelques-unes remontent peut-être au XIVe siècle ; d'autres, au contraire, sont d'hier ; toutes, du reste, se ressemblent. Dans ces œuvres de décadence, si l'exécution est souvent médiocre, l'entente de la décoration est encore grande. C'est par là qu'il faut juger l'art byzantin de cette époque, et non par ces petits tableaux, de date incertaine, de valeur souvent faible, qu'on rencontre dans les musées d'Occident.

L'influence byzantine en Occident

L'art byzantin a exercé de toutes parts une puissante influence. Entre l'Occident et l'Empire grec, les relations politiques et commerciales étaient fréquentes : de là vinrent les relations artistiques. En Italie, si même on laisse de côté Ravenne dont il a déjà été parlé, la domination des empereurs de Constantinople s'est longtemps maintenue dans le Sud, et la civilisation byzantine y était si florissante que les princes normands, quand ils firent la conquête de ces pays au XIe siècle, n'essayèrent pas d'abord de la détruire. En Sicile, des Byzantins, au XIIe siècle, décorent de mosaïques la chapelle Palatine de Palerme, le dôme de Cefalu, Sainte-Marie de l'Amiral, etc., et les artistes du pays qui travaillent avec eux sont leurs disciples et leurs imitateurs. Près de Naples, au mont Cassin, l'abbé Didier, vers le milieu du XIe siècle, avait fait venir de Constantinople des mosaïstes et des sculpteurs. A Rome, bien des mosaïques du XIIe et du XIIIe siècles se rattachent à l'influence des maîtres grecs. Enfin Venise est vraiment une ville byzantine ; sans cesse en rapport avec l'Orient d'où elle tire sa richesse et sa puissance, elle emprunte à Constantinople ses industries et ses arts. Saint-Marc, commencée au Xe siècle, est une église grecque par la construction et par la décoration.
En France, l'influence byzantine ne s'est jamais exercée d'une façon aussi sensible et aussi durable que dans certaines régions de l'Italie.

L'ART ROMAN

A la fin du VIIIe siècle et au commencement du IXe, quand Charlemagne essaya de reconstituer tout un immense empire, il voulut aussi relever les arts de l'abaissement où ils étaient tombés. Il chercha des artistes à l'étranger ; il en fit même venir, d'après un de ses biographes, des pays au-delà de la mer. Cependant on a quelquefois exagéré les emprunts qu'il aurait faits à Byzance. De grandes constructions furent entreprises à Aix-la-Chapelle, résidence ordinaire de l'empereur, que les contemporains appelaient la « nouvelle Rome ». Le dôme d'Aix-le-Chapelle subsiste encore, bien que modifié et restauré : ce n'est pas une basilique latine, mais un édifice circulaire qui rappelle ceux de l'Italie et de l'Orient. En même temps s'élevaient des palais ; dans celui d'Ingelheim, la décoration attestait la puissance des souvenirs antiques : on y avait représenté Ninus, les grandes actions de Cyrus, les cruautés de Phalaris, les conquêtes d'Alexandre, Annibal, des épisodes de la vie de Constantin, de Théodose. Nous ne pouvons juger aujourd'hui de la peinture carolingienne au VIIIe et au IXe siècles que par les manuscrits à miniatures : quelques-uns, il est vrai, ont une grande importance, comme l'évangéliaire de Charlemagne, exécuté par le peintre Gondescalc, la Bible offerte à Charles le Chauve par les moines de Saint-Martin de Tours, le sacramentaire de Drogon, la Bible de Saint-Paul-Hors-Les-Murs à Rome,

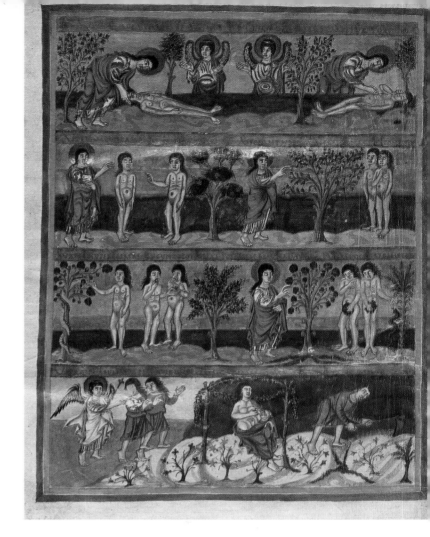

Scènes de la Création.
Bible de Moutier-Grandval.
IXe siècle.
British Library, Londres.

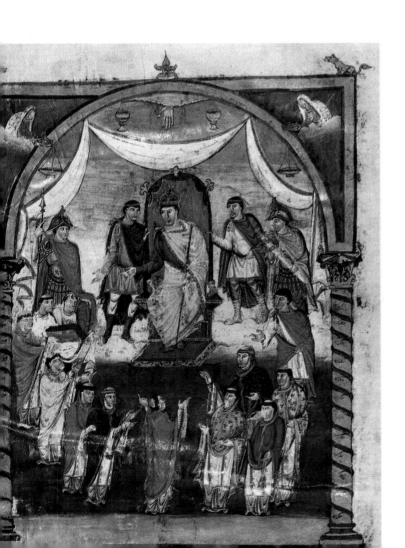

Miniature de dédicace.
Bible de Vivien.
IXe siècle.
Bibliothèque nationale, Paris.

décorée en France par le moine Ingobert, etc. Dans les provinces, les évêques étaient invités à imiter l'empereur, à réparer les anciennes églises, à en construire de nouvelles. Cependant les efforts tentés par Charlemagne pour provoquer une renaissance n'aboutissaient guère. A peine est-il mort qu'on voit son œuvre s'effondrer ; les luttes de ses successeurs, l'établissement du régime féodal, les invasions normandes sèment partout la désolation.

Le Xe siècle est l'un des plus sombres du Moyen Âge, peut-être en raison de la croyance du monde occidental convaincu de sa fin prochaine avec l'avènement de l'an mille.

En tout cas, au XIe siècle, une vie nouvelle semble circuler. De tous côtés ont lieu de grandes assemblées où les évêques et les abbés prêchent la paix, puis la trêve de Dieu. L'état de la société s'améliore, l'âme s'ouvre aux grandes espérances, un autre Moyen Âge commence : avant la fin du siècle, les trouvères chantent la chanson de Roland, les croisés prennent la route de Jérusalem, le mouvement communal éclate ça et là, et, au milieu de ce réveil général, les arts se relèvent. « Aux environs de l'an 1003, dit le chroniqueur Raoul Glaber, dans tout l'univers, mais surtout en Italie et en France, on se met à reconstruire les églises. »

Adoration des Mages : tête du roi Gaspard.
Lancette de gauche, vitrail.
1325-1330.
Ancienne abbaye franciscaine, Königsfelden.

Les écoles monastiques ; l'ordre de Cluny

Les arts renaissent d'abord sous l'influence monastique. Entre tous, un ordre religieux les cultive et les propage, celui de Cluny, fondé au Xe siècle, et qui, au XIe siècle, multiplie ses monastères dans toute l'Europe. Les abbés de Cluny sont de véritables souverains, conseillers des papes et des rois, et leur abbaye est la plus vaste de la chrétienté. L'église de Cluny, reconstruite de la fin du XIe siècle au commencement du XIIIe siècle, avait 171 mètres de long : la moderne Saint-Pierre de Rome n'a que 12 mètres de plus. Les Cisterciens, qui réagiront contre le luxe des églises clunisiennes, seront cependant, eux aussi, d'excellents architectes. Les artistes qui citent les contemporains étaient en grande partie clercs ou moines : ainsi Gauzon et Hézelon qui, au XIe siècle, fournirent les plans de la nouvelle abbaye de Cluny ; Jean, architecte de la nef de la cathédrale du Mans ; Raymond Gayrard, à qui on attribue le chœur de Saint-Sernin de Toulouse, etc.

Il s'en trouvait aussi qui composaient des manuels techniques à l'usage des artistes : tel fut le moine Théophile, qui vécut probablement au XIe siècle et en Allemagne ; sa *Schedula diversarum artium* traite des procédés de la peinture, des vitraux, du travail des métaux et de l'orfèvrerie. Certains monastères étaient de véritables écoles de beaux-arts. Ainsi, en 1094, Bernard, ex-abbé de Quincy, avait fondé près de Chartres un monastère du Saint-Sauveur où étaient réunis des sculpteurs, des orfèvres, des peintres.

La peinture : fresques, miniatures, peinture sur verre

De tous les arts, la peinture est, à l'époque romane, la plus pauvrement représentée en France. Peu d'églises ont conservé l'ensemble de leur décoration peinte : Saint-Savin, près de Poitiers, est, à cet égard, une exception. Dans les manuscrits, si les lettres ornées charment souvent par une ingénieuse fantaisie, les figures sont, en général, incorrectes et mal groupées. En revanche, dans le domaine de la peinture, a pris naissance un système de décoration qui bientôt a créé de véritables chefs-d'œuvre. On connaît depuis longtemps les verres colorés en pâte appliqués à la fermeture des fenêtres, mais on ne sait pas peindre sur verre avec des couleurs que la fusion fixe ensuite définitivement sur le fond en les vitrifiant. Au Xe siècle seulement on voit apparaître avec certitude ce procédé, et on se sert à la fois de verres teints dans la masse (rouge, bleu, jaune, violet), et d'une couleur d'émail brun appliquée. Les pièces de verre découpées sont réunies par des verges de plomb. Dès lors on couvre les vitraux d'ornements, de figures, de compositions, et la peinture sur verre se développe rapidement. Au XIe siècle, le moine Théophile en décrit les procédés dans sa *Schedula diversarum artium* : à Angers, à Saint-Denis, à Bourges, au Mans, etc., subsistent encore quelques vitraux du XIIe siècle. Sur un fond de couleur se détachent des médaillons historiés ; les tons offrent déjà des qualités de chaleur et d'harmonie remarquables.

Cependant les progrès mêmes des arts, le luxe qui s'épanouit alors dans les églises alarment les esprits austères. Saint Bernard, dans une de ses lettres, condamne avec véhémence « la hauteur immense des églises, leur longueur extraordinaire, l'inutile ampleur de leurs nefs, la richesse des matériaux polis, les peintures qui attirent le regard ». Après avoir signalé le luxe des pièces d'orfèvrerie, il ajoute : « O vanité des vanités ! mais encore plus insensée que vaine. L'église brille dans ses murailles, elle est nue dans ses pauvres. Elle couvre d'or ses pierres et laisse ses fils sans vêtements. » Il s'irrite surtout contre ces animaux étranges partout sculptés sur les frises et les chapiteaux, car « telle est la variété de ces formes fantastiques qu'on a plus de plaisir à lire sur le marbre que dans son livre, et qu'on aime mieux passer le temps à les admirer tour à tour qu'à méditer sur la loi de Dieu ». Aussi toute décoration trop riche est exclue des sévères églises cisterciennes. Mais les rigoristes ne forment qu'une minorité, et Suger exprimait mieux l'opinion générale : « Que chacun pense sur ce point ce que bon lui semble. Quant à moi, j'avoue me complaire dans cette opinion que plus les choses sont de prix, plus il y a obligation de les consacrer au service du Seigneur. » Ainsi le mouvement imprimé aux arts se fortifie en se propageant ; le progrès est continu, rapide : à l'art roman vont succéder, dans la plus grande partie de l'Occident, les magnificences de l'art gothique.

Les XIIIᵉ et XIVᵉ SIÈCLES

FRANCE

Les événements politiques qui, dès le XIᵉ siècle, ont tant contribué au relèvement des arts, exercent, au XIIᵉ et au XIIIᵉ siècles, une influence sans cesse accrue. Les croisades font mieux connaître les monuments de l'Orient, les civilisations brillantes qui se sont développées là-bas, et éveillent l'imagination des artistes. A l'intérieur les progrès du pouvoir royal assurent plus d'ordre et de prospérité. Aussi est-ce surtout dans le domaine du roi, dans la France qui se reforme, que l'activité est grande. Suger, qui assure la puissance de Louis VI et de Louis VII, fait reconstruire l'église de Saint-Denis avec une magnificence qu'il a lui-même décrite. Plus tard, les rois Philippe-Auguste, Saint Louis, interviennent dans le développement des arts. Mais, entre toutes les causes favorables qui agissent alors, une des plus importantes est la situation des villes. Partout se développe la vie municipale, grâce aux corporations ouvrières et marchandes qui en ont été le principe et qui en sont la force. Dans ces cités actives et puissantes vont se dresser les grandes cathédrales. Elles ne servaient pas seulement aux cérémonies du culte : en bien des villes, là souvent se réunissaient les bourgeois, les gens de la commune, pour discuter leurs intérêts. En même temps, la condition des artistes évolue. A partir de la fin du XIIᵉ siècle, ce sont en général des laïques. Ils se groupent en corporations (peintres, imagiers, enlumineurs, etc.) qui ont leurs règlements et leur administration. Lorsqu'il s'agit de construire quelque grand édifice, toutes ces corporations artistiques y contribuent ; mais celui qui dirige l'ensemble des travaux est appelé le maître de l'œuvre. Les noms de quelques-uns de ces maîtres d'œuvre nous sont connus. Robert de Luzarches, au début du XIIIᵉ siècle, commence la cathédrale d'Amiens ; Thomas de Cormont et son fils Regnault lui succèdent. On doit à Pierre de Montreuil une des œuvres les plus exquises de ce temps, la Sainte-Chapelle (1245-1248) ; à la même époque, Jean de Chelles travaille aux portails latéraux de Notre-Dame de Paris. Citons encore, entre bien d'autres, Hugues Libergier, qui construit Saint-Nicaise à Reims (à partir de 1229), et Erwin de Steinbach, qui commence la

Le Livre des Merveilles du Monde de Marco Polo, 1307.

cathédrale de Strasbourg en 1277. Ces artistes sont instruits ; on conserve à la Bibliothèque nationale un manuscrit qui donne une juste idée de leurs connaissances, *l'Album de Villard de Honnecourt*. Il semble que ce soit lui qui construisit le chevet de la cathédrale de Cambrai, peut-être vers 1230. Plus tard, il est appelé en Hongrie et quelques vieilles églises de ce pays pourraient être son œuvre ; il visite aussi la Suisse. Les artistes du Moyen Âge voyagent beaucoup, entretiennent entre eux des relations. La variété des dessins de Villard de Honnecourt montre combien il était actif et versé dans la pratique des divers arts. L'architecture y tient une large place ; mais à côté on y trouve des croquis pour des sculptures, des études d'après nature et même d'après l'antique. Il fait connaître aussi une méthode géométrique qu'il avait imaginée pour dessiner et grouper des figures ; enfin il n'est pas jusqu'au problème du mouvement perpétuel auquel il ne prétend donner une solution.

L'Arrestation du Christ.
Maître Evert van Soudenbalch.
Enluminure du Livre d'Heures de Jan von Amerongen.
Bibliothèque royale, Bruxelles.

Miniatures et vitraux

Les cathédrales gothiques françaises n'offrent pas de grande place à la peinture. A l'inverse, les Italiens, n'employant pas le vitrail, ont orné de peintures les parois de leurs églises. Ce n'est pas que l'art gothique français dédaigne les effets de coloris, les ornements peints couvrent les parois, imitant souvent les dessins des étoffes, et la polychromie s'étend aux moulures et aux chapiteaux ; mais les murs, percés de fenêtres et d'arcades, n'offrent guère les surfaces continues que réclament de vastes compositions ; aussi le plus souvent est-ce sur les fenêtres mêmes que le peintre trouve à s'exercer. Grand nombre de cathédrales ont conservé en partie leurs immenses verrières ; les sujets y sont traités avec le même talent que dans les œuvres sculptées, les tons y sont combinés avec une harmonie et un sentiment juste de l'effet qui s'altéreront dès le XIVe siècle. Nulle part ce système de décoration n'a été employé avec plus d'éclat qu'à la Sainte-Chapelle de Paris ; à l'étage supérieur, les murs sont, pour ainsi dire, supprimés et remplacés par les vitraux aux tons diaprés, si bien que, pour employer le langage d'une vieille légende chrétienne, les parois semblent construites avec de la lumière. L'ornementation des manuscrits est toujours en honneur : les miniaturistes et les calligraphes de Paris sont fort célèbres, même à l'étranger. Suivant la même voie que les sculpteurs, ils délaissent les conventions, s'inspirent de la nature ; parmi leurs figures, beaucoup sont évidemment des portraits. Leur dessin est à la fois précis et souple, leur style élégant et fin.

Sur des fonds d'or épais, l'enluminure des manuscrits reste stylisée et thématique, comme le vitrail. Ce n'est qu'à la fin du XIVe siècle, sous l'influence du naturalisme des imagiers flamands que les miniatures du duc de Berry, du duc d'Anjou et du duc de Bourgogne apportent la vie et l'intimité dans l'ornementation des manuscrits.

On y retrouve toutes les caractéristiques fondamentales qu'offrent ses assises à la peinture française : tendance à la figuration plane, amour de la calligraphie, goût prononcé pour la décoration, préférence pour les tons plats auxquels le trait d'un dessin incomparable insuffle la vie, le mouvement et le dynamisme.

Vers le milieu du XIVe siècle, la peinture a acquis tous ses droits dans la cité des arts plastiques, et, sous l'impulsion des Valois, Paris devient un centre artistique de tout premier ordre. Au cours de cette période, deux milieux artistiques se partagent la production de tableaux : d'une part, le centre et l'est de la France, englobant l'ouest et le sud des Pays-Bas, d'autre part, la Provence. Paris dicte ses volontés aux foyers du Centre et de l'Est ; bientôt rayonnent Bourges, Dijon, Valenciennes. Le centre artistique méridional se trouve en Avignon.

Flagellation du Christ, vitrail.
1310-1320.
Eglise des Franciscains, Esslingen.

Si l'école provençale subit avant tout l'influence italienne, l'école du Nord se trouve bientôt sous la tutelle des Flamands qui, prédestinés au mode de représentation réaliste, introduisent en France une peinture avide de vérité. Peu à peu, le réalisme s'affirme, le dessin perd de sa dureté, les couleurs se prêtent mieux au modelé, en même temps que les fonds or laissent la place au paysage.

L'école du Nord débute pour nous avec Jean Pucelle : *Bréviaire de Belleville* (Bibliothèque nationale, Paris) ; puis Melchior Broederlam : *Le Retable de la Chartreuse de Champmol* (Musée de Dijon) ; et Henri Bellechose : *La Dernière Communion et le Martyre de saint Denis* (Musée du Louvre, Paris).

Il faudrait également évoquer l'art de la tapisserie dont le Moyen Âge a fait un des éléments essentiels de la décoration des édifices civils. Dans bien des cas, la tapisserie, plus résistante que la peinture murale était destinée à la remplacer. Citons la tenture d'Angers de la fin du XIVe siècle, la suite de la *Dame à la Licorne* du musée de Cluny.

Epoques de l'Art gothique

Considéré dans son ensemble, l'art gothique est à son apogée au XIIIe siècle ; il unit alors harmonieusement la force et l'élégance, la simplicité et l'habileté technique. Déjà, dès le siècle suivant, ces qualités s'altèrent. Ce n'est pas que les arts aient cessé d'être à l'honneur : princes, seigneurs, bourgeois déploient un faste extraordinaire, encouragent les artistes et recherchent leurs œuvres ; Charles V les appelle à sa cour ; les peintres Jean Coste et Colard de Laon, l'architecte Raymond du Temple, le sculpteur Jean de Saint-Romain font partie de sa maison et comptent parmi ses favoris ; lui-même dirige les travaux du nouveau Louvre, multiplie les résidences royales, réunit les belles pièces d'orfèvrerie et les manuscrits enluminés. Mais les artistes du XIVe et du XVe siècles n'ont plus le goût aussi sûr que ceux du XIIIe, et le désir de faire preuve d'originalité les entraîne à des innovations dangereuses. En architecture (parmi les plus belles églises du XIVe siècle, citons Saint-Ouen de Rouen, Sainte-Cécile d'Albi, etc.), ils veulent étonner le regard par la légèreté et la richesse des constructions.

L'art gothique recourt aux artifices pour se faire admirer. Parallèlement, on construit moins de grandes églises, plus de chapelles ; l'architecture seigneuriale fait une plus large part à la recherche du confortable et l'aspect des châteaux devient moins rude ; les hôtels, les demeures de plaisance se multiplient ; l'art civil tient une place de plus en plus grande.

Voûte de la chapelle des Espagnols.
Andrea da Firenze, 1365.
Eglise Santa Maria Novella, Florence.

L'ART GOTHIQUE HORS DE FRANCE

Né en France, l'art gothique s'est répandu dans toutes les contrées voisines. Les pays du Nord surtout lui ont fait bon accueil et lui sont restés longtemps fidèles. En Allemagne, le nouveau style apparaît, au XIIIe siècle, à Notre-Dame de Trèves (1227-1244), à Sainte-Elisabeth de Marbourg (1235-1283) ; il atteint à tout son éclat à la cathédrale de Cologne, commencée en 1248, où l'imitation de la cathédrale d'Amiens est si visible dans le chœur. De la région du Rhin il se propage dans toutes les autres parties de l'Allemagne et plus au nord, en Scandinavie. En Angleterre, c'est un maître français, Guillaume de Sens, qui, en 1174, l'introduit à la cathédrale de Canterbury. Au XIIIe siècle, s'élèvent l'église de Westminster à Londres, les cathédrales de Salisbury, de Lincoln, etc. Déjà cependant se montrent certaines différences avec l'architecture du continent ; les églises anglaises n'ont régulièrement que trois nefs, et aux absides circulaires se substituent souvent des chœurs carrés. Au XIVe siècle, en Angleterre comme en France, l'art se complique, c'est ce que les Anglais appellent le style décoratif (cathédrales d'Exeter, d'York). Enfin, au XVe siècle et au XVIe siècle, le style Tudor pousse la prodigalité de l'ornementation à un degré que n'atteignait même pas notre style flamboyant : la chapelle d'Henri VII à Westminster (1502-1520) en est le plus curieux exemple.

En Espagne et au Portugal, les monuments où l'on trouve les plus anciennes traces du gothique sont les cathédrales de Burgos (commencée en 1221) et de Tolède (commencée en 1227). Là, le nouveau style se mêle parfois à des éléments arabes.

Enfin en Orient même, en Syrie, à Chypre, à Rhodes, etc., l'art gothique pénètre avec les croisés.

La Renaissance italienne, telle qu'elle s'est développée d'une façon continue jusqu'au XVIe siècle, commence déjà au milieu du XIIIe siècle.

Dans le nord et le centre surtout, se sont formées de véritables républiques, prospères par leur industrie et leur trafic, et où la vie politique est très ardente. Au XIIe et au XIIIe siècles, Pise, Gênes, et surtout Venise sont à la tête du commerce chrétien en Orient ; Milan domine en Lombardie ; Florence, la cité démocratique par excellence, répand partout ses draps et ses soies. Cet accroissement de la richesse chez des populations intelligentes amène le progrès des arts : chaque ville désire les plus beaux édifices ; les bourgeois opulents se piquent d'une même émulation : ainsi se forment dans bien des cités des écoles artistiques originales. Plus tard, les hommes d'Etat qui sont parvenus à établir leur pouvoir aux dépens des anciennes institutions, comme les Médicis à Florence, les Visconti et les Sforza à Milan, etc., conservent ces traditions : au milieu des révolutions politiques, l'art se développe donc sans interruption.

La littérature et les croyances exercent aussi sur sa naissance une puissante influence. Par bien des côtés l'art

italien procède de Dante et de saint François d'Assise, dont le prestige a été si grand et si populaire en Italie à cette époque. Dante, qui, dans la *Divine Comédie*, abandonne le latin, la langue du passé, pour l'idiome vulgaire, montre aux artistes comment il faut s'affranchir des traditions ; en même temps que ses conceptions mystiques, ses descriptions pleines de vie s'emparent de leurs imaginations et les inspirent. Saint François prêche aux hirondelles, convertit le loup ; dans un cantique d'une poésie ardente, il invoque la création entière et appelle les étoiles, les vents, les oiseaux, ses frères et ses sœurs ; par là il consacre l'amour de la nature. Alors un souffle nouveau pénètre l'art : Giotto, le grand novateur en peinture, est l'ami de Dante ; en même temps une partie de son œuvre célèbre saint François. Chez presque tous les artistes de ce temps se retrouve le double souvenir du saint et du poète. Qu'on y ajoute l'étude de l'antique, qui se développera de génération en génération, et on aura les principaux éléments de la Renaissance italienne : l'expression de la vie, l'observation de la nature, l'influence du passé.

Au XIIIe siècle et au commencement du XIVe siècle, trois hommes personnifient l'art sous ses trois formes principales : Nicolas de Pise, Giotto, Arnolfo del Cambio. Nicolas de Pise est né entre 1205 et 1207 en Toscane. Les grandes œuvres, qui marquent une évolution nouvelle dans la sculpture, datent de sa vieillesse : ainsi la chaire du baptistère de Pise (1260), le sarcophage de saint Dominique à Bologne (1266), la chaire de la cathédrale de Sienne (1266-1268), à laquelle son fils Jean a collaboré. Dans ces bas-reliefs, si les sujets religieux sont ceux que traitait le Moyen Âge, le style se rapproche de l'antique. On a pu prouver que les sarcophages romains conservés au Campo Santo de Pise ont frappé l'artiste, qu'il leur a emprunté même certaines figures, alors qu'il travaillait à la chaire du baptistère. Ainsi s'est transformé son style ; mais ses personnages sont encore lourds, ses compositions souvent gauches. Son fils Jean (1240-1320) s'asservit moins à l'antique et s'inspire plus de la nature ; ses œuvres, comme la chaire de la cathédrale de Pise (1302-1311), la statue de Pise au Campo Santo, sont pleines de vie. Il faut attribuer à son école les beaux bas-reliefs de la cathédrale d'Orvieto où se manifestent les mêmes qualités.

Avec Giotto (1266-1337), la peinture prend définitivement une physionomie toute nouvelle. Son talent consiste surtout à avoir rompu avec l'influence byzantine. Il s'inspire des gothiques, notamment de Jean de Pise, et surtout de la nature. Son art est une alliance entre la tradition byzantine, grande et majestueuse, et la manière gothique, gracieuse et humaniste. Il conserve du passé l'inspiration religieuse, mais il l'exprime sous des formes nouvelles. Ses figures ont le charme de la vie et de la grâce ; elles appartiennent au monde contemporain de l'artiste. Giotto fut

*La Légende de la Croix : entrée d'Héraclius à Jérusalem. Détail.
Fresque, 1390.
Eglise Santa Croce, Florence.*

Atelier de Duccio.
Apparition du Christ aux Apôtres. 1311.
Museo dell'Opera Metropolitana, Sienne.

l'élève du Florentin Cimabue (1240 ?-après 1302). On racontait à Florence, au milieu du XVIe siècle, que des peintres byzantins, appelés dans cette ville, avaient éveillé, vers 1260, le talent de Cimabue, considéré comme le premier peintre italien. On ajoutait que Cimabue, à son tour, découvrit le génie du berger Giotto, en le voyant tracer, avec une pierre pointue, la silhouette d'une brebis. L'influence de Giotto a été majeure. La plupart des peintres illustres du XIVe siècle, dans l'Italie centrale, relèvent de lui : Taddeo Gaddi, Giottino, Spinello Aretino, Orcagna, etc. Les sculpteurs mêmes suivent son exemple : ainsi Andrea Pisano était l'ami et l'élève de Giotto ; les bas-reliefs dont il orna une des portes du Baptistère de Florence (1330-1336) le prouvent. Le reproche qu'on pourrait adresser à tous ces disciples serait plutôt de s'être montrés trop fidèles au maître : jusque vers le milieu du

XVe siècle l'école florentine présente une physionomie très uniforme.

A Sienne, longtemps rivale de Florence, s'est développée une école de peinture que représente, au commencement du XIVe siècle, Duccio, encore attaché aux traditions des maîtres byzantins. Il a joint à ses compositions grandioses un sentiment large, sinon délicat de la ligne. Le premier, il a transformé en véritables tableaux, c'est-à-dire en groupements artistiques de figures, les chroniques peintes du Moyen Âge, que les âmes pieuses avaient déchiffrées pendant des siècles comme une sorte de Bible des illettrés. Pétrarque le place au même rang que Giotto. Il meurt à Avignon tandis qu'il travaille à la décoration du palais pontifical. A Sienne, Duccio di Buoninsegna est l'ancêtre d'une nombreuse lignée de peintres : Simone Martini dit Memmi, Ambrogio Lorenzetti, admirateur passionné de l'Antiquité et Taddeo Gaddi. Sans atteindre à la puissance des Florentins, ils ont montré peut-être plus de passion, de poésie et de suavité. Cependant, dès le XVe siècle, la sève de l'école siennoise est épuisée. C'est Florence qui lui envoie des peintres après avoir profité de ses leçons.

Cimabue
Cenni di Peppi, *dit*
vers 1240 - après 1302

Selon Vasari, et en cela il rejoint l'opinion de Boccace, Cimabue est le père de l'école italienne et le plus ancien peintre de ce pays. Mosaïste, peintre à fresque et de retables a tempera, Cimabue représente la transition entre la tradition byzantine et les besoins d'une création, la nécessité d'un renouveau. Si ses madones sont raides, ses têtes d'anges uniformes, si ses draperies manquent de souplesse et si ses compositions sont d'une symétrie et d'un parallélisme absolu (manières issues de l'héritage byzantin), l'intense dramatisation portée dans ses œuvres traduit une humanisation nouvelle. Ses croix peintes, avec un Christ à demi nu ayant la tête inclinée, témoignent de cette piété occidentale qui tend à dramatiser la Passion du Christ.

Rendu célèbre par diverses œuvres exécutées à Arezzo, Rome et Pise (*Crucifix*, devant être l'un de ses premiers ouvrages datant de 1260-65), Cimabue se fait connaître par ses grandes Madones, à l'allure si imposante, de l'Accademia et par celle de l'église Santa Maria Novella de Florence. « Cette figure, dit Vasari, la plus grande que l'on eût tenté jusqu'alors, est entourée d'anges qui témoignent que, si notre artiste n'avait pas complètement délaissé la manière grecque, il s'était du moins approché du bon style moderne. Le tableau excita l'enthousiasme général. Le peuple s'empara de la Madone et la porta en triomphe, au bruit des trompettes et des cris de joie jusqu'à l'église où elle devait être déposée. »

Son œuvre majeure se trouve à Assise, devenu du XIIIᵉ au XIVᵉ siècle le principal chantier pictural de l'Italie où il exécuta, entre 1277 et 1290, la décoration de la basilique.

Duccio di Buoninsegna
vers 1255-1318/19
(probablement né et mort à Sienne)

Elève de Cimabue, de peu l'aîné de Giotto, contemporain de Cavallini, Duccio di Buoninsegna appartient à une génération de transition : pénétré de l'esprit byzantin, il est attiré par le gothique. En ce sens, il annonce Giotto à qui il ouvre la voie. En 1285, il peint

à Florence la *Madone Rucellai* pour Santa Maria Novella (Galerie des Offices, Florence). Comme dans les images byzantines, la Vierge apparaît lointaine, les figures des anges qui l'entourent ne s'intègrent pas dans l'ensemble, pas plus que le trône qui a cependant un rôle constructif. Pourtant, cette œuvre accuse un sens si aigu de la forme harmonieuse et expressive qu'il semble bien qu'en elle s'annonce le style gothique dont la qualité essen-

Duccio di Buoninsegna.
Madone et saints, panneau central d'un triptyque.
National Gallery, Londres.

tielle est de posséder ce sens et de l'avoir développé. C'est ainsi que ce tableau immense (4,5 x 2,30 m) a exercé une très grande influence sur l'art florentin. Cette conception et ce style se confirment dans son œuvre principale, la *Maestà*, peinte entre 1308 et 1311 pour le maître autel de la cathédrale de Sienne (Museo del Opera dell'

Giotto.
Rencontre à la porte dorée de Joachim et les bergers.
1304-1306.
Fresques de la chapelle des Scrovegni, Padoue.

Duomo, Sienne). L'œuvre est peinte sur les deux faces d'un panneau : le recto représente la *Madone en gloire*, tandis que le verso retrace en vingt-six miniatures la vie du Christ. Cette œuvre portée en triomphe par le peuple de Sienne, raconte Vasari, porte les bases de ce que sera l'école siennoise : la subtilité des couleurs se fondant les unes aux autres, la précision du trait et la rigueur du dessin des personnages.

Citons parmi les œuvres importantes de Duccio la *Madone des Franciscains*, 1290-1295 (Pinacothèque nationale, Sienne), le triptyque de la *Madone entourée des saints* (National Gallery, Londres) et la *Vierge à l'Enfant* (Galleria Nazionale dell' Umbria, Pérouse). Le vitrail de l'abside de la cathédrale de Sienne lui est aussi attribué.

Duccio s'est donc montré l'ancêtre, à Sienne, d'une nombreuse lignée de peintres, tels que Memmi, Lorenzetti ou Taddeo Gaddi. Pour effacer les dernières traces du style byzantin que voulait tant vaincre Duccio, il a fallu le talent de Giotto à qui il a grandement ouvert la voie.

Giotto di Bondone
vers 1266-1337
(Colle di Vespignano, près de Florence / Florence)

Fils d'un paysan, Giotto est tout d'abord l'élève de Cimabue avec lequel il a peut-être collaboré à Assise. La partie peinte par Giotto représentant *La légende de saint François*, qui aurait été commandée par le Père Supérieur Giovanni di Muro vers 1297, suscite bien des controverses quant à son attribution. De 1298 à 1300, Giotto part à Rome à la demande de Boniface VIII et y commence une existence de voyage de cour en cour qu'il ne cessera de mener : à Rimini vers 1311, à Venise vers 1314, à Avignon en 1316, puis à Ferrare, à Ravenne et, plus tard, en 1330, en 1335, à Naples et à Milan. A Rome, il assemble une mosaïque représentant le *Christ sauvant saint Pierre*

des Flots, dite La *Navicella*, aujourd'hui au Vatican. Vers 1302, Giotto exécute les fresques de la chapelle du palais du podestat de Florence, aujourd'hui musée national, parmi lesquelles figurent une *Glorification de la Vierge* et le *Portrait de Dante*. De 1303 à 1306, il décore la « Madonna dell' Arena », une chapelle dédiée à la Vierge de l'Annonciation qu'un riche patricien, Enrico Scrovegni, fit construire à Padoue. Cette série de fresques comprend des sujets inspirés de l'Ancien et du Nouveau Testament, une *Vie du Christ*, basée sur les apocryphes et des emblèmes monochromes des *Vertus* et des *Vices*. Pour cette œuvre immense, il est probable que Giotto se soit fait seconder. A Florence, se trouvent deux autres cycles de fresques : *La légende de saint François*, 1317-1328 (Chapelle Bardi, Santa Croce) et des scènes de la *Vie de saint Jean l'Evangéliste* et de la *Vie de saint Jean-Baptiste* (Chapelle Peruzzi, Santa Croce).

Nommé architecte de Florence en 1334, Giotto a pris la succession de d'Arnolfo di Cambio à sa mort dans la construction de la cathédrale de Florence et a probablement collaboré avec Andrea Pisano dans l'établissement des plans du campanile de la cathédrale de Florence qui porte son nom et dont certains bas-reliefs lui sont également attribués.

Le talent de Giotto est d'avoir détaché la peinture de ses attaches byzantines et de son cadre médiéval en donnant au corps humain la forme que ses observations et son sens de la plastique lui ont permis de noter et de reproduire. Dans le choix de ses objets, il s'est laissé guider par les préoccupations religieuses de son époque tout en renouvelant les thèmes. Par la disposition de leurs détails, la vie puissante des personnages qu'avive encore la composition variée des plans qui remplacent la perspective linéaire, il est le grand maître qui a su humaniser la peinture en substituant à un formalisme mort un souffle de vie irrésistible. Il est le vrai fondateur de la peinture italienne et a exercé une influence majeure tant sur ses contemporains que sur les générations suivantes.

Andrea Orcagna.
Jugement dernier. Détail.
Fresque de l'Eglise Santa Maria Novella,
Florence.

Lorenzetti, Ambrogio
vers 1290 - vers 1348
(né et mort à Sienne)

Ambrogio Lorenzetti est l'élève de Giotto ; l'influence du maître est sensible dans sa peinture qui accuse cependant un réalisme plus accentué. Ses tableaux allégoriques, tels que l'*Allégorie du bon et du mauvais gouvernement et de leurs effets*, 1337-1339 (Palais Public, Sienne), trahissent le penseur nourri d'Aristote. Dans la dernière période de sa vie, il peint des œuvres empreintes d'un grand lyrisme : la *Madona Cagnola* (Pinacothèque de Brera, Milan) ou la *Présentation au Temple* (Musée des Offices, Florence).

Lorenzetti, Pietro
dit Laurati de Sienne
vers 1280 - vers 1348
(né et mort à Sienne)

Frère aîné d'Ambrogio avec lequel il collabore, Pietro est tout d'abord l'élève de Duccio. Sa première œuvre est commandée par l'élève Guido Tarlati pour le maître-autel de Santa Maria della Pieve à Arezzo. Elle comprend une *Vierge à l'Enfant avec quatre saints*, une *Annonciation*, une *Assomption* et *Douze Saints*. On lui attribue en outre les très célèbres fresques du Campo Santo à Pise et plusieurs toiles, telles que la *Naissance de la Vierge*, 1335-1342 (Museo del Opera dell' Duomo, Sienne) ou le *Polyptique de la Sainte Humilité*, 1341 (Musée des Offices, Florence). Coloriste remarquable, il continue la composition propre à l'école de Sienne et au réalisme de Giotto et des Pisans. Il n'est pas exclu que la peste qui sévit à l'époque à Sienne ait emporté les deux frères.

Orcagna
Andrea di Cione, *dit*
vers 1308-1368
(né et mort à Florence)

Orcagna est à la fois peintre, mosaïste, sculpteur et architecte. En tant qu'architecte, il travaille aux cathédrales d'Orvieto et de Florence. Son chef-d'œuvre en sculpture est le Tabernacle d'Orsanmichele à Florence ; il est couvert de reliefs inspirés de la vie de la Vierge et de sculptures allégoriques. Son œuvre peinte comporte un grand polyptique, conservé dans la chapelle Strozzi (Santa Maria Novella, Florence), exécuté entre 1354 et 1357. Suivant la manière de Giotto, la composition est solide, les figures monumentales sont d'une beauté surprenante, le coloris riche et brillant. Il ne reste de son second chef-d'œuvre que quelques fragments des trois fresques réalisées pour Santa Croce à Florence.

Le XVe SIÈCLE

ITALIE

Le Quattrocento, c'est-à-dire le XVe siècle italien, aura été l'une des périodes les plus fécondes de l'histoire de l'art occidental. Partout, que ce soit en France, en Allemagne, et surtout dans les Flandres, on assiste à un foisonnement de génies de la peinture. Mais nulle part autant qu'en Italie, s'impose cette explosion artistique.

Trois découvertes participent au renouveau des beaux-arts : la perspective linéaire, la peinture à l'huile et la gravure.

La perspective linéaire : l'architecte Brunelleschi passe pour être le premier qui ait appliqué au dessin les lois de la perspective.

En fait, c'est Uccello qui en fait le premier usage dans ses toiles et qui trouve dans cette science, des règles que les peintres peuvent facilement appliquer.

La peinture à l'huile : Antonello da Messina entendit un jour parler d'un tableau de Jean de Bruges — Jan van Eyck — que possédait le roi Alphonse, et qui, disait-on, résistait à l'eau et au toucher sans que la qualité de l'œuvre en soit altérée. Toutes affaires cessantes, il partit pour la Flandre et gagna si bien l'amitié de Van Eyck que ce dernier lui confia les moindres secrets de sa découverte. A la mort de Van Eyck, Antonello da Messina revint en Italie pour y peindre un grand nombre de tableaux à l'huile et ne tarda pas à acquérir une immense renommée.

La gravure : en 1452, à l'époque où Gutenberg et Faust impriment à Mayence leur première Bible latine, dite à *quarante-deux lignes*, le Florentin Maso Finiguerra crée les premières estampes en prenant des empreintes sur une patène d'argent. Ainsi, conjointement en Europe, la gravure, qui est l'imprimerie des beaux-arts, est découverte en même temps que l'imprimerie, gravure des belles-lettres.

Il faudrait pouvoir parcourir l'Italie ville par ville : partout travaillent les artistes, partout se multiplient les œuvres d'art. Princes et cités s'arrachent les artistes, car ce n'est pas seulement l'élite, mais le peuple tout entier qui, comme autrefois en Grèce, s'intéresse à leur production. Sans cesse stimulé, discuté, jugé, l'artiste s'exalte dans la lutte, multiplie ses efforts et doit surenchérir et remettre en cause ses propres œuvres pour mériter la gloire.

Maître de la Prise de Tarente.
Vénus adorée par six amoureux légendaires.
1re moitié du XVe siècle.
Musée du Louvre, Paris.

Florence

En peinture, les artistes florentins rompent avec les traditions de l'école de Giotto. Paolo Uccello (1397-1475) répand le goût de la perspective dont les anciens peintres ne se préoccupaient guère ; Fra Filippo Lippi (1406-1469), fort en faveur auprès des Médicis, traite les sujets religieux avec une liberté d'allure et une recherche de réalisme marquées. Le maître par excellence de cette première moitié du XVe siècle est Masaccio (1401-1428), véritable précurseur de Raphaël, qui allie à la science de la composition, tantôt la force, tantôt la suavité de l'expression. Si courte qu'ait été son existence, il a produit des œuvres où se sent déjà la pleine maturité du talent, comme ses fresques de Santa Maria del Carmine à Florence. Par la suite, elles seront pour les jeunes artistes des modèles qu'ils étudieront et qu'ils copieront.

Mieux que par Fra Filippo Lippi, la leçon de Masaccio est entendue par Andrea del Castagno (1423-1457) et Andrea Verrocchio (1435-1488) dont l'atelier se révèle être une véritable école de l'humanisme où l'on pratique tous les arts, y compris la musique. Verrocchio accueille en effet toutes les nouveautés, et en particulier la technique à l'huile qui impressionne l'un de ses élèves, Léonard de Vinci.

Il convient de réserver à Piero della Francesca (vers 1410/20-1492), le plus grand fresquiste florentin entre Giotto et Michel-Ange, une place toute particulière : savant en géométrie et en perspective comme en témoignent ses écrits techniques, il étudie la nature avec une précision d'anatomiste. Dans ses grandes fresques de l'église San Francesco à Arezzo, racontant la *Légende de la Sainte Croix*, il résume toutes les démarches antérieures en confirmant que l'art de la peinture est une science. Le premier en Italie, il découvre l'effet de clair-obscur dans *La Vision de Constantin* où la pénombre de la nuit est déchirée par l'éclair d'une apparition.

Un élève de Piero della Francesca, Luca Signorelli, (vers 1445-1523) dépasse la manière douce du maître par des éclairages violents exprimés dans des coloris très vifs.

Dans ses fresques de la cathédrale d'Orvieto, il s'attache à l'expression de la force, et, par ses études de nu et ses préoccupations anatomiques, il fait songer parfois à Michel-Ange.

Benozzo Gozzoli (1420-1497) qui travaille pour les Médicis en réalisant la chapelle de leur palais, décore les murs du Campo Santo à Pise de peintures d'un charme pittoresque, telles que *L'Ivresse de Noé* et *L'Histoire de la tour de Babel*.

Neri di Bicci.
Annonciation, vers 1460.
Accademia, Florence.

Il existe encore une école attachée à l'idéal religieux et mystique de l'âge antérieur. Pendant la première moitié du XVᵉ siècle, elle produit un grand maître, le dominicain Fra Angelico da Fiesole (1387/1400-1455). Entré tout jeune au couvent, il conserve la foi naïve et profonde dont il a fait passer l'expression dans ses fresques et ses tableaux. Nulle part il ne s'est élevé plus haut que dans les peintures murales dont il décore le couvent de San Marco à Florence et une des chapelles du Vatican à Rome. Exécutées vers la fin de sa vie, ces dernières l'emportent sur ses autres œuvres par la variété des compositions : les sujets en sont

empruntés à l'histoire de saint Etienne et de saint Laurent. Fra Angelico est une exception à Florence.

Vers le milieu du XVᵉ siècle, la nouvelle école naturaliste triomphe dans tous les arts. Alors, dans un espace de dix à vingt ans, disparaissent la plupart des maîtres dont on vient de parler, et, avant d'arriver à Léonard de Vinci, à Michel-Ange, à Raphaël, commence pour l'école florentine une période de transition qui remplit la plus grande partie de la seconde moitié du XVᵉ siècle. L'admiration passionnée de l'antique s'y combine avec le naturalisme. L'Eglise elle-même donne l'exemple : plusieurs cardinaux, des papes, comme Nicolas V, figurent parmi les humanistes célèbres. Laurent de Médicis, qui gouverne Florence de 1469 à 1492, élégant, instruit, poète même, célèbre le culte de Platon avec les lettrés de sa cour.

Ecole de Ferrare.
Départ pour la chasse, vers 1400.
Musée des Beaux-Arts, Tours.

Il augmente la collection d'antiques formée par ses prédécesseurs, il la met à la disposition des artistes et crée par là comme une école des beaux-arts. Les architectes Giuliano et Antonio da Sangallo s'absorbent dans l'étude des monuments romains, Pollaiuolo (1431/32-1498) exécute pour les Médicis des tableaux représentant des sujets tels que les exploits d'Hercule ; Botticelli (vers 1445-1510) fait de continuels emprunts à la mythologie païenne, bien qu'il réussisse mieux à peindre des madones chrétiennes. Parmi les peintres de cette époque, Domenico Ghirlandaio (1449-1494) est l'un des plus originaux. Dans les scènes de l'histoire de la Vierge et de saint Jean-Baptiste dont il a orné le chœur de Santa Maria Novella à Florence, costumes, attitudes, types de personnages, détails de mœurs, tout appartient à la vie du XVᵉ siècle, et il semble que les données évangéliques ne soient plus ici qu'un prétexte : les compositions sont bien ordonnées, le dessin ferme et précis.

L'esprit profane de la Renaissance florentine trouve vers la fin du XVᵉ siècle un ardent adversaire dans le moine Jérôme Savonarole, qui, grâce à son éloquence fougueuse et sombre, devient quelque temps le maître de Florence. Il condamne l'étude de l'Antiquité et désire dégager l'art du culte de la forme pour le purifier et le sanctifier. Ses idées gagnent les artistes eux-mêmes : beaucoup deviennent ses partisans. Mais bientôt la vie nouvelle que Savonarole veut imposer aux Florentins leur paraît trop dure, son influence faiblit et ses ennemis le mettent à mort.

La peinture hors de Toscane

L'école ombrienne

L'art religieux que réclame Savonarole, on le pratique encore non loin de Florence, dans la montagneuse Ombrie. Le grand maître ombrien est Pietro Vannucci, dit le Pérugin (vers 1445-1523), parce qu'il habite surtout Pérouse. Il a travaillé souvent à Florence et connaît les innovations qui transforment alors la peinture. Elève de Verrocchio, il demeure toujours le peintre du doux recueillement, des divines extases ; le peintre par excellence des madones et des saintes. Son œuvre la plus considérable est la décoration de la salle du Collegio del Cambio à Pérouse (1497-1500) ; quant à ses tableaux, le nombre en est grand ; on peut en voir au Louvre ; le musée de Lyon possède un des plus beaux, l'*Ascension* (1496).

Pinturicchio (1454-1513), dont les œuvres les plus importantes sont les décorations de la Librena Piccolomini de la cathédrale de Sienne et des appartements Borgia au Vatican, se distingue par sa recherche des sujets historiques et des effets pittoresques.

L'école de Padoue

Dans le nord de l'Italie, se sont établis d'autres centres de culture artistique. Ainsi, à Padoue, naît et se forme un des grands maîtres de la peinture, Mantegna (1431-1506). Son génie vigoureux interprète l'Antiquité avec une franchise d'accent toute personnelle ; dessinateur précis, parfois un peu sec, connaissant à fond la structure du corps,

Pisanello.
Saint Georges et la princesse, vers 1433-38.
Chapelle Pellegrini, Vérone.

il donne à ses personnages une fermeté et une fierté d'allure surprenantes : les cartons du *Triomphe de Jules César* (à Hampton Court, près de Londres) ont le style de bas-reliefs. Pourtant son originalité éclate mieux encore dans les fresques de l'église des Eremitani, à Padoue. La force de la conception y égale la science des procédés, l'ordonnance grandiose de la composition, en même temps que les édifices dont il encadre ses figures, attestent l'étude des monuments anciens.

L'école de Ferrare

Ferrare est également un centre d'art, animé par la famille d'Este. C'est là que travaillent Francesco del Cossa (vers 1435-1478), Cosmè Tura (vers 1430-1495) et Ercole de

Roberti (vers 1450-1496). L'influence de Mantegna s'unit à celle de Piero della Francesca qui a commencé à décorer le palais des ducs d'Este. Les souvenirs des deux maîtres sont également sensibles dans les fresques de la villa Schifanoia où Francesco del Cossa a représenté avec une grande exactitude la vie de Borso d'Este et de sa cour, au-dessous d'allégories des mois du zodiaque. Il exagère la sécheresse du maître et dessine durement les membres anguleux et les visages grimaçants.

L'école de Sienne

Au Quattrocento, à côté de Florence, la peinture siennoise n'a plus l'autorité qu'elle avait le siècle précédent. Elle se range dans le traditionalisme et prend l'habitude d'une certaine commande d'Eglise. Son meilleur représentant est Stefano di Giovanni dit Sassetta (1392-1450). Sous son influence travaille Sano di Pietro (1406-1481), mais c'est surtout un élève de Lorenzo di Pietro, dit il Vecchietta (vers 1405-1480), Francesco di Giorgio Martini

(1439-1502), artiste universel, s'exerçant aussi bien dans la peinture, l'architecture et la sculpture, qui expérimente de nouvelles formes de compositions (La *Nativité* de 1490 à San Domenico, Sienne).

L'école vénitienne

Au début du Quattrocento, Venise vit, comme toute l'Italie du nord, à l'heure gothique. Plus qu'aucune autre ville d'Italie, toujours tournée vers l'Orient d'où elle tire sa force et sa richesse, elle reste attachée aux traditions byzantines. Cependant au XIVᵉ siècle, l'art gothique y pénètre, mais pour y prendre une physionomie nouvelle et produire ces palais qui paraissent appartenir à la fois à l'Occident et à l'Orient : le Palais des Doges est commencé au XIVᵉ siècle, la *Ca'Doro*, dont la façade est une merveille de grâce et de fantaisie, date de la même époque. Les Italiens qualifient ce gothique de *fiorito, « fleuri »*. Dans cette ville, qui volontiers s'isole du reste de l'Italie, l'esprit de la Renaissance ne pénètre que tardivement. Ce n'est qu'à partir du milieu du XVᵉ siècle qu'il y devient sensible en architecture et en sculpture ; mais de tous les arts, la peinture est celui qui doit y jeter le plus d'éclat.

C'est encore Mantegna qui achève d'émanciper l'école vénitienne des traditions byzantines et giottesques déjà modifiées dans le premier quart du XVᵉ siècle, par l'exemple des fresques peintes par Pisanello (vers 1395-vers 1455) et Gentile da Fabriano (vers 1370-1427) dans le Palais des Doges. Ayant épousé la fille du Vénitien Jacopo Bellini, Mantegna contribue encore au rapprochement de Florence et de Venise.

Vers le milieu du XVᵉ siècle, une école nouvelle y naît avec les Vivarini, et qui par certains côtés, se rattache d'abord aux écoles allemandes. Un peintre sicilien qui est allé en Flandre s'instruire des procédés de Van Eyck, Antonello da Messina, s'établit à Venise et y introduit un style mêlé d'éléments étrangers et d'éléments italiens. Carlo Crivelli (vers 1430/35-1493/95), qui peint des madones et des saints, encore fidèle au Moyen Âge par la façon dont il compose ses tableaux et ses figures, éblouit par la richesse des accessoires et l'éclat du coloris. C'est surtout avec la famille des Bellini que se marque l'évolution de la peinture vénitienne. Jacopo Bellini (vers 1400-1470/71) est sorti de sa patrie pour faire connaissance avec les écoles de Florence et de Padoue, avec le naturalisme et l'antique. De ses deux fils, Giovanni (1430-1516) et Gentile (vers 1429-1507), le premier, âme douce et simple, s'attache aux sujets pieux ; il donne à ses vierges et à ses saints une suavité profonde et une grande noblesse. Tout autre est son frère ; moins porté aux sentiments mystiques, curieux des effets pittoresques, il aime à rendre l'aspect des foules, les processions et les cortèges se déroulant sur les places de Venise. Parmi ses contemporains, Carpaccio (1455-1526) a la même tournure d'esprit. Son talent de

Carlo Crivelli.
Saint Georges, 1472.
Metropolitan Museum of Art, New York.

chroniqueur lui permet de transposer chaque miracle de la Légende Dorée en un épisode de la vie vénitienne. Il est le peintre des cérémonies officielles. Sa *Vie de sainte Ursule*, contemporaine de celle de Memling, se déploie sur de larges tableaux desquels la sainte est presque toujours absente. Il est le véritable peintre du mythe de Venise.

FLANDRES

Dans les pays du Nord et de l'Ouest, où l'art gothique s'est parfois affaibli par l'esprit de recherche et de maniérisme, commence au XVᵉ siècle à se former un art nouveau. Ici ce ne sont pas les modèles antiques qu'on imite d'abord ; le premier soin des artistes est de s'attacher à l'étude de la nature. Cependant ils ne la voient ni ne l'expriment comme ceux du XIIIᵉ siècle, ou ceux de l'Italie, en se montrant en général moins soucieux de la noblesse et de l'harmonie du style, curieux, avant tout, de la ressemblance individuelle la plus précise. Ils sont réalistes au vrai sens du mot. L'importance que prend le portrait dans toutes leurs œuvres en est la preuve. Ils n'hésitent pas à peindre la laideur et la vulgarité, la réalité quotidienne dans ses aspects triviaux. Pourtant, ils n'ont pas entièrement rompu avec les souvenirs du Moyen Âge : par les sujets qu'ils traitent et par leur foi, ce sont des artistes chrétiens, capables de ressentir et de traduire avec une sincérité naïve, l'inspiration religieuse. Ces caractères et ces contrastes se comprennent, si on considère les origines de cet art. Il naît dans des villes de grosse bourgeoisie et de population dense et ouvrière où ne se retrouve pas la finesse du goût italien. Néanmoins, la poésie n'en est pas bannie, elle se concentre dans les sentiments intimes et les croyances qu'elle pénètre de tendresse et de mysticisme.

La Flandre est le pays où se manifeste d'abord cette évolution de l'art. Elle le doit à sa richesse et à son activité : au sein des grandes cités d'industrie et de commerce, comme Bruges ou Gand, se forment les corporations ou guildes d'artistes d'où va sortir la rénovation. Puis vient la domination des ducs de Bourgogne : à leur cour fastueuse ou sous leur protection, travaillent quelques-uns des grands maîtres flamands du XVᵉ siècle. Bien que la Flandre ait eu des sculpteurs de mérite, l'activité créatrice des artistes se manifeste surtout dans la peinture : pas de grandes décorations d'églises ou d'édifices comme en Italie, l'architecture gothique a ruiné la peinture murale et les œuvres sont des tableaux.

Au XVᵉ siècle et avec les Van Eyck, l'école flamande, déjà préparée par des artistes plus obscurs, se constitue dans toute la force de son originalité.

Tandis que les artistes italiens peignent encore à fresque, les frères Van Eyck pratiquent la peinture à l'huile. La tradition leur attribue en effet la découverte de la peinture à l'huile. Si, sous cette forme absolue, l'affirmation

n'est pas exacte, cependant les Van Eyck mêlèrent plus habilement qu'on ne l'avait fait encore l'huile aux couleurs, et ils améliorèrent la préparation des vernis qu'on étendait sur les peintures. En outre, ils surent combiner les couleurs sur la palette, multiplier les tons et les nuances. Ils obtinrent ainsi un coloris plus riche et plus chaud, et leurs procédés accrurent les ressources de l'art. Aux côtés des frères Van Eyck, deux grands noms dominent la peinture flamande primitive : Van der Weyden et Memling.

L'école de Bruges a eu la grandeur solennelle et la vérité précise. L'école brabançonne, dont le fondateur est Roger van der Weyden, sera moins minutieuse dans le détail ; elle recherchera, comme les Van Eyck d'ailleurs, l'effet d'ensemble. Elle dépassera ses maîtres par la puissance du caractère et la profondeur du sentiment dramatique.

Roger van der Weyden (vers 1400-1464), dont la vie s'est passée en grande partie à Bruxelles, est un artiste dur au dessin et au coloris sec. En revanche, ses œuvres d'un aspect sévère, excellent par la force de l'expression : ainsi les *Sept Sacrements* (Musée d'Anvers) et le *Jugement dernier* (Hôtel-Dieu, Beaune). Il a exercé une grande influence

Attribué à Jean Malouel.
Nativité.
Mayer van den Bergh Museum, Anvers.

en Allemagne comme dans sa patrie ; de son atelier sort Hans Memling (vers 1430/1435-1494), qui parmi ces vieux peintres flamands se place à côté des Van Eyck. Sa vie, que longtemps on a ornée de légendes romanesques, est obscure ; on sait cependant qu'elle s'écoula en grande partie à Bruges. Là aussi, à l'hôpital Saint-Jean, sont réunies plusieurs de ses plus belles œuvres : la *Châsse de sainte Ursule*, des portraits, l'*Adoration des mages*, et surtout le *Mariage de sainte Catherine*. Il excelle à donner à ses madones et à ses saints une expression de foi profonde et naïve ; son talent est plus tendre, plus pénétré d'idéal que celui de Van Eyck ; son dessin n'est pas moins précis ni son coloris moins moelleux, mais peut-être avec plus de grâce a-t-il moins de force (*La Vierge et la famille Floreins*, au Musée du Louvre, Paris). Autour de ces grands maîtres se pressent quelques disciples, comme Dierick Bouts (vers 1415-1475) parfois appelé Stuerbout, et Van der Goes (vers 1440-1482), l'un des premiers peintres maudits de la peinture. Il mourra fou au couvent de Rouge-Cloître. On ignore où sont passées ses innombrables peintures murales. Son grand triptyque, l'*Adoration des bergers* au Musée des Offices de Florence, a fait connaître l'art flamand aux Florentins. Gérard David (vers 1460-1523) sous la poussée des premières influences, s'oriente vers un modelé doux atteignant parfois la mièvrerie.

Les musées regorgent de peintures attribuées à « l'école flamande du XVe siècle », exécutées par des artistes célèbres en leur temps, qui travaillaient pour les ducs et les princes. Certains sortent de leur anonymat, tel Petrus Christus (vers 1410-1473) dont la remarquable tête d'homme figurant dans le *Portrait d'un bourgeois flamand avec sa femme*, au Musée des Offices de Florence, vaut bien un Holbein ou encore Juste de Gand (vers 1435-1480) qui travailla à la cour d'Urbino entre 1465 et 1473 et dont la richesse de couleurs éclate dans une splendide *Cène*. De nombreux maîtres anonymes commencent à sortir de l'ombre : le Maître de sainte Catherine, le Maître de la Légende de sainte Barbe, le Maître de la Vue de Sainte-Gudule ainsi que le Maître de Flémalle que certains historiens d'art ont identifié à Robert Campin (vers 1378/79-1444).

L'art de Jérôme Bosch, né vers 1450, est singulier : bien qu'il vive jusqu'en 1516, il ne s'ouvre nullement aux formes de la Renaissance, et reste gothique par son sens du symbole. Ses trois chefs-d'œuvre : *Le Char de foin*, *La Tentation de saint Antoine* ou *Le Jardin des délices* sont des moralités médiévales.

Pourtant, c'est avec sa génération que s'annonce la nouvelle orientation, avec Quentin Metsys (1466-1530) et Joss van Cleve (vers 1485-1540). Tout en restant attachés aux motifs traditionnels, ils introduisent dans leur peinture des éléments décoratifs ou architecturaux renaissants et s'appliquent à peindre en couches plus transparentes et plus légères.

Jan Van Eyck.
Crucifixion.
Metropolitan Museum of Art, New York.

FRANCE

En France, dès le XIVe siècle, l'art gothique s'est altéré. L'art français n'est certes pas épuisé, il se transforme. Quand on cherche à en dégager les caractères, on y surprend souvent les mêmes tendances qu'en Flandre. C'est à ce pays, non à l'Italie, qu'il est alors apparenté ; aussi l'influence flamande pénètre-t-elle facilement. Les ducs de Bourgogne attirent à Dijon des artistes de leurs villes flamandes : telle est l'origine de presque tous ceux qu'ils emploient à la Chartreuse située près de cette ville. Parmi eux, Claus Sluter, qui, à la fin du XIVe siècle et au commencement du XVe, exécute le *Puits de Moïse*, le *Tombeau de Philippe le Hardi* ; il est le maître d'une véritable école dijonnaise qui se maintient jusqu'au milieu du XVe siècle. A la cour de Charles V, on trouve des peintres et des sculpteurs flamands : Hennequin de Liège, Jean de Bruges, André Beauneveu de Valenciennes, qui travaillent aussi pour les ducs d'Anjou, de Berry, d'Orléans. Plus tard, l'ex-roi de Naples, le bon René, qui lui-même se mêle de peindre, est en relation avec l'Italie et en fait venir quelques artistes ; mais, en peinture, ses préférences vont à l'école flamande.

La cour bourguignonne de Dijon disparue, il reste en France trois centres d'art : la Touraine, la Provence, le Bourbonnais.

Le Tourangeau Jean Fouquet (vers 1420-vers 1480) est le premier peintre français qui ait atteint une renommée internationale. Alors qu'il est employé au service de Charles VII et de Louis XI, on vante son mérite en Italie où il est appelé pour exécuter le portrait du pape Eugène IV. Les miniatures des manuscrits qu'il enlumine tels que le *Livre d'Heures d'Etienne Chevalier* conservé à la Bibliothèque nationale, au Louvre et à Chantilly, ou le *Décaméron* de Boccace, à la Bibliothèque d'Etat de Munich, demeurent de véritables tableaux dans lesquels figurent de nombreux personnages. Par le style, le coloris, le goût du portrait, Fouquet se rattache à l'école flamande. Il y joint cependant un souci de l'élégance et de la grâce typiquement français. A l'Italie, il emprunte surtout des encadrements d'architecture et des détails d'incantation.

Le premier chef-d'œuvre provençal : le triptyque de l'*Annonciation* commandé par l'église Saint-Sauveur d'Aix par Pierre Courty (1443-1445) est anonyme. Son auteur s'affirme en grand maître de la peinture flamande en unissant la technique flamande à la lumière méridionale. Sa présence en Provence a peut-être permis la formation

Les Frères de Limbourg.
Les Très Riches Heures du duc de Berry.
Musée Condé, Chantilly.

Jean Fouquet.
La Fuite de Pompée après Pharsale.
Musée du Louvre, Paris.

De fommaine

d'Enguerrand Quarton ou Charonton, connu de 1444 à 1466, qui a peint, dans une palette suave, le *Couronnement de la Vierge* pour la Chartreuse de Villeneuve-lès-Avignon. On attribue la *Pietà d'Avignon* à l'un de ses collaborateurs, Pierre Villatte. Cependant le plus grand héritier de Quarton est sans nul doute Nicolas Froment (vers 1425-1483/86), auteur du triptyque du *Buisson Ardent*, commandé par René d'Anjou pour l'église des Grands-Carmes. Sous une manière encore très flamande, il laisse filtrer quelques influences italiennes, notamment dans le traitement du paysage. Son ouvrage, *le Livre des Tournois*, dédié à Jean II de Bourbon a été illustré par le meilleur peintre de sa génération, le Maître de Moulins, demeuré anonyme, actif vers 1480.

Sous Charles VIII et Louis XII, il convient de citer deux artistes surtout, tous deux attachés au service du roi : Jean Bourdichon et Jean Perréal. De Bourdichon (vers 1457-1521), il nous reste une œuvre fort belle, *Les Grandes Heures d'Anne de Bretagne* (Bibliothèque nationale). Déjà s'y manifeste l'influence italienne. De son côté, Perréal (vers 1460 - vers 1530), qui a visité plusieurs fois l'Italie, déclare, au retour d'un de ses voyages, modifier ses esquisses d'après les « choses antiques » qu'il a vues là-bas. Mais on ne possède aucun tableau qui puisse lui être attribué avec certitude et sa biographie est mieux connue que son style.

ALLEMAGNE

De la Flandre à l'Allemagne, la transition est facile, car entre les deux pays se sont établies d'étroites relations artistiques. Il ne faut pas oublier que les frontières n'ont pas été nettement établies jusqu'en 1600.

Les peintres sont de véritables artisans, organisés en guildes, soumis à des contrats leur précisant le sujet à peindre et leur fournissant au préalable l'argent nécessaire pour l'achat du matériel. Les premières peintures sur panneau de même que les peintures murales et les enluminures sont destinées à l'église.

Ici encore, c'est au sein des grandes villes de commerce, à Cologne, à Nuremberg, à Augsbourg, que se forment les écoles. La fidélité aux traditions gothiques y est grande ; longtemps elles se maintiennent en architecture, en sculpture, sans qu'on surprenne la préoccupation bien marquée de l'Antiquité ou de l'Italie ; mais en même temps, dans tous les arts plastiques, s'accentue la tendance au réalisme. Elle est visible chez les sculpteurs dont plusieurs, tels Adam Krafft et Pierre Vischer, montrent beaucoup de vérité et de vie : le tombeau de S. Sebald à Nuremberg, que Vischer exécuta de 1508 à 1519, est l'œuvre maîtresse de la sculpture allemande à cette époque. Cependant la peinture devient l'art par excellence. Dès le XIVᵉ siècle, des écoles fleurissent à Prague, à Nuremberg, à Cologne surtout.

Ecole allemande.
Maître de Saint-Germain-des-Prés.
La Pietà de Saint-Germain-des-Prés. Détail.
Musée du Louvre, Paris.

L'école de Cologne

Longtemps, on a cru que l'école de Cologne était tributaire de l'école de Bruges et de Van Eyck, mais les dates s'y opposent. Le grand maître des Colonais est Stephan Lochner (vers 1410-1451). Son chef-d'œuvre est le « Dombild », retable de la cathédrale, peint à l'huile, entre 1430 et 1440. Les figures y sont à la fois solennelles et souriantes. Une autre œuvre célèbre est *La Vierge au buisson de roses* (Musée de Cologne), véritable symphonie en bleu.

Entre les visages aux traits soit atrophiés, soit estompés de Lochner et ceux de son contemporain italien Fra Angelico, on constate toute la différence qui sépare le type allemand du type italien, d'une empreinte lymphatique d'une autre, passionnelle. Mais l'inspiration est la même : l'âme se dégage à travers l'enveloppe terrestre. Inférieur à son émule italien pour l'élégance des figures, la noblesse ou la vigueur de la composition, Stephan Lochner l'emporte sur lui par son sentiment des beautés de la nature végétale. Rien de plus frais que les paysages qui encadrent ses vierges. Chez les uns, comme chez les autres d'ailleurs, la couleur est conventionnelle. L'or forme encore la note dominante. La faiblesse des peintures colonaises, c'est l'anatomie. Les peintres ne semblent rien connaître de la structure du corps humain. Ils sont plus coloristes que dessinateurs.

L'école du Haut-Rhin

L'école du Haut-Rhin se montre plus accessible au réalisme. A Strasbourg, Hans Hirz (mort avant 1466) et Hans Tieffental de Schlestadt semblent avoir eu une grande renommée ; à Bâle, se trouve maître Lawlin ; à Tiefenbronn, Lukas Moser exécute, en 1431, un autel pour l'église qui montre l'influence de Cologne, mais avec un sens de la nature plus développé, Juste d'Allemagne exportera sa manière en Italie dans son *Annonciation*, peinte à Gênes en 1451. Mais c'est Colmar qui devient le vrai centre de l'école du Haut-Rhin avec Kaspard Isenmann (mort vers 1472), artiste réaliste, tout imprégné de la technique flamande.

Martin Schongauer — ou Schoen de Colmar — (vers 1430/35-1491), est le peintre le plus célèbre de l'école. Ses ouvrages respirent la grâce et le recueillement. Aussi a-t-on appelé Schongauer le Pérugin allemand. Sa richesse d'imagination, sa puissance d'expression se sont manifestées également dans quantité de gravures sur cuivre. L'Allemagne a disputé, non sans raison, à l'Italie l'honneur d'avoir pratiqué la première gravure sur cuivre et plusieurs artistes habiles en ce genre ont même précédé Martin Schongauer.

L'école de la Souabe

Konrad Witz (vers 1400/10-1445) appartient par ses origines à l'école souabe, puisqu'on pense qu'il serait né à Constance ou à Rottweil et qu'il aurait travaillé d'abord dans ces deux villes, avant de s'établir en Suisse. Tandis que Van Eyck exerce son art de miniaturiste appliqué, Witz abandonne son personnage ou ses compositions dès qu'il en a esquissé les grandes lignes. L'un et l'autre sont réalistes, mais l'œuvre de Witz s'apparente en esprit à celle de son contemporain florentin, Masaccio.

A Ulm, Hans Schüchlin (vers 1469-1503) se montre influencé par Lochner et Dierick Bouts. Son élève favori qui devient son gendre, Barthélémy Zeitblom (de 1450 à 1517 environ), est certainement le meilleur artiste de l'école, pour ne pas dire de l'art allemand du XVe, grâce à la noblesse et à la beauté de ses figures, au soin et à la sûreté de son dessin, à la beauté de son coloris vigoureux et lumineux.

L'école d'Augsbourg

Cette école qui doit nécessairement se ressentir de la prospérité de la ville commerçante surpasse celle d'Ulm. Son peintre le plus fameux est Hans Holbein l'Ancien (vers 1465-1524). Toutes ses œuvres se distinguent par une observation attentive, une exécution large et vive. Holbein l'Ancien réalise un art intermédiaire entre le réalisme très terre à terre du XVe siècle et la conception plus libre, plus élégante du XVIe siècle.

A Nördlingen, se révèle Friedrich Herlin de Rothenbourg (mort vers 1500), dont l'exécution minutieuse et le coloris vigoureux décèlent l'influence de Roger van der Weyden.

Mais c'est surtout dans le dernier quart du XVe siècle que naîtront les plus grands artistes que l'Allemagne ait connus, tels que Dürer, Lucas Cranach, Baldung ou Grünewald.

ESPAGNE

A la fin du XIIIe siècle et pendant presque tout le XIVe siècle, l'influence de la France prédomine en Espagne et se conjugue à l'action des Pays-Bas. Rien d'étonnant à cela : Jan van Eyck vient en Espagne et au Portugal en 1428 et d'autres artistes des bords de la Meuse et de l'Escaut, tels que Roger van der Weyden, laissent une trace dans la péninsule. L'art naturaliste qui se développe en Flandre depuis 1420 est à son tour adopté par les peintres espagnols, d'abord catalans.

Van Eyck exerce une profonde influence sur l'œuvre de Luis Dalmau qui, en 1443/45, exécute à Barcelone *La Vierge aux Conseillers* (Musée d'Art catalan, Barcelone). Plus tard, en 1470, Fernando Gallego, le maître le plus influent de la première école de Castille, qui passe pour l'élève de Petrus Christus dont on trouve en Castille des œuvres importantes, peint pour la cathédrale de Salamanque *Le Retable de saint Ildefonse*. Ces deux ouvrages sont d'une inspiration purement septentrionale. Les plus cassants des vêtements du retable, par exemple, sont caractéristiques de la technique flamande ; toutefois, les anges offrent un type bien espagnol.

Cependant, des artistes italiens venus travailler en Castille dès la fin du XIVe siècle et dans les premières années du XVe contrebalancent momentanément l'ascendant que les Flamands ont pu exercer. Toutes ces influences combinées contribuent à l'élaboration d'un style vraiment personnel où s'affirment les tendances espagnoles. Bientôt apparaissent différentes écoles : la catalane qui observe l'Italie, celle de Barcelone qui se tourne vers les Van Eyck, la sévillane et la castillane dont les maîtres préférés habitent les Pays-Bas.

Parmi les peintres espagnols sensibles aux leçons italiennes, Antonio de Rincon, né à Guadalajara (1446-vers 1500), qui après avoir séjourné en Italie, devient le peintre attitré des rois catholiques. Des apports flamands assez marqués se combinent avec des réminiscences italiennes, particulièrement celle de Ghirlandaio. De moindre valeur Juan Rodriguez et Garcia del Barco brossent diverses compositions pour les couvents et palais d'Avilá.

C'est alors qu'apparaît Pedro Berruguete (vers 1450-1503/04). Loin de renier les traditions flamandes à l'honneur, il manifeste au contraire une certaine attirance pour l'art néerlandais, sans cependant rester insensible à l'harmonie de la peinture italienne. Combinant ces deux tendances artistiques à son tempérament espagnol, il obtient un style bien personnel fait de naturalisme et de mysticisme où domine la grandeur.

Berruguete n'a pas formé de disciples marquants, à l'exception de son fils, Alonso, surtout connu en sculpture, de Santa Cruz et de Juan de Borgoña (vers 1470-1535), qui fréquenta probablement en Italie l'atelier de Ghirlandaio, car il pratiqua la peinture à fresque si peu utilisée en Espagne. De plus, l'ensemble de ses peintures qu'il traite, de l'*Histoire de la Vierge* ou des *Scènes de la Passion du Christ*, témoignent de l'influence florentine, particulièrement celle de Lippi et même parfois celle de Botticelli. Toutefois l'artiste se montre également inspiré par les Flamands : les scènes de l'*Embarquement de l'Armée à Carthagène* et du *Débarquement devant Oran* sont d'un naturalisme saisissant.

En Andalousie, Diego Lopez, Alonso Sanchez et Luis de Medina couvrent de peintures à fresques purement italiennes, presque vénitiennes même, les murailles de l'Université d'Alcala de Henarès. Alrar Perez de Villoldo et Juan de Borgoña peignent dans la cathédrale de Tolède en 1495 de grandes compositions à fresques, toujours dans le sentiment italien. Au même moment, l'Italien Barbanegra et les Flamands Antonio Moro et Bosch, appelés en Espagne, y exercent une véritable influence.

Le XVIe siècle espagnol adoptera avec enthousiasme le maniérisme italien ; le style renaissant classique sera introduit en Espagne par la Flandre où il acquerra l'exagération et le souci du détail.

Avec les Rois Catholiques, l'influence néerlandaise s'accentue. Ces princes favorisent le développement artistique et contribuent à la formation d'un art, sinon tout à fait officiel, du moins d'inspiration officielle. Très attirés vers l'art des Pays-Bas, ils acquièrent des œuvres flamandes et attirent près d'eux de nombreux artistes de ce pays.

Maître de la Légende de Sainte-Lucie.
Marie, Reine des cieux, vers 1485-1500.
National Gallery, Washington.

Fra Angelico.
*Pala de saint Marc: Vie des saints Cosme et
Damien*, 1439-1440.
Alte Pinakothek, Munich.

Angelico, Fra
Guido di Pietro,
en religion Fra Giovanni da Fiesole,
dit
vers 1387/1400-1455
*(San Michele di Ripecanina,
près de Vicchio/Rome)*

Né à Vicchio di Mugello, un village de
la province toscane, d'une famille
aisée, Guido di Pietro entre en 1407,
au couvent de San Domenico de
Fiesole. D'après Vasari, il reçoit le
surnom de « Il Beato », « le Bienheureux », ou d'« Angelico », grâce à
sa vie vertueuse. Dès son entrée dans
les ordres, il peint des miniatures
et s'adonne à la décoration de son
couvent dont il couvre les murs de
peintures à fresque et à la détrempe,
techniques apprises d'après son étude
des œuvres de Giotto.

L'influence de ce dernier et de la peinture miniaturiste du Trecento et encore

celle de Masolino, se fait vivement
sentir dans sa première œuvre, un
triptyque réalisé à San Domenico, en
1425-1430.

Il peint sans se lasser, s'inspirant uniquement de sujets religieux, sans
jamais retoucher ni changer quoi que
ce soit à ses œuvres. En 1430, Fra
Angelico peint l'*Annonciation* pour
l'église San Domenico de Cortone,
véritable joyau de la peinture italienne
du XVe siècle.

Il crée là une sorte de modèle qu'il
répétera plusieurs fois. La composition
simple, le refus d'une décoration
sophistiquée ainsi que la finesse de
lignes des personnages annoncent déjà
sa manière.

En 1436, Fra Angelico est transféré
avec ses confrères au couvent San
Marco à Florence (devenu musée
national), où il décore de fresques les
cellules et le réfectoire. A cette époque,
il peint sa *Lamentation sur le corps du
Christ* dont la solennité pathétique
transmet une atmosphère chargée
d'émotion. Le paysage remplace défi-

nitivement le fond or moyenâgeux. Il
crée la « Sacra Conversazione », une
nouvelle sorte de tableaux religieux
regroupant des personnages de
l'hagiographie semblant converser, qui
supplantera la forme polyptyque traditionnelle, et se répandra pendant la
Renaissance.

Pendant l'été 1447, il travaille avec
Gozzoli dans la chapelle San Brizio
à Orvieto, qui sera achevée plus tard
par Signorelli. Il y peint le *Jugement
dernier*. L'architecture d'arrière-plan
et les personnages atteignent une
nouvelle monumentalité.

Fra Angelico se rend deux fois à
Rome : en 1445, appelé par le pape
Eugène IV, et en 1447, appelé par le
pape Nicolas V pour peindre à fresque
la chapelle Niccolina au Palais du
Vatican. Les détails minutieux des
sujets empruntés à la vie de saint
Etienne et de saint Laurent sont
exprimés dans une tonalité grave sans
toutefois effacer la grâce aimable
propre à Fra Angelico. L'influence de
la Renaissance y est déjà très nette.

Gentile Bellini.
Le Miracle de la Croix au Pont San Lorenzo,
1500. Détail.
Accademia, Venise.

Fra Angelico s'est révélé un dessinateur capable de traiter avec maîtrise n'importe quel sujet. Aucun peintre n'a su insuffler à ses figures autant de vie, n'a été à même de leur conférer plus de relief. L'art de son coloris est resté sans pareil.

Bellini, Gentile
vers 1429-1507
(né et mort à Venise)
Giovanni
vers 1430-1516
(né et mort à Venise)

Célèbres par leurs propres œuvres, Gentile et Giovanni Bellini sont aussi fameux pour avoir été les maîtres de Giorgione et de Titien. Ils débutent tout d'abord dans l'atelier de leur père, Jacopo. En 1469, Gentile est nommé chevalier. En 1483, Giovanni est nommé peintre d'Etat de la cour de Venise et, un an plus tard, il est reçu membre à la Scuola Grande. Leurs premiers ouvrages sont favorablement accueillis. En 1474, la République de Venise, voulant perpétuer sur les vieilles murailles de la grande salle du Conseil du Palais des Doges quelques-unes des actions les plus glorieuses pour la patrie, commande aux Bellini l'histoire d'Alexandre III, de ce pape que Venise, sortie victorieuse de sa lutte contre l'empereur Frédéric Barberousse, a replacé sur le trône de saint Pierre. Les deux frères peignent une suite de tableaux perdus plus tard dans un incendie, mais dont quelques-uns, heureusement, ont été conservés par la gravure. Ces immenses compositions, pleines de mouvement, de perspective et de profondeur, sortent de l'immobilité des siècles précédents.

C'est l'époque où Byzance vient de succomber. Gentile exécute, à sa demande, le portrait de *Mahomet II*, (National Gallery, Londres). Satisfait, Mahomet II l'invite à Constantinople pour lui commander d'autres travaux. Il y reste un an de 1479 à 1480. Là, il est dit que Gentile est le témoin d'une scène atroce : après avoir peint la *Décollation de saint Jean*, il va montrer son œuvre au sultan qui, tout en l'admirant, lui fait remarquer qu'il a mal rendu le retrait qu'éprouvent les chairs du cou après une exécution. Pour prouver la justesse de sa critique, il ordonne d'amener un esclave qu'il fait décapiter sous les yeux de l'artiste. Gentile, saisi d'horreur, demande aussitôt à retourner dans sa patrie.

De retour à Venise, Gentile exécute pour la Scuola di San Giovanni, tout un cycle : la *Procession sur la Piazza San Marco*, 1496, le *Miracle de la Croix au Pont San Lorenzo*, 1500 et la *Guérison miraculeuse de Pietro de Ludovici*, 1501, (Accademia, Venise), dans lequel il traduit, d'une manière traditionnelle, dans un grand souci de précision, la vie à Venise.

Avant de mourir, il demande à son frère Giovanni, de terminer la *Prédication de saint Marc à Alexandrie* et le *Martyre du saint* peuplés de détails empruntés à son voyage en Orient. (Pinacothèque de Brera, Milan).

Tandis que Gentile exerce son talent sur les rives du Bosphore, Giovanni, de son côté, travaille avec ardeur et fait des progrès considérables. Un des premiers, en Italie, il quitte la détrempe pour la peinture à l'huile dont il tire un excellent parti, et exécute surtout un grand nombre de portraits, Giovanni est de beaucoup supérieur à son frère ; toute l'illustration de leur nom doit lui revenir. Les représentations religieuses et les retables dominent dans son œuvre. Vers 1506, son style, quoique encore empreint de la sécheresse de l'école byzantine, d'une imitation trop servile de la nature, innove néanmoins par la vivacité et la souplesse. Citons dans cet esprit ses Madones qui rappellent les icônes byzantines et qui seront imitées dans l'Italie tout entière.

La Renaissance à Florence et à Padoue étend son influence sur Venise. Vers 1465-1470, Bellini est touché par la manière de Mantegna et par celle d'Antonello da Messina, évidente dans

Gentile Bellini.
Prédication de saint Marc à Alexandrie d'Egypte. Détail.
Pinacothèque de Brera, Milan.

le *Couronnement de la Vierge*, vers 1475 (Museo Civico, Pesaro), œuvre charnière dans laquelle les personnages ont une simplicité monumentale au sein d'un paysage d'une grande luminosité.

Puis, comme ses quatre *Allégories profanes* (Accademia, Venise) et son *Allégorie Sacrée* (Musée des Offices, Florence) le prouvent, il s'affranchit de plus en plus de ces influences et acquiert un style libre et dégagé. Aussi, les toiles de sa dernière période, autant les portraits que les paysages, accusent un dessin souple et fluide, et sont par là même d'autant plus émouvantes.

Appelé à Ferrare, en 1514, par le duc Alphonse Iᵉʳ, il commence, à l'âge de quatre-vingt-huit ans, cette fameuse *Bacchanale* (National Gallery, Washington), que sa faiblesse le force à abandonner, après en avoir tracé la composition générale et en avoir peint les figures. La toile sera achevée par Titien.

Par leurs recherches, les frères Bellini ont présidé au développement de l'art vénitien du Quattrocento. Ils ont rendu possible l'art de Giorgone et de Titien. Dans son portrait du *Doge*

Loredan, 1501-1505 (National Gallery, Londres), Giovanni pressent déjà la manière de ses deux élèves. Albrecht Dürer l'a proclamé le plus grand peintre de son époque.

Bellini, Jacopo
vers 1400-1470/71
(né et mort à Venise)

Fils d'un chaudronnier, Jacopo Bellini est l'élève de Gentile da Fabriano et d'Uccello. L'œuvre de ses deux fils, Gentile et Giovanni, a occulté la sienne. Il faut cependant lui reconnaître qu'il a été le premier peintre à connaître parfaitement la peinture florentine et à s'intéresser à l'Antiquité. Il travaille à Venise, à Vérone, à la cour de Ferrare et à Padoue. Il peint dix-huit tableaux de la Vierge pour la Scuola Grande di San Marco, à Ferrare, en 1449, où il exécute le portrait de Lionello d'Este, après avoir été mis en concurrence avec Pisanello. A Padoue il réalise un retable pour la chapelle Gattamelata de la basilique del Santo, en collaboration avec ses fils. Ce sont surtout ses paysages imaginaires qui ont amené la Renaissance vénitienne.

Berruguete, Pedro
vers 1450-1503/04
(Paredes de Nava/Avilá)

Né en Castille où son grand-père s'est établi, Pedro Berruguete paraît avoir étudié la peinture à Florence. On le trouve à Tolède en 1483 où il demeure jusqu'en 1495, puis il se fixe à Avilá en 1499 jusqu'à sa mort. Appelé à Urbino, vers 1477, par le duc Frédéric de Montefeltre, pour peindre la main du duc laissée inachevée dans un tableau de Piero della Francesca, il entreprend une série de portraits d'*Hommes Illustres* (en partie au Musée du Louvre à Paris), représentant prophètes, philosophes ou hommes de cour, série pour laquelle il collabore vraisemblablement avec Juste de Gand qui l'initie à l'art flamand. En même temps, il travaille avec Luca Signorelli et Melozzo da Forli.

Jacopo Bellini.
Saint Hubert.
Musée du Louvre, Paris.

C'est à Avilá qu'il peint ses chefs-d'œuvre. Parmi ceux-ci, le retable du maître-autel de la chapelle au couvent de Santo Tomás. Le style est d'un sobre réalisme, et le caractère septentrional y est tempéré par une certaine harmonie empruntée aux Florentins. Plus célèbre est une série de neuf panneaux provenant de retables décorant le cloître des rois du couvent. Conçues pour la glorification de l'ordre des Dominicains, les peintures sont consacrées à *Saint Dominique* (Musée du Prado, Madrid) et à l'un de ses disciples les plus ardents, *Saint Pierre*. Ferveur et recueillement sont exprimés avec une forte intensité dans le panneau qui représente *Saint Pierre martyr en prière*. L'influence flamande s'atténue devant l'individualisme accusé du saint dont le visage reflète un pur type espagnol. Cette âpreté du visage, alliée au mysticisme de l'expression, résume les deux tendances propres au caractère espagnol. Cette sobre composition est annonciatrice des austères peintures dans lesquelles Zurbarán

fera renaître toute la vie monastique. Berruguete a eu plusieurs disciples, et en premier lieu, son fils Alonso (1486-1561), dont le style raffiné et vigoureux traduit une spiritualité typiquement espagnole. Il est reconnu d'autre part comme le plus original et le plus talentueux des sculpteurs de la Renaissance espagnole.

Borgoña, Juan de
vers 1470-1535
(né en Bourgogne/Tolède)

Peintre espagnol d'origine bourguignonne, on rencontre Borgoña à Tolède en 1494 où il est le protégé du cardinal Ximenès de Cisneros qui lui assure de nombreuses commandes. Il est non seulement peintre, mais aussi décorateur, et à ce titre, il se charge même des ornements en relief des retables. Ces deux plus importantes réalisations sont les décorations à fresque qu'il réalise dans la cathédrale de Tolède : *La Vie de la Vierge*, *Le Calvaire* et *Le Jugement dernier* (1509-1511) offrent des caractères

assez variés où domine en général l'influence florentine. Quelques années après, il couvre de fresques les murs de la chapelle mozarabe dans la même cathédrale de Tolède. Les peintures, d'un degré inférieur aux précédentes, offrent néanmoins un intérêt primordial : l'artiste, chargé de relater les événements historiques de son temps, traite ses sujets en scènes de mœurs contemporaines, genre qui va se développer particulièrement au XVIIe siècle.

Ce peintre domine l'école tolédane à cette époque. Son art sert de transition entre le gothique et la période romaniste.

Bosch, Jérôme, Hieronymus van Aeken ou Aken, *dit* vers 1450-1516
(né et mort à Hertogenbosch ou Bois-le-Duc, Brabant)

Né au sein d'une famille de peintres, originaire d'Aix-la-Chapelle (Aachen), Hyeronymus tire son second nom de la ville de Bois-le-Duc, Hertogenbosch, où il vécut et mourut. A l'exemple de son père et de son grand-père, Jan van Aeken, qui avaient peint pour la chapelle de la confrérie de Notre-Dame-de-Bois-le-Duc, Bosch dessine un carton de vitrail en 1493-1494 et, peu de temps après, un triptyque de l'*Epiphanie*. Rien ne subsiste aujourd'hui. De la quarantaine d'œuvres qui sont restées, seules sept d'entre elles sont signées. Dès les premières peintures, *La Cure de la Folie*, *Le Char de foin*, son premier grand triptyque, (toutes deux au Musée du Prado, Madrid) ou *La Nef des fous* (Musée du Louvre, Paris), l'art de Bosch apparaît dominé par la magie et le fantastique.

La Nef des fous tire son origine du poème satirique de Sébastien Brandt, que Dürer a également illustré. *Le Char de foin*, est l'illustration d'un proverbe flamand : « Le monde est une montagne de foin, chacun en prend ce qu'il en peut saisir ». Bosch est un observateur au regard perçant, doublé d'un moraliste impitoyable qui

Jérôme Bosch.
Le Jardin des Délices : L'Enfer, vers 1503-1504.
Musée du Prado, Paris.

jamais ne se laisse attendrir, sauf peut-être, en peignant soit l'un ou l'autre détail d'un paysage, soit une échappée, qui viennent adoucir par-ci, par-là l'austérité de plus d'une de ses œuvres. Ainsi, il est incontestablement méchant lorsque, dans son *Triptyque des Mages*, vers 1495, (Musée du Prado, Madrid), il relègue saint Joseph sous un appenti qui sert à suspendre le linge. Sans pitié aussi, lorsqu'il peint le *Portement de Croix*, vers 1505 (Musée des Beaux-Arts, Gand) : les visages grimaçants et sarcastiques des personnages cadrés à mi-corps sont d'un réalisme qui va à l'encontre de la religiosité du thème traité. De la même veine est *Le Couronnement d'épines*, peint probablement à la

Jérôme Bosch.
Le Christ aux outrages.
Musée des Beaux-Arts, Gand.

même époque (National Gallery, Londres), toile dans laquelle Bosch rompt totalement avec la tradition. Mais aucune œuvre ne présente satire plus corrosive de l'humanité que *le Jardin des Délices*, peint entre 1485 et 1505, qui se trouve déjà à l'Escurial au début du XVIIe siècle. Tous les vices, toutes les passions s'y déploient, chargés de symbolisme médiéval. La peinture de Bosch, malgré l'analogie des sujets traités, est très différente de celle de ses contemporains tels que Van der Weyden ou Gérard David. Sa technique est tout à fait originale : en peignant ces petits êtres fantastiques, figurines microscopiques qui hantent ses visions infernales, il pose ses couleurs, ton sur ton, sous forme de points, dont la grosseur ne dépasse guère celle d'une tête d'épingle. L'harmonie et la tonalité de ses coloris sont inimitables : il a l'habitude de travailler sur un fond blanc, avec des

couleurs d'un ton chaud et intense, mais sensiblement transparentes. Chaque fois qu'il les applique en une couche très mince, sur une toile dûment apprêtée, le ton sous-jacent acquiert une grande importance. Il est le premier peintre néerlandais à exprimer, à travers ses paysages, un état d'âme. *Le Fils prodigue*, vers 1510 (Boymans-van Beuningen Museum, Rotterdam), en est un bon exemple. Dans ses tableaux d'inspiration religieuse, l'intérêt se fixe tout d'abord sur les choses semées, puis se déplace pour se concentrer sur les choses humaines, dont le peintre fait une satire imprégnée du pessimisme le plus noir. Dans les œuvres de sa dernière période, notamment la petite version de la *Tentation de saint Antoine* (Musée du Prado, Madrid), *Saint Jean à Patmos* (Staatliche Museen, Berlin) ou *Saint Jean-Baptiste dans le désert* (Musée Lazaro-Galdiano, Madrid), il procède

Sandro Botticelli.
Le Châtiment de Coré. Détail. 1482.
Chapelle Sixtine, Rome.

Sandro Botticelli.
Vie de Moïse en Egypte. Détail. 1482.
Chapelle Sixtine, Rome.

Sandro Botticelli.
Vierge avec l'Enfant et saint Jean-Baptiste.
Galerie Borghèse, Rome.

à une éilimination des signes extérieurs de l'inquiétude religieuse qui ne sont plus représentés que par quelques détails, tels que les lutins ou les reptiles. Célébré de son vivant, il reçoit des commandes de personnages illustres, parmi

lesquels Philippe le Beau, le cardinal Grimari, Marguerite d'Autriche qui détient, déjà en 1516, une *Tentation de saint Antoine* et Philippe II qui garde dans sa chambre à coucher les *Sept péchés capitaux* (Musée du Prado, Madrid). Copié et initié par ses contemporains tels que Bruegel l'Ancien, Jan de Cock ou Patenier, il a fallu attendre le surréalisme pour le redécouvrir.

Botticelli, Sandro
Alessandro Filipepi *dit*
1445-1510
(né et mort à Florence)

Alessandro Filipepi tient son surnom « Botticelli » de son frère aîné, Giovanni, que ses intimes appelaient, à cause de son embonpoint, « il Botticello », c'est-à-dire « le petit tonneau ». Fils d'un tanneur au Borgo d'Ognissanti, il fait un bref apprentissage dans l'atelier d'un autre de ses frères, orfèvre, puis à partir de 1465, chez Filippo Lippi. Il est probable qu'il a fréquenté l'atelier de Verrocchio. Dès 1470, Botticelli ouvre son propre atelier. Il devient le peintre le plus célèbre de Florence, le portraitiste le plus réputé de la Renaissance italienne. Son art marque à la fois l'apogée et la fin de la peinture florentine du Quattrocento. Il peint des portraits, non seulement chaque fois qu'on lui en passe commande, mais encore et surtout, quand il traite des sujets religieux. Suivant la mode du temps, il choisit, pour chacune de ses figures, un modèle vivant. Aussi, dans son *Adoration des Mages*, peinte vers 1476-1477 à Santa Maria Novella représente-t-il Cosme de Médicis dont il est le protégé et sa famille. De cette période date le portrait posthume de *Julien de Médicis* (National Gallery, Washington), pour lequel il a déjà peint l'étendard en 1875. Les toiles de cette veine se caractérisent par une grande distinction dans le dessin des formes et par autant de discrétion dans l'expression des sentiments ; elles attachent beaucoup d'importance au décor. Les personnages et les objets ont une profondeur spatiale jamais encore atteinte. Qu'il peigne des portraits ou compose des allégories, ses personnages féminins sont exceptionnels par leurs traits mélancoliques et leur aspect frêle et délicat. Aussi, toujours à la demande des Médicis, ses mécènes, peint-il un grand nombre de sujets de ce genre. Parmi les tableaux, commandés pour la décoration des villas, *Le Printemps* vers 1478 et la *Naissance de Vénus*, qui lui est postérieure (tous deux au Musée des Offices, Florence). Ce dernier est inspiré par une description de Pausanias d'un tableau d'Apelle, le plus illustre des peintres grecs anciens. Le peintre a représenté la déesse de l'amour naissant de l'écume de la mer. Un charme indéfinissable émane de la mise en page tout à fait originale, exprimée avec une pureté des lignes et une rigueur dans le dessin. La Renaissance humaniste est manifeste avec la double affirmation de la sensualité alliée aux valeurs spirituelles. La toile est porteuse d'une poésie à la fois rayonnante et énigmatique.

Botticelli se montre également un excellent peintre de fresques. En 1480, il réalise les peintures murales de l'église d'Ognissanti. Son évocation de *Saint Augustin dans sa cellule* prouve son grand art. En 1484, il termine trois grandes décorations à l'intérieur de la Chapelle Sixtine qui lui avaient été commandées trois ans auparavant par Sixte IV : deux sont consacrées à des *Episodes de la vie de Moïse*, la troisième à *La Tentation du Christ*.
De retour en Toscane, Botticelli reçoit la commande de nombreux tableaux religieux. Parmi ceux-ci, le *Retable de saint Barnabé* (Musée des Offices, Florence) et, surtout des Vierges, conservées dans les musées de Florence, Milan et Berlin comme la *Madone du Magnificat* ou la *Madone à la Grenade* (Musée des Offices, Florence).
A cette époque, la prédication de Savonarole exerce une influence décisive sur son évolution artistique. Il abandonne définitivement toute la mythologie. Son œuvre la plus importante, après 1490, est sans doute l'illustration sur parchemin de la *Divine Comédie* de Dante (Kupferstichkabinett, Berlin et Bibliothèque vaticane, Rome). En 1492, la mort de son mécène, Laurent de Médicis, suivie, six ans plus tard, par l'exécution de Savonarole, déclenche un changement important dans le travail du peintre. Sa manière devient maniériste et formelle. Les commandes se font rares et Vasari parlera de son esprit « sophistiqué ». L'unique toile signée et datée au début du XVIe siècle est la *Nativité mystique*, 1501 (National Gallery, Londres). Après avoir fait partie en 1491, d'une commission chargée d'étudier les projets pour la façade du Dôme avec Ghirlandaio, le Pérugin et Di Credi, il est à nouveau sollicité pour désigner l'emplacement du *David* de Michel-Ange. Il meurt dans la pauvreté.

Bourdichon, Jean
vers 1457-1521
(né et mort à Tours)

Bourdichon a probablement été formé dans l'atelier de Jean Fouquet. Il a servi trois rois : à vingt et un ans, il travaille pour Louis XI. Devenu peintre de la cour, il réalise le portrait de Charles VIII et de la Reine, puis celui de Louis XII. Il conserve encore son

audience sous François Ier. C'est le peintre d'un grand nombre de tableaux, d'armoiries, de blasons et de monnaies, mais son œuvre principale reste celle d'un enlumineur. Entre 1500-1507, il illustre le livre des *Grandes Heures d'Anne de Bretagne* (Bibliothèque nationale, Paris), dans lesquelles cinquante et une enluminures, réalisées dans un coloris aussi riche que délicat, représentent des scènes de l'Evangile et de la Légende dorée. Le dessin en est très sûr.
De nombreux autres manuscrits enluminés par Bourdichon sont conservés dans les bibliothèques d'Innsbruck, Londres, New York, Modène, et surtout Paris. Parmi ceux-là, il faut citer les *Heures de Ferdinand d'Aragon* et celles de *Charles d'Angoulême*.
Il reste un représentant du style gothique international.

Bouts, Dierick ou Thierry
vers 1415-1475
(Haarlem/Louvain)

Il est possible que Bouts ait reçu son premier enseignement d'Albert van Ouwater. Installé à Louvain en 1448 (ville dans laquelle il restera toute sa vie), il reçoit l'influence de Van der Weyden avec lequel il travaille probablement. Il épouse sa première femme, Catherine van der Bruggen, dont il a deux fils qui seront peintres et enlumineurs. Il va se remarier avec la veuve d'un bourgmestre et devenir le peintre officiel de la ville. En 1468, sa première œuvre connue est une série à thème religieux comprenant l'*Annonciation*, la *Nativité*, la *Visitation* et l'*Adoration des Mages* (Musée du Prado, Madrid). Son œuvre la plus célèbre est un tableau d'autel qu'il peint pour l'église Saint-Pierre de Louvain, *La Cène*, vers 1467. Chef-d'œuvre de tout premier ordre, ce tableau réunit en une synthèse idéale un coloris brillant, la perspective, un réalisme parfait dans le dessin et le modèle des visages et des mains, une science consommée de l'art de grouper les figures, une technique sans défaillance dans la peinture du lin, des lainages et de la soierie, enfin, une atmosphère de piété intense qui achève, en l'enveloppant, l'œuvre entière. Cette œuvre rappelle celle de Jan van Eyck dont il a appris la

Jean Bourdichon.
La Sainte Famille.

Dierick Bouts.
La Dernière Cène, 1464-68.
Eglise Saint-Pierre, Louvain.

manière à Bruges auprès de Petrus Christus.

A la différence des grands peintres, ses contemporains, Bouts peint un grand nombre de martyrs. Les tableaux de cette veine présentent des personnages dont l'immobilité est frappante : nul trait des visages ne trahit une émotion quelconque tandis que le flegme des martyrs est en accord parfait avec l'expression qui se lit sur leur visage. Les physionomies ne montrent aucune emphase. Pourtant certains détails montrent que ce calme olympien n'est que superficiel. Cette inspiration a donné lieu à des toiles comme le *Martyre de saint Erasme*, avant 1466 (Collégiale Saint-Pierre, Louvain), le *Martyre de saint Hippolyte*, 1472 (Saint-Sauveur, Bruges) que termina Van der Goes, quatre ans après la mort de Bouts.

Bouts a exécuté également deux grandes compositions pour la salle des délibérations de la ville de Louvain : Le *Jugement Dernier* et deux scènes empruntées à la légende dite *La Justice de l'Empereur Othon*, vers 1470-75 (Musées royaux des Beaux-Arts, Bruxelles), dans lesquelles Bouts fait preuve d'un talent remarquable de portraitiste, bien qu'il ne se soit jamais particulièrement appliqué à ce genre. Les Madones, inspirées par une foi vive et intense, sont traitées plutôt dans le style de Van der Weyden. Quant à la technique des paysages, elle a évolué, passant de la perspective en coulisses à la perspective tout à fait naturelle. Se révèle déjà dans ses compositions un grand amour de la nature qui grandira sans relâche, pour remplir finalement un espace intense dans la peinture de l'école néerlandaise et flamande.

Campin, Robert
1378/79-1444
(Valenciennes/Tournai)

Probablement né à Valenciennes, Robert Campin apparaît dans les registres de la ville de Tournai entre les

Dierick Bouts.
Triptyque de la Vierge : Adoration des Mages.
Musée du Prado, Madrid.

années 1406 et 1444. Ces mêmes documents signalent que le Magistrat de la Cité le chargea de travaux de décoration. Il ouvre probablement un atelier qui attire Roger van der Weyden et Jacques Daret. Robert Campin est généralement identifié sous deux autres noms : Maître de Flémalle, du nom d'une abbaye située dans les environs de Liège, qui en fait n'a jamais existé mais d'où on a cru que provenaient les quatre panneaux conservés sous ce nom, et Maître de Mérode, d'après un triptyque longtemps possédé par les princes de Mérode avant d'être acquis par le Metropolitan Museum de New York.

En 1423, il est élu doyen de la guilde de Saint-Luc, en dépit de sa participation à un conflit mené contre la noblesse de la ville. On ne peut lui attribuer d'œuvres avec certitude, pourtant l'unité qui se dégage des peintures présumées est suffisante pour reconnaître son style original. Si ses sujets religieux sont réalistes et ont pour cadre les intérieurs bourgeois, il n'en respecte pas moins l'iconographie traditionnelle. Ce naturalisme nouveau va conditionner toute l'évolution de la peinture flamande.

Parmi ses œuvres, il convient de citer : une *Nativité* (Musée des Beaux-Arts, Dijon) une *Vierge en Gloire* (Musée des Beaux-Arts, Aix-en-Provence), une *Crucifixion* (Staatliche Museen, Berlin), une *Sainte Barbe* et *Saint Jean-Baptiste avec un donateur* (Musée du Prado, Madrid). Mais son chef-d'œuvre est sans contexte le *Triptyque de Mérode* avec son panneau central de l'*Annonciation*, exécuté vers 1425-28.

Carpaccio, Vittore
vers 1455-1525
(né et mort à Venise)

Carpaccio est l'un des plus grands peintres de l'école vénitienne de la fin du XVe et du début du XVIe siècle. Bien que ses œuvres subissent l'influence de Giovanni Bellini, on ne peut pas dire avec certitude qu'il ait été son élève. Comme lui et tous les peintres vivant à Venise, carrefour avec l'Orient, il partage le même goût de l'exotisme. Il est le peintre attitré des colonies albanaises et illyriennes. La suite des sept tableaux dont il décore la salle de réunions des Slaves de

Venise, San Giorgio degli Schiavoni, réalisée de 1502 à 1510, illustrant les *Vies de saint Georges*, *saint Jérôme* et *saint Tryphon*, est, par la douceur de la lumière comme par l'aspect pittoresque des costumes, une œuvre d'orientaliste.

En même temps que peintre des costumes à turban, Carpaccio est le peintre des cérémonies officielles de Venise dont il devient le chroniqueur. En 1490, il est chargé de la décoration de la Scuola di Sant'Orsola. Il réalise neuf tableaux relatant la *Vie de sainte Ursule*, fille du roi de Cornouailles (Accademia, Venise) demandée en mariage par les ambassadeurs d'un roi païen. Cette série, contemporaine de

Vittore Carpaccio.
La Vie de sainte Ursule. Détail.
Accademia, Venise.

celle de Memling, n'est pas enfermée, comme les compositions du peintre de Bruges, en de délicates miniatures. Elle se déploie sur de larges tableaux où la sainte est presque oubliée, l'attention de Carpaccio étant tout entière focalisée sur le spectacle des réceptions, embarquements et processions.

Cependant, tout à ses fêtes et ses cortèges, le maître vénitien n'en sait pas moins créer une ambiance particulière en enveloppant ses scènes d'éclairages à la fois puissants et subtils. Par l'utilisation savante et personnelle de la

Vittore Carpaccio.
La Vie de Sainte-Ursule, 1495.
Accademia, Venise.

lumière, il parvient à mêler étrangement la sensation du rêve à l'image de la réalité.

En 1502, Carpaccio reçoit une commande officielle pour la Sala dei Pregadi du Palais des Doges dans laquelle il illustre *Le Pape Alexandre II célébrant la Sainte Messe à Saint-Marc*. De 1511 à 1520, il peint à la Scuola di San Stefano à Venise, de nombreuses versions sur l'histoire de saint Etienne. Il a su laisser une vision à la fois exacte et poétique de sa ville natale, tout en apportant des solutions aux problèmes de l'espace et en créant une harmonie nouvelle entre paysages et personnages.

Christus, Petrus
vers 1410-1473
(Baerle/Bruges)

Né à Baerle, près de Gand, Christus devient en 1444 citoyen de Bruges où il a obtenu la maîtrise. Trois ans après, il entre à la guilde de Saint-Luc de la ville. Bien que son style se rapproche beaucoup de celui de Van Eyck, il n'est pas certain qu'il eut ce dernier pour maître. A sa mort pourtant, il reprend l'école et devient maître de l'école brugeoise. Eclectique, il subit aussi l'influence de Roger van der Weyden dans l'expression de l'émotion et de Bouts. On peut croire qu'il visita l'Italie et qu'il fit connaître à Antonello da Messina la technique eyckienne.

Parmi ses œuvres les plus importantes figure le triptyque comprenant l'*Annonciation*, la *Nativité* et le *Jugement Dernier* (Gemäldegalerie Dahlem, Berlin) et la *Déposition de Croix* (Musées royaux des Beaux-Arts, Bruxelles). Fin coloriste, il épaissit ses personnages qui, parfois, paraissent grossiers quand on les compare à ceux de Van Eyck, mais son écriture s'affine chaque fois qu'il peint un portrait. Parmi ceux-là, il faut citer *Portrait de jeune femme*, vers 1446 (Staatliche Museen, Berlin) et le panneau du retable, *Saint Eloi, orfèvre*, 1449 (Metropolitan Museum, New York), qui ouvre la voie au *Banquier et sa femme* de Quentin Metsys, exécuté en 1514.

Crivelli, Carlo
(vers 1430/35-1493/95)
(Venise-Ascoli)

Crivelli est l'un des nouveaux peintres de la Renaissance. Son dessin énergique produisant des figures aux contours nets, parfois durs, témoignent de l'influence du gothique tardif. Souvent, il a une prédilection pour dessiner des objets ou des détails d'objets ou des corps qui se détachent en relief sur l'arrière-fond de la toile. Son coloris est chaud, aux contrastes vigoureux, sans que l'ensemble n'y perde jamais de son harmonie. Les personnages aux expressions parfois extatiques, ainsi que les raccourcis adoptés pour rendre l'architecture, traduisent le maniérisme de ce début de la Renaissance. Crivelli a peint à la détrempe durant toute sa vie, se refusant à adopter la technique de la peinture à l'huile, devenue pourtant une pratique courante.

En 1482, il réalise à Massa Fermana le polyptyque, la *Madone entre quatre saints*, en 1473 (Pinacothèque de Brera, Milan), puis deux autres pour l'église San Domenico. Son œuvre la plus caractéristique est, sans conteste, le *Couronnement de la Vierge* (Pinacothèque de Brera, Milan).

Dalmau, Luis
actif de 1480 à 1461
(probablement né à Valence)

Luis Dalmau est, avec Jaime Huguet, la figure la plus représentative de l'art catalan dans la seconde moitié du XVᵉ siècle.

Il apparaît pour la première fois en 1428. Il travaille alors à Valence pour le roi d'Aragon, Alphonse V. De 1438 à sa mort, il s'établit à Barcelone. Des voyages l'éloignèrent à plusieurs reprises de Valence. Celui qu'il fait en Flandre en 1431 est le plus important car il entre en apprentissage chez Van Eyck qu'il a déjà dû rencontrer lors du voyage de ce dernier en 1428 dans la péninsule ibérique.

Ainsi s'explique le « flamandisme » de Luis Dalmau dans son œuvre maîtresse, le *Retable de la Vierge aux Conseillers*, vers 1443-1445 (Museo de Arte de Cataluña, Barcelone), la seule œuvre authentique de l'art de Luis Dalmau, où s'affirment toutes les tendances nordiques dont l'artiste s'est inspiré à travers les œuvres de Van Eyck. Cette peinture s'oppose en tous points aux retables d'alors : plus de ces compositions « à compartiments » où les artistes locaux, influencés par les Italiens, traitaient des scènes vivantes et pittoresques rappelant parfois des miniatures agrandies. Un style nouveau se fait jour dans la peinture catalane ; cependant les efforts néerlandais, si visibles chez Dalmau, ne seront que de courte durée dans l'art catalan, et les traditions vont peu à peu l'emporter.

Dalmau meurt probablement de la peste qui sévit à Barcelone à cette époque.

David, Gérard
vers 1460-1523
(Oudewater/Bruges)

Gérard David est le dernier grand peintre de l'école brugeoise. Probablement formé dans les Pays-Bas du Nord, dans le sillage de Geertgen tot Sint'Jans — leur style est si semblable qu'on les suppose tous deux élèves d'Albert van Ouwater à Haarlem — il s'installe à Bruges en 1483 pour y travailler la majeure partie de sa vie, comme l'avait fait Hans Memling à qui il succède au titre de peintre officiel de la ville. Il hérite également de lui : l'intensité d'expression, le réalisme plus prononcé dans la peinture de ses personnages et la disposition dramatique des figures. Il reçoit la protection du roi Ferdinand et d'Isabelle d'Espagne. Deux œuvres réalisées en 1488 et 1498 pour la salle du Conseil de l'Hôtel de Ville, le *Jugement de Cambyse* et le *Supplice du juge prévaricateur Sisamnès* (toutes deux au Musée Groeninge, Bruges), font partie des seuls trois retables signés et datés qui ont été conservés. Ces œuvres font preuve d'un très grand réalisme. Sur des thèmes empruntés à Hérodote, elles rappellent aux magistrats leur devoir de conscience de leur fonction. Sa réputation de grand miniaturiste le fait travailler auprès du duc de Bourgogne. En 1515, Gérard David est à Anvers, où il paye la taxe nécessaire pour entrer à la guilde de Saint-Luc. Là, il rencontre Joachim Patenier et surtout Quentin Metsys qui exerce sur lui une profonde influence. Ses œuvres perdent de leur intensité dramatique pour céder à l'attrait de l'aimable, voire du gracieux : la *Vierge à la soupe au lait* (Musées royaux des

*Domenico Veneziano.
Adoration des Mages, vers 1440.
Gemäldegalerie, Berlin.*

Beaux-Arts, Bruxelles) et le *Repos pendant la fuite en Egypte* (Metropolitan Museum, New York).

David s'est surtout montré un excellent peintre de paysage, qui a su influencer la peinture anversoise. Dans le *Retable de Jean de Trompes* à Bruges, dans le *Paysage* d'Amsterdam, il se révèle, dans ses effets de lumière, un véritable poète.

Son chef-d'œuvre *La Vierge entre les Vierges*, 1509 (Musée des Beaux-Arts, Rouen), peint dans une vision sereine et pieuse, annonce déjà à Bruges l'arrivée de la Renaissance.

Citons également de lui les *Noces de Cana*, vers 1503 (Musée du Louvre, Paris), et l'*Adoration des Mages* (Musées royaux des Beaux-Arts, Bruxelles), remarquable pour la mise en page, l'ampleur de la composition, l'équilibre harmonieux des formes, la profondeur des coloris aux tons chauds.

Domenico Veneziano,
di Bartoloméo de Venezia, *dit*
vers 1400-1461
(Venise/Florence)

Parmi les quelques détails concernant la biographie de Domenico Veneziano qui nous soient parvenus, figurent deux documents. Le premier, daté de 1438, est une lettre adressée à Pierre de Médicis ; prétendant être l'égal de Filippo Lippi et de Fra Angelico, il souhaite être introduit auprès de Cosme, son père. Le deuxième document, daté de 1439, est une note d'honoraires concernant les fresques exécutées pour l'hôpital Santa Maria Novella dans le chœur de Sant'Egidio, travail qui n'a pas été conservé.

Il est possible de lui attribuer avec certitude le *Retable de Santa Lucia dei Magnoli* à Florence, représentant *La Vierge et l'Enfant* daté de 1445, dont les prédelles sont dispersées dans les musées de Florence, Berlin, Cambridge et Washington. Cette œuvre permet de lui attribuer également le superbe tondo de la Gemäldegalerie Dahlem de Berlin, l'*Adoration des Mages* (1430-1435), ainsi que trois portraits : *Matteo Olivieri* (National Gallery, Washington), *Michele Olivieri* (collection particulière, New York) et un *Profil de dame* (Gardner Museum, Boston).

Domenico Veneziano est à Florence lorsque Uccello se livre à ses expériences de perspective. Cependant, ses propres innovations sont à chercher sur le plan de la couleur et de la technique à l'huile (Vasari lui attribue, à tort, l'introduction de la peinture à l'huile en Toscane), dont Antonello da Messina lui a, paraît-il, communiqué le secret. Il se montre encore très proche du gothique international, bien qu'on puisse déceler par sa palette de couleurs, unique à son époque, inscrite dans une composition où s'installe une nouvelle approche de la perspective, les différents éléments de la pré-Renaissance florentine.

Eyck, Jan van
vers 1390-1400/41
(Maeseyck/Bruges)

Jan van Eyck est né dans le Limbourg, à l'est de la Flandre. Il est d'une vingtaine d'années le cadet de Hubert, également peintre. Ils travaillent ensemble dans le même atelier, et la thèse avancée est qu'Hubert commença etcomposa leur œuvre capitale et gigantesque (3,50 m de haut sur 4,60 m ouvert), l'*Agneau Mystique* (Cathédrale Saint-Bavon de Gand), en 1426, œuvre que Jan reprit à sa mort, en 1426, et qu'il termina en 1432. On sait qu'ensemble, s'ils n'inventèrent pas comme on l'a dit, la peinture à l'huile, ils trouvèrent des huiles plus siccatives qui donnent aux couleurs une étonnante richesse et une singulière transparence. Le secret de cette nouvelle méthode de peinture, expérimentée entre 1410 et 1420, basée sur l'application d'un mélange d'huile, de vernis et de pigment, sera si bien gardé que les Italiens ne l'apprendront pas avant la fin du XVᵉ siècle.

En 1422-24, Jan van Eyck entre au service de Jean de Bavière, comte de Hollande, qui vit alors à La Haye. De 1425 à 1429, il se met au service de Philippe Le Bon, duc de Bourgogne, qui élèvera la Bourgogne au rang d'une des plus grandes puissances européennes et amorcera l'épanouissement de l'art flamand du XVᵉ siècle. Outre ses fonctions de peintre de la Cour et de valet de chambre du Duc, il est également chargé de missions diplomatiques. C'est ainsi qu'il part en Espagne et au Portugal. En 1431, il s'installe définitivement à Bruges, s'y marie, y achète une maison dans laquelle il vivra jusqu'à la fin de sa vie, et où il deviendra peintre officiel de la ville. L'œuvre de Van Eyck comprend des miniatures, des portraits et des tableaux religieux. Il a certainement commencé sa carrière comme enlumineur. On lui attribue ainsi les onze miniatures contenues dans le recueil dit des *Heures de Turin* ayant appartenu au duc de Berry dont une partie est conservée au Musée de Turin, tandis que le reste a été anéanti dans l'incendie qui détruisit la bibliothèque de la ville en 1804.

Quant aux tableaux, ils sont tous d'inspiration religieuse. Dans sa première œuvre, la *Vierge et l'Enfant*, 1433 (National Gallery, Melbourne), il découvre déjà une manière qu'il développera tout au long de sa carrière, jusqu'à son dernier tableau daté, la *Vierge à la Fontaine*, 1439 (Kunstmuseum, Anvers). Ses Vierges sont de jeunes flamandes dont il ne cherche pas à idéaliser les traits ; la tête de la Vierge, parfois ceinte d'une couronne, n'est jamais éclairée d'un nimbe. Les personnages qui peuvent les entourer sont copiés d'après nature, et le souci de l'exactitude se retrouve dans les moindres accessoires. Au fond se développent souvent des paysages pittoresques, exécutés avec une merveilleuse finesse. *La Vierge du Chancelier Rolin*, (Musée du Louvre, Paris) peint en 1426 ou 1434, selon les différentes opinions avancées, pour Nicolas Rolin, chancelier de Bourgogne, s'ouvre sur un jardin fleuri qui introduit un paysage aussi touffu que détaillé, réalisant ainsi un parfait équilibre entre l'espace intérieur et extérieur.

Van Eyck innove également dans l'art du portrait. Pour la première fois, il peint son modèle vu de trois quarts, le demi-corps remplace le buste. Tous ces portraits, de petits formats, font preuve d'une grande minutie et laissent autant voir les qualités que les défauts du sujet. *L'Homme à l'œillet* (Staatliche Museen, Berlin) est prodigieux de vérité, malgré un peu de sécheresse, *L'Homme au Turban rouge*, signé et daté 1433 (National Gallery, Londres), tourne pour la première fois son regard vers le spectateur.

Le double *Portrait en pied d'Arnolfini et de son épouse Giovanna Cenani*, 1434 (National Gallery, Londres), l'une des rares œuvres datées et signées, est un pur chef-d'œuvre. Chaque détail est représenté avec un réalisme saisissant. Jamais aucun artiste n'a réussi à rendre la douceur et la chaleur d'une fourrure. Jamais aucune robe verte n'a atteint une telle intensité dans le coloris. Et par le jeu d'un miroir habilement accroché sur le mur, entre les deux époux, on peut apercevoir deux personnes dont l'une pourrait bien être Jan van Eyck lui-même.

Van Eyck est le premier peintre à faire le portrait de gens simples n'appartenant ni à la noblesse, ni à l'aristocratie d'Eglise. Dans ce domaine encore, il anticipe de deux siècles sur les préoccupations des peintres hollandais.

Toutefois, le chef-d'œuvre sans pareil de Van Eyck reste l'*Agneau Mystique*, commandé par l'échevin de Gand, Josse Vyd, polyptyque constitué de douze panneaux en chêne dont les huit panneaux extérieurs sont peints des deux côtés. Produit incomparable d'une esthétique imprégnée de foi chrétienne, le thème a été inspiré par la liturgie de la Toussaint, plus spécialement par un passage de l'Epître de ce jour, tirée de l'Apocalypse de Saint Jean (VII, 1-17). Ce tableau, dans

Jan van Eyck.
Les Epoux Arnolfini, 1434.
National Gallery, Londres.

Jan van Eyck.
Messe de requiem, tirée du Livre d'Heures de Turin.
Museo Civico, Turin.

lequel s'affirment d'emblée le réalisme et l'idéalisme flamand, se signale par ses très grandes qualités picturales : sérieux des figures, richesse des vêtements, variété du décor, luxe incomparable du coloris. Le réalisme s'affirme dans les figures humaines, dans le rendu des étoffes et des bijoux, dans le détail des plantes et des fleurs. Van Eyck n'a eu aucun successeur direct dans l'art hollandais, à l'exception de Petrus Christus dont on ne peut affirmer qu'il ait été son élève. Pourtant toutes les générations suivantes s'enrichiront de son enseignement, que ce soit dans l'art du portrait, celui de la nature morte ou encore du paysage.

Fouquet, Jean
vers 1420-1480
(né et mort à Tours)

On connaît peu de choses de Jean Fouquet qui est pourtant le peintre le plus représentatif et le plus caractéristique de l'art français du XVᵉ siècle. Probablement fils naturel d'un ecclésiastique, il semble avoir séjourné à Rome avant 1447, comme en atteste son portrait du Pape Eugène IV accompagné de ses deux neveux. De retour à Tours, il ouvre un atelier, décore Notre-Dame-La-Riche et travaille à la cour de Charles VII dont il peint le portrait en 1444 (Musée du Louvre, Paris). Sans être pour autant le peintre officiel, il peint les personnages importants : *Portrait de Guillaume Juvénal des Ursins*, vers 1455 (également au Louvre), *Portrait d'Etienne Chevalier*, trésorier de France (Staatliche Museen, Berlin), *la Vierge à l'Enfant* (Musée royal des Beaux-Arts d'Anvers) peinte d'après les traits d'Agnès Sorel, la maîtresse de Charles VII.

Cette œuvre figure parmi les plus belles pièces du XVᵉ siècle. Elle frappe par son coloris étrange, le violent contraste de l'arrière-fond des chérubins et des séraphins rouges et bleus, et la figure même de la Vierge dont les formes blanches et sculpturales se détachent de la surface plane qui les porte. En 1461, à la mort de Charles VII, l'importance de Fouquet grandit. Il apparaît alors comme le chroniqueur de la cour, chargé de représenter les cérémonies, fêtes et entrées. Entre 1470 et 1476, il réalise la seule œuvre qu'on puisse lui attribuer avec certitude, le manuscrit enluminé des *Antiquités judaïques* de Flavius Josèphe (Bibliothèque nationale, Paris) réalisé pour le duc de Nemours, Jacques d'Armagnac, dans lequel il témoigne de son grand art de rendre les effets de foule et de défilés. Aucun miniaturiste n'a, comme Jean Fouquet, le sens du paysage dont l'observation quasi-scientifique, rendue dans une palette aux couleurs chatoyantes, fait oublier qu'il s'agit là de miniatures et non de tableaux. On date des années 1450 les *Heures*

d'Etienne Chevalier dont les quarante-trois feuillets retrouvés sur quarante-sept sont conservés au Louvre, à la Bibliothèque nationale et au musée Condé de Chantilly. Ce volume montre sa connaissance de l'art italien, assimilant les recherches de perspective de Masolino, d'Uccello et la sensibilité de Fra Angelico dont Fouquet peut avoir vu des fresques au Vatican, lors de son voyage à Rome. Sa description de nombreuses vues de Paris, tend à prouver que Jean Fouquet y a effectué sa formation.

Les Grandes Chroniques de France (Bibliothèque nationale, Paris) et l'illustration du *Décaméron de Boccace* (Staatsbibliothek, Munich), montrent un changement de style important : ses compositions monumentales cèdent la place à une manière plus décorative. Il renonce à la perspective géométrique pour adopter une conception plus traditionnelle.

En 1475, Jean Fouquet est mentionné comme peintre officiel du roi. La *Pietà*, conservée dans l'église provinciale de Nouans, en Indre-et-Loire, est considérée comme sa dernière œuvre. Elle est l'aboutissement d'une recherche de style où la spiritualité médiévale s'exprime dans toute son intériorité au sein d'une conception nouvelle et sereine de l'espace.

On connaît précisément la date de décès de Fouquet par un acte paroissial. Il meurt à Tours le 8 novembre 1481, après avoir été le premier peintre non italien du XVᵉ siècle à avoir assimilé les principes de la peinture de la Renaissance. S'il n'a pas vraiment eu d'élèves, Fouquet a exercé une influence considérable sur l'évolution de la peinture française. Oublié dès sa mort, il sera redécouvert au XVIIᵉ siècle.

Francia, Francesco Raibolini *dit*
vers 1450-1517
(né et mort à Bologne)

Francesco Raibolini est mis, de bonne heure, en apprentissage chez un orfèvre de Bologne. Il acquiert rapidement une grande réputation pour ses nielles. Il débute sa carrière de peintre grâce à Lorenzo Costa qui propagea à Bologne les œuvres de l'école de Ferrare et les enseignements de l'école de Padoue ; il puise son inspiration dans

des thèmes religieux. Il exécute de petits retables comme le *Saint François* de la galerie Borghese à Rome et des « palas » pour les églises de Bologne. On raconte que quand Michel-Ange était à Bologne, Francia, qui ne connaissait pas encore ses ouvrages, vint visiter la statue de Jules II, en cours d'exécution. Michel-Ange lui ayant demandé son avis, il répondit que c'était un très beau jet et qu'il avait employé une belle manière. Cette réponse paraissant faire l'éloge du bronze plutôt que celui de l'artiste, ce dernier répliqua : « J'ai, au pape Jules qui me l'a donnée, la même obligation que vous avez aux marchands qui vous vendent vos couleurs ». Et il ajouta, en se tournant vers les gentilshommes présents, que le Francia était un sot. Ce n'est pas l'opinion de Raphaël qui tint au contraire Francia en grande estime, et dit, en parlant de ses Vierges, dans une de ses lettres : « Il n'en existe pas de plus belles, de plus dévotes, et de mieux faites ».

Vasari raconte que Francia mourut de douleur de se voir surpassé, lorsque Raphaël envoya à Bologne son tableau de *Sainte Cécile*. Mais comme Francia était alors âgé de près de soixante-dix ans, il est permis de croire que l'âge y était aussi pour quelque chose.

Froment, Nicolas
vers 1425-1483/86
(Uzès/Avignon)

Formé vraisemblablement dans le Nord, Nicolas Froment appartient à la deuxième école d'Avignon. En 1488, installé à Avignon, peintre à la cour de René 1ᵉʳ, duc d'Anjou et de Lorraine, roi de Naples, il est l'auteur d'un diptyque conservé au Louvre, *Portrait du roi René* et *Portrait de Jeanne de Laval*, son épouse. Coloriste éclatant et remarquable portraitiste, il subit deux influences, la florentine et la flamande. La première se révèle dans l'art de traiter la perspective, la seconde dans son naturalisme. Parmi de nombreux travaux, deux lui sont attribués avec certitude. Il s'agit du triptyque de la *Résurrection de Lazare*, signé au dos et daté de 1461 (Musée des Offices, Florence), et du triptyque du *Buisson Ardent*, commandé par le roi René et exécuté entre 1475 et 1476, pour l'église des

Jean Fouquet.
L'Entrée de Louis II d'Anjou à Paris en 1385.
Miniature tirée des « Chroniques » de Jean
Froissart, vers 1450.
Bibliothèque nationale, Paris.

Francesco Raibolini, Francia.
Frédéric de Gonzague.
Metropolitan Museum of Art, Washington.

Nicolas Froment.
La Résurrection de Lazare, 1461.
Musée des Offices, Florence.

Grands-Carmes (Cathédrale d'Aix-en-Provence).

Le premier, naturaliste, abondant de détails, dénote l'influence flamande et hollandaise, mais laisse transparaître cependant, notamment dans le traité du paysage, une connotation italienne. Le second, symbole de la Vierge qui conçoit sans être touchée par le feu de la concupiscence, gothique dans sa conception mais plus encore dans sa forme, traite avec des techniques et en un style empruntés à la Flandre et à la Toscane, un authentique paysage provençal. Froment a été à la tête d'un atelier actif.

Gallego ou Gallegos, Fernando
entre 1440/45 - après 1507
*(probablement né et mort
à Salamanque)*

Dans le dernier tiers du XVe siècle, Salamanque devient un centre artistique important. Le chef de l'école de peinture qui s'y développe est Fernando Gallego. Les maîtres néerlandais ou allemands, Conrad Witz ou Martin Schongauer dont on vend régulièrement les gravures dans les foires de Castille, influencent Gallego sans toutefois atteindre le fond purement

espagnol qui est en lui. Son œuvre, parmi les plus anciennes, semble être la *Pietà*, peinte avant 1467 (Musée du Prado, Madrid). La plastique en est étonnante ; la recherche du volume y est accusée par l'étoffe bouffante aux plis multiples que revêt la Vierge, détail qui se retrouve dans l'œuvre de Conrad Witz. La ville, qui surgit dans le fond, est traitée dans un style précurseur de celui du Greco (*Vue de Tolède*), quoique bien différent. *Le Retable de saint Ildefonse*, peint vers 1466 (Cathédrale de Zamora), est orné de figures d'un hispanisme marqué ; certaines physionomies offrent même un caractère nettement régional. Toutefois, on peut y noter également le mélange d'influences de Schongauer et des Flamands, tels que Dierick Bouts et Roger van der Weyden.

Les fresques qu'il a réalisées entre 1479 et 1493 pour la bibliothèque de l'université de Salamanque montrent davantage sa rencontre avec les débuts de la Renaissance italienne.

L'influence de Gallego et de son atelier s'est répandue en dehors de Salamanque, jusqu'à Bruges et à Valladolid. C'est sans doute auprès de lui que Pedro Berruguete, né à quelques lieues de son atelier, a pu apprécier les techniques flamandes et s'en imprégner.

Geertgen tot Sint Jans
Geertgen van Haarlem
ou **Gérard de Saint-Jean** *dit*
vers 1460/65 - avant 1495
(Leyde/Haarlem)

Geertgen van Haarlem a été appelé Geertgen tot Sint Jans « Petit Gérard des frères de Saint-Jean » parce qu'il vécut longtemps dans le monastère des moines hospitaliers de Saint-Jean à Haarlem. Il est nommé peintre officiel des Chevaliers de Saint-Jean de la ville.

Ses œuvres n'étant ni datées, ni signées, le seul ouvrage qu'on puisse lui attribuer avec certitude est le grand *Triptyque de la Crucifixion* qu'il peignit pour le maître-autel de la chapelle du monastère vers 1484. Il reste le panneau central, une *Pietà* et au verso *Julien l'Apostat brûlant les ornements de saint Jean-Baptiste* (Kunsthistorisches Museum, Vienne). L'influence flamande est nette, principalement celle de Van der Weyden. Déjà, le réalisme employé pour dépeindre la scène d'enterrement prouve que l'auteur a découvert la voie que suivront après lui les grands paysagistes de l'école hollandaise. De même, lorsqu'il peint le groupe de moines - chevaliers où chaque personnage est un portrait nettement individualisé, vibrant de vie et certainement peint d'après le modèle, il annonce un genre que les peintres hollandais créeront par la suite, notamment les grands portraits-groupes, ces ornements de la peinture néerlandaise du XVIIe siècle.

Des études de style aidant, par rapport à cette œuvre attribuée avec certitude, ont permis de classer parmi ses œuvres les plus anciennes une *Vierge et l'Enfant* (Biblioteca Ambrosiana, Milan), panneau d'un petit retable. Son premier tableau pourrait bien être une *Sainte Famille* réalisée vers 1480 (Rijksmuseum, Amsterdam). Par un *Ecce Homo* (Musée d'Utrecht), une œuvre étonnante par son réalisme évocateur de souffrance d'un Christ couvert de sang, il s'affiche en expressionniste.

Geertgen tot Sint Jans.
Nativité.
National Gallery, Londres.

Geertgen tot Sint Jans.
Le Martyre de saint Jean-Baptiste.
Kunsthistorisches Museum, Vienne.

Domenico Ghirlandaio.
Les Saintes Femmes au tombeau.
Musée du Louvre, Paris.

Toutefois, son œuvre la plus connue est une *Nativité* (National Gallery, Londres), l'une des scènes nocturnes les plus anciennes de la peinture du Nord. Par l'exploitation de la seule source lumineuse émanant de la crèche, il annonce l'art de Georges de La Tour.

Ghirlandaio, Domenico di Tommaso Bigordi, *dit*
1449-1494
(né et mort à Florence)
Fils d'un orfèvre, Domenico commence l'apprentissage de cette technique, lorsque son oncle, Alesso Bigordi, le prend dans son atelier et l'initie à

Hugo van der Goes.
La Rencontre de Jacob et de Rachel, à partir
de 1470.
Christ Church Library Collections, Oxford.

la peinture et à la mosaïque. Ses deux frères, avec lesquels il ouvre une « bottega », ainsi que son beau-frère, Bastiano Mainardi, l'assistent bientôt dans tous ses ouvrages. Leur production est considérable.

Il travaille tout d'abord en 1481-1482, avec ses compatriotes, Cosimo Rosselli et Sandro Botticelli, à la Chapelle Sixtine où il exécute une *Résurrection* (disparue) et *La Vocation des Apôtres Pierre et André*. Puis, de retour à Florence, il décore la Salle des Lys au Palazzo Vecchio : *Scènes de l'Histoire romaine et Apothéose de saint Zénobe*, vers 1483 (Musée des Offices, Florence). En 1485, il réalise la décoration de la chapelle Sassetti dans l'église Santa Trinità : *Scènes de la vie de saint François* et *Adoration des Bergers*.

Ghirlandaio est ensuite chargé, en 1486, de restaurer les fresques du chœur de Santa Maria Novella. Dans la *Vie de saint Jean-Baptiste* qui occupe tout le chœur, la moitié des premiers plans est occupée par les donateurs, les

Tornabuoni, cousins des Médicis, par les Médicis eux-mêmes et par leur cour d'humanistes. Tous ces portraits ont un sérieux et une bonhomie qui font penser aux bustes des notables florentins sculptés par Antonio Rossellino ou Benedetto da Majano.

A examiner l'œuvre de Ghirlandaio, on constate que la majorité de ses sujets sont d'inspiration religieuse. Néanmoins, cette large production de fresques et de tableaux n'en révèle pas moins un portraitiste au talent sûr. En réalité, ces fresques s'illustrant de nombreux portraits d'hommes célèbres sont un témoignage de la vie florentine à l'époque de Laurent le Magnifique. Cette peinture prépare le Cinquecento. Parfois, l'artiste se souvient de Masaccio et même de Giotto. Il laisse aux scènes traditionnelles leur ampleur monumentale mais, en individualisant ses figures, il devient un réaliste dont le style n'est pas sans rappeler celui de l'école flamande contemporaine, celle de Hugo van der Goes notamment.

A noter également dans l'œuvre de Ghirlandaio deux exécutions remarquables : le *Couronnement de Marie* (Municipio, Narni), son plus grand

retable, et le portrait de *Giovanna Tornabuoni*, 1488 (collection Thyssen-Bornemisza, Lugano).

Goes, Hugo van der
vers 1440-1482
(Gand/Rouge-Cloître)

Né à Gand, Van der Goes devient en 1467 membre de la guilde des peintres de cette ville et y est nommé doyen en 1474.

Il exerce à Gand une activité variée : il peint l'écusson du pape sur les portes de la ville, dessine les vitraux de l'église Saint-Jean et exécute avec Memling et Bouts, les tentures et les décorations destinées à figurer à Bruges en 1468 au mariage de Charles le Téméraire et de Margaret York. En 1475, il devient frère convers au monastère augustin de Rouge-Cloître d'Auderghem, près de Bruxelles. C'est là qu'il meurt, victime de crises de démence, au retour d'un voyage à Cologne.

Son chef-d'œuvre est, sans conteste, le tableau qui lui a été commandé par Tommaso Portinari, agent des Médicis à Bruges et descendant direct, dit-on, de Foulques Portinari, le père de la Béatrice de Dante. La famille a sa

Benozzo Gozzoli.
Le Voyage des rois mages à Bethléem, 1459.
Chapelle du Palais Médicis, Florence.

chapelle dans l'église Sant'Egidio à Florence et c'est pour orner cet oratoire que Tommaso demande à Van der Goes de peindre un tableau en prenant comme thème les mots sacrés « Quem genuit adoravit ». C'est ainsi que naît entre 1476 et 1478 le triptyque l'*Adoration des Bergers*, connu sous le nom de *Triptyque des Portinari*, qui, jusqu'au début du XXᵉ siècle, a décoré la chapelle, avant de venir au Musée des Offices de Florence.

Ce tableau est un pur chef-d'œuvre à plus d'un titre. Par la composition d'abord : toute sa force réside dans les antithèses tout à fait inédites dont il regorge : la Vierge faisant face à saint Joseph, le groupe des anges s'opposant à celui des bergers, la botte de foin contrastant avec les fleurs qui relèvent l'avant-plan. Pour l'invention : le coup de maître est celui du trio des bergers, dessinés avec force et relief, et avec tout le réalisme, voire le naturalisme, qui convient à des gens simples. On est loin des figures doucereuses peintes à cette époque. Quant au paysage, nul peintre avant lui n'a osé donner comme arrière-fond à la scène autre chose qu'un paysage printanier. Grandeur, force expressive, sens de la nature et de l'espace, profond sentiment religieux, réalisme au coloris vigoureux, dessin sévère et précis, telles sont les qualités de ce triptyque qui, envoyé directement en Italie, n'exerça aucune influence sur la peinture des Pays-Bas. Par contre, il fit sensation chez les artistes italiens, et il est certain que Ghirlandaio s'en servit pour modèle.

Parmi les autres œuvres de Van der Goes, il convient de citer *La Vierge et l'Enfant* en plusieurs versions aux Musées royaux des Beaux-Arts de Bruxelles, à Philadelphie et à Francfort, *Le Péché originel*, vers 1470 (Kunsthistorisches Museum, Vienne). Toutes ces toiles s'illustrent des grandes qualités dramatiques qui caractérisent le *Triptyque des Portinari* sans toutefois avoir la même envergure. Toutes sont cependant marquées de la manière du grand peintre flamand qui a exercé une grande influence non seulement sur son pays, mais également sur l'art en Allemagne et en Italie.

Gozzoli, Benozzo
di Lese di Sandro, *dit*
1420-1497
(Florence/Pistoia)

Benozzo di Lese di Sandro doit son surnom « Gozzoli », à Vasari. Il est d'abord apprenti-orfèvre chez Ghiberti et travaille sous sa direction aux portes du Baptistère de Florence.
Au début de sa carrière, il assiste Fra

Angelico, avec lequel il peint en 1447-1449 les fresques de la chapelle Nicolas V au Vatican. Après l'avoir suivi à Rome et à Orvieto, il devient, à partir de 1450, maître indépendant et peint des fresques à Montefalco, en Italie centrale, pour le couvent de San Fortunato où il réalise une *Vie de saint François* (1452) puis, à Viterbe, l'année suivante, pour les religieuses de Santa Rosa.

Sa plus belle œuvre est sans doute la fresque représentant *la Procession des Rois Mages à Bethléem* (1459-1461), commande des Médicis pour la chapelle de leur nouveau palais à Florence. Les cavaliers ont les traits des Médicis, de l'empereur byzantin Jean VII Paléologue ainsi que du patriarche de Constantinople. A San Gimignano, il exécute, entre 1463 et 1467, des fresques pour l'église Sant'Agostino et le Palais communal sur la vie de saint Augustin.

L'autre grande œuvre de Gozzoli est le décor réalisé à Pise pour couvrir tout un mur du Campo Santo. Là, il passe seize ans de sa vie (1468-1484) à représenter des sujets tirés de l'Ancien Testament, dont il ne reste, aujourd'hui, malheureusement que quelques fragments. Il est aussi l'auteur de plusieurs retables, généralement peu novateurs. L'art de Gozzoli est tout à fait charmant par son sens de ce qui est riche, ample et vivant. Son coloris est brillant, spirituel et riant, sa technique fine et délicate. Il a exercé une influence sur Lippi et Botticelli.

Holbein l'Ancien, Hans
vers 1465-1524
(Augsbourg/Isenheim)

Hans Holbein appartient à une famille de peintres plus ou moins célèbres qui ont exercé leur art à Bâle et à Augsbourg, depuis la fin du XVe siècle jusque vers la fin du XVIe siècle. Fils de Michel Holbein, un tanneur, il est le frère de Sigismond et le père de Hans et d'Ambroise Holbein, tous peintres. Nommé en 1494 citoyen de la ville d'Augsbourg, il y ouvre un atelier. Après 1500, il voyage dans les Pays-

Holbein l'Ancien.
Pilate se lavant les mains.
Gemäldegalerie, Donaueschingen.

Bas et en Alsace où l'attendent des commandes. A partir de 1516, il s'installe en Haute-Rhénanie, mais exerce ses activités à Lucerne et Fribourg. Il finit ses jours au couvent des Antonites d'Isenheim (Alsace) où il peut contempler le chef-d'œuvre de Grünewald, dont certains ont voulu faire de lui le disciple.

Il a à peine trente ans en 1493 lorsqu'il exécute, pour le compte de l'abbaye de Weingarten, le *Retable de la Vierge* (Cathédrale d'Augsbourg), les volets d'un polyptyque. L'influence de Zeitblom et de Schongauer y est manifeste. L'action de ce dernier et celle, peut-être directe, de la peinture flamande, suffiraient à expliquer les qualités de dessinateur et de coloriste que Holbein l'Ancien devait confirmer encore dans ses tableaux postérieurs, destinés pour la plupart à des églises conventuelles, l'artiste ayant surtout travaillé pour des communautés religieuses. Ainsi, les panneaux du *Retable du couvent de Kaishem*, 1502 (Alte Pinakothek, Munich), révèlent ses dons de portrai-

tiste qui lui ont permis d'échapper à la fadeur et à la banalité, dans l'interprétation des modèles les plus conventionnels de l'iconographie sacrée.

Dans la dernière partie de sa vie, sous l'influence de Burgkmair, Hans Holbein l'Ancien cherche à se libérer du style gothique qu'il affectionnait pour se pénétrer de l'esprit de la Renaissance. *Le Retable de saint Sébastien*, 1516 (Alte Pinakothek, Munich), en est un témoignage ; transposition encore malhabile d'un modèle italien ou antique, le corps du saint trahit une ignorance complète de l'anatomie. Au contraire, les volets avec *Sainte Barbe* et *Sainte Elisabeth de Hongué* sont plus conformes à l'idéal de la Renaissance et mieux dégagés des contraintes de la vision médiévale : dessin arrondi, visage serein, plénitude des volumes.

En 1519, alors qu'il est fixé depuis deux ans en Alsace, Holbein doit, avec la *Fontaine de Vie* (Musée national, Lisbonne) fournir une nouvelle preuve de son adhésion aux conceptions de la

Renaissance, telles qu'elles sont formulées à Augsbourg, sous la double influence de la peinture vénitienne et de la peinture anversoise. Hans Holbein l'Ancien a été aussi un portraitiste de talent, respectueux de la personnalité de ses modèles.

Il dénonce l'esthétique que son fils, Hans Holbein le Jeune, fera sienne en la perfectionnant. Il laisse un grand nombre de dessins à la pointe d'argent, parfois rehaussés de couleurs.

Limbourg, Les frères de
Début du XVᵉ siècle
(Nimègue)

Nés dans les Pays-Bas, fils du sculpteur sur bois, Arnold de Limbourg, neveux du peintre Jean Malouel, Pol, Hennequin et Hermann font leur apprentissage chez un orfèvre flamand établi à Paris.

Leur première œuvre connue est une Bible conservée à la Bibliothèque nationale de Paris, illustrant trois cent quarante-huit scènes de la Genèse et de l'Exode. Les frères de Limbourg en ont exécuté les trois premiers cahiers. Vers 1402, les trois frères entrent au service du duc de Bourgogne, Philippe le Hardi. C'est Pol qui décore le Bréviaire de Jean-sans-Peur (British Museum, Londres). A la mort de Philippe le Hardi, ils entrent au service du duc Jean de Berry pour lequel ils enluminent *Les Heures d'Ailly* entre 1403 et 1413 (Cloisters Museum, New York) et les *Très Riches Heures du duc de Berry* (Musée Condé, Chantilly), commencées en 1411, interrompues par la mort du duc et celle des frères de Limbourg et achevées en 1485-1489 par Jean Colombe.

Ce travail représente l'apogée du gothique international, remarquable surtout par ses paysages. Etudiant leur sujet avec minutie, ils se consacrent autant au détail qu'à l'ensemble, pour satisfaire leur soif de réalisme. L'observation rigoureuse et le naturalisme aboutissent à une vision à la fois exacte et poétique de la nature.

Les frères de Limbourg font faire au réalisme flamand son entrée triomphale et définitive dans la peinture d'Occident.

Ils semblent tous trois avoir été emportés par la peste en 1416.

Lippi, Filippino
1457-1504
(Prato/Florence)

Après avoir travaillé successivement sous la direction de son père, Filippo Lippi, et de Botticelli, Filippino Lippi est indépendant à partir de 1481 environ.

« Le plus grand éloge qu'on puisse faire de Filippino », dit un catalogue du Louvre, « c'est qu'il est démontré maintenant que les superbes fresques du *Crucifiement de saint Pierre,* de *l'Ange qui délivre saint Pierre de prison*, et surtout de la *Dispute de saint Pierre et de saint Paul devant le Proconsul*, dans la chapelle Brancacci à Santa Maria del Carmine de Florence, attribuées si longtemps à Masaccio, ont été exécutées par lui, entre 1484 et 1485, à l'âge de vingt-quatre ou vingt-cinq ans. Les peintures de cette chapelle font époque dans l'histoire ; c'est d'elles que date le commencement de l'art moderne. Commencées par Masolino, continuées par Masaccio, terminées par Filippino, elles furent étudiées successivement par les plus éminents artistes tels que Verrocchio, Domenico Ghirlandaio, Léonard de Vinci, le Pérugin, Fra Bartolomeo, Michel-Ange Buonarotti, Raphaël Sanzio, Andrea del Sarto, etc.

Lippi s'est également illustré à Rome où il peint en 1488, une *Vie de saint Thomas d'Aquin* dans la chapelle Caraffa de Sainte-Marie-de-la-Minerve et dans le cloître de la Campora, avec son *Apparition de la Vierge à saint Bernard*, exécutée en 1485/86 qui passe pour son chef-d'œuvre.

Lippi, Filippo *dit* Fra Filippo
vers 1406-1469
(Florence/Spolète)

Fra Filippo Lippi, orphelin à deux ans, passe sa jeunesse dans le couvent des Carmes de Florence, où il a le loisir de se familiariser avec les fresques de Masaccio. *La Confirmation de la Règle des Carmes*, qu'il réalise en 1432 pour le cloître du couvent, s'en inspire beaucoup. Deux ans plus tard, le fond bleu de ses fresques remplace l'or gothique. Sa vie est féconde en événements romanesques : après avoir été fait prisonnier par des corsaires, alors qu'il se promenait le long du rivage, et réduit en l'esclavage pendant dix-huit

mois en Barbarie, Lippi gagne sa liberté en traçant sur un mur blanc avec un charbon de bois le portrait de son maître, revêtu d'habits mauresques.

Plus tard, en 1456, les religieuses du couvent Santa Margherita lui ayant commandé un tableau, il aperçoit une jeune novice qu'il prend pour modèle pour exécuter la Vierge d'un retable (Musée de Prato). Devenu amoureux, le moine l'enlève le jour où elle doit prononcer ses vœux. Ils auront ensemble un fils, Filippino, peintre habile et célèbre qui s'illustrera par ses fresques à Florence.

Proche de Fra Angelico dont il se rapproche parfois par le coloris, Filippo Lippi exécute la décoration à fresques du chœur du Dôme de Prato (1452-1464) consacrée à la *Vie de saint Jean-Baptiste et de saint Etienne*, et qui sera son œuvre la plus importante. Par l'organisation d'une composition savante, l'exploitation des jeux d'ombres et de pénombres, il marque une nouvelle orientation prise par le dessin, qui correspond à une deuxième tendance picturale, déjà amorcée par Masaccio. Il annonce le Cinquecento et le classicisme florentin.

Lochner, Stephan
vers 1410-1451
(Meersburg/Cologne)

D'origine souabe, Stephan Lochner est né sur la rive septentrionale du lac de Constance. Immigré dans la cité rhénane vers 1440, il doit y passer le reste de ses jours. Tout en conservant son réalisme foncièrement souabe, il assimile si complètement les tendances au lyrisme suave du milieu dans lequel il vit qu'il apparaît aujourd'hui comme le représentant par excellence de l'école de Cologne. Il fait sien le mysticisme un peu édulcoré du Maître de la Véronique, mais il introduit dans ses compositions de nombreux éléments pittoresques qui donnent à son art un accent plus bourgeois.

En 1442, le conseil municipal de Cologne lui demande de peindre les armes de la ville sur un tonneau destiné

Stephan Lochner.
Sainte Marie-Madeleine.
Détail d'une Crucifixion.
Germanisches national Museum, Nuremberg.

à être offert à Frédéric III. En 1447, il est élu conseiller municipal et est réélu trois ans plus tard. Ces fonctions sont peut-être à l'origine des commandes qu'il exécuta pour la ville : à l'église Saint-Laurent se trouve son retable du *Jugement dernier*, 1435-1440 (musées de Cologne, Francfort et Munich), qui fait preuve d'une grande fraîcheur d'âme en représentant d'une part les élus et d'autre part les damnés liés à des Diables qu'il a voulu immondes et qui sont en réalité, pour la plupart, grotesques.

Son chef-d'œuvre est probablement l'*Adoration des Mages*, grand triptyque réalisé en 1444 pour la chapelle du Conseil de l'Hôtel de Ville (actuellement à la cathédrale de Cologne). L'influence flamande, plus précisément celle de Van Eyck, apparaît dans le traitement réaliste et précis des costumes particulièrement riches : ce ne sont que brocarts, velours, rehaussés d'or et de pierreries, bordés de fourrure ; les armures et casques de soldats brillent d'un vif éclat et ajoutent à la somptuosité de l'ensemble.

Lochner doit faire encore un pas en avant dans la voie du réalisme avec la *Présentation au Temple*, 1447 (Landesmuseum, Darmstadt), sa seule œuvre datée et la dernière connue. Sans aller jusqu'à représenter comme l'auraient fait Van Eyck ou Witz, l'intérieur de l'église, il a peint avec grand soin l'autel richement orné d'un « antependium » et d'un retable en orfèvrerie ; à côté des personnages sacrés, il a introduit un grand nombre de figurants vêtus comme des bourgeois cossus et un pittoresque cortège d'enfants de chœurs.

Citons de Lochner également, parmi les nombreuses Vierges qu'il a exécutées, la célèbre *Vierge au buisson de roses*, 1448 (Wallraf - Richartz Museum, Cologne) et la *Vierge à la violette*, vers 1443 (Erzbischöfliches Diozesan Museum, Cologne).

En tout état de cause, l'œuvre de Stephan Lochner constitue la transition entre le gothique et le réalisme renaissant. Il reste affecté à l'idéalisme de l'époque précédente. A défaut d'une grande profondeur d'émotion, son art apporte le reflet d'une religiosité sans élan mais pleine de ferveur. Ses disciples s'orienteront davantage vers le réalisme et s'inféoderont progressivement à l'école flamande.

Lorenzo di Credi
1456-1537
(né et mort à Florence)

Fils d'un orfèvre, Lorenzo di Credi, surnommé Barducci, est le moins doué des trois artistes qui commencent leur carrière dans l'atelier d'Andrea Verrocchio, à savoir Léonard de Vinci et le Pérugin. A la mort du maître pourtant, Lorenzo di Credi hérite de son atelier. Il compose quelques grandes toiles d'inspiration religieuse, remarquables parfois par le paysage qui constitue l'arrière-fond, mais il s'attache à la peinture de chevalet, minutieuse et patiente qui révèle sa technique quasi-parfaite. Son meilleur tableau d'autel est probablement la *Vierge et l'Enfant entourés de saints*, peint vers 1510 pour la cathédrale de Pistoia.

Sous l'emprise des prédications de Savonarole, il brûle en 1497 tous ses tableaux à caractère profane. Il subsiste cependant un *Autoportrait*, 1488 (National Gallery, Washington), *Jeune femme* (Gemäldegalerie Dalhem, Berlin) et bon nombre de ses dessins, exécutés sur des papiers de couleur saumon ou grise (*carta tinta*).

Maître de Moulins
Actif vers 1480-1499

L'auteur du triptyque, la *Vierge à l'Enfant entourée d'anges*, de la cathédrale de Moulins, exécuté vers 1498, n'a pu être identifié. L'œuvre a en fait été attribuée à de nombreux peintres, tels que Jean Perréal ou Jean Bourdichon. Mais quel que soit son nom, il est manifeste que, malgré le souci du détail et de l'exécution maîtresse qui l'apparente à l'art flamand, l'art du Maître de Moulins reste typiquement français par la composition ample et simple, le goût de la forme construite, l'équilibre entre réalisme et sauvegarde de l'intériorité.

On attribue d'autres œuvres au Maître de Moulins. Parmi celles-ci : la *Nativité du Cardinal Rolin*, la plus ancienne, peinte vers 1480-1483, conservée au Musée des Beaux-Arts d'Autun ; une *Vierge à l'Enfant entourée d'anges*, vers 1490-1495 (Musées royaux des Beaux-Arts, Bruxelles) ou encore sa dernière œuvre, *Saint*

Maurice avec donateur réalisée vers 1500 (Art Gallery, Glasgow) et représentant vraisemblablement François de Châteaubriant. On pense qu'il a surtout travaillé pour les Bourbons à Moulins. Il a réalisé certains portraits ; celui du *Cardinal Charles II de Bourbon*, vers 1483-1485 (Alte Pinakothek, Munich), celui du fils de Charles VIII, *Charles-Orland*, vers 1494 (Musée du Louvre, Paris) et une *Enfant en prière*, vers 1492-1493 (ibid) qui pourrait bien être Marguerite d'Autriche, fille de l'empereur Maximilien.

Le Maître de Moulins est considéré comme l'un des meilleurs peintres de la fin du XVe siècle, dernier représentant de la peinture gothique.

Mantegna, Andrea
1431-1506
(Isola di Carturo, près de Vicence/Mantoue)

Mantegna est le plus grand représentant de la Haute Renaissance en Italie du Nord. Il est à l'origine de l'école milanaise. Son art achève d'émanciper l'école vénitienne des traditions byzantines et giottesques. Il entre très jeune dans l'atelier de Squarcione dont il est le meilleur élève et qui l'adopte comme son fils. Vers 1441, il est membre de la guilde des peintres de Padoue. Elevé dans une ville riche en histoire et dominée par le prestige d'une université pour laquelle l'étude de ce passé relève d'un devoir, Mantegna devient un passionné de l'Antiquité classique. L'œuvre de Donatello et d'Uccello qu'il est en mesure d'admirer à Padoue, celle de Castagno à Venise, ne peuvent que confirmer ce penchant. Mantegna assimile rapidement les lois de la perspective qu'on vient de découvrir et il prend un plaisir extrême à s'attaquer, pour les résoudre, aux problèmes les plus délicats que peut poser l'art des raccourcis.

Il est probable qu'il devient indépendant à l'âge de dix-sept ans, car il reçoit, en 1448, sa première commande importante : il est chargé, avec une équipe de Vénitiens, Antonio Vivarini, Giovanni d'Alamagna et Nicoló Pizzolo, de décorer la chapelle Ovetari de l'église des Eremitani à Padoue. Ce travail, terminé en 1456, lui assure la renommée. En 1453, il peint un tableau d'autel composé de douze

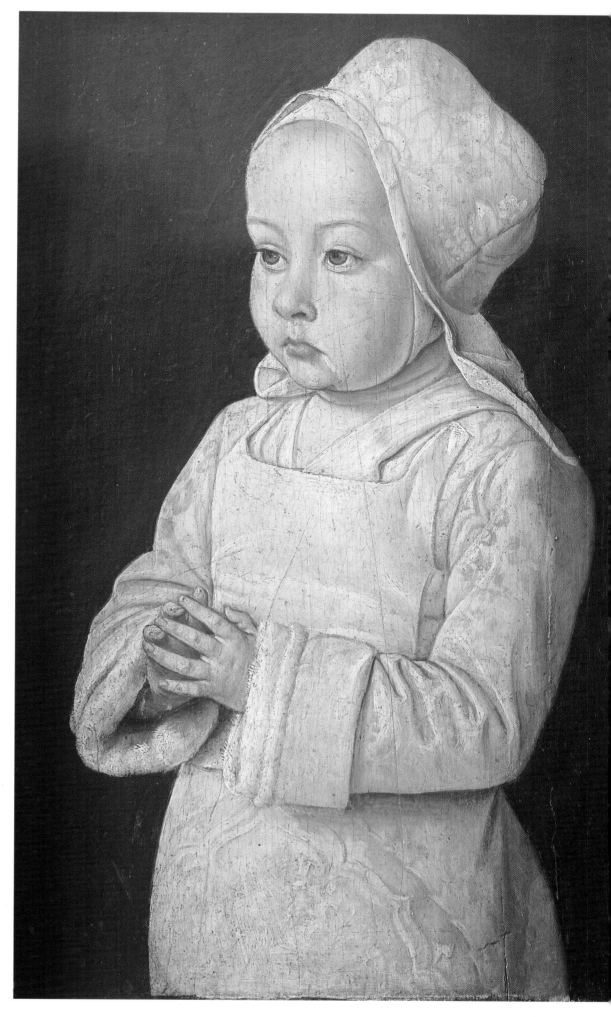

Maître de Moulins.
Enfant en prière, vers 1495.
Musée du Louvre, Paris.

panneaux pour la chapelle Saint-Luc à Santa Giustina (Pinacothèque de Brera, Milan). Un an plus tard, il réalise un « cartellino » daté et signé, *Sainte Euphémie* (Musée de Capodimonte, Naples).

Son mariage avec Nicolasia, fille de Jacopo Bellini et sœur de Gentile et de Giovanni Bellini, le fait entrer définitivement dans l'orbite de ces peintres, fondateurs de la grande tradition vénitienne. Il devient un grand styliste, autant qu'un réaliste dont la sincérité frise parfois la brutalité. Ces tendances apparaissent dès ses premières grandes œuvres. De 1456 à 1459, à Vérone, il peint un tableau d'autel pour San Zeno, aujourd'hui dispersé : *La Crucifixion* (Musée du Louvre, Paris), *l'Agonie au jardin des Oliviers* et la *Résurrection* (Musée des Beaux-Arts, Tours). Il exécute là son œuvre capitale. La Vierge et les saints sont rassemblés dans un effet de perspective créant un espace idéalisé.

En 1460, il entre au service des Gonzague à Mantoue. En dehors de brefs séjours à Florence (1466-1468) et à Rome où il décore pour le compte d'Innocent VIII la petite chapelle du Belvédère (1488-1489), il s'établit à Mantoue pour le restant de ses jours. L'œuvre majeure réalisée est la décoration de la *Chambre des Epoux (Camera degli Sposi)* située dans l'aile nord du Palais ducal ; elle a été commencée en 1742 et achevée en 1474. Mantegna invente un type de perspective qui ouvre la voie à Bramante ou au Corrège et qui aboutira à Tiepolo. Par ce nouveau traitement, il trouve l'art d'unir au sein de sa composition un espace réel à un espace totalement sacré, démarche qui est l'une des principales caractéristiques de l'art baroque.

Pendant cette période, Mantegna réalise également des tableaux religieux importants : *Le Christ mort* (Pinacothèque de Brera, Milan) dans lequel la technique du raccourci, caractéristique de sa manière, est éclatante ; la *Madone aux carriers*, 1488 (Musée des Offices, Florence) ou encore *La Vierge*

Andrea Mantegna.
Scène de chasse de la famille de Gonzague, 1472-1474.
Chambre des Epoux du Palais ducal, Mantoue.

Andrea Mantegna.
Les Porteurs de vases,
vers 1490.
Détail.
Hampton Court, Londres.

Masaccio.
Saint Pierre faisant l'aumône, 1427.
Eglise Santa Maria del Carmine, Florence.

de la Victoire, 1495 (Musée du Louvre, Paris) dont le geste rappelle la *Vierge aux Rochers* de Léonard de Vinci.

Le grand art de Mantegna se déploie dans le *Triomphe de César* (Hampton Court, Londres) dont les neuf cartons achevés en 1486 sont une véritable reconstitution archéologique. Il se montre le seul artiste du Quattrocento à puiser son inspiration dans les pièces antiques trouvées en Italie ou rapportées de Grèce. C'est par contre dans les idées humanistes propres à son siècle, qu'il décore le « Studiolo », cabinet d'études d'Isabelle d'Este. Elle fixe elle-même le sujet des tableaux allégoriques. Réalisées entre 1497 et 1505, les scènes ont inspiré bon nombre de peintres du Cinquecento. Certaines, composées de concert avec le Pérugin et Lorenzo Costa, se trouvent aujourd'hui au musée du Louvre. Enfin Mantegna a joué un rôle de première importance dans la naissance et la diffusion de la gravure. C'est par son inter-

médiaire que Dürer et Rembrandt ont découvert l'Italie et la Renaissance.

Masaccio, Tommaso di Giovanni, dit
1401-1428
(San Giovanni Valdarno/Rome)

Fils d'un juriste, Tommaso, dit Masaccio — diminutif du sobriquet Tomasaccio, signifiant le « gros Thomas », naît à San Giovanni Valdarno, près de Florence. Il quitte la maison paternelle pour entrer en 1442, à la guilde des peintres de Florence. Vasari signale qu'il a été formé par Masolino da Panicale, qui n'aurait été, en fait, que son patron commercial.

Masaccio est l'un des grands pionniers de la Renaissance, le créateur de la peinture florentine. Il est à la peinture ce que Donatello est à la sculpture et Brunelleschi à l'architecture. L'étude de leurs travaux lui a d'ailleurs permis de se rapprocher de la représentation de la réalité par des méthodes mathématiques de perspective qu'ils avaient mises au point. Il est le premier peintre à comprendre vraiment l'œuvre de

Giotto et à achever ce qu'il a entrepris. Il représente l'espace à trois dimensions et y fait évoluer des personnages, dont la forme suggère tout le relief que pourrait leur conférer la sculpture en ronde bosse. Appliquant, avec une correction parfaite, les règles de la perspective qu'on vient de découvrir, il s'évertue à trouver les raccourcis les plus osés, en quoi son excellente connaissance de l'anatomie le sert remarquablement. Il est aussi l'un des premiers peintres à représenter le nu d'une façon anatomique exacte. Malheureusement, beaucoup de ses œuvres ont disparu et celles qui nous sont restées sont souvent en très mauvais état de conservation. L'œuvre la plus ancienne est le triptyque réalisé pour l'église San Giovenale in Cascia (Reggello). Le panneau central, la *Vierge à l'Enfant*, dénote encore la manière médiévale. En 1424-1425, il réalise pour l'église Sant' Ambrogio à Florence *Sainte Anne, La Vierge et l'Enfant avec des anges* (Musée des Offices, Florence) probablement exécuté avec Masolino. Il semblerait que sainte Anne, empreinte de résurgences du gothique, ait été peinte par Masolino, tandis que la Vierge, personnage monumental, l'ait été par Masaccio. Les deux artistes collaborent encore dans la réalisation du polyptyque peint en 1426 pour l'église des Carmes de Pise. Jusqu'à présent, onze panneaux seulement ont pu être identifiés. Ils sont aujourd'hui dispersés. Les parties les plus importantes sont le panneau central, la *Madone aux anges*, (National Gallery, Londres) et la *Crucifixion* (Musée Capodimonte, Naples) qui surmontaient l'ensemble à l'origine. Par sa composition et son effet de clair-obscur, cette dernière témoigne d'une grande impression dramatique et émotionnelle : ayant été conçue pour être vue d'en bas, les dimensions sont de plus en plus réduites vers le haut du tableau, de sorte que les clavicules du Christ projettent leurs ombres jusqu'aux côtés du visage qui les surplombe.

Mais le chef-d'œuvre de Masaccio est conservé dans la chapelle Brancacci (du nom de son commanditaire, Brancacci, un marchand de soieries) de l'église Santa Maria del Carmine à Florence, commencé en 1424 par

Masolino. Il a été poursuivi de 1426 à 1428 par Masaccio et terminé à la mort de Masaccio par Filippino Lippi. Masaccio prit pour sa part la *Prédication de saint Pierre, Adam et Eve chassés du Paradis terrestre, Saint Pierre baptisant, Saint Pierre et saint Jean faisant l'aumône, Saint Pierre guérissant les malades* et le *Paiement du Tribut*.

Cette dernière pièce maîtresse est inspirée du Nouveau Testament. Elle touche particulièrement les Florentins, sollicités pour payer des impôts afin d'organiser une défense contre l'armée milanaise. Tous les personnages forment un groupe impressionnant, assez fruste mais monumental. La lumière vient de droite et délimite l'assemblée dans l'espace, tandis qu'au loin Masaccio peint le premier paysage crédible depuis l'époque romaine.

La décoration de cette chapelle témoigne d'une nouvelle conception du mouvement et d'une émotion réelle. Elle sert d'exemple à ses contemporains autant qu'à ceux des générations ultérieures, tels que Michel-Ange qui, dessinant d'après ces fresques, a été le premier à comprendre l'importance de l'art de Masaccio.

Masaccio.
Le Paiement du Tribut, 1427.
Eglise Santa Maria del Carmine, Florence.

La *Trinité* est la dernière œuvre de Masaccio. Elle a été exécutée en 1426-1428 pour l'église Santa Maria Novella de Florence. Là encore, il se montre révolutionnaire en appliquant de nouveaux principes dans la perspective linéaire : les personnages du premier plan se trouvent devant une voûte qui se creuse avec un tel réalisme, qui donne une telle impression de profondeur que les murs semblent s'effacer sous les pinceaux de l'artiste. Masaccio meurt quelques semaines après avoir terminé cet ouvrage, à l'âge de vingt-huit ans.

Memling, Hans
1430-35/1494
(Seligenstadt-am-Main/Bruges)

Quoique allemand de naissance — il est né près de Francfort — Memling est devenu l'un des plus illustres peintres flamands du XVe siècle. Après un apprentissage et l'acquisition de la maîtrise, probablement à Cologne, il gagne Bruxelles et travaille à partir de 1467 sous la direction de Roger van der Weyden. Une légende circule sur sa biographie : forcé par son inconduite à s'engager comme soldat dans l'armée de Charles le Téméraire, il serait tombé malade, aurait été recueilli dans l'hospice de Saint-Jean-de-Bruges, et c'est

par reconnaissance qu'il aurait peint la célèbre *Châsse de sainte Ursule*, 1489 (Musée de l'Hôpital Saint-Jean, Bruges). En réalité, Memling est un bourgeois de Bruges, cité parmi les cent quarante plus riches contribuables en 1480. En 1465, il se marie avec Anne de Valknaere dont il aura trois fils. En 1467, il est admis à la guilde de Saint-Luc de Bruges.

Ses œuvres de jeunesse témoignent franchement de l'influence de Van der Weyden : ainsi, sa première œuvre importante, le *Jugement dernier*, vers 1467-1472 (Muzeum Pomorsk, Dantzig). Au fur et à mesure que mûrit son talent, Memling se libère de l'influence de Van der Weyden et si telle œuvre suggère inévitablement Hugo van der Goes, avec lequel il collabore, en 1468, aux décorations du mariage de Charles le Téméraire avec Marguerite d'York, d'autres, au contraire, nous révèlent son génie, aussi original qu'ingénu : le triptyque du *Mariage de sainte Catherine*, 1479 (Musée de l'Hôpital Saint-Jean, Bruges), est un pur chef-d'œuvre où toutes les figures respirent la grâce et où le paysage exprimé dans une couleur à la fois si sobre et si riche est d'une étonnante vérité.

Van Eyck a cherché la grandeur, Van

der Weyden, le pathétique, Memling préfère la grâce, l'élégance, l'émotion tendre et communicative. Ces qualités se retrouvent dans l'*Adoration des Mages* (Hôpital Saint-Jean, Bruges) et dans le *Saint Benoît* (Musée des Offices, Florence), saisi en buste, sorte de portrait idéalisé dans un paysage de rêve. Ce petit tableau, affirme que si ce peintre flamand est un excellent peintre de tableaux religieux, il n'en est pas moins un grand portraitiste. Parmi les quelques vingt-cinq portraits qui nous restent, il faut citer : *Tommaso Portinari et sa femme* (Metropolitan Museum, New York), le diptyque de *Martin van Nieuwenhoven* (Musée de l'Hôpital Saint-Jean, Bruges) et *Maria Moreel en Sibylle Sambeth*, 1480 (ibid) qui révèlent un talent de tout premier ordre, sachant traduire l'âme des personnages en même temps que leur figure.

Vers 1485, il peint *Bethsabée au bain* (Musée de Stuttgart), le seul nu qu'il ait donné, thème très rare au XVe siècle en Flandres, probable réminiscence de la *Dame au bain* de Van Eyck, mais dont l'ampleur annonce déjà le XVIe siècle.

Les dernières œuvres de sa carrière confirment ce modernisme : la *Châsse de sainte Ursule* dont les six tableaux, aux couleurs vives, font penser à de brillantes miniatures et le *Triptyque de la Passion*, 1491 (Musée de Lübeck). Quant à ses Madones — et elles sont nombreuses : la *Vierge et l'Enfant* (Staatliche Museen, Berlin Ouest) ou *L'Annonciation*, 1482 (Collection Lehmran, New York) — elles frappent toutes par leur passivité, mais aussi par la grande sérénité de leurs traits dont la fragilité reflète une noblesse infinie. Avec Memling se termine le cycle des peintres primitifs flamands. Les Pays-Bas vont se tourner alors vers le modèle italien et sa conception classique de la beauté.

Hans Memling.
Saint Jean à Patmos.
Mariage de sainte Catherine, volet droit du triptyque.
Musée Hans Memling, Bruges.

Metsys ou Massys, Quentin
1466-1530
(Louvain/Anvers)

Fils d'un ferronnier, Quentin Metsys apprend d'abord ce métier où il excelle, comme en témoigne la grille qui décore le puits du parvis Notre-Dame à Anvers. Vers 1490, il s'installe dans cette ville en qualité de peintre et fonde l'école d'Anvers qui ne tarde pas à supplanter celle de Bruges. On retrouve parfois dans ses tableaux religieux l'allure de l'ancienne école : la *Vierge à l'Enfant*, 1485/90 (Musées royaux des Beaux-Arts, Bruxelles) reste encore très gothique. Cependant dans son vaste triptyque, *L'Ensevelissement du Christ*, conservé au Musée royal des Beaux-Arts d'Anvers, peint en 1508-1511 pour les menuisiers d'Anvers, considéré comme son chef-d'œuvre, il sait unir une étonnante force d'expression à une puissante réalité. La composition, l'aspect décoratif parfois surabondant, relèvent des principes de la Renaissance auxquels Metsys se montre sensible. Il convient de noter aussi son goût caractérisé pour l'orfèvrerie, les joyaux, les verreries et les miroirs où se reflète l'ambiance. *Le Prêteur et sa femme*, 1514 (Musée du Louvre, Paris), révèle son habileté à rendre les jeux de physionomie. *Le Couple mal assorti*, 1510-1515 (Collection Pourtalès, Paris), a un caractère réaliste et satirique annonçant la scène de genre qui connaîtra son plein épanouissement au siècle suivant.

La demeure de Metsys a été le rendez-vous d'érudits humanistes : *Erasme* surtout dont il a fait le portrait en 1517 (Galleria Nazionale d'Arte Antica, Rome) et Peter Gillis (Longford Castle) dont il réalise le portrait pour Sir Thomas More, leur ami commun. Par l'harmonie réalisée entre le modèle et les paysages, ces œuvres appartiennent entièrement à la Renaissance.

Quentin Metsys.
Le Prêteur et sa femme.
Musée du Louvre, Paris.

Son art se situe entre la tradition gothique, le réalisme et le maniérisme de la Renaissance. Sur les douze enfants qu'il eut, deux furent peintres, Jan et Cornelis.

Ouwater, Albert van
vers 1415-vers 1475
(Oudewater/Haarlem)

Albert van Ouwater est le fondateur de l'école de Haarlem. On sait très peu de choses sur lui, si ce n'est qu'il a été le maître de Geertgen tot Sint Jans. La seule œuvre qu'il soit possible de lui attribuer avec certitude est la *Résurrection de Lazare*, exécutée entre 1450 et 1460 (Staatliche Museen, Berlin), qui témoigne de l'influence indiscutable de Bouts, ainsi que de celle de Van Eyck et Van der Weyden. Il est également célèbre pour la beauté de ses fonds de paysage.

Perréal, Jean
vers 1460-vers 1530
(Paris/Paris ou Lyon)

Jean Perréal a été aussi surnommé « Jehan de Paris » ou « Jean de Paris ». Certains historiens de l'art l'identifient au Maître de Moulins. En 1483, on le sait à Lyon où il est peintre-décorateur et valet de chambre du roi Charles VIII. Peintre en titre des rois de France, il est toujours en leur compagnie. Il accompagne, à plusieurs reprises, Louis XII en Italie ; de 1504 à 1506, il est le conseiller artistique de Marguerite d'Autriche qui lui commande plusieurs travaux. Pour elle, il décore l'église de Brou, dessine le tombeau de Philibert II de Savoie, son mari, et de Marguerite de Bourbon, sa belle-mère.

Jean Perréal enlumine également des manuscrits ; on lui connaît trois portraits à l'enluminure : celui de *Charles VIII*, et d'*Anne de Bretagne* (Bibliothèque nationale, Paris et British Museum, Londres) et celui de *Pierre Sala*, écuyer de Charles VIII (British Museum, Londres).

Albert van Ouwater.
Saint Michel.
Capilla Real, Grenade.

Pérugin Vannucci, Pietro Vanucci
dit **Il Perugino** ou **Le Pérugin**
vers 1445-1523
(Città Della Pieve/Fontignano)

Pietro Vannucci est connu généralement sous le nom de Pérugin, parce
que Pérouse (Perugia) est le principal
théâtre de sa gloire. Après avoir
étudié la peinture à Pérouse, il quitte
sa ville natale pour se rendre à
Florence, dans l'intention de se perfectionner en prenant pour modèles les
chefs-d'œuvre que possède la ville
des Médicis. Ses parents étant fort
pauvres, il fait ce voyage sans aucune
ressource, ne vivant que d'oboles.
Son génie, aiguillonné par la nécessité,
triomphe de tous les obstacles : il finit
par surpasser tous ses condisciples de
l'école de Verrocchio, dont il a dérobé
les leçons.

Le Pérugin.
Courbet allégorique de Chasteté et Volupté,
1503.
Musée du Louvre, Paris.

Sa première œuvre datée est un *Saint
Sébastien* 1478, (Eglise de Cerqueto).
Le Pérugin connaît bientôt une très
grande vogue à Florence.
Après un assez long séjour à Florence,
le Pérugin retourne à Pérouse, où il
fonde une école, germe de l'école
romaine, la première entre toutes les
écoles d'Italie. C'est là que le jeune
Raphaël lui est présenté par son père,
qui croit obtenir une grande faveur en
faisant admettre son fils au nombre de
ses élèves. Les deux hommes s'apprécient à juste valeur ; le Pérugin pressent rapidement l'immense talent de
son élève ; et en toutes circonstances,
Raphaël se plaît à témoigner le plus
grand respect pour son maître, qui a
été appelé à Rome par Sixte IV, pour
décorer au Vatican les voûtes de la
salle Saint-Charlemagne (*Baptême du
Christ* et *La Remise des clefs à saint
Pierre*, 1481).
« Son style, dit Lanzi, est un peu rude
et un peu sec, ainsi que celui de tous

les peintres de son temps. Il semble aussi
un peu mesquin dans sa manière de
vêtir ses figures, mais il compense ces
défauts par l'agrément de ses têtes,
particulièrement celles des jeunes
gens et des femmes, dans l'exécution
desquelles il surpassa tous ses contemporains, par la grâce des mouvements
et l'éclat de la couleur. Ces fonds
d'azur, qui font si bien ressortir les
figures, ce rosé, ce verdâtre, ce violet,
qu'il sait fondre si parfaitement
ensemble ; ces paysages d'une si admirable perspective et dont on n'avait pas
encore vu d'exemple à Florence ; ces
édifices si bien conçus, si bien posés,
offrent autant de détails charmants
qu'on voit toujours avec plaisir ».
Le Pérugin exécute un grand nombre
d'œuvres soit à fresque soit à l'huile.
C'est à Florence, à Naples, à Rome,
et surtout à Pérouse qu'on trouve la
plupart de ses productions. Son
tableau du *Mariage de la Vierge*, 1501
(Musée des Beaux-Arts, Caen) est un

Le Pérugin.
Héros antique, 1496.
Collegio del Cambio, Pérouse.

Le Pérugin.
La Famille de la Vierge, 1502.
Musée des Beaux-Arts, Marseille.

Piero della Francesca.
Le Baptême du Christ.
National Gallery, Londres.

des plus curieux qu'offre la ville de Pérouse ; c'est pour ainsi dire la synthèse de tous ses ouvrages, auxquels on peut reprocher de se ressembler trop. Ses fresques du Collegio del Cambio de Pérouse (1497-1500) sont l'une de ses plus belles réussites. Il faut mentionner également parmi ses plus belles œuvres le tondo du Louvre (*Vierge à l'Enfant trônant entre sainte Rose et sainte Catherine* (1488-89)), la *Déploration du Christ*, 1495 (Palais Pitti, Florence) et le *Combat entre l'Amour et la Chasteté* (Musée du Louvre, Paris), peint pour Isabelle d'Este qui l'a appelé à son service. Toutes ces toiles, baignant dans une atmosphère de rêve et de paix, visant à l'équilibre parfait de la composition, préparent le style qui sera celui de la pleine Renaissance. Certains historiens racontent que le Pérugin est mort de

94

la peste. En réalité, il se pourrait que son avarice lui ait été fatale. Il avait l'habitude de porter toujours avec lui une petite cassette qui contenait tout son argent. Son domestique, instruit de cette habitude, l'attendit un soir au détour d'une rue isolée pour le dépouiller et le frappa de plusieurs coups de poignard. Il mourut des suites de ses blessures à l'âge de soixante-dix-huit ans en laissant un important retable à Sant'Agostino de Pérouse, inachevé.

Piero della Francesca
ou **Piero Borgliese,**
Pietro di Benedetto di Franceschi, *dit*
1410/20-1492
(né à Borgo San Sepolcro, Toscane)

Piero della Francesca ouvre en peinture une ère nouvelle en développant les acquis d'Andrea del Castagno et de Paolo Uccello.

Savant en géométrie et en perspective, comme peuvent en témoigner ses écrits techniques rédigés les dix dernières années, il étudie la nature avec une précision d'anatomiste. Après avoir suivi un enseignement artistique dans sa ville natale, il travaille probablement à Florence avec Domenico Veneziano. Vers 1439, ils décorent à fresque Sant'Egidio. Aidé par sa formation et son goût pour les mathématiques appliquées aux beaux-arts, il rejoint les peintres florentins dans leur préoccupation à résoudre les problèmes de perspective depuis Masaccio. Il réussit ainsi, à merveille, avec des éléments décoratifs plans, la peinture à trois dimensions. Dans ses dix grandes fresques d'Arezzo exécutées de 1452 à 1459 pour l'église San Francesco qui racontent l'Histoire de l'invention de la *Vraie Croix*, son œuvre majeure, Piero della Francesca groupe, avec un art consommé du raccourci, des chevaux et des guerriers ; il baigne les personnages et les vastes paysages des fonds dans une lumière limpide dont ses successeurs ne sont pas parvenus à retrouver l'éclat. Habile à profiter des moindres effets de lumière, désireux de traduire un certain réalisme, Piero della Francesca est en contraste violent avec l'esthétique de ses prédécesseurs. Son diptyque qui contient les portraits de *Federico da Montefeltro, duc d'Urbino*, et de son épouse, Battista Sforza (Musée des Offices, Florence), peint lors d'un séjour à Urbino vers 1465 est tout à fait révélateur en ce sens. Saisis en buste et de profil, détachés, comme le sont les portraits flamands, sur un fin paysage, les personnages sont détaillés avec un réalisme implacable. Il faut citer également dans l'œuvre de Piero della Francesca, la place que prend l'architecture : dans le *Baptême du Christ*, vers 1448-50 (National Gallery, Londres) ou dans le terrible portrait de *Sigismondo Malatesta à genoux devant saint Pandolfo*, signé et daté « Petri de Borgo opus 1451 », réalisé pour le temple de Malatesta à Rimini, et encore dans *la Flagellation*, peinte vers 1460 à Urbino à la demande de Federico da Montefeltro (Galerie nationale, Urbino). Le réseau de l'architecture et du carrelage, réalisé avec une parfaite maîtrise de la perspective, frappe par l'harmonie et révèle l'influence d'Alberti, rencontré à Urbino. Quant aux personnages peints dans des couleurs à la fois sobres et intenses, ils sont en parfait équilibre avec leur environnement.

Après Piero della Francesca, la peinture ombrienne se divise, à peu près

Piero della Francesca.
La Flagellation du Christ, 1450.
Galerie nationale, Urbino.

Piero della Francesca.
Le Baptême du Christ. 1450. Détail.
National Gallery, Londres.

Le Pinturicchio.
Autoportrait, 1501.
Eglise Santa Maria Maggiore.

comme la peinture florentine, en deux écoles : d'un côté, se rangent les maîtres vigoureux et virils, ses héritiers directs et naturels, tels Luca Signorelli ; de l'autre naît une manière douce, aimable et facile, celle de l'école de Pérouse, avec pour maître Gentile da Fabriano.

Piero di Cosimo, Piero di Lorenzo
dit
1462-1521
(Florence)

Son apprentissage terminé, Piero di Lorenzo substitue le nom de son maître, Cosimo Rosselli, au sien propre. Lorsqu'en 1481 Rosselli part à Rome pour travailler à la Chapelle Sixtine, Piero l'accompagne pour l'assister dans ses travaux. Influencé par Léonard de Vinci, Filippino Lippi, Signorelli, Ghirlandaio et les flamands tels que Van Der Goes, il s'enthou-

siasme bientôt pour les mythes de l'Antiquité classique et donne des toiles aussi belles que la *Mort de Procris* (National Gallery, Londres), *Andromède délivrée par Persée* (Musée des Offices, Florence).
Vénus, Mars et l'Amour endormi, (Staatliche Museen, Berlin), au sein duquel animaux, fleurs et papillons évoluent dans une atmosphère de rêve, est son chef-d'œuvre.
Piero di Cosimo a également peint des tableaux religieux tels que *La Vierge et l'Enfant*, vers 1480 (Collections royales, Stockholm), ou la *Sainte Famille* (Musée de Dresde). Parmi ses portraits pris sur le vif, le plus remarquable est sans conteste le *Portrait de Simonetta Vespucci*, peint en 1520 (Musée Condé, Chantilly). Les courbes des nuages mêlées à la chevelure et au serpent placé autour du cou forment un jeu d'arabesques subtil et délicieux.
Doué d'une très vive imagination, maître absolu d'un métier et d'une technique incomparables, il a déploré

l'indifférence de la nature devant la laideur et l'injustice de la mort (*Mort de Procris*), s'est insurgé contre le destin tragique de l'être humain (*Simonetta Vespucci*), a pleuré l'amertume du sacrifice, beau en soi mais totalement inutile (*Immaculée Conception*). Les paysages constituant l'arrière-plan de ses toiles révèlent un observateur méticuleux (ce qui l'a fait considérer comme un marginal par ses contemporains) doté de facultés créatrices incomparables, faisant de lui un des plus grands précurseurs du surréalisme. Il a été le maître d'Andrea del Sarto.

Pinturicchio, Bernardino di Betto,
dit
vers 1454-1513
(Pérouse-Sienne)

Parmi les peintres qui ont précédé Raphaël, il faut citer Pinturicchio (le « Peinturlureur »), qui a eu une grande réputation, mais dont la renommée s'est éclipsée derrière celle du peintre d'Urbino. D'abord élève de Fiorenzo di Lorenzo, il collabore à plusieurs reprises avec le Pérugin à Pérouse, aux *Miracles de saint Bernardin de Sienne* (1473) et à Rome, à la Chapelle Sixtine, dans les fresques représentant la *Circoncision du fils de Moïse*, et le *Baptême du Christ* (1481-1483). Son œuvre présente un caractère monumental très poussé et une extrême fidélité dans les détails, faisant songer au travail d'un miniaturiste. Son chef-d'œuvre est la décoration de la bibliothèque du Dôme de Sienne, la Libreria Piccolomini (1502-1507). Il y a là dix fresques dont le sujet est emprunté à la vie d'Aeneas Silvius Piccolomini, qui fut pape sous le nom de Pie II.

Pisanello.
Allégorie de la luxure.
Graphische Sammlung Albertina, Vienne.

Selon Vasari, la composition de ces fresques devrait revenir à Raphaël. Cette opinion peut être soumise à controverse : en effet, à cette époque, Pinturicchio a alors quarante-neuf ans et il est dans toute la force de son talent et de sa réputation. Selon l'usage de presque tous les artistes de la Renaissance, il a employé des jeunes pour l'aider dans cet immense travail et Raphaël, qui a alors vingt ans, a été son collaborateur. Il est clair cependant que Pinturicchio a gardé son sentiment personnel.

Pinturicchio a également exécuté les fresques de l'appartement du pape Alexandre VI Borgia, en 1492-94, qui expriment un goût pour l'art fastueux et dans lesquelles ors et fioritures servent à masquer la faiblesse du dessin.

Pisanello, Antonio Pisano, *dit*
1395-vers 1455
(Pise/Rome ?)

Pisanello est initié à la peinture dans l'atelier de Stefano da Verona où il reçoit la double influence du gothique lombard et du gothique international. Arrivé à Venise en 1417, il devient sans contexte l'héritier de Gentile da Fabriano avec lequel il travaille pour la salle du Grand Conseil du Palais des Doges. *Otto de Wittelsbach devant l'empereur Frédéric Barberousse* (1415-1420) est sa première œuvre d'importance.

En 1431-1432, il termine les fresques de Saint-Jean-de-Latran à Rome, laissées inachevées par da Fabiano.

En 1420, l'art de Pisanello atteint sa maturité avec les fresques véronaises

de Sant'Anastasia où il dépeint la légende de saint Georges : *Saint Georges délivrant la princesse de Trébizonde*, peint entre 1435 et 1438, à la facture précieuse, n'est pas sans rappeler Altichiero.

Désormais célèbre, il est demandé par toutes les cours d'Italie : à Milan, en 1440, à Rimini en 1445, à Naples en 1449, et à plusieurs reprises, à Mantoue et à Ferrare. Il se livre alors à une activité de portraitiste et de médailliste. Le portrait qu'il exécute de la Princesse d'Este, vers 1433 (Musée du Louvre, Paris), ou celui de *Lionello d'Este*, vers 1441 (Accademia Carrara, Bergame) rappelle, par le caractère précieux de la décoration, le gothique international. Pisanello est sans doute le dernier représentant italien du style « courtois » qui a conquis l'Europe à la fin du XIVe siècle.

Quarton ou Charonton, Enguerrand
vers 1410 - après 1462
(né dans le diocèse de Laon)

Enguerrand Quarton travaille tout d'abord à Aix-en-Provence, avant de s'installer, à partir de 1447, à Villeneuve-lès-Avignon. On lui connaît

Enguerrand Quarton.
Le Couronnement de la Vierge, 1453-54.
Hospice de Villeneuve-lès-Avignon.

deux chefs-d'œuvre. Le premier est la *Vierge de Miséricorde*, l'un de ses premiers retables exécuté en 1452 en collaboration avec Pierre Villatte pour la Chapelle Saint-Pierre de Luxembourg à Avignon (Musée Condé, Chantilly). Cette œuvre accuse des influences catalanes sans exclure celles de l'Italie contemporaine, principalement celle de l'école de Sienne. Bien que cette manière n'ait plus cours, Enguerrand Quarton peint la Vierge sur un fond or. Le deuxième chef-d'œuvre est le *Couronnement de la Vierge*, peint deux ans plus tard, en 1454, destiné à l'église des Chartreux de Villeneuve-lès-Avignon (Musée de l'Hospice, Villeneuve-lès-Avignon), dont on possède encore le contrat de commandes dans lequel le sujet est décrit avec précision. Ce retable relève d'une magistrale maîtrise dans la composition.

Certains historiens d'art attribuent à Enguerrand Quarton la *Pietà d'Avignon*, peinte vers 1454-1456 (Musée du Louvre, Paris), probablement exécutée pour la Chartreuse de Villeneuve. Influencée par la tradition et la sculpture française monumentale et par l'enluminure gothique, l'œuvre de Quarton est une synthèse parfaite de l'art du XVe siècle français dont l'artiste se révèle, avec Jean Fouquet, une figure maîtresse.

Rosselli, Cosimo
1439-1507
(né et mort à Florence)

Elève de Benozzo Gozzoli dont il conserve l'influence, Rosselli peint des retables et des fresques dans un style descriptif. Il est connu pour avoir été le maître de Fra Bartolomeo et de Piero di Cosimo. Son œuvre principale est une fresque peinte à Sant'Ambrogio de Florence, le *Miracle du Saint Sacrement*, vers 1482. Il a participé en 1481 à la décoration de la Chapelle Sixtine (l'*Adoration du Veau d'or*, le *Sermon sur la montagne* et la *Cène*).

Schongauer, Martin
vers 1430/35-1491
(Colmar/Vieux-Brisach)

Martin Schongauer appartient à une famille de peintres ; son père Kaspar, orfèvre, originaire d'Augsbourg, s'est installé à Colmar où il obtient le droit de citoyenneté en 1445. Quatre autres de ses frères exercent le métier de peintre, d'orfèvre ou de graveur en Allemagne du Sud.

Après un apprentissage dans l'atelier paternel, il s'initie probablement à la peinture dans l'atelier d'Isemmann et quitte Colmar pendant quelques années pour accomplir son compagnonnage. Disciple de Roger van der Weyden, il fonde à Colmar en 1471 une école de dessin et de gravure qui va exercer une grande influence sur la vie artistique allemande. En 1488, pour une raison inconnue, il quitte Colmar pour s'établir à Vieux-Brisach où il meurt.

Malgré le nombre de tableaux qu'il a peints, la seule peinture qu'on puisse lui accorder d'une façon certaine est la *Vierge au buisson de Roses*, 1473 (Eglise Saint-Martin, Colmar), œuvre impressionnante, plus grande que nature.

Son style apparaît plus personnel dans les volets d'un retable peint en 1476 pour le couvent des Antonites d'Isenheim (Musée de Colmar). On croit déceler dans le sentiment quelque affinité avec les Colonais, mais surtout on constate l'influence de Memling qui le fait évoluer de plus en plus vers la douceur dans le modelé et l'expression. Les dernières peintures qu'on lui attribue, une *Sainte Famille* (Kunsthistorisches Museum, Vienne) et une *Nativité* (Alte Pinakothek, Munich), d'une facture extrêmement délicate, sont très révélatrices de cette tendance.

L'œuvre gravé de Schongauer nécessiterait à lui seul toute une étude. Il reste environ cent quinze gravures signées de lui. C'est dans l'estampe que se déploie toute son originalité. Technicien consommé du burin, il sait donner à la ligne même une beauté expressive. Amoureux du détail, il ne perd pas pour autant le sens de la clarté de la composition.

Si ses œuvres de jeunesse marquent une certaine tendance à la surcharge décorative et au maniérisme, ses gravures postérieures le montrent porté vers plus de sobriété : son style s'épure. Aussi pourrait-on assigner à Schongauer une place égale à celle du Pérugin en Italie ou de Memling dans les Pays-Bas. Michel-Ange le copia,

Dürer l'imita après l'avoir rencontré à Colmar.

Signorelli, Luca da Cortona, dit Luca
vers 1445-1523
(né et mort à Cortone, Ombrie)

Signorelli est tout d'abord l'élève de Piero della Francesca. De 1476 à 1479, il exécute les fresques de la sacristie de la basilique de Lorette, que Melozzo a laissées inachevées. Il pousse plus loin encore que son prédécesseur la science anatomique et la culture de la force virile.

Signorelli est sans rival pour interpréter la structure et le mécanisme d'un nu. Il recherche la vérité plutôt que la noblesse de la forme. En ce sens, il est vraiment le précurseur de Michel-Ange.

En 1481, il participe à la décoration de la Chapelle Sixtine et y exécute les *Derniers jours de Moïse*.

En 1497, il est invité à peindre dans le cloître de Monte Oliveto Maggiore un décor monumental dans lequel il peut exprimer toute la force de son réalisme. *Les scènes de la vie de saint Benoît* sont remplies de guerriers en armures claires ou en chausses collantes, tous cambrés comme des athlètes.

Devenu célèbre, Signorelli est appelé en 1499 par le chapitre d'Orvieto à compléter la décoration de la grande chapelle San Brizio dont la voûte a été peinte en partie par Fra Angelico, une cinquantaine d'années plus tôt. Dans son *Histoire de l'Antéchrist* et son *Jugement Dernier*, il remplit le paradis comme l'enfer d'hommes et de femmes nus, dont la musculature est accentuée dans un ton de bronze, comme sur un écorché. L'œuvre est dure, aussi violente que saisissante. Elle va s'imposer au souvenir de Michel-Ange en même temps qu'elle influencera des maîtres décorateurs tels que Jules Romain et le Corrège. Parmi les autres œuvres réalisées par Signorelli, il convient de mentionner une *Madone* en tondo, exécutée en 1490 pour Laurent de Médicis (Musée des Offices, Florence), ainsi qu'une *Sainte Famille* de la même époque (ibid) et *la Circoncision*, vers 1491 (National Gallery, Londres).

Paolo Uccello.
La Bataille de San Romano, 1456.
Musée des Offices, Florence.

TURA, Cosmè
vers 1430-1495
(né et mort à Ferrare)

Cosmè Tura a probablement été l'élève de Michele Pannonio. Il subit l'influence d'Andrea Mantegna, qu'il rencontre probablement dans l'atelier de Squarcione, dans le rendu du paysage et de l'architecture.

Tura a été sa vie durant le peintre officiel de la cour de Ferrare, du duc Borso d'Este tout d'abord, puis de son successeur, Ercole. Pour eux, il décore entre 1460 et 1463, le cabinet de travail du Palais di Belfiore, puis en 1469-1470, il supervise la décoration du Palais Schifanoia. Les documents qui subsistent permettent de dater certaines de ses œuvres les plus célèbres et les plus importantes réalisées à cette époque : *Saint Georges* et l'*Annonciation* (Cathédrale de Ferrare, 1469) appartiennent toutes deux au retable de l'orgue de la cathédrale ; le polyptyque Roverella peint en 1473/74 pour San Giorgio, est aujourd'hui dispersé à la National Gallery de Londres, au

Louvre, à la Galerie Colonna de Rome et dans quatre musées américains.

Par son style profondément inscrit dans les compositions les plus élaborées, Cosmè Tura apparaît comme le fondateur de l'école de Ferrare.

UCCELLO, Paolo di Dono,
dit Paolo
1397-1475
(Pratovecchio/Florence)

Né à Pratovecchio près d'Arezzo, Paolo di Dono, surnommé Uccello à cause de l'amour qu'il met à peindre toutes sortes d'oiseaux, est une des grandes figures du Quattrocento florentin. Il a de multiples talents à son registre : peintre, mosaïste, marqueteur et décorateur. En 1407, il travaille déjà dans l'atelier du sculpteur Lorenzo Ghiberti, chez lequel il restera jusque vers 1414-1415, comme « garzone di bottega ». En 1425, il devient maître mosaïste de l'église San Marco à Venise. On ignore qui lui enseigna la peinture.

Parmi ses premières œuvres picturales, il faut noter une *Nativité*, 1425, (National Gallery, Londres), un *Saint Pierre*, 1425, (Museo di San Marco,

Venise) et un *Portrait équestre de Sir John Hawkwood*, commandé pour la cathédrale de Florence, daté de 1436, qui est le premier en date parmi les portraits du genre que la peinture renaissante nous a légués. Se présentant comme une peinture en trompe-l'œil, l'effet de relief est rendu par le jeu des ombres. Uccello exécute également d'autres œuvres pour la cathédrale. Il peint quatre têtes de prophètes pour l'horloge et réalise entre 1443 et 1445, trois cartons de vitraux pour les oculus de la coupole représentant l'*Ascension*, la *Résurrection* et la *Nativité* et l'année suivante, un quatrième, l'*Annonciation*.

De cette même époque, datent deux de ses œuvres les plus fameuses, exécutées pour le cloître de Santa Maria Novella de Florence : *Le Déluge* et l'*Ivresse de Noé* dans lesquelles Uccello découvre par la perspective une vision plastique nouvelle qu'avait déjà pressentie Masaccio. Le sens abstrait et le caractère ornemental qu'il accorde à ses fresques sont tels qu'il n'hésite pas à peindre les prés en rouge et les villes en bleu. Cette utilisation de la perspective comme jeu, faisant apparaître les œuvres comme des constructions géométriques, trouve son aboutissement dans la *Bataille de San Romano* (1456). Commandé par Cosme de Médicis, les trois panneaux (actuellement à Londres, Paris et Florence) formaient un ensemble décorant une pièce du palais Médicis. Dans cette œuvre célébrant la victoire de Florence sur Sienne en 1432, Uccello montre une puissante originalité : les chevaux (peints dans des couleurs inhabituelles, bleu et rouge) ainsi que les guerriers, sont représentés dans des raccourcis très audacieux. L'ensemble, régi par

des règles géométriques rigoureuses, est une parfaite illustration de l'intellectualisme de l'esprit florentin, épris de la géométrie pythagoricienne dont Uccello, surnommé le « fou de perspective », est le fervent défenseur. Par cette nouvelle approche de la peinture, il se montre le précurseur du cubisme et de l'art abstrait. Pourtant, Uccello n'est pas reconnu de son vivant. Son intérêt pour les sujets légendaires et la représentation d'animaux, qu'il a été le premier à peindre dans un espace à trois dimensions, fait de lui un grand naturaliste avant l'heure. Dans ce genre, il faut retenir les deux versions de *Saint Georges et le Dragon* peint vers 1456 (National Gallery, Londres et Musée Jacquemart-André, Paris), ainsi que les

fresques du palais Peruzzi, représentant les *Quatre éléments* sous la forme de quatre animaux.

Verrochio, Andrea di Michele Cioni *dit* **Andrea del**
1435-1488
(Florence)

A la fois peintre, sculpteur et orfèvre, Verrocchio dirige, entre 1465 et 1480, l'un des ateliers les plus importants de Florence, qui produit des Madones en série. Passent dans cet atelier les peintres les plus illustres : Léonard de Vinci, dont on reconnaît la manière dans l'exécution de l'ange de gauche du *Baptême du Christ* (Musée des Offices, Florence), réalisé pendant qu'il travaillait chez Verrocchio, le Pérugin et Lorenzo di Credi.

Andrea del Verrochio et Léonard de Vinci.
Le Baptême du Christ, vers 1470-1475.
Musée des Offices, Florence.

Roger van der Weyden.
La Descente de Croix, 1435.
Musée du Prado, Madrid.

Verrocchio triomphe, dans ses rares peintures, par la maîtrise de la ligne, son goût pour le dessin précis et nerveux, probablement acquis par sa formation d'orfèvre. Il est l'un des premiers Florentins à comprendre le paysage, le rôle qu'y jouent non seulement les formes, mais l'air et la lumière.

En tant que sculpteur, il est l'auteur du sarcophage de Piero et Giovanni Médicis à San Lorenzo (1472), et d'un *David*, 1473-1475 (Musée du Bargello, Florence).

Weyden, Roger van der
vers 1400-1464
(Tournai/Bruxelles)

Roger van der Weyden, ou Rogier de la Pasture en français, fait son apprentissage chez Robert Campin, identifié au maître de Flémalle, dans l'atelier duquel il entre à partir de 1427. En 1432, l'année même où est exposé l'*Agneau mystique* des frères Van Eyck à Gand, il est élu maître de la corporation des peintres de sa ville natale. Son apprentissage terminé, il se fixe à Bruxelles et devient peintre de la ville en 1435. Il y peint quatre tableaux d'histoire pour la décoration de l'Hôtel de Ville, disparus aujourd'hui. Il est dit que des tapisseries conservées au musée de Berne ont été réalisées directement d'après ces toiles.

Conjointement il travaille pour des corporations et des couvents ainsi que pour Philippe le Bon. En 1450, Van der Weyden voyage en Italie, visite Rome et Ferrare, où il est au service de Lionello d'Este, ainsi que d'autres villes du Nord de l'Italie. Les Sforza et les Médicis lui passent des commandes. De retour à Bruxelles, à la fin de la même année, il s'y fixe désormais et y travaille jusqu'à la fin de ses jours.

De ce voyage, il garde l'influence italienne, principalement celle de Fra Angelico et de Gentile da Fabriano. Il adoucit sa vision et son style: la *Descente de Croix*, vers 1435 (Musée du Prado, Madrid), ou encore *Le Retable Bladelin* (Staatliche Museen, Berlin) commandée en 1460 pour l'église de Middelbourg qui est le chef-d'œuvre de ses dernières années et représente la synthèse de toutes ses recherches: dans le panneau central, le donateur rivalise de caractère avec les meilleurs portraits de Van Eyck, et la Vierge qui adore l'Enfant offre un mélange indicible de grandeur, de grâce et de tendresse.

Le Jugement Dernier, vers 1450 (Hôtel-Dieu, Beaune), l'un de ses ouvrages les plus importants exécuté pour Nicolas Rolin, chancelier de Bourgogne, qui avait commandé à Van Eyck la *Madone* du Louvre, laisse aussi percevoir de même que par sa conception picturale, vers 1452, une influence italienne. Il a peint aussi le *Triptyque Braque* (Musée du Louvre, Paris) peint pour Catherine de Brabant, veuve de Jan Braque, la *Madone des Médicis* (Städelsches Kunstinstitut, Francfort) et la *Mise au Tombeau* (Musée des Offices, Florence).

Roger van der Weyden reste le meilleur exemple de ce qui peut résulter des contacts entre le nord et le sud de l'Europe : l'Italie n'a de cesse de ressusciter l'esprit classique, et les Pays-Bas ne sont pas parvenus, de longtemps, à se dégager de leur humanisme gothique pour adopter le style classique de la Renaissance italienne.

Van der Weyden ne s'est jamais départi de l'influence de son maître Van Eyck ; toute sa vie, il est resté un réaliste convaincu.

Il est le premier parmi les Flamands à être sensible à la souffrance. Il se révèle le peintre par excellence des sentiments pathétiques, les interprétant avec le maximum de tension dramatique. Il faudrait remonter jusqu'à Giotto pour trouver quelque chose de comparable au geste de douleur de la mère prenant son fils à bras le corps dans le *Retable des Miraflores* (Staatliche Museen, Berlin) donné en 1445 aux Chartreux de Miraflorès par le roi Jean II d'Espagne. Le panneau central, la *Mise au Tombeau*, suffirait à assurer la renommée de Van der Weyden.

Cependant, s'il est un narrateur incomparable de la souffrance et de la douleur, il sait traduire le bonheur serein et la joie intérieure en s'inspirant de la figure de la Vierge. Le génie de Van der Weyden, moins ambitieux dans l'originalité et l'invention que celui de Van Eyck, s'est révélé pleinement dans ses bois peints de *La Vierge et l'Enfant*. Les vierges de Van Eyck sont des jeunes filles enveloppées d'amples manteaux rouges qui se promènent à l'intérieur de cathédrales quand elles ne sont pas assises sur un trône de pierre grise. Celles de Van der Weyden sont des femmes couvertes, tout au plus, d'un voile transparent. Il ne faut pas oublier que Van der

Weyden, peintre en titre de la cour de Bourgogne a vu défiler dans son atelier les personnages les plus illustres qu'il a portraiturés. Parmi ceux-ci : *Charles le Téméraire* (Staatliche Museen, Berlin-Est), *Philippe de Croy* (Musée royal des Beaux-Arts, Anvers). Cette galerie de portraits trahit, à n'en pas douter, le fin portraitiste qui sait mettre à nu la psychologie des personnages posant devant lui.

Ce maître de l'école brabançonne a compté de nombreux disciples : deux de ses fils tout d'abord et Martin Schongauer, le plus grand peintre allemand de la seconde moitié du XVe siècle. En Flandre, Bouts et Memling, en Italie, Cosmè Tura et del Cossa, s'en sont inspirés.

Son influence s'est également étendue dans un autre domaine. On sait qu'il a été employé, selon l'usage, à mettre en couleur des statues et des bas-reliefs.

Pendant près de cinquante ans, de nombreux sculpteurs l'ont imité fidèlement, au point de reproduire l'arrangement de ses compositions et les types mêmes de ses figures.

Witz, Konrad
1400/10 - vers 1445
(Rottweil/Bâle ou Genève)

Fils de Hans Witz, identifié parfois à l'artiste itinérant Hance de Constance, Konrad Witz appartient, par ses origines, à l'école souabe puisqu'on pense qu'il serait né à Constance ou à Rottweil et qu'il aurait travaillé d'abord dans ces deux villes avant de s'établir définitivement en Suisse. Attiré à Bâle probablement par le nouveau concile réuni en 1431 dans cette ville, il y est reçu en maître : en 1434, il entre dans la corporation des peintres et acquiert, l'année suivante, le droit de bourgeoisie. En 1535 également, il se marie avec la nièce d'un peintre fort en vue, Maître Lawlin Rüsch de Tübingen, avec lequel il collabore à des fresques, vers 1441, pour l'arsenal de la ville. Puis, il reçoit la commande d'un polyptyque destiné à une église bâloise qui sera l'une de ses œuvres les plus importantes : le *Retable du Miroir du Salut* ; exécuté vers 1435-1436 pour le chœur de Saint-Léonard, au monastère des Augustins de Bâle il comportait seize panneaux.

Il n'en reste plus que neuf, conservés au Kunstmuseum de Bâle, deux au Musée des Beaux-Arts de Dijon et le dernier au Staatliche Museen à Berlin. Ces peintures offrent de telles qualités plastiques que les figures paraissent se détacher en ronde bosse sur le fond or. Sur certains panneaux, sur des volets extérieurs qui ne comportent pas de fond or, Konrad Witz a pu se livrer à des recherches d'éclairages : le *Saint Barthélémy* (Kunstmuseum, Bâle) est drapé dans un grand manteau blanc, sa figure majestueuse, digne de celles de Sluter, projette son ombre sur le mur gris azuré devant lequel il se tient. L'œuvre est celle d'un coloriste fort délicat. En même temps, il sait camper ses personnages d'une manière robuste et quasi sculpturale.

Sa deuxième œuvre capitale est le *Retable de saint Pierre*, commandé par l'évêque genevois François de Mies en 1444 (Musée d'Art et d'Histoire, Genève) ; l'un de ces panneaux, la *Pêche Miraculeuse*, marque le sommet de l'art du paysage au XVe siècle.

L'intérêt porté au décor, l'un des premiers « portraits » de paysage qui permet de classer Konrad Witz parmi les pionniers du réalisme, n'a cependant pas empêché Witz de s'attacher à la représentation des personnages. L'artiste a parfaitement su agencer sa composition, de façon à incorporer les personnages dans le paysage. Bien que son sens de la perspective soit parfaitement empirique, il est plus exact que celui de la plupart des peintres septentrionaux, y compris Van Eyck. Son art paraît se situer à mi-chemin entre celui des Néerlandais, plus analytique, plus raffiné, parce que dérivé de la miniature, et celui des fresquistes florentins, plus synthétique, plus monumental.

En dehors de ces deux retables, il faut citer également *Joachim et Anne* (Kunstmuseum, Bâle), *Sainte Catherine et sainte Madeleine* (Musée de l'Œuvre Notre-Dame, Strasbourg) et une *Annonciation*, exécutée vers 1445 (Germanisches Nationalmuseum, Nuremberg).

Le XVIe SIÈCLE

ITALIE

Après Copernic et Gutenberg, instruits dans toutes les techniques et capables de répandre leur activité dans le domaine entier de l'art, les peintres quittent les sujets d'inspiration religieuse pour des motivations laïques. Le culte humaniste du héros remplace celui du saint.

L'essor de la peinture italienne, commencé au XIIIe siècle sous l'influence de Byzance et dans l'orbe de Venise revient au XVIe siècle prendre un second départ. Elle fleurit largement dans la plupart des centres où la culture artistique avait des racines pendant le XVe siècle : Florence produit les plus hardis novateurs et les prépare aux grandes entreprises qu'ils s'en vont accomplir à Rome. L'école de Milan, brusquement développé par un maître florentin, s'épanouit magnifiquement. Ferrare a des peintres savants. Parme accueille le Corrège, tandis que Venise entre fièrement dans sa période de splendeur qu'elle ne quittera qu'à la fin du XVIIIe siècle. Seule l'Ombrie, après avoir nourri la jeunesse de Raphaël, devient stérile. L'art italien produit ses plus beaux génies : Léonard de Vinci (1452-1519), Michel-Ange (1475-1564), Raphaël (1483-1520). Bien qu'ils soient florentins, les deux premiers passent la plus grande partie de leur vie en dehors de leur patrie. Les papes cherchent alors à faire de leur cité le centre de la vie artistique : deux d'entre eux surtout, Jules II et Léon X ; l'un, patriote fougueux, âme indomptable, consacre toute son énergie à chasser d'Italie les étrangers qui l'occupent ; l'autre, de la famille des Médicis, esprit fin, est un ami de la paix et des plaisirs. Très différents de caractère, ils se rejoignent dans un commun amour des arts.

L'école florentine

Léonard de Vinci qui a fondé à Milan une école durable ne forme cependant pas d'élèves à Florence pendant le séjour qu'il y fait de 1500 à 1506. Pourtant, ses œuvres et ses théories exercent une action profonde sur l'art florentin et sur ses peintres, tels que Fra Bartolomeo (1472/75-1517) qui s'attache à la peinture religieuse et Andrea del Sarto (1486-1531) dont le coloris est plein de charme.

Konrad Witz.
Crucifixion.
Ehemals Staatliche Museen, Berlin.

L'école émilienne

A Parme vit et travaille un grand maître dans l'art de plaire, Allegri, dit le Corrège (1489/91-1534). Peintre de la grâce, il la répand sans effort dans ses compositions et sur ses figures, et son coloris, tout à la fois brillant et mœlleux, séduit le regard. Son talent délicat se montre dans ses tableaux mythologiques ; mais il sait aussi donner aux sujets religieux une expression poétique et tendre (*Mariage mystique de sainte Catherine*). Enfin, dans ses fresques de l'église Saint-Jean et de l'église du Dôme à Parme, il aborde avec bonheur la grande décoration.

L'école vénitienne

L'école vénitienne se développe avec une splendeur nouvelle. Le trait commun des peintres vénitiens est leur sentiment du naturel et leur science du coloris ; ils y ajoutent l'habileté de la composition et l'entente des grandes décorations, mais ils s'attachent moins à l'expression morale ; ils recherchent les effets pittoresques, les jeux de la lumière, l'éclat des riches étoffes ; leur art est souvent plus matériel et plus extérieur, mais ô combien ! riche et brillant. De l'atelier de Giovanni Bellini sortent Giorgione (1477-1510) et Titien (vers 1485-1576). Giorgione est coloriste entre tous les Vénitiens : ses tableaux produisent sur l'œil une impression magique, tant les nuances s'y fondent dans un ensemble chaud et mœlleux. Le *Concert Champêtre*, *La Sainte Famille*, au Musée du Louvre, à Paris, donnent une exacte idée de son talent.

Titien se montre d'abord le disciple fidèle de Giovanni Bellini ; bientôt le talent de son condisciple Giorgione influe sur lui, échauffe son coloris, mais il y ajoute plus d'invention et plus de variété. Dès 1511, il est à Venise le maître par excellence, le peintre officiel de la République ; sa renommée se répand dans toute l'Italie. Les princes se disputent ses œuvres : Léon X veut, mais en vain, l'attirer à Rome ; François Ier cherche à l'entraîner en France ; Charles Quint lui prodigue ses faveurs. Lui, cependant, fidèle à Venise où son talent s'épanouit dans son cadre naturel, ne s'en éloigne que pour de courts voyages. A quatre-vingt-dix neuf ans il travaille encore, lorsque la mort vient le frapper. Sujets religieux, compositions mythologiques, historiques, portraits, paysages, il a abordé tous les genres. Parmi ses chefs-d'œuvre, il faut citer : *La Présentation*, *L'Assomption* (Accademia, Venise), les portraits des musées de Florence, *L'Amour sacré et l'Amour profane* (Galerie Borghèse, Rome), etc. On peut dire qu'il résume en lui toutes les qualités de l'école vénitienne : il excelle à rendre la beauté physique de la femme dans tout l'éclat de sa riche floraison ; il sait aussi introduire dans ses compositions le mouvement et la vie, en même temps qu'il y prodigue toute la magie du coloris. Cependant son dessin n'est pas toujours assez précis et, dans ses plus belles œuvres, on ne trouve pas cette profondeur de pensée, cette force et cette noblesse d'expression qui font le génie de Raphaël et de Michel-Ange.

Autour de lui se groupent tous les peintres vénitiens de son temps. Palma le vieux, Pordenone, Moretto, Bonifacio, Paris Bordone sont ses élèves, ses imitateurs, parfois ses émules. Parmi ceux qui étudient dans son atelier, Jacques Robusti, dit le Tintoret (1518-1594), tente de le dépasser en unissant, comme il le dit, « le dessin de Michel-Ange et le coloris du Titien ». Artiste fougueux, mais inégal et heurté, il fait preuve à travers ses œuvres innombrables d'une activité sans relâche. Si ses compositions sont parfois étranges et désordonnées, il en est qui comptent parmi les chefs-d'œuvre, comme son *Miracle de saint Marc* (Accademia, Venise) et quelques-unes des peintures qu'il exécute au Palais des Doges.

Enfin Paolo Caliari (1528-1588), Véronèse (parce qu'il naît à Vérone), est, avec Titien, le grand maître de l'école vénitienne et un des plus puissants décorateurs qui ait existé. Il a l'instinct des vastes compositions : il y dispose sans confusion une foule de personnages, ordonnant les groupes, ménageant les contrastes, intéressant partout le regard, tandis que de l'ensemble se dégage une impression grandiose. Il dirige de même les jeux et les combinaisons des tons, les tempère ou les échauffe les uns par les autres, enlève ses figures aux draperies éclatantes sur des fonds d'architecture imposants ou sur un ciel dont quelques nuages blancs varient l'azur. Nul n'est habile et pompeux avec plus de naturel et d'aisance. Dans ses repas évangéliques, dont les *Noces de Cana*, le *Repas chez Simon* (Musée du Louvre, Paris) sont de beaux modèles, le texte

Anonyme d'après Léonard de Vinci.
Combat pour l'Etendard.
Collection particulière, Munich.

Giorgio Vasari, puis Lorenzo Sabbatini.
La Bataille de Lépante, 1572/73.
Fresque de la Salle royale du Vatican, Rome.

saint n'est qu'un prétexte à de fastueuses évocations des fêtes vénitiennes. Mais il faut le voir aussi à Venise, dans les édifices qu'il est chargé de décorer, au Palais des Doges (*Venise sur le globe terrestre, Triomphe de Venise, Prise de Smyrne*, etc.), près de Trévise, au château de Masère. Après Véronèse, la peinture vénitienne faiblit. La décadence est générale en Italie.

En passant de la raison florentine à la sensualité vénitienne, l'humanisme s'est divisé en deux courants, l'un classique à outrance, l'autre de préciosité baroque, que l'on a qualifié de maniérisme (ce terme apparaît pour la première fois dans le Libro dell'Arte de Cennino Cennini, puis dans les traités du XVIe siècle, signifiant alors « style »). Ce n'est qu'au XVIIe siècle que le terme prend une connotation négative.

Les élèves des grands maîtres s'efforçant de les imiter, sans avoir leur génie, altèrent leur style et exagèrent les défauts qui, çà et là, perçaient déjà chez ces derniers. Ceux de Michel-Ange, sous prétexte de vigueur, aboutissent à l'emphase et aux contorsions violentes ; ceux de Raphaël glissent vers le maniérisme et la convention. Même le soin du dessin et du coloris s'affaiblit. Le meilleur disciple de Raphaël n'est, malgré son habileté, qu'un artiste de second ordre. On peut en dire autant de Daniel de Volterre, de Vasari qui, en peinture, se rattachent à Michel-Ange.

FLANDRE

Tandis qu'en Italie Léonard de Vinci et bientôt Michel-Ange et Raphaël font évoluer la Renaissance vers sa période classique, l'Europe septentrionale demeure, pour bon nombre de peintres, attachée à l'esthétique gothique. Parmi ces derniers gothiques figurent Quentin Metsys (1466-1530) qui reste, dans sa manière et dans la recherche de ses motifs, très traditionnel : ses tableaux d'autel sont encore des triptyques qui rappellent parfois Van der Weyden, mais avec plus de variété et de souplesse dans l'exécution. Avec Joachim Patinir ou Patenier (vers 1480-1524), apparaît l'art du paysage. Son ami Dürer, en voyage dans les Flandres en 1521, le nomme « bon peintre de paysage ». Jan Mostaert (vers 1475-1555), peintre de la cour de Marguerite d'Autriche, accomplit une œuvre considérable avec lui, tout en adoptant une perspective plus proche de celle des Italiens.

En ce début du XVIe siècle, la mode est au voyage. Un grand nombre de peintres flamands prennent la route de l'Italie pour se mettre à l'école de maîtres étrangers. Ils reviennent ensuite au pays natal faire de la peinture méridionale, pour y fonder des confréries.

L'influence italienne s'installe ainsi progressivement dans tous les Pays-Bas.

Parmi les premiers romanistes, Jan Gossaert dit Jan de Mabuse ou de Maubeuge (vers 1478-vers 1536) a séjourné dix ans à Rome. Si le réalisme de ses toiles dénonce encore l'inspiration gothique, sa facture témoigne d'une note maniériste italianisante.

Le plus célèbre de tous les romanistes est probablement Bernard van Orley (1490-1542), fortement influencé par Raphaël et qui devient à partir de 1518 peintre de Marguerite d'Autriche.

Lucas de Heere de Gand (1534-1584) laisse des remarquables portraits de la reine Elisabeth, de Marie Stuart et de Darnley.

Pourtant en contact avec cette influence italianiste directement venue de Rome, certains artistes conservent en leur atelier les qualités nationales de réalisme et de naturalisme dans l'observation et la représentation des êtres et de la nature. Parmi ceux-là : Pieter Pourbus (1523/24-1584), premier représentant de la dynastie des Pourbus, et Pieter Bruegel l'Ancien ou des Paysans (vers 1525-1569). Après un long voyage effectué en Italie, il reste cependant flamand de cœur et de style, en peignant les kermesses du pays, les franches lippées, avec autant de verve dans la composition, d'habileté dans l'exécution. Il demeure l'un des artistes les plus personnels des Flandres et le premier en date des artistes flamands modernes.

HOLLANDE

Au XVIe siècle, la Flandre subit de dures épreuves. Héritier des ducs de Bourgogne, Charles Quint y a favorisé le développement de la prospérité ; mais après lui, quand le protestantisme se propage aux Pays-Bas, Philippe II et le terrible duc d'Albe cherchent à l'étouffer dans le sang. Les provinces du Nord, plus opiniâtres, parviennent à s'affranchir de la domination espagnole et à se constituer en république : ainsi se forme la Hollande ; celles du Sud, la Flandre et les pays wallons, se soumettent : le catholicisme y triomphe.

Les deux arts « hollandais » et « flamand », sans cesser d'avoir des caractères communs, se séparent de bonne heure.

Lucas de Leyde (1494-1533) révèle alors l'indépendance d'une école hollandaise dans une Flandre encore espagnole. A la fois graveur et peintre, ses estampes sont remarquables par la science des effets de lumière et de perspective. Il est le créateur du tableau de genre. Tout d'abord inspiré par les épisodes religieux, le tableau de genre trouve sa motivation dans les sujets réalistes, puisés dans le quotidien et sa trivialité. Déjà Pieter Aertsen, dit Pierre le Long (1508-1575) annonce, par l'accumulation des objets familiers, l'apparition de la nature morte.

Ecole flamande, milieu du XVIe siècle.
L'Enfant prodigue chez les courtisanes.
Musée Carnavalet, Paris.

Le plus grand portraitiste hollandais est Anthonis de Moor (1519-1575). Comme le prouverait le seul nom d'Antonio Moro qui lui est resté, de Moor est un italianisant. L'art de sa composition doit beaucoup à Titien. Il emprunte aux Vénitiens la noblesse des attitudes, aux grands Florentins leur grande sincérité.

Michiel Jansz van Miereveldt (1567-1641), peintre de la cour, poursuit l'œuvre de Moro avec grande habileté.

Frans Hals (1580-1666) exécute d'excellents portraits dont la qualité dominante est l'aisance. Il apporte dans ses œuvres la même belle humeur que dans sa vie, il rend la physionomie de ses modèles avec beaucoup de précision, mais surtout de naturel et de largeur (*Portraits de Beresteyn*, récemment entrés au Louvre ; *Officiers des archers de Saint-Georges* ; *Officiers de Saint-Adrien* ; *Régents et régentes de l'Hôpital*, à Haarlem, etc.).

Son œuvre est considérable et son influence durable. Il compte parmi ses élèves : Dirk Hals, son frère cadet, Esaïas van de Velde, Pieter van Laer (1592-1642) surnommé il Bamboccio pour ses bambochades, l'excellent portraitiste Anthony Palamades (1600-1668), Jan Miense Molenaer (1600-1668), ainsi qu'Adriaen Brouwer (1606-1638) et Adriaen van Ostade (1610-1685).

FRANCE

Dès 1498, on trouve, établie à Amboise, toute une compagnie de peintres italiens parmi lesquels figurent le célèbre Fra Giocondo de Vérone, dit Joconde ou Guido Mazzoni de Modène, qu'on appelle Messer Guido. A la suite de Charles VIII et de Louis XII, François Ier, cherchant à faire de la cour de France le foyer artistique le plus brillant d'Europe, convie les plus grands artistes : Léonard de Vinci vient y mourir, Andrea del Sarto, Benvenuto Cellini y séjournent ; le Rosso et Primatice, Niccolò dell'Abbate, déjà appelé par Henri II, vont décorer pendant quarante ans, de 1530 à 1570, les résidences premières et le château de Fontainebleau.

Le roi leur témoigne la plus grande faveur ; il voudrait attirer auprès de lui Raphaël, Michel-Ange, Titien et recherche leurs œuvres. Il apprécie aussi les antiques, il en achète ou s'en procure des moulages. Princes, seigneurs suivent son exemple.

Il est donc difficile de nier l'influence italienne et ses conséquences. Elle contribue à détacher la France des traditions du Moyen Âge et à la diriger vers une civilisation où les souvenirs de l'Antiquité se mêlent à une foule d'idées nouvelles. Il ne s'ensuit pas cependant qu'elle ait pour effet d'implanter brusquement un art étranger et de transformer les artistes en imitateurs serviles. L'esprit français n'abdique pas en présence de ces nouveaux venus que le goût de la cour favorise ; pendant longtemps, s'il fait des emprunts à l'étranger, c'est pour les combiner avec ce qu'il tire de lui-même et de son passé.

Des peintres français, tel Antoine Caron (vers 1521-vers 1599), des émailleurs et des tapissiers se joignent aux Italiens et aux Flamands : toute une école dont l'influence va marquer François Clouet ou Jean Cousin.

Italienne à l'origine, l'école de Fontainebleau reste l'une des bases de la peinture décorative française.

Conjointement à cette école de Fontainebleau, l'art du portrait va connaître, au XVIᵉ siècle, un très vif succès. On conserve encore un nombre considérable de peintures à l'huile ou de dessins aux trois crayons qui font revivre la société aristocratique française de François Iᵉʳ à Henri IV.

Jean Clouet (vers 1486-vers 1540) et son fils François (avant 1520-1572) sont les portraitistes en vogue. Le père de Jean Clouet était un peintre flamand établi en France ; ses descendants sont restés fidèles aux traditions de l'école. Leurs portraits, en effet, sont admirables par la précision un peu sèche du dessin, par la fidélité des détails, la solidité du coloris. Il nous en est parvenu un certain nombre, d'intérêt historique, tels ceux d'*Henri II*, de *Charles IX* et d'*Elisabeth d'Autriche* (Musée du Louvre, Paris).

De Perréal à Jean Clouet et à Corneille de La Haye, dit de Lyon, de François Clouet aux Quesnel et aux Dumonstier, l'art du portrait éclate, avec une même conception, indépendante des transformations affectant les autres genres picturaux. Sans négliger l'attrait du costume luxueux, ils s'attachent à rendre la psychologie du sujet généralement pris de face, en buste, sur un fond neutre. Bien différent est Jean Cousin le Père (vers 1490-vers 1561) qui, après avoir fait son éducation à Sens parmi les peintres verriers, s'établit plus tard à Paris. Architecte, sculpteur, peintre, graveur, il a étudié l'anatomie, la géométrie, la perspective, de façon à pouvoir écrire un livre sur la perspective, en 1560. Ses peintures sont rares : quelques vitraux à Sens et en divers endroits ; des miniatures ; une figure de femme, *Eva Prima Pandora*, le premier grand nu de la peinture française.

La vogue des portraits est telle qu'on en fait copier des albums multipliés à l'infini, et qu'enfin la mode en vient à les faire peindre en émail par Léonard Limosin.

Le XVIᵉ siècle est effectivement l'époque où les arts industriels se développent avec éclat. Aux émaux cloisonnés et champlevés du Moyen Âge, les ateliers de Limoges, célèbres depuis tant de siècles, substituent les émaux peints, véritables tableaux, où le fond de métal est entièrement recouvert par l'émail et où le dessin et le coloris atteignent à une rare perfection. Vouée d'abord aux sujets religieux, la peinture sur émail emprunte bientôt des sujets à la mythologie antique, en même temps qu'elle adopte le style italien ou encore qu'elle reproduit les compositions des maîtres flamands et allemands. Parmi les émailleurs limousins, les Pénicaud, Léonard Limosin, Pierre Rémond, Jean Courteys ont laissé les œuvres les plus nombreuses et les meilleures : plaques, coupes, vases, coffrets, etc. (Musée du Louvre, Paris et Musée de Cluny).

C'est aussi une des plus belles époques de la céramique française. La meilleure part revient ici à Bernard Palissy (1510-1590 environ), dont le nom est resté justement populaire. Le potier de Saintes, penseur et savant en même temps qu'artiste, a raconté lui-même ses études, ses épreuves, l'admirable opiniâtreté avec laquelle il lutta contre la mauvaise fortune. Plus tard, protégé par le connétable de Montmorency, établi à Paris, il est nommé par Catherine de Médicis « inventeur des rustiques figulines du roi ». Ses œuvres les plus originales sont les plats et les vases émaillés où se détachent en saillie des herbes, des coquillages, des poissons, des lézards, etc. La fin de sa vie est encore troublée : protestant convaincu, il est enfermé à la Bastille où il meurt. A côté des œuvres de Bernard Palissy, il faut mentionner les faïences d'Oiron dont les rares spécimens sont d'une forme si élégante et d'un décor si fin.

A la fin du XVIᵉ siècle, sous Henri IV, se constitue une deuxième école de Fontainebleau, moins brillante que la première mais qui prolonge les attraits du maniérisme, sa fantaisie romanesque. Parmi les artistes qui la composent : Toussaint Dubreuil, Ambroise Dubois et Martin Fréminet. Enfin, il faut reconnaître que la peinture n'a pas été l'art dominant du XVIᵉ siècle en France et que les œuvres des peintres sont loin d'égaler celles des architectes, des sculpteurs ou celles des artistes des arts industriels.

ALLEMAGNE

Au réalisme des écoles allemandes, vient se greffer au XVIᵉ siècle l'influence italienne apportant l'intérêt d'une esthétique et d'une beauté nouvelles. En même temps, le mouvement des esprits qui suit la découverte de l'imprimerie et la Réforme a sa répercussion sur la peinture, modifie les idées des artistes en leur donnant de plus larges conceptions et un plus vaste choix de thèmes. Hans Burgkmair, né à Augsbourg (1473-1531), est probablement le premier artiste allemand à rapporter d'Italie les préceptes italiens. Ses tableaux perdent de leur aspect gothique ; les fonds or font place à des fonds de paysages en harmonie avec le sujet principal.

Mais c'est à Nuremberg que le génie germanique se manifeste avec Albrecht Dürer (1471-1528). Dans un monde qui n'a pas été préparé comme l'Italie par des études classiques, il sait capter la curiosité par la maîtrise et l'esprit analytique propre à la Renaissance.

Allemand par la pensée et par la forme, son imagination est puissante, mais sombre et fantasque ; il se plaît aux sujets douloureux, aux conceptions étranges (*Melancholia*, *Le Chevalier, la Mort et le Diable*, L'*Apocalypse*, etc.). D'autre part, l'expression est chez lui d'un réalisme que rien n'arrête : il introduit dans ses compositions les types les moins nobles, les détails les plus familiers et même les plus vulgaires, mais pour en tirer des effets imprévus de grandeur et de pittoresque. Ses œuvres peuvent souvent paraître rudes et sans harmonie, mais elles sont toujours pleines de vigueur et de sève. S'il traite des sujets chrétiens (Passions du Christ, Scènes de la vie de la Vierge), il leur donne un caractère local : types, costumes, mœurs, paysages, tout y rappelle l'Allemagne ; mais il y mêle une poésie intime qui transforme l'œuvre et la marque d'un

Ecole de Fontainebleau.
Allégorie de l'Eau ou *Allégorie de l'Amour.*
Musée du Louvre, Paris.

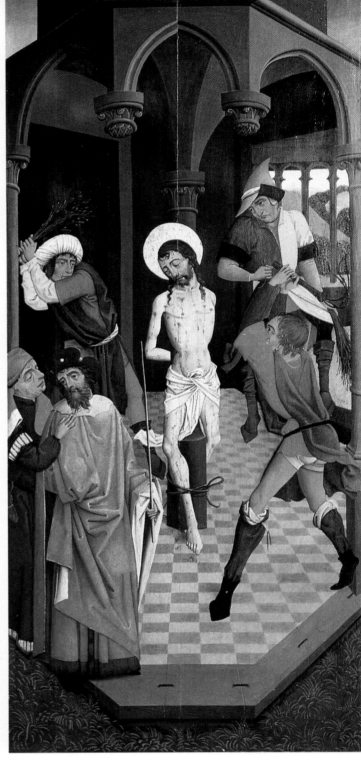

Ecole de Cologne, XVIᵉ siècle.
Scènes de la Vie du Christ.
Palais Bénédictine, Fécamp.

caractère religieux. Ce sont bien les personnages de l'Evangile, mais sous les formes réelles et concrètes que leur prêtait l'imagination populaire. De même que Luther traduit les livres saints dans la langue vulgaire, Dürer traduit les croyances chrétiennes dans un art que tous peuvent comprendre. Au point de vue technique, c'est encore un grand maître. Dans ses gravures il procède avec une sûreté et une vigueur extraordinaires, en même temps qu'il sait s'attacher aux moindres détails, quelquefois même avec une trop minutieuse complaisance.

Du nom de Dürer est inséparable celui de Hans Holbein le Jeune, né à Augsbourg (1497-1543) qui révèle tout son génie dans l'art du portrait. Il garde, très accusé, le caractère réaliste de l'école allemande, tout en y mêlant une harmonie et un idéalisme certains, déjà amorcés chez son père, Holbein l'Ancien. Holbein a mené une vie errante ; aussi a-t-il eu peu de disciples.
Parmi les portraitistes, Christoph Amberger (1500-1562) est à remarquer parmi les artistes influencés par Dürer. Il est aussi un autre groupe d'artistes sur qui l'ascendant de Dürer est tout à fait évident et profond. Parmi ceux-là, Hans Baldung, dit Grien (vers 1484/85-1545) se montre un pur disciple. Près de lui Hans Schäuffelein, né à Nuremberg, peut être considéré comme son vrai successeur. Il fut longtemps son élève et son compagnon. Il

l'imita dans sa peinture et surtout dans son œuvre gravé. Albrecht Altdorfer (vers 1480-1538) compte aussi parmi les premiers élèves de Dürer dont l'empreinte se remarque dans les paysages de ses fonds de tableaux.

Parmi les contemporains de Dürer et d'Holbein, Lucas Cranach (1472-1553) possède un talent original. Ses Madones sont de jeunes allemandes froides et fines dont le visage séduit par un mélange de candeur et de mièvrerie. En outre, il aime à peindre le nu et emprunte des sujets à la mythologie païenne tels *Vénus* (Musée du Louvre, Paris) ; mais par la conception comme par le style, il est étranger à l'art antique ; ses figures, aux formes souvent pauvres et longues, sont traitées avec une élégance maniérée.

Quant aux toiles de Mathis Grünewald (vers 1460-1528), elles sont encore profondément enracinées dans la tradition du gothique tardif, tout en annonçant des évolutions. Son art se situe entre les conceptions de l'univers médiéval et les nouvelles formes d'expression picturale.

ESPAGNE

Sous le règne de Charles Quint et de Philippe II, l'italianisme atteint son apogée en Espagne.

La suprématie de Raphaël et de Michel-Ange provoque la création d'un style nouveau dans l'Europe tout entière et particulièrement en Flandres et en Espagne. Une école dite « romaniste » se constitue et devient rapidement florissante : le maniérisme règne en maître. Charles Quint, grand ami de Titien, importe de nombreuses œuvres

Hernando Yanez de Almedina.
Sainte Catherine.
Musée du Prado, Madrid.

italiennes. Philippe II poursuit ces acquisitions. Il veut rivaliser avec François Iᵉʳ et Henri II qui ont attiré à Fontainebleau un groupe de peintres d'Italie. Il fait appel à de nombreux Italiens pour décorer l'Escurial. Un art de cour se constitue alors. Mais, tandis que les peintures exécutées à Fontainebleau sont des compositions mythologiques, celles qui décorent l'Escurial sont presque exclusivement des compositions religieuses.

Parallèlement à ces grandes décorations, un genre nouveau apparaît en Espagne : celui du portrait.

Titien avait déjà donné le ton en portraiturant Charles Quint, l'un en pied, l'autre à cheval (tous deux, Musée du Prado, Madrid), en affirmant les qualités morales autant que physiques du sujet. Mais le principal promoteur de l'art du portrait en Espagne est le Néerlandais Antonio Moro, venu en Espagne et à Lisbonne, qui fait preuve, dans ses effigies royales ou princières, d'une précision et d'une netteté tout hollandaises. Sous son impulsion se forme la corporation des peintres de la cour qui, avec ses successeurs, Sánchez Coello, Pantoja de la Cruz et Felipe de Llaño, ne fait que s'accroître pour aboutir au XVIIᵉ siècle à Vélasquez et, à la fin du XVIIIᵉ, à Goya. Parallèlement à ces deux formes de l'art officiel, il existe un art plus traditionaliste.

A Valence, Juan de Juanes est l'un des plus fervents représentants de l'art doctrinaire des romanistes. Ses ouvrages empreints de mysticisme dénotent l'influence de Raphaël. A Tolède, à la même époque, Francisco de Comontes et Juan Correa del Vivar, toujours dans le village de Raphaël, montrent un certain raffinement propre à la peinture maniériste.

Deux peintres cependant, demeurant à Tolède, sont nettement hostiles au maniérisme : Morales, dit le Divin et le Greco. Le premier, aspirant à l'ascétisme, accuse une réaction dans un sens gothique et flamand. Le second combine dans son art des éléments orientaux et italiens qui, mêlés à l'âpre réalisme des Espagnols, constituent un des genres de peinture les plus originaux.

En Andalousie, deux courants s'affrontent : le premier comporte un petit groupe d'artistes romanistes flamands tels que Sturm et Pieter de Kempeneer ; le second, des peintres purement espagnols mais qui se réclament tous de l'Italie. Parmi ces derniers, il faut différencier deux catégories : d'une part, les purs théoriciens et esthètes tels que Pablo de Céspedes et Pacheco qui prêchent l'exemple de Raphaël et de Michel-Ange, de l'autre les artistes qui, tout en s'inspirant des maîtres italiens, tendent vers un naturalisme purement espagnol. Le plus important de cette école de Séville est Luis de Vargas, que Pacheco appelle « Lumière de la peinture, et son très digne père à Séville ». Il a été par excellence le peintre des Ecce Homo, comme Juan de Juanes a été celui de l'Eucharistie.

Andrea del Sarto,
Andrea d'Angiolo, *dit*
1486-1531
(né et mort à Florence)

Fils d'un tailleur, Andrea del Sarto est placé chez un orfèvre qu'il quitte aussitôt pour se mettre sous la direction de Giovanni Barile, très habile sculpteur sur bois, mais peintre médiocre. Il travaille ensuite avec Piero di Cosimo, étudie avec ardeur les fresques de Masaccio ainsi que les cartons de Léonard de Vinci et de Michel-Ange et passe bientôt pour l'un des plus habiles maîtres de l'Italie.

A la vue de l'une de ses œuvres, François Ier le fait venir à Fontainebleau et rétribue largement son travail très apprécié à Florence, mais fort mal rémunéré. En 1518, il fait le portrait du Dauphin et peint *La Charité* (Musée du Louvre, Paris). Rappelé l'année suivante dans son pays natal par sa femme qu'il aime passionnément, il dépense là tout l'argent que lui a confié François Ier, destiné à acquérir en Italie les plus belles œuvres d'art.

La peste s'étant déclarée à Florence, il meurt à l'âge de quarante-deux ans, dans une gêne extrême, privé de tout secours, abandonné de sa femme et de ses médecins que la contagion a fait fuir. Un catalogue de musée dit en parlant de lui : « Il fut surnommé par ses contemporains *« le peintre sans défaut »*. Mais sa profonde originalité, l'élégance naturelle et exquise de son style, le charme de son exécution, et non l'absence de tout défaut, qualité négative qui est rarement l'apanage des plus grands génies, lui ont mérité une place glorieuse parmi les plus illustres maîtres de l'art italien ».

Andrea del Sarto associe les leçons de Raphaël et de Vinci dans sa manière de régler le rapport entre l'espace et l'image, la plasticité des figures et l'animation de la forme grâce à la couleur. Son œuvre apparaît comme déterminante pour le développement du maniérisme.

Il réalise son chef-d'œuvre, en 1511, dans la suite de fresques du cloître des Scalzi retraçant l'histoire de saint Jean-Baptiste, entreprise avec le *Baptême du Christ* et achevée en 1526 avec la *Naissance de saint Jean-Baptiste*.

Arcimboldo, Giuseppe
vers 1527-1593
(né et mort à Milan)

Formé dans l'atelier de son père, Arcimboldo commence sa carrière de peintre à Prague, chez les Habsbourgs où il est successivement, de 1562 à 1587, au service de Ferdinand Ier, Maximilien II et Rodolphe II. On le trouve à Vienne jusque vers 1587, puis à Milan où il est anobli en 1591 en récompense de ses multiples talents d'ingénieur et de musicien.

Arcimboldo est en quelque sorte l'ancêtre des surréalistes : en combinant l'organisation de fruits et légumes dans la composition d'un portrait, il crée une structure irréelle dans laquelle les éléments naturalistes se métamorphosent et deviennent fantastiques. Ces œuvres, qui sont une déformation à l'extrême du maniérisme, étaient alors accrochées dans les Cabinets de raretés de l'époque. Arcimboldo laisse peu d'œuvres derrière lui. Il occupe une place tout à fait particulière dans l'histoire de l'art. Rappelons parmi ses œuvres les allégories des saisons, *L'Eté* et *L'Hiver* (toutes deux datées de 1563, Kunsthistorisches Museum, Vienne), ainsi que celles des éléments, *Le Feu*, 1566, et *L'Eau*, (ibid).

Baldung, Hans
dit *Grien*
vers 1484-85/1545
(Gmünd en Souabe/Strasbourg)

Né dans une famille de médecins et de notables, Baldung entre dans l'atelier d'un maître strasbourgeois de la tradition de Schongauer. De dix-sept à vingt-deux ans, il travaille probablement à Nuremberg dans l'atelier de Dürer où il s'exerce à la gravure sur bois. Sa première œuvre connue, *Le Cavalier, la Mort et la Jeune Fille* exécutée entre 1503 et 1505 (Musée du Louvre, Paris), emprunte son thème à Dürer. En 1509, de retour à Strasbourg, il devient franc-bourgeois de la ville. Peinte vers 1510, *La Beauté et la Mort* (Kunsthistorisches Museum, Vienne) est la première œuvre dans laquelle Baldung exprime la frivolité du corps de la femme. En 1512, il part à Fribourg où il entreprend son œuvre capitale pour le maître-autel de la cathédrale, *Le Retable de la famille Schnewlin*, toujours en place ; le panneau central figure *Le Couronnement de la Vierge*, tandis que les volets latéraux portent L'*Annonciation*, *La Visitation*, *La Nativité*, *La Fuite en Egypte*, exécutés dans le style gothique tardif. Puis sa manière évolue sous l'influence des peintres italiens et hollandais. *La Mort embrassant une jeune femme*, 1517 (Musée des Beaux-Arts, Bâle), est le premier sujet profane qu'il ait traité et qui en annonce plusieurs autres : nus et compositions allégoriques. Ses peintures dénotent un érotisme délicat aux couleurs exquises. *Deux Sorcières*, 1523 (Städelsches Kunstinstitut, Francfort), est d'une sensualité très expressive. En même temps il grave sur bois avec sentiment, force et originalité. Ses œuvres tardives annoncent le maniérisme allemand, telles *Les Trois Grâces*, vers 1540 (Musée du Prado, Madrid), dont les formes pleines et sinueuses révèlent des mouvements plus élaborés.

Bon nombre de ses œuvres religieuses faites à Strasbourg ont été détruites pendant la Réforme.

Barocci, Federico
dit Baroccio ou le Baroche
vers 1535-1612
(né et mort à Urbino)

Son apprentissage chez son père terminé, Barocci gagne Rome à l'âge de vingt ans pour étudier Raphaël et y découvre Michel-Ange. Un voyage effectué à Parme, entre 1555 et 1557, lui inspire une admiration profonde pour le Corrège qui devient son modèle. Vers 1560, il peint activement à Rome, au Vatican, en compagnie de Federico Zuccari. Il se consacre tout autant à des scènes religieuses, à des portraits, qu'à des compositions dramatiques. Sa conception de l'espace, son art d'exprimer les sentiments sont déjà caractéristiques du baroque. La multitude de dessins qu'il a laissés, par la manière et l'expression, annonce la peinture du XVIIIe siècle.

Parmi ses œuvres, il convient de citer *La Madone du Peuple*, vers 1579 (Galerie des Offices, Florence), *Le Martyre de saint Vital*, 1583 (Pinacothèque de Brera, Milan), et la *Circoncision*, 1590 (Musée du Louvre, Paris).

Bartolomeo, Fra Baccio della Porta
dit
1472/75-1517
*(Savignano/Pian' di Mugnone,
près de Florence)*

Fra Bartolomeo della Porta, plus habituellement appelé « Il Frate », naît près de Florence. Ayant, dès son enfance, montré de grandes dispositions pour le dessin, il est placé par ses parents dans l'atelier de Cosimo Rosselli. Après l'avoir quitté, il étudie les tableaux de Léonard de Vinci et exécute plusieurs tableaux représentant des madones. Menant une vie paisible et laborieuse, il recherche la société des personnes savantes et érudites. A cette époque, Savonarole, le célèbre prédicateur de Ferrare, vient prêcher au couvent des Dominicains de Ferrare. Dans le portrait qu'il fait de Savonarole, le peintre s'attache à un style retenu et sévère.

Bartolomeo, éminemment pieux, prend le prédicateur en grande vénération et assiste régulièrement à ses sermons. Chaque jour, du haut de la chaire, Savonarole tonne contre les poésies érotiques, la musique, les peintures lascives et toutes ces productions auxquelles il attribue la corruption générale. A la suite de tels discours, nombre de Florentins, artistes ou amateurs, s'empressent de brûler sur la place publique tous les livres et tableaux qu'ils possèdent, perte irréparable pour les arts et surtout pour la peinture. Bartolomeo lui-même livre aux flammes toutes les études qu'il avait faites sur le nu.

Cependant une partie de la population, furieuse contre le prédicateur, marche tumultueusement vers le couvent de San Marco, pour l'arracher à cet asile. Bartolomeo se range parmi les défenseurs de Savonarole ; mais, pris d'une grande frayeur lorsqu'on attaque sérieusement le monastère, il fait vœu de prendre l'habit de dominicain s'il échappe au danger. Après la mort de Savonarole condamné au bûcher, Bartolomeo tient religieusement sa promesse. En 1500, c'est sous la robe

de moine et sous le nom de Fra Bartolomeo qu'il exécute ses plus beaux ouvrages. Trois ans plus tard, il est nommé directeur de l'atelier de San Marco, fonction qu'a assurée avant lui Fra Angelico. En 1504, il se lie d'une étroite amitié avec Raphaël, venu à Florence pour se perfectionner dans son art. Il reçoit de lui les notions sur la perspective et lui indique en retour des principes de clair-obscur, que le peintre d'Urbino met à profit. De 1504 à 1507, il peint l'*Apparition de la Vierge à saint Bernard* (Accademia, Florence) dans laquelle apparaît tout le classicisme de Raphaël.

Au cours d'un voyage à Venise, il découvre la peinture de Giovanni Bellini. Ses personnages deviennent monumentaux et il trouve le goût de la couleur.

De retour à Florence, il exécute le *Mariage de sainte Catherine* dont il existe deux versions, l'une au Musée des Offices de Florence et la seconde au Musée du Louvre à Paris ; il peint son fameux tableau de *Saint Sébastien* pour l'église San Marco. Le dessin et les coloris en sont si parfaits que les religieux l'envoient à François Iᵉʳ.

Par son coloris puissant autant qu'harmonieux, par le charme de ses figures, Bartolomeo mérite d'être compté parmi les grands maîtres. L'un des premiers, sur la base d'un style adouci par le « sfumato », il a tenté la synthèse des aspirations nouvelles. Il est le créateur de la belle manière de draper et il est le premier à employer les mannequins à ressort.

Bassano le Jeune, Francesco
Francesco da Ponte, *dit*
1549-1592
(Bassano/Venise)

Francesco Bassano est né au sein d'une célèbre famille de peintres vénitiens. Il est le fils aîné de Jacopo, dans l'atelier duquel il se forme. Dans les années 1570, il peint des scènes bibliques et pastorales ; en 1579, il se consacre à la peinture historique. Son succès cependant lui vient des tableaux de petites dimensions qu'il exécute en reprenant l'inspiration pastorale de l'atelier familial. Au cours de ces années 1580, il est d'ailleurs très difficile de différencier son œuvre de celle de son père.

Par la transposition lyrique de faits quotidiens traduits dans une lumière et une magie de couleurs rendant l'atmosphère fantastique et l'ambiance mystérieuse, l'atelier des Bassano prépare l'avènement de la scène de genre et marque du même coup la fin de la grande période vénitienne.

Bassano, Jacopo
vers 1516-1592
(né et mort à Bassano)

Jacopo est le plus connu de la famille de peintres des Bassano. Etudiant tout d'abord chez son père, Francesco l'Ancien, il ouvre à Venise un atelier dans lequel ses fils viendront, à leur tour, apprendre la technique de la peinture.

Si Jacopo Bassano a d'abord été tenté par un maniérisme très marqué par l'influence du Parmesan, il se crée un genre qu'on appellerait aujourd'hui réaliste. Son caractère distinctif n'est pas l'invention, mais une savante interprétation de la nature et une étonnante magie dans les effets de lumière. L'influence du Tintoret accentue cette évolution. Dans ses toiles de 1550 à 1560, comme *La Cène* (Galerie Borghèse, Rome) et *La Montée au Calvaire* (Budapest), apparaissent des détails réalistes dans des espaces remplis d'ombre. Par la suite, son style devient plus naturaliste. Les couleurs se font plus douces et légères, confirmant le rôle important de l'atelier familial dans la diffusion du luminisme.

Avec Bassano cesse le goût de ces belles architectures qui étaient le signe distinctif de l'école vénitienne. Ce sont en général des cabanes, des paysages, des bestiaux, des natures mortes, des marchés ou des travaux rustiques qu'il se plaît à représenter. Il cherche à montrer la paysannerie avec des personnages aux attitudes familières imprévues, comme dans son *Adoration des bergers* de San Giorgio Maggiore de 1592. Cette peinture rencontre à Venise un grand succès.

C'est de Bassano que date ce naturalisme absolu dont le Caravage s'est fait le représentant dans l'Italie centrale. A partir de ce moment, il n'y a plus, à proprement parler, d'école vénitienne, car les artistes qui peignent à

Jacopo Bassano.
Le Bon Samaritain.
Collection Royale, Hampton Court, Londres.

Venise ne se distinguent en rien de ceux qui habitent les autres parties de l'Italie.

Bronzino, Agnolo
Torri, *dit*
1503-1572
(Monticelli/Florence)

Agnolo Torri fait son apprentissage chez Jacopo Carrucci, dit Pontormo, dont il devient le disciple préféré. Avec lui, il réalise, en 1522-1525, une fresque pour la Chartreuse de Galluzzo : *Pietà avec deux anges*. Après s'être rendu au service de Guidobaldo II d'Urbino dont il exécute le portrait en 1532 (Palais Pitti, Florence) et décore la villa dell' Imperiale à Pesaro, il retrouve Pontormo pour décorer villas et palais. A partir de 1539, il est chargé de la décoration de la chapelle d'Eléonore de Tolède, au Palazzo Vecchio ; elle comprend des scènes de la *Vie de Moïse* d'inspiration maniériste. Il devient peintre de la cour du premier

grand duc de Toscane, Cosme Ier de Médicis ; il réalise son portrait en armure, en 1545, exécute celui d'*Eléonore et de son fils Jean*, de *Bartolomeo et Lucrezia Panciatichi*, vers 1540 (tous au Musée des Offices de Florence). Toutes ces œuvres solennelles témoignent d'une grande retenue et d'une indiscutable élégance ; les couleurs fraîches font de lui un maniériste de la seconde génération, sensible au raffinement s'exprimant dans la froideur. Célèbre pour ses portraits, Bronzino n'en a pas moins réalisé des peintures allégoriques, telles que *Pygmalion et Galathée*, 1529 (Palais Barberini, Rome), qui s'inscrivent dans le style maniériste alors en vogue et font de lui l'un des meilleurs représentants de l'art de cour européen du XVIe siècle.

Le Bronzino a peint peu d'œuvres religieuses qui, exécutées vers la fin de sa vie, sont souvent dénuées de sentiment religieux.

A la mort de Pontormo, en 1558, il est amené à prendre sa succession dans la décoration de l'église San Lorenzo. La fresque, *Le Martyre de saint Laurent*, date de 1569. *La Trinité*, peinte en

1571 pour la chapelle des Peintres à l'Annunziata, est sa dernière œuvre.

Bruegel, Jan
dit de Velours
1568-1625
(Bruxelles/Anvers)

Second fils de Pieter Bruegel l'Ancien, Jan Bruegel perd son père quelques jours après sa naissance. Tout d'abord élevé par sa grand-mère, la miniaturiste Marie Bessemers, veuve de Coecke, il reçoit l'enseignement de Pieter Goekint et de Gillis van Coninxloo à Anvers. Il voyage en Italie, travaille à Rome. En 1585, il est admis à la guilde de Saint-Luc d'Anvers.

En 1597, il entre au service du cardinal Bartolommes à Milan. Célèbre sa vie durant, il est nommé peintre en titre des archiducs Albert et Isabelle d'Autriche. Ami intime de Rubens, il collabore très souvent avec lui. Ensemble, ils réalisent *La Vierge à la Guirlande* (Musée du Louvre, Paris).

Agnolo Bronzino.
Allégorie de l'Amour et du Temps.
National Gallery, Londres.

Jan Bruegel, dit De Velours.
L'Odorat.
Musée du Prado, Madrid.

Jan Bruegel, dit De Velours.
Débarquement de Cléopâtre.
Musée des Beaux-Arts, Nantes.

Jan Bruegel, dit De Velours.
L'Ouïe.
Musée du Prado, Madrid.

Jan Bruegel, dit De Velours.
Intérieur.
Kunsthistorisches Museum, Vienne.

Il arrive aussi à Bruegel d'exécuter des fonds de tableaux, tandis que Rubens peint les figures comme dans *Paradis terrestre* (La Haye, réplique au Musée du Louvre, Paris). Excellent dans tout ce qu'il peint, paysages, animaux, fleurs, histoire, il donne des toiles qui brillent par la finesse de leur exécution et l'éclat de leur coloris. Son œuvre est immense : le Musée du Prado à Madrid détient, à lui seul, cinquante tableaux dont les *Cinq Sens*, 1617-1618, véritable chef-d'œuvre de délicatesse et de finesse. Parmi ses belles œuvres, il faut également citer *La Bataille d'Arbela*, 1602 (Musée du Louvre, Paris), caractérisée par des effets d'éclairage et une grande unité dans le traitement de la couleur. Avec

Bruegel de Velours, le maniérisme italien fait son entrée définitive dans l'art flamand.

Il meurt du choléra à Anvers.

Bruegel ou Breughel, Pieter
dit l'Ancien
vers 1525-1569
(Bruegel lez Bréda/Bruxelles)

Né à Bruegel lez Bréda ou à Brueghel, dans le Limbourg belge actuel, Pieter a pour patronyme le nom de son village natal. Il est tout d'abord apprenti de Pieter Coecke van Aelst, célèbre artiste italianisant qui possède des ateliers à Anvers, et se trouve dès lors en mesure de posséder son propre atelier. Toutefois, il consacre les années 1552-1553 et vraisemblablement une partie de 1554, à voyager. C'est ainsi qu'en 1552 il se rend dans le sud de l'Italie, visite Reggio de Calabre, Messine, Palerme et Naples, le *Golfe*

de Naples (Galerie Doria-Pamphili, Rome), tandis que l'année suivante il séjourne à Rome où il rentre en contact avec Giulio Clovio, célèbre peintre miniaturiste de l'époque qui lui achète certaines de ses toiles. Parmi ces œuvres figurent une aquarelle aujourd'hui disparue, *Vue de Lyon*, et une miniature, la *Tour de Babel*, qui prouvent l'intérêt de Bruegel pour le paysage, ce que confirme une importante série de dessins représentant les Alpes, réalisée au cours de son voyage. Ces croquis lui serviront plus tard pour peindre des éléments de toiles comme la *Bataille des Israélites et des Philistins*, 1562, ou la *Conversion de saint Paul*, 1567, tous deux au Kunsthistorisches Museum de Vienne. Cette toile ainsi que le *Portement de Croix*, 1564, (Vienne également) et l'*Adoration des Mages*, 1564, (National Gallery, Londres) sont les seules où s'exerce l'influence du maniérisme italien.

On peut affirmer qu'il appartient à la lignée des tout grands peintres de la neige, à moins qu'il ne soit le premier spécialiste en ce domaine : *Les Patineurs*, 1565 (Musées royaux des Beaux-Arts, Bruxelles), *Les Chasseurs dans la neige*, 1565, *Le Massacre des Innocents*, 1567 (tous deux, Kunsthistorisches Museum, Vienne), *L'Adoration des Mages dans la neige*, 1567, (Collection Reinhardt, Winterthur) et le *Dénombrement de Bethléem*, 1566.

A son retour d'Italie, Bruegel s'installe à Anvers et commence à travailler chez le marchand d'estampes, Jérôme Cock. A partir de 1555, ses scènes

Pieter Bruegel, dit l'Ancien.
La Conversion de saint Paul, 1567.
Kunsthistorisches Museum, Vienne.

alpestres servent de base à un ensemble de gravures imprimées par d'autres artistes. Il commence à réaliser des œuvres plus complexes, telles que la série des *Sept Péchés capitaux*, 1558, et le célèbre *Les Gros poissons mangent les petits* (British Museum, Londres) dont il existe un dessin préparatoire datant de 1556, conservé à Rotterdam. Jusqu'à sa mort Bruegel réalisera conjointement peintures et estampes, en donnant toutefois les préférences à la peinture, après 1562 environ. Ainsi les gravures des paysages alpestres de la fin des années 1550 peuvent être comparées à certaines peintures comme *La Parabole du semeur*, 1567 (Art Gallery, San Diego), ou la série des *Sept péchés capitaux*. En 1563, Bruegel épouse Marie, fille de son ancien maître Pieter Cœcke van Aelst, et part s'installer

à Bruxelles jusqu'à la fin de ses jours. Au cours des six dernières années de sa vie, il s'inspire fortement de l'art italien de la Renaissance dont il semble avoir apprécié la monumentalité. Cette influence apparaît clairement dans des toiles telles que *Noces Villageoises*, vers 1567 (Kunsthistorisches Museum, Vienne), *La Danse des paysans* vers 1567 (ibid) et *Le Dénicheur*, 1568 (ibid), en particulier lorsqu'on les compare à des œuvres antérieures comme *Le Triomphe de la Mort*, vers 1562-1563 (Musée du Prado, Madrid). Les personnages y sont nettement plus grands. En ce qui concerne la perspective d'ensemble, il abandonne peu à peu ses vues plongeantes et élève la ligne d'horizon à hauteur du regard du spectateur. Malgré cette notable évolution, Bruegel n'en continue pas moins de réaliser des

Pieter Bruegel, dit L'Ancien.
La Tour de Babel.
Museum Boymans, Rotterdam.

peintures dans son ancien style, qui se caractérise par de petits personnages plantés dans un espace panoramique. Les sujets inspirés du Nouveau Testament que Bruegel situe dans la Flandre de l'époque s'écartent de la réserve traditionnelle qu'auraient gardée les artistes précédents traitant d'un thème biblique. L'*Adoration des Mages*, 1564 (National Gallery, Londres), *Le Massacre des Innocents*, vers 1565-67 (Kunsthistorisches Museum, Vienne), *Le Dénombrement de Bethléem*, 1566, (Musées royaux des Beaux-Arts, Bruxelles) sont traités

comme s'il s'agissait de représenter un événement contemporain. En cela, Bruegel est celui qui reste, de tous les peintres du nord, le plus proche de l'imagerie populaire. Il possède avant tout un esprit concret. Sa description des gens du peuple saisis sur le vif, avec une remarquable économie de moyens, donnent un aspect quasi documentaire à des scènes telles que le *Combat de Carnaval et de Carême*, 1559 (Kunsthistorisches Museum, Vienne).

Il est considéré comme un continuateur du style de Bosch ; il n'est donc guère surprenant que Bruegel lui ait emprunté, en les adaptant, les principales caractéristiques de son art : parmi ces techniques, celle qui consiste à donner une plus grande taille à

certains personnages-clefs, tel le tentateur de Dulle Griet ou *Margot l'Enragée*, vers 1564 (Mayer van den Bergh Museum, Anvers) ; c'est encore de lui dont il s'inspire en créant des monstres diaboliques aux corps hybrides, dans par exemple la *Chute des Anges rebelles*, 1562 (Musées royaux des Beaux-Arts, Bruxelles). Dans le *Triomphe de la Mort*, vers 1562 (Kunsthistorisches Museum, Vienne) il reprend le thème de la *Danse Macabre* tout en transformant la faucheuse en une armée de squelettes s'appropriant la terre : il est là plus que jamais l'héritier de Bosch.

Traitant de ces sujets allégoriques et religieux avec une certaine naïveté, Bruegel souligne l'âpreté, voire même

Pieter Bruegel l'Ancien.
Le Portement de Croix.
Kunsthistorisches Museum, Vienne.

la cruauté, de sa vision. Alors que dans l'art chrétien *La Mort de la Vierge* prend l'allure d'une hagiographie lénifiante, dans la version qu'en fait Bruegel, la *Mort de la Vierge*, vers 1564 (Upton House, Banbury, Oxfordshire), pour le compte du grand géographe d'Anvers, son ami intime, Abraham Ortelius, la Vierge apparaît comme une créature frêle entourée de personnages fantomatiques.

Pour bien comprendre ce tempérament pictural, il faut rappeler que les Pays-Bas, sous la domination espagnole, vivent une époque d'intenses discussions politiques et religieuses. C'est le pillage d'un village flamand du XVIIᵉ siècle qui illustre le récit biblique du *Massacre des Innocents*. L'abdication de Charles Quint, en 1555, en faveur de son fils Philippe II ne fait qu'accroître la répression de l'Inquisition dans le pays. En ces temps troublés, l'homme angoissé se tourne volontiers vers la religion pour découvrir qu'elle est entachée de sang. La vive imagination de Bruegel, soustendue par un réalisme rude, contribue à l'expressivité de l'ensemble.

Les représentations de personnages que Bruegel réalise pour Cock possèdent presque toujours l'aspect satirique et moralisateur qui caractérise ses peintures. *La Tour de Babel*, 1563 (Kunsthistorisches Museum, Vienne), est à interpréter comme une mise en garde contre la sottise et la présomption des hommes. *Les Proverbes flamands*, 1559 (Staatliche Museen, Berlin), dénoncent l'absurdité du comportement. Dans *La Parabole des Aveugles*, 1568 (Musée de Capodimonte, Naples), la couleur suffit à traduire sa pensée : teintes passées et éteintes symbolisent la cécité de l'esprit. Ses scènes paysannes se situent à l'opposé de ces toiles. *Noces villageoises* ou *La Danse des paysans*, 1568, (Kunsthistorisches Museum, Vienne), tout en étant des représentations de la vie quotidienne paysanne, animées de joie, ne sont pas des images paisibles. C'est grâce à Bruegel que le tableau de

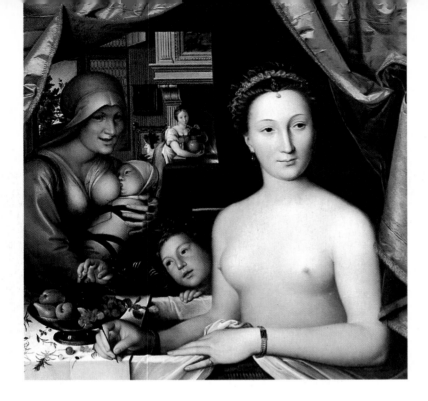

François Clouet.
Diane de Poitiers, 1571.
National Gallery of Art, Washington.

genre réaliste l'emporte définitivement sur les sujets mythologiques et historiques dans les Pays-Bas. C'est encore grâce à lui que le naturel a pu triompher du maniérisme. Son œuvre tient une place tout à fait originale dans la vie artistique de son époque ; son art revendique aux Italiens les droits au réalisme, aux Allemands ceux de l'objectivité à l'égard de la nature et de l'homme, aux Flamands ceux d'une mentalité plus sérieuse, plus énergique aussi, tandis qu'il oppose son inexorable âpreté à la sentimentalité. Il est le premier en date des artistes flamands modernes.

Bruegel, Pieter II
dit d'Enfer
vers 1564-1638
(Bruxelles/Anvers)

Pieter II Bruegel est le fils de Pieter Bruegel l'Ancien. Après un apprentissage à Anvers chez Gillis van Coninxloo, il est inscrit en 1585 comme Maître à la guilde des peintres. Il imite et copie surtout les œuvres de son père et doit son surnom de Bruegel d'Enfer à l'étrange talent qu'il a de peindre des visions fantastiques et infernales, *Incendie de Troie* (Besançon), *L'Attaque d'un village enneigé* (Douai). Il peint aussi des paysages et des toiles mythologiques, telles que

l'*Enlèvement de Proserpine* (Musée du Prado, Madrid).

Caron, Antoine
vers 1527-1599
(Beauvais/Paris)

Valet de chambre de Catherine de Médicis, pour laquelle il devient peintre officiel en 1561, Caron est le représentant de l'école de Fontainebleau. De 1540 à 1550, il travaille sous la direction du Primatice à la décoration du château. Comme tous les artistes de l'école de Fontainebleau, il est influencé par l'intérêt que l'on porte aux antiquités grecques et romaines et par le maniérisme des peintres italiens présents à la cour de France. Ses décors, soignés et quasi théâtraux, marquent l'apogée de ce style. L'allongement de ses figures, l'élan irréel et exagéré des personnages qui peuplent ses tableaux témoignent de l'influence directe de Niccolò dell'Abbate. Cependant par un style très personnel, il réunit dans une synthèse le maniérisme italien, l'érudition et le souci de décrire les événements de la vie contemporaine, d'une manière ample et élégante. Antoine Caron élabore les bases d'un maniérisme typiquement français. On connaît de lui des allégories : *Le Triomphe de l'Eté*, vers 1570 (Collection Wildenstein, New York), *Le Triomphe de l'Hiver*, vers 1570 (Collection Jean Ehrmann, Paris) ; deux versions des *Massacres du Triumvirat*,

vers 1562 et 1566, (Musée des Beaux-Arts, Dijon ; Musée du Louvre, Paris), illustrant les guerres de Religion ; *Auguste et la Sibylle de Tibur*, vers 1580 (Musée du Louvre, Paris), annonçant la victoire de la vraie foi. Outre les peintures représentant les fêtes et entrées solennelles, Antoine Caron a également travaillé à des masques et des décorations pour les festivités de la cour.

Carrache, Annibal
ou **Annibale Carracci**
1560-1609
(Bologne/Rome)
Carrache, Augustin
ou **Agostino Carracci**
1557-1602
(Bologne/Parme)
Carrache, Ludovic
ou **Ludovico Carracci**
1555-1619
(né et mort à Bologne)

Fils d'un boucher bolonais, Ludovic Carrache se forme tout d'abord dans le moule du maniérisme tardif qui règne à Bologne, enseigné par Prospero Fontana et Domenico Passignano. Il passe ensuite quelque temps à Venise où il peint sous la direction du Tintoret, à Florence où il étudie beaucoup Andrea del Sarto et prend des leçons de Passignano, à Parme où il adore le Corrège sans l'imiter. De retour dans sa ville natale, il conçoit le projet d'y fonder une nouvelle école. Depuis longtemps, il avait remarqué l'intelligence de ses deux jeunes cousins, Augustin et Annibal, dont le premier est en apprentissage chez un orfèvre, tandis que le second se destine au métier de tailleur, qui est celui de leur père. Il les décide à abandonner leurs projets pour la peinture et les envoie étudier à Parme et à Venise. Rien n'est plus opposé que le caractère et les dispositions naturelles des deux frères. « Augustin, dit Lanzi, qui avait cultivé la littérature, était continuellement parmi les savants, et il n'y avait point de science dont il n'eût quelque idée. Tour à tour philosophe, géomètre, poète, il se distinguait, en outre, par l'élégance de ses manières et par la finesse de ses réparties. Rien en lui ne rappelait les habitudes vulgaires. Annibal savait lire et écrire, mais son instruction n'allait pas au-delà. Une certaine rudesse naturelle le rendait taciturne, et s'il lui arrivait de parler, il était aussitôt porté à prendre le langage de la malveillance, de la dispute et d'une raillerie amère ».

En 1580, ils ouvrent ensemble dans leur propre maison une Académie qui reçoit le nom d'Accademia degli Incamminati (Académie des Acheminés) dont la première tâche est de lutter contre le maniérisme. Ce mot, sans équivalent en français, exprime le mouvement, le progrès dont ils se proposent d'être les chefs. Ils la pourvoient de plâtres, de dessins, d'estampes ; ils y joignent une école du modèle vivant, une d'anatomie, une de perspective. La violence du caractère de Denis Calvaert, peintre flamand

Annibal Carrache.
Martyre de saint Etienne.
Musée du Louvre, Paris.

établi à Bologne, qui frappe et souvent même blesse ses élèves, contribue beaucoup à augmenter le nombre de ceux qui fréquentent la nouvelle académie. Bientôt Guido Reni, Albani et le timide Dominiquin fuyant la brutalité du maître étranger, viennent se réfugier dans son sein.

L'école de Bologne des Carrache devient bientôt la plus célèbre de son époque. En 1582-84, ils travaillent encore ensemble aux fresques des Palais Fava et Magnani-Saleni à Bologne. *La Légende des Argonautes*, un ensemble de fresques, leur apporte la renommée. Après ces travaux, ils ferment leur école et se séparent. L'ambition de Ludovic et d'Augustin est satisfaite, pas celle d'Annibal. Il quitte Bologne et entreprend le voyage de Rome, sous la protection du duc de Parme, qui le recommande au cardinal Farnèse. Celui-ci lui confie la décoration de la galerie de son palais.

Annibal s'associe pour cette grande entreprise à son frère Augustin et au Dominiquin, qu'il appelle auprès de lui.

Le cardinal Odoardo Farnèse lui fait peindre dans son palais, l'actuelle ambassade de France, le « *Camerino* » où il exécute, de 1595 à 1597, l'*Histoire d'Hercule* et l'*Histoire d'Ulysse* dans lesquelles il introduit le naturalisme par-delà l'assimilation de la manière de Raphaël et de Michel-Ange puis lui confie la décoration de la galerie, qui va devenir l'illustre Galerie Farnèse où il peint à fresque la plupart des thèmes tirés des *Métamorphoses* d'Ovide, ceux principalement qui illustrent le thème du pouvoir de l'amour. Parmi ces toiles, la *Vénus aux amours* (Galleria Estense, Modène) et *Vénus et Adonis*, vers 1594 (Kunsthistorisches Museum, Vienne). Sa dernière œuvre est une *Pietà*, 1607 (Musée du Louvre, Paris). Il se retire sur le

Mont Quirinal et lorsqu'on lui commande des ouvrages, il les fait désormais exécuter par ses élèves. En collaboration avec le Caravage, il peint encore l'*Assomption*, vers 1607 dans la chapelle Cerasi de Santa Maria del Popolo à Rome. Sollicité cependant avec insistance par Henriquez de Herrera de peindre les fresques de la chapelle de San Diego à Saint-Jacques des Espagnols, il consent à les entreprendre, mais il n'a la force que d'en composer les dessins et d'en peindre les cartons. Il charge l'Albane de l'exécution. Il a laissé de nombreux dessins préparatoires ainsi que des caricatures et des esquisses faites sur le vif, telles que *Tête de Jeune homme riant*, fusain rapporté sur toile (Galerie Borghèse, Rome). Il est enterré dans l'église du Panthéon, près de Raphaël. Son frère Augustin, retiré à Parme dans le couvent des Capucins l'a précédé de sept ans. C'est à lui que l'on doit l'œuvre la plus admirée de l'école des Acheminés, *La Communion de saint Jérôme*, 1593-1594 (Pinacothèque, Bologne).

Annibal Carrache.
Nus aux amphores, vers 1604.
Musée du Louvre, Paris.

Quant à Ludovic, fixé à Bologne, il n'a cessé d'enrichir sa production de chefs-d'œuvre. Dans celle-ci, de qualité inégale, il faut citer *Le Martyre de sainte Marguerite*, 1616 (Eglise San Maurizio, Mantoue), et la même année, *L'Adoration des Mages* (Pinacothèque de Brera, Milan). En réduisant le nombre de figures dont la multitude était une caractéristique du maniérisme et en créant un nouvel espace dont l'unité est la couleur, il est l'un des principaux précurseurs de la peinture baroque.

Clouet, Jean
vers 1486-vers 1540
(Bruxelles/Paris)

D'origine flamande, Jean Clouet, dit aussi Janet ou Jehannet, est probablement né d'un père, peintre du duc de Bourgogne. Sa vie est mal connue, mais on sait qu'en 1515 il se trouve à Tours où il est valet de chambre de François Ier. Déjà, en 1509, il est mentionné dans un poème de Lemaire de Belges. A partir de 1516, on retrouve son nom dans les comptes royaux. Il apparaît, dans ces comptes, qu'à ses débuts il est moins rémunéré que Jean

Jean Clouet.
François Ier.
Musée du Louvre, Paris.

Perréal et Jean Bourdichon, mais quand le nom de ce dernier disparaît des comptes, en 1521, il reçoit les mêmes gages que Perréal.
En 1529, il s'installe à Paris et se consacre au portrait de cour. Nous ne possédons aucune œuvre portant sa signature. En revanche, un grand nombre de portraits à la sanguine représentant François 1er, les membres de sa famille et des personnages de cour, ont été conservés. Plus de cent trente dessins sont au Musée Condé de Chantilly. En se basant sur le style de ces dessins, on peut attribuer à Jean Clouet un certain nombre de portraits à l'huile, tels que celui de *Guillaume Budé*, vers 1535 (Metropolitan Museum, New York), de *François II en Dauphin* (Musée royal des Beaux-Arts, Anvers) et plusieurs portraits de François Ier, dont le plus important, exécuté entre 1520 et 1525, est au Musée du Louvre à Paris.
Bien que son goût se soit affiné au contact de la peinture française, ce

grand portraitiste a subi l'influence des Flamands, notamment celle de Gossaert van Cleef, et aussi, dans sa manière de représenter les ombres dans ses dessins, celle de Léonard de Vinci, arrivé en France en 1516.

Clouet, François
avant 1520-1572
(Tours/Paris)

François Clouet, dit Janet comme son père Jean Clouet, devient après la mort de ce dernier en 1540 peintre en titre de François Ier, puis de Henri II, François II et Charles IX. Vers 1570, il fait un voyage en Italie où il subit l'influence de Bronzino et de Pontormo. Ses portraits dénotent également une influence flamande et allemande, notamment celle de Hans Holbein.

Le portrait le plus ancien qui lui soit connu est celui de la *Duchesse de Bouillon*, peint en 1550, dont le crayon se trouve au Musée Condé de Chantilly. Il exécute le portrait équestre de *Henri II*, puis en 1559 (Musée des Offices, Florence), son portrait en pied, genre qui fait son apparition en France.

Deux œuvres signées, seulement, nous restent : *Le Portrait de l'apothicaire Pierre Quthe*, 1562 (Musée du Louvre, Paris), et *La Femme au bain*, vers 1550 (National Gallery, Washington) dont la copie se trouve au Musée Condé de Chantilly. L'histoire veut qu'elle représente Diane de Poitiers. En fait, il s'agirait plutôt de Marie Touchet. Cette œuvre, l'une des créations les plus originales de l'école de Fontainebleau, inaugure un thème qui va connaître au XVIe siècle un vif succès.

Clouet est aussi l'auteur du *Bain de Diane* dont il existe plusieurs versions dont l'une représente Gabrielle d'Estrées, la favorite du roi Henri IV, vers 1600 (Musée Condé, Chantilly). L'œuvre principale de François Clouet se compose cependant, de dessins, même s'il lui arriva d'exécuter des décorations et des compositions mythologiques.

La Reine Catherine collectionna de son vivant plus de deux cents pièces, aujourd'hui dispersées à Londres, au British Museum et à Chantilly.

Corneille de Lyon,
Corneille de la Haye, *dit*
vers 1510-vers 1574
(La Haye/Lyon)

Peintre hollandais, il est naturalisé français en 1547. En 1540, il est nommé peintre du Dauphin, le futur Henri II ; en 1551, peintre de la cour. Sa grande renommée lui vient de ses portraits. Ses contemporains le comparent à Apelle. On lui attribue des petits portraits au dessin sûr et au coloris délicat, peints sur des fonds généralement bleus ou verts. Il faut citer le portrait de *Clément Marot* (Musée du Louvre, Paris), de *Gabrielle de Rochechouart*, peint vers 1547 (Musée Condé, Chantilly).

La plupart de ses œuvres ont été gravées en médaillons et insérées dans un livre : le *Promptuarium iconum* ou *Cabinet de Portraits*, publié à Lyon en 1553.

Corrège, Antonio Allegri
dit Il Corregio, **Le**
vers 1489/91-1534
(né et mort à Corregio)

Antonio Allegri naît dans une famille pauvre, située dans le Modenais près de Parme. Il ne s'est jamais éloigné de la Lombardie, où il reçoit une formation artistique. L'influence de Mantegna et celle de son disciple Lorenzo Costa sont évidentes. *Le Mariage de sainte Catherine*, peint vers 1510 pour l'église Sant'Andrea de Mantoue (National Gallery, Washington), témoigne de cette influence. Toutefois, le trait et l'expression durs de Mantegna sont adoucis. La toile est enveloppée d'un léger « sfumato » qui prouve l'intérêt du Corrège pour les œuvres de Léonard de Vinci.

Quatre ans plus tard, en 1514, le Corrège reçoit sa première commande importante. Il réalise pour le couvent Saint-François de sa ville natale *La Madone de saint François* (Gemälde-galerie, Dresde).

Vont se succéder ensuite à Parme les grandes réalisations. Le Corrège débute en 1518 en peignant dans le parloir d'un couvent mondain, celui des religieuses du Couvent San Paolo. Dans la fresque de la *Camera* de l'abbesse se ressentent l'influence de l'école romaine et celle de Raphaël, ce qui tendrait à prouver que le

Corrège ait effectué un séjour à Rome bien qu'il soit affirmé qu'il n'ait jamais quitté la Lombardie. Il y peint des enfants, les futurs « putti », maniéristes et baroques.

Il se livre ensuite, de 1520 à 1530, à la décoration des coupoles de San Giovanni Evangelista et de la cathédrale. Dans l'une, il représente *L'Ascension de Jésus-Christ* ; dans l'autre, *L'Assomption de la Vierge*, qui demeure un chef-d'œuvre tout à fait novateur.

Le Corrège y applique les principes de son art. Peintre de la vie dans l'espace et dans la lumière, il conçoit une apothéose comme une réalité solide et tangible. Il couvre le ciel de la coupole d'élus. Pour supporter les corps dans l'air, il fait flotter des nuages massifs, comme des îlots de rochers. Les corps eux-mêmes, drapés ou demi-nus, sont représentés vus d'en bas ; le raccourci, rigoureusement suivi à travers les étages de nuées, écrase les têtes et ne laisse voir qu'une confusion de jambes et de bras. Les peintures de ces coupoles seront le prototype des « gloires » étagées en grappes humaines, sous les coupoles des églises baroques.

Avec ces réalisations, le monde de la peinture lui doit ces deux conquêtes définitives : celle du clair-obscur et celle du raccourci. Malgré ce travail, l'existence du Corrège est toujours difficile. Pour l'exécution de la coupole de Parme, il reçoit le prix qu'on accorde à Raphaël pour une seule figure de ses loges du Vatican. Il doit donner son tableau du *Christ au jardin des Oliviers* en paiement d'une dette de quatre écus ; il consacre d'ailleurs la plus grande partie de son salaire à son art.

En même temps que ces fresques il exécute d'autres travaux, se partageant, comme Titien, entre les sujets religieux et les sujets profanes. Mais il traite les uns et les autres avec la même nonchalance aimable. Le sentiment religieux n'est pour lui que tendresse langoureuse, et la volupté, coquetterie.

Dans *Léda et le Cygne*, vers 1530-32 (Staatliche Museen, Berlin), Léda et ses compagnes jouent avec le cygne divin, la Vierge, entourée de saints qui prennent des attitudes penchées, des gestes caressants, des sourires engageants, joue avec l'Enfant.

Le Corrège.
L'Ascension, vers 1521.
Coupole de Saint-Jean-L'Evangéliste, Parme.

Au sein d'une composition richement ordonnée et de coloris frais et vigoureux, la finesse d'expression des visages s'unit à un ensemble ravissant. Le Corrège est le chef de l'école parmesane, issue de l'école lombarde. Ses disciples immédiats, Le Parmesan et

Federico Barocci transformeront la grâce langoureuse du maître en une affectation proche de la mièvrerie.
Les audaces de ses raccourcis jetés en pleine lumière n'ont su séduire que les peintres vénitiens contemporains, qui partagent avec lui l'amour de la vie et le sens de l'espace.
Ce n'est qu'après la Renaissance qu'il deviendra un modèle pour les réalistes et les « précieux » de Florence.

Cousin, Jean
dit le Père
vers 1490-vers 1561
(Soucy/Yonne - Paris)

A la fois peintre, sculpteur et graveur, Jean Cousin vient s'établir à Paris en 1540, après avoir réalisé à Sens des travaux pour la cathédrale.
Il s'adonne à toutes les formes d'art : il participe à la décoration de Paris lors d'une entrée de Henri II, conçoit des

cartons de tapisserie pour la cathédrale de Langres vers 1541 (deux pièces sont à Langres, une autre au Musée du Louvre à Paris), et réalise des peintures dont la plus importante, *Eva Prima Pandora*, exécutée en 1550 (Musée du Louvre, Paris), est le premier grand nu de la peinture française. Alliant à des éléments humanistes, allégoriques, l'imitation des Vénus de Titien et de Giorgione, il se place en représentant de la Renaissance française. Jean Cousin le Père est l'auteur d'un *Traité de perspective* publié en 1560.

Cousin, Jean
dit le Fils
vers 1522-vers 1594
(Sens/Paris)

Peintre dessinateur, verrier, graveur et écrivain français, Jean Cousin, fils de son homonyme Jean cousin le Père, est né à Sens et est mort à Paris.
Il débute comme verrier et exécute des

Lucas Cranach l'Ancien.
Chasse en l'honneur de Charles Quint
au château de Torgau, 1544.
Musée du Prado, Madrid.

vitraux pour la Sainte-Chapelle à Vincennes. En peinture, il est l'un des plus remarquables représentants de la Renaissance française. On lui attribue une *Descente de Croix* (Musée de Mayence). Son tableau le plus fameux est le *Jugement dernier* (Musée du Louvre, Paris), véritable assimilation de l'école de Fontainebleau, de l'école flamande et du maniérisme italien.
Jean Cousin le Fils est également sculpteur et graveur, tant sur bois qu'en taille douce ; et les bois qu'il réalise pour la Bible de Jean Le Clerc sont très beaux. Il est l'auteur d'un ouvrage, probablement commencé par son père, le *Traité de Pourtraicture*, 1571.

Cranach l'Ancien, Lucas
1472-1553
(Kronach/Weiner)

Lucas Cranach a apporté, vers 1500, aux peintres des pays danubiens à la recherche d'une nouvelle manière, la révélation d'un art plein de vigueur et d'audace.
Le nom de Cranach, sous lequel il est connu, paraît n'être qu'un dérivé de

Lucas Cranach l'Ancien.
Saint Eustache.
Musée de la Chasse et de la Nature, Paris.

celui de Kronach, ville de Haute-Franconie où il est né. Il se serait appelé en vérité Sunder ou Maler. Il apprend le métier dans l'atelier de peinture paternel. Vers 1498, il accomplit son tour de compagnon, visite Nuremberg où il entre probablement en contact avec Dürer, son aîné d'un an, car on sent dans ses premières estampes l'influence du maître nurembergeois. On le trouve ensuite vivant à Vienne depuis 1503. Bien que les peintures ou les gravures se rattachant à cette période soient moins connues, elles constituent certainement la partie la plus originale de sa production. Il semble avoir saisi d'instinct ce qui est en germe dans les œuvres des maîtres bavarois et autrichiens de la fin du XVᵉ siècle. Les siennes se distinguent par un souci d'expression et par un sentiment très délicat de la nature. La facture est plus large, le dessin vigoureux trahit la prédilection pour les formes noueuses (figures, arbres, etc.).

Ayant apprécié les nouveautés introduites par Dürer, mais cessant de voir dans le paysage un complément décoratif de la composition, Cranach se préoccupe de placer ses personnages dans un cadre de nature « vraie ». Le *Saint Jérôme* de 1502 (Kunsthistorisches Museum, Vienne) a une fraîcheur et une opulence jamais atteintes. Le chef-d'œuvre de cette période est une *Crucifixion*, 1503 (Alte Pinakothek, Munich), d'une indéniable puissance dramatique, tandis que le *Repos pendant la fuite en Egypte*, 1504 (Staatliche Museen, Berlin), la plus ancienne de ses œuvres signées, atteint une atmosphère idyllique. A Vienne encore, Cranach exécute des portraits de tout premier ordre: celui du *Docteur Johannes Cuspinian et de son épouse Anna*, 1503 (Collection Reinhardt, Winterthour), par le charme du fond du paysage, le frémissement de la vie et la qualité humaine passant à travers les personnages, lui assure une place tout à fait exceptionnelle, non seulement dans son œuvre, mais également au sein de l'histoire de la peinture allemande.

En 1505, Lucas Cranach l'Ancien s'installe à Wittenberg, siège de la cour de Saxe, et reste jusqu'à sa mort au service des trois Electeurs, Frédéric le Sage, Jean le Constant et Jean-Frédéric le Magnanime. Sous son impulsion, la ville de Wittenberg devient un centre artistique remarquable. Joignant ses fonctions artistiques à d'autres occupations officielles (il est élu bourgmestre en 1540), et privées (il est pendant longtemps propriétaire d'une imprimerie, d'une librairie, d'une taverne et d'une pharmacie), il se livre au négoce d'œuvres d'art, tout en assumant la direction d'un atelier très prospère où collaborent notamment deux de ses fils, Hans, mort en 1537 et Lucas dit le Jeune, qui, avant 1550, en devient le chef. Anobli en 1508, il reçoit ses armes: un serpent ailé qu'il utilisera pour signer ses œuvres. Parvenant alors presque à un niveau industriel, Lucas Cranach établit les projets que ses aides réalisent ensuite. Les œuvres de cette période la plus féconde (1525-1547) ne révèlent plus ces dons d'invention et cette force expressive, caractéristiques de ses débuts.

Lucas Cranach a exécuté peu de retables. Le plus important est le *Retable de sainte Catherine*, créé pour Torgau en 1506 (partagé entre la Gemäldegalerie de Dresde et la Collection von Sternburg, Lützschena, près de Leipzig). En dehors même des effigies de Frédéric le Sage et de son frère, Jean le Constant, tous les personnages ont certainement été peints *ad vivum*. Les figures féminines ont une grâce ingénue, l'expression douce et rêveuse répondant à la sensibilité germanique, tandis que les personnages masculins se distinguent par leur apparence énergique.

Un voyage dans les Pays-Bas, effectué en 1508 pour peindre le portrait du jeune Charles Quint âgé de huit ans, permet à l'artiste de voir les peintures de Quentin Metsys et de Gossaert. Dans le *Retable de la Sainte Parenté* de 1509 (Musée Staedel, Francfort), on sent l'influence des deux Flamands. Lors de ce voyage, il découvre aussi des œuvres italiennes, celles de Léonard de Vinci. Il peint la *Madone aux sapins* (Cathédrale de Breslau), le premier des nombreux tableaux où, utilisant un type de composition fréquent chez les Italiens, il représente la Vierge à mi-corps tenant l'Enfant dans ses bras avec, pour fond, un paysage. Renonçant progressivement au style pictural de sa première manière, Cranach va adopter un style de plus en plus linéaire, où survit quelque chose du maniérisme gothique auquel il n'a d'ailleurs jamais renoncé, et dont ses gravures porteront toujours la trace. L'influence italienne se fait valoir: le contour des dessins s'amollit, le clair-obscur tend à s'affirmer, les détails abondent, et la série des thèmes s'enrichit du nu dans les œuvres inspirées de la mythologie: ainsi, *Vénus* (musées de Berlin, Francfort, Paris, Rome et Londres), la *Nymphe de la source* (Musée de Leipzig, 1518, et vers 1537, Musée des Beaux-Arts, Besançon), le *Jugement de Pâris*, 1527 (Statens museum for Kunst, Copenhague) et 1529 (Metropolitan Museum, New York).

Ami de Luther, gagné à la cause de la Réforme, mais en même temps fournisseur de deux de ses ennemis les plus acharnés, le cardinal de Brandebourg qu'il peignit sous les traits de *Saint Jérôme devant un crucifix* (Alte Pinakothek, Munich) et le pieux duc Georges de Saxe, Cranach continue de peindre des Vierges et des figures de saints. On remarque toutefois que les thèmes bibliques deviennent plus nombreux à partir de 1525, Cranach les interprétant d'une manière toute profane. Ainsi *Adam et Eve*, 1535 (Staatliche Museen, Berlin-Ouest).

En 1521, il réalise une suite de planches contre la papauté, *Passional Christi et Antichristi*, et illustre également la Bible traduite par Luther (1520-1522).

Les seuls sujets véritablement privés dans la réalité sont les *Scènes de chasse de l'Electeur de Saxe* (musées de Vienne et de Madrid) qui lui permettent de montrer ses talents d'animalier. Lucas Cranach avait déjà évoqué les divertissements de cour dans des gravures sur bois (chasses au cerf, scènes de tournoi).

Dubois, Ambroise Bosschaert
dit Ambroise
vers 1543-1614
(Anvers/Fontainebleau)

Ce peintre hollandais né à Anvers appartient à l'école de Fontainebleau. En 1603, il succède à Dubreuil comme peintre à la cour d'Henri IV et hérite de la direction des travaux du château de Fontainebleau. Fidèle aux directives, il délaisse cependant le nu pour peindre seize épisodes du roman chevaleresque, *Histoire de Théagène et Chariclée*, vers 1608.

Il décore la Chambre de la Reine et la Galerie de Diane, aujourd'hui disparue. Son art, moins maniériste que celui de ses prédécesseurs, marque une empreinte française sur la peinture du XVIe siècle.

Son fils, Bosschaert l'Ancien, dit Ambrosius II, sera l'un des premiers artistes à se spécialiser dans les natures mortes de fruits et de fleurs.

Dubreuil, Toussaint
vers 1561-1602
(né et mort à Paris)

Il est possible que Toussaint Dubreuil ait été l'élève de Médéric Fréminet, mais il est certain qu'il a subi l'influence du Primatice et de Niccolò dell'Abbate. Premier peintre du roi Henri IV, il conçoit le projet de nombreuses décorations monumentales : la petite galerie du Louvre (aujourd'hui, Galerie d'Apollon) pour laquelle il peint le gigantesque *Combat des dieux contre les Titans*, le pavillon des Poêles à Fontainebleau, les appartements royaux à Saint-Germain-en-Laye. Presque toutes ces œuvres ont été détruites. A partir de 1597, il dirige la Manufacture de tapis de Paris. Parmi les œuvres qui subsistent, deux séries de tapisseries tissées d'après ses cartons représentent l'histoire de Psyché et celle de Diane et *Le Sacrifice antique* (Musée du Louvre, Paris). Comme ses dessins, elles montrent l'influence des maniéristes italiens, tandis que son souci de clarté et d'équilibre fait de lui un précurseur du classicisme français.

Dumonstier
ou **Dumoustier, Etienne**
vers 1520-1603
(Rouen/Paris)

Etienne Dumonstier a vraisemblablement été formé par son père Geoffroy Dumonstier. Dessinateur et portraitiste, il entre très jeune au service d'Henri II et de Catherine de Médicis. Son œuvre la plus célèbre est son portrait de *Charles de Lorraine*, exécuté vers 1580 et conservé à la Bibliothèque nationale de Paris.

Dumonstier
ou **Dumoustier, Geoffroy**
mort en 1573 à Paris

Enlumineur de François Iᵉʳ et de Henri II, on ne conserve de lui que des gravures et quelques dessins pour des vitraux. Ses trois fils, Etienne, Pierre et Cosme, tous trois peintres de Catherine de Médicis, ont inauguré l'art du portrait aux « trois crayons ».

Dumonstier II, Pierre
vers 1565-1656
(né à Paris)

Fils d'Etienne Dumonstier, il passe une grande partie de sa vie à Rome et ne revient que très tard à Paris. Comme son père et ses oncles, il travaille surtout le portrait à la craie et aux « trois crayons », dans la tradition du portrait fondée par les Clouet. On peut citer

de lui *Portrait de la Duchesse de Joyeuse*, dessin conservé au British Museum de Londres.

Dürer, Albrecht
1471-1528
(né et mort à Nuremberg)

Le père d'Albrecht, Albrecht Dürer l'Ancien, né à Gyula (Hongrie) et orfèvre de son état, vint se fixer à Nuremberg peu après 1450 et entra comme compagnon chez le maître orfèvre, Jérôme Holper. Plus tard, il épousa Barbara, la fille de son maître ; il avait quarante ans, elle en avait à peine quinze.

Au cours des vingt-quatre années de mariage, elle lui donna dix-huit enfants, dont le second est Albrecht Dürer le Jeune. Ce dernier fait chez lui son apprentissage d'orfèvre, et entre, en 1486, dans l'atelier du premier peintre de Nuremberg, Michael Wolgemut, où il apprend non seulement la peinture mais aussi la gravure sur bois. Son apprentissage terminé, il commence ses « Wanderjahre », c'est-à-dire ses voyages à travers l'Europe, car pour les jeunes artistes allemands de l'époque, les voyages d'étude sont inéluctables. Ce tour de compagnon entrepris en 1490 le conduit à Colmar où il compte demander des conseils à Martin Schongauer, mais il arrive trop tard (été 1492) : le grand graveur est mort l'année précédente et il doit se

Albrecht Dürer.
Lot fuit avec sa famille de Sodome.
National Gallery of Art, Washington.

contenter de ceux que lui donnent ses frères.

Il poursuit son enquête artistique à Strasbourg et à Bâle dans les milieux de graveurs sur bois et aussi chez l'imprimeur-éditeur Johann Amerbach. Il illustre les comédies de Terence et *La Nef des Fous* de Sébastien Brant pour lequel il rentre à Nuremberg en mai 1494 et y épouse peu après Agnès Frey, fille d'un commerçant de la ville dont il n'aura pas d'enfant. Laissant sa femme à Nuremberg, il se fixe quelques temps à Venise, de l'automne 1494 au printemps suivant. Il réalise, lors de son passage des Alpes, des dessins et des aquarelles qui témoignent de l'influence italienne.

De retour à Nuremberg, en 1495, il ouvre un atelier où l'on pratique aussi bien la peinture que la gravure sur cuivre ou sur bois. Son activité de graveur le marque si complètement qu'on en trouve le reflet jusque dans ses peintures. C'est ainsi que, durant la période de 1495-1500 environ, ses tableaux se distinguent par un graphisme un peu dur, évoquant la comparaison avec la gravure sur bois, technique à laquelle il s'adonne alors avec prédilection et dans laquelle il réalise son premier chef-d'œuvre, l'*Apocalypse*, et également plusieurs suites sur bois, *La Grande Passion* et *La Petite Passion*, la *Vie de la Vierge* qu'il complétera et publiera en 1511. L'esprit de ces œuvres est encore celui de la fin du gothique.

Tandis que, se dégageant de l'influence de Schongauer perceptible dans ses premières œuvres gravées au burin, il exécute dans cette technique des œuvres d'un style très personnel prouvant à la fois sa maîtrise de dessinateur, de chalcographe et l'acuité de sa vision, ses gravures sur bois, comme d'ailleurs ses peintures, montrent plus de finesse et de précision ; le sentiment s'adoucit. Imbus encore de l'esprit médiéval, l'estampe de la *Nativité*, 1504, et le *Retable Paumgartner*, 1501-1504 (Alte Pinakothek, Munich) dans lequel il a représenté les deux fils du donateur Paumgartner en *saint*

Albrecht Dürer.
Les quatre Apôtres, 1526.
Bayerische Staatsgemäldeslgen, Munich.

Georges et *saint Eustache*, témoignent cependant de préoccupations nouvelles, telles que l'importance de la perspective scientifique encore ignorée des artistes germaniques.

A cette même recherche se rattache l'*Adoration des Mages*, datée de 1504 (Musée des Offices, Florence). En 1508-1509, il exécuta son chef-d'œuvre religieux, le *Retable Heller*, avec l'*Assomption de la Vierge*, en panneau central, dont il ne reste plus qu'une copie.

Très certainement influencé et encouragé par le peintre-graveur vénitien, Jacopo de Barbari, appelé vers 1500 pour décorer le château de Wittenberg, il aborde ce problème en même temps que celui de la construction de la figure humaine. Par l'observation d'après nature et par des études scientifiques très poussées, Dürer n'a de cesse d'approfondir sa connaissance de l'anatomie afin de se rendre maître de cette perfection dont il voudrait arracher le secret aux « Welches ». Des dessins, des gravures, plus rarement des tableaux, attestent de ses efforts inlassables.

A l'époque de cette recherche date un deuxième voyage à Venise, de 1505 à 1507, où il est appelé pour réaliser *La Fête du Rosaire* (Narodni Galerie, Prague) destinée à la chapelle du Fondaco dei Tedeschi (Marché des Allemands). Lié à Giovanni Bellini, en relation avec Raphaël, il est stimulé par l'habileté des Italiens à exécuter les nus. C'est sur le canon vénitien qu'il réalise les deux nus très harmonieux au dessin souple d'*Adam et Eve*, 1507 (Musée du Prado, Madrid).

De 1512 à 1520, Dürer se consacre principalement à la gravure et produit trois de ses meilleures planches, *Le Chevalier, la Mort et le Diable*, 1513 (British Museum, Londres), *Saint Jérôme dans sa cellule*, 1514, et *La Melancholia* (ibid), chefs-d'œuvre complets parce que — chose rare en Allemagne — la qualité de la forme égale celle du contenu spirituel ; l'une n'est pas sacrifiée à l'autre comme c'est souvent le cas chez les maîtres germaniques qui préfèrent la dominance à l'expression.

Albrech Dürer.
Les quatre Apôtres, 1526.
Bayerische Staatsgemäldeslgen, Munich.

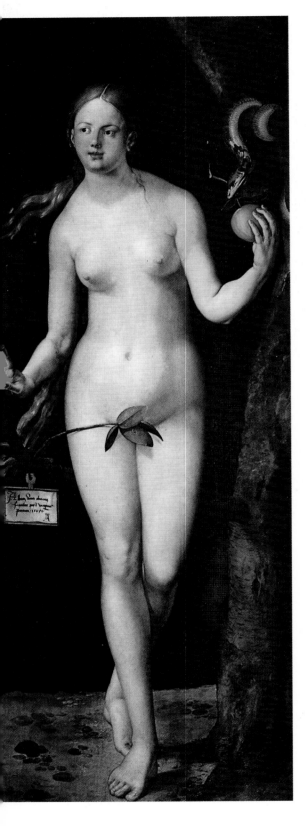

Albrecht Dürer.
Adam et Eve. Détail.
Musée du Prado, Madrid.

De 1515 à 1520, Maximilien 1ᵉʳ lui confie de grands travaux. Il illustre son bréviaire, réalise des gravures sur bois pour l'Arc de Triomphe et le Cortège triomphal. C'est le seul de tous les artistes auquel l'empereur accorde une rente annuelle de cent florins.

En 1520, Dürer entreprend un dernier grand voyage qui doit le mener aux Pays-Bas où il décide, d'une part, de vendre ses gravures, et d'autre part, de rencontrer le nouvel empereur Charles Quint. A Anvers, il rencontre Quentin Metsys et Erasme ; à Bruxelles, Bernard von Orley, peintre de cour de Marguerite d'Autriche, puis Lucas de Leyde et Patinir. Son *Journal de voyage* reconstitue son itinéraire et rend compte de son adhésion à la Réforme. Il est en rapport avec Luther et Melanchthon. Sa dernière création, *Les Quatre Apôtres*, 1526 (Alte Pinakothek, Munich), offerte par lui aux magistrats municipaux de Nuremberg, apparaît comme une profession de foi, en même temps qu'un testament artistique.

Rentré à Nuremberg, Dürer se consacre à des ouvrages théoriques : *l'Instruction pour mesurer au compas et à la règle* (1525), le *Traité de la fortification des villes, châteaux et bourgs*, 1527, les *Quatre livres des proportions du corps humain* (1528). C'était un géomètre consommé.

Parmi ses œuvres, il faut également noter ses autoportraits : le premier est exécuté à la pointe d'argent, à l'âge de treize ans (Albertina, Vienne) ; puis, en 1493, il est peint à la tempera sur parchemin (Musée du Louvre, Paris) ; en 1498, il se représente richement vêtu à vingt-six ans (Musée du Prado, Madrid ; réplique au Musée des Offices, Florence) ; en 1500 (Alte Pinakothek, Munich), c'est une huile sur bois où il se peint sur le modèle des portraits médiévaux du Christ.

Fréminet, Martin
1567-1619
(Paris/Bordeaux)

Martin Fréminet reçoit sa véritable formation en Italie lors d'un voyage effectué en 1592. Rappelé à Paris en 1603 pour succéder à Toussaint Dubreuil dans sa charge de peintre et valet de chambre ordinaire d'Henri IV, il

exécute son œuvre la plus importante, la décoration de la voûte de la chapelle de la Trinité de Fontainebleau, entreprise en 1608 et terminée en 1619. Dans ce travail, Martin Fréminet laisse transparaître son admiration pour Michel-Ange et le rendu de ses musculatures. Il reste attaché au maniérisme italien.

Giorgone,
Giorgio Barbarelli, *dit*
1477-1510
(Castelfranco/Venise)

Giorgio Barbarelli, né à Castelfranco dans la Marche trévisane, est plus tard surnommé le Giorgione, à cause tout à la fois de sa haute stature et de son grand mérite. Il est élevé à Venise ; sa passion pour la musique, sa belle voix et son talent sur le luth le font rechercher dans les réunions de la noblesse vénitienne. Doué pour la peinture, il s'y livre avec zèle sous la direction des frères Bellini. Après avoir vu quelques-uns des ouvrages de Léonard de Vinci, il goûte tellement la manière vigoureuse particulière à ce grand maître qu'il ne veut plus en pratiquer d'autres, surtout dans ses peintures à l'huile. Ce que Léonard a fait pour la forme, Giorgione le fait pour la couleur. Le premier, il donne à l'objet représenté cette richesse de tons qui absorbe et contient toutes les nuances particulières, cette ampleur d'effet qui coordonne tous les accidents partiels. Les thèmes de ses peintures sont très divers et semblent revêtir des symboles originaux. *Les Trois philosophes*, vers 1505 (Kunsthistoriches Museum, Vienne), revêt une signification presque insaisissable, dénotant le goût de Giorgione pour l'extrémisme. De même, une toile, comme cette mystérieuse allégorie, qu'on a intitulée tantôt *La Tempête*, tantôt *La Bohémienne et le Soldat*, tantôt *La Feuille de Giorgione*, (Accademia, Venise) qu'on peut interpréter comme illustrant ce paysage de la *Thébaïde* de Stace, où Adraste rencontre Hypsipyle servant comme nourrice à la cour du roi de Némée, est un pur chef-d'œuvre par la finesse du coloris et l'harmonie de la composition. Ce tableau marque sans doute un sommet dans la production assignée au Giorgione. La précision du paysage, peint cependant dans une harmonie de

Giorgione.
Les Trois philosophes.
Kunsthistoriches Museum, Vienne.

vert et d'ocre, avec fantaisie, permet de saisir, un instant donné, l'arrivée de l'orage. C'est là l'art de Giorgione de savoir décrire, tout en restant dans la réalité, l'atmosphère du rêve. Le *Coucher de soleil*, peint à la même époque (National Gallery, Londres), participe de cette même recherche.

Dans *Le Concert champêtre* (Musée du Louvre, Paris), le réalisme se fond dans une tendance au songe. Comme Léonard, Giorgione est un étonnant portraitiste. Son pinceau vigoureux traduit d'une manière inimitable les chairs, l'éclat des yeux, les cheveux au vent, les cous tendus et brusquement posés, les barettes et les panaches, le velours, l'or et l'acier. Son *Gaston de Foy*, son *Bayard*, et tant d'autres grandes figures historiques sont colorées au soleil de l'Adriatique. C'est à Venise et dans les palais des souverains que se trouvent aujourd'hui ces portraits, dont quelques-uns, vus par lord Byron, ont inspiré au poète anglais une de ses plus brillantes évocations.

Giorgione aime beaucoup peindre à fresque. Le premier, il introduit à Venise l'usage de peindre la façade des maisons, après avoir imaginé d'orner ainsi la sienne. En 1504, un grand incendie ayant consumé en entier, près du pont du Rialto, le Fondaco dei Tedeschi (marché des Allemands), avec toutes les marchandises qu'il contient, la Seigneurie ordonne la prompte reconstruction de cet édifice. Giorgione est chargé de peindre les fresques. Quelques temps après, il fait un *Portement de Croix*, où l'on remarque l'admirable figure d'un Juif qui hâte brutalement la marche du Christ. Des vingt toiles pouvant lui être attribuées avec certitude, Giorgione n'en a signé qu'une seule, le portrait de *Laura* datée de 1506 (Kunsthistoriches Museum, Vienne).

Giorgione termine sa carrière à trente-deux ans, après avoir, pour ainsi dire, inventé son art et agrandi considérablement le domaine de la peinture.

Il laisse deux élèves d'importance : Sébastien de Venise, dit Sebastiano del Piombo et Titien, dont on reconnaît la collaboration dans, par exemple, *La Vénus endormie*, peinte par Giorgione vers 1509 (Gemäldegalerie, Dresde) ; complétée par Titien qui ajoute une draperie et un Cupidon, aujourd'hui entièrement effacé.

Giulio Romano,
Giulio Pippi,
dit aussi **Jules Romain**
1492 ou 1499-1546
(Rome/Mantoue)

Giulio Pippi doit son surnom de Romano à Rome, son lieu de naissance. Très tôt, il est placé dans l'atelier de Raphaël qui n'a que sept ans de plus que lui. Son maître l'associe à ses travaux du Vatican. A la mort de Raphaël, son habile élève, qu'il a institué son légataire universel, continue, avec Francesco Penni, les ouvrages commencés par son maître.

En 1523, il est chargé par le pape Clément VII de peindre dans la chambre de Constantin les grandes fresques dont Raphaël a donné les dessins. On lui doit la *Bataille de Constantin*, la *Donation de Rome*, la *Vision de Constantin* et le *Baptême de Constantin*. Jusque-là, Giulio Romano est identifié à Raphaël ; mais, à partir de cette époque, il révèle un génie qui lui est propre, une énergie de conception, une vigueur de coloris, une fougue qu'il

n'a pas précédemment déployés. Il peint plusieurs madones pour divers couvents, une *Flagellation de Jésus-Christ* pour l'église de Sainte-Praxède. Son chef-d'œuvre est le *Martyre de saint Etienne* qu'il exécute pour Matthieu Gilberti, son ami, depuis peu évêque de Vérone.

La renommée de Romano comme peintre, et aussi comme architecte, s'étant répandue au loin, Frédéric de Gonzague, alors marquis de Mantoue, l'appelle près de lui et le charge de la direction des grands ouvrages pour l'embellissement et l'assainissement de sa capitale.

Nommé Surintendant des Bâtiments, il donne à Mantoue une physionomie nouvelle. Un des travaux les plus importants qu'il exécute est le palais du Té, construit de 1524 à 1530, séjour de repos des Gonzague, dans les environs de la ville. Il y peint le meilleur de son œuvre : *Histoire d'Eros et de Psyché* (1527-1531), *La Mort d'Icare* et *La Chute des Géants* (1532-1534), chef-d'œuvre du maniérisme, dans laquelle Romano reprend à Michel-Ange l'effet de trompe-l'œil créé par une anatomie des corps exagérée.

C'est là qu'il exécute un grand nombre de tableaux, dans lesquels on ne sait ce qui doit le plus étonner, ou de la fécondité de son imagination, ou de

Jan Gossaert.
Christian II du Danemark.
Institut néerlandais, Paris.

la facilité de son exécution. Après l'achèvement de ce palais, il peint dans le château qu'habite le marquis de Mantoue une galerie où il représente la *Guerre de Troie*. Il exécute ensuite pour une chapelle de l'église de Saint-André plusieurs tableaux à l'huile, en tête desquels on peut placer une *Nativité* (Musée du Louvre, Paris).
En Romano se sont alliées à une science parfaite de la composition une extraordinaire puissance d'invention et une rapidité inouïe d'exécution. On trouverait difficilement un artiste qui, travaillant comme architecte et fresquiste, ait laissé une œuvre aussi homogène et aussi foncièrement personnelle. Il a été surnommé à juste titre

« le prince des décorateurs ». Il a exercé une profonde influence qui s'est étendue jusqu'à la Flandre. Rubens, qui fut peintre de la cour de Mantoue, et Véronèse se sont inspirés de lui. Le Primatice a été un de ses principaux assistants.

Gossaert, Jan
dit Mabuse
vers 1478-vers 1536
(Maubeuge/Middelburg)

Jan Gossaert est le premier représentant des romanistes flamands. Son père, relieur originaire de Maubeuge, a ajouté le nom de la ville au sien. Il s'ensuit que les noms de Jan Gossaert ou de Jean de Maubeuge ou Mabuse désignent le même artiste. En 1503, il se fait même inscrire à la guilde d'Anvers sous le nom de Jennyn de Hainaut, tandis qu'en signant ses toiles, il aime donner à son nom une consonance latine, Iohannes Malbrodino.

Travaillant pour les princes de la Maison de Bourgogne jusqu'en 1524, il visite l'Italie (Vérone, Florence, Rome) en 1508. Il exécute pour Philippe de Bourgogne une série de dessins d'antiquités italiennes. De retour aux Pays-Bas, en 1509, il évolue entre Malines, cour de Marguerite d'Autriche, Utrecht, siège de l'évêché de son mécène, Philippe de Bourgogne, et Middelburg, siège de sa cour. De son voyage en Italie, il rapporte un style entièrement neuf. Guichardin, un historien italien, dit de lui que « c'est le premier artiste des Pays-Bas qui rapporte d'Italie l'art de peindre l'histoire et la poésie par la représentation de nus ». C'est par lui incontestablement que l'esprit profane s'introduit dans l'art des Pays-Bas qui, dès ce moment, commence à aimer les sujets mythologiques : *Neptune et Amphitrite*, 1516 (Staatliche Museen, Berlin), *Salmacio et Hermaphrodite* (collection particulière, Rotterdam), ou encore *Vénus et l'Amour*, 1521 (Musées royaux des Beaux-Arts, Bruxelles).
Parmi les tableaux datant d'avant sa maturité, la pièce la plus remarquable est très certainement son *Adoration des Mages*, vers 1508 (National Gallery, Londres). Le peintre y a réuni une trentaine de personnages se découpant sur un monument de style romain. L'influence de Van Eyck dans la tradition du portrait réaliste et celle de Van der Weyden y sont apparentes, de même qu'elles s'affirment dans son *Saint Donatien* (Musée de Tournai) et se combinent avec celle de Dürer dans le *Triptyque Malvagna*, vers 1511 (Galerie Nationale, Palerme).
Gossaert a été également un portraitiste de toute première force. Non seulement il a peint des portraits fidèles, mais encore il a interprété ses modèles et les a rendus plus vivants. Il sait donner un maximum de relief à ses figures, en profitant de mille moyens que met à sa disposition le jeu des ombres et de la lumière : les *Enfants de Christian II du Danemark*, exilé aux Pays-Bas, 1528 (Hampton Court), *Baudouin de Bourgogne* (Staatliche Museen, Berlin) ou *Portrait de Jean Carondelet, doyen de Besançon*, 1517 (Musée du Louvre, Paris), conseiller de Charles Quint. Il a multiplié également les cartons de tapisserie et les dessins.

Greco, Domenikos Theotokopoulos
dit **Le**
1541-1614
(Candie, Crète/Tolède)

Domenikos Theotokopoulos naît probablement au sein d'une famille aisée. Après une formation en Crète où il apprend la technique des icônes, dans le style directement issu de Byzance, il se rend à Venise entre 1559 et 1560 pour y séjourner pendant une dizaine d'années. Il entre certainement dans l'atelier de Titien qui lui enseigne l'art d'utiliser la couleur et le don de situer un personnage dans une ambiance qui

Le Greco.
Le Christ chassant les marchands du Temple,
vers 1600.
National Gallery, Londres.

exalte sa personnalité et accentue son caractère. Jacopo Bassano, dans l'atelier duquel il entre vers 1565-66, lui apprend la manière de représenter des scènes réalistes : *Jeune garçon soufflant sur un tison*, vers 1575, (Musée de Capodimonte, Naples) et *Adoration des Bergers*, vers 1610 (Metropolitan Museum, New York). Quant au Tintoret, occupé à peindre les grandes décorations de la Scuola San Rocco, il lui ouvre les horizons de vastes perspectives accentuées par des colonnades et des dallages ; *Guérison de l'aveugle*, vers 1570, (Gemäldegalerie, Dresde) et lui dévoile ses coloris tout empreints de blancheur. En 1570, le miniaturiste croate Giulio Clovio dont il exécute le portrait en 1572 (Musée de Capodimonte, Naples) le recom-

mande au cardinal Alexandre Farnèse qui l'engage à Rome. Là, il s'imprègne du maniérisme de l'Italie centrale et étudie l'œuvre de Michel-Ange. Fin 1576, il est à Madrid, puis à Tolède où il se fixe. De 1577 à 1579, il réalise pour Don Diego de Castilla l'autel de Santo Domingo el Antiguo, comprenant l'*Assomption de la Vierge*, la *Sainte Trinité*, l'*Adoration des Bergers*, la *Résurrection du Christ*. Toutes ces peintures accusent des influences vénitiennes et byzantines caractérisées par un coloris très riche et un harmonieux clair-obscur. Les tons sombres et le réalisme brutal ne viendront que plus tard. En 1577, il exécute *El Espolio*, objet d'un procès. Le chapitre de la cathédrale pour qui il a été peint lui reproche d'avoir été trop audacieux.

Il refuse de modifier ce tableau figurant aujourd'hui dans la sacristie de la cathédrale.

A Tolède, il vit avec sa compagne, Dona Jerónima de las Cuevas qui servira de modèle dans de nombreux tableaux religieux ; notamment pour figurer la Vierge ou Marie-Madeleine. Son visage est probablement celui de quelques rares portraits de femmes qu'il a laissées, dont *La Dame à l'hermine*, vers 1585 (Museum and Art Gallery, Glasgow). Dans le but d'attirer des commandes royales, il peint le *Songe de Philippe II* appelé *Adoration du nom de Jésus* (salle du chapitre, Escurial) qui déplaît au roi par son côté novateur. Il reçoit cependant la commande d'un *Martyre de saint Maurice* vers 1580/1582.

Le jugeant à nouveau trop désinvolte, le roi, après lui avoir réglé la somme de huit cents ducats, relègue la toile dans les archives de l'Escurial et accroche à sa place dans la chapelle Saint-Maurice de l'Escurial une œuvre de Romulo Cincinnati.

L'Enterrement du comte d'Orgaz, commandé en 1586 pour l'Eglise Santo Tomé, donne de nouveau lieu à contestation.

Malgré ces échecs, le Greco acquiert à Tolède non seulement la fortune mais aussi la renommée. Il vit luxueusement dans le palais du marquis de Villena, fréquente érudits, religieux et philosophes qui lui servent de modèles. Il se fait aider pour l'exécution de ses tableaux par un peintre italien, Francisco Preboste.

Entre 1596 et 1600, le Greco reçoit d'importantes commandes de communautés religieuses. Pour le Collège de Doña Maria de Aragón à Madrid, un ensemble de trois grandes toiles : *Le Baptême du Christ* (Musée du Prado, Madrid), l'*Annonciation* (Musée de Balaguer) et une *Adoration de Bergers* (Muzeul de Arta, Bucarest). Pour la chapelle San José à Tolède : *Saint Joseph et l'Enfant-Jésus* (Musée San Vincente, Tolède), *Saint-Martin partageant son manteau avec un pauvre* et

La Vierge et l'Enfant avec sainte Ines et sainte Thècle (National Gallery, Washington). De la même période datent deux grandes compositions, toutes deux au Prado, une *Crucifixion* et une *Résurrection*. Dorénavant et une fois pour toutes, les couleurs et la forme soulignent et intensifient l'expression dramatique, allant jusqu'à l'exagération et la déformation. Les figures étirées, contorsionnées, font leur apparition et la lumière qui inonde les tableaux devient de plus en plus étrange, frisant quelquefois le macabre et le fantomatique. Le Greco ne reproduit pas l'aspect de la nature, mais se sert de l'apparence pour donner une forme concrète à sa propre pensée. A partir de 1603-1604, la santé du Greco décline. Malgré sa notoriété, il connaît la pauvreté et doit accepter des commandes qu'il ne peut désormais réaliser seul. Il se fait alors aider par son fils, Jorge Manuel, qui vient de se marier avec Alfonsa de los Morales. Datent de cette époque le retable du collège San Bernardino de Tolède et les peintures de l'hôpital de la Charité à Illescas : la *Nativité*, l'*Annonciation*, le *Couronnement de la Vierge*, l'*Apparition de la Vierge à saint Ildefonse*.

En 1608, il satisfait encore à plusieurs commandes : il exécute notamment, pour la chapelle San Vicente, une superbe *Assomption*. La même année, sa maladie l'empêche d'achever le *Baptême du Christ* pour l'hôpital Juan Bautista, fondé par le cardinal Tavera à Tolède. Vers 1610-1614, il peint une toile étrange, *Laocoon* (National Gallery, Washington), dans laquelle il raconte le châtiment du prêtre d'Apollon et de ses deux fils pour avoir profané le temple de Dieu. Il exécute également de très beaux paysages tels que *Vue de Tolède sous l'orage*, 1608 (Metropolitan Museum, New York), dont il se dégage une extrême intensité dramatique.

Lorsqu'en 1611 le maître de Vélasquez, Francisco Pacheco, vient de Séville pour le visiter, il n'est pas en mesure de le recevoir dans son atelier. Il meurt à Tolède quelques années plus tard. Son corps est transféré au couvent San Torcuato, aujourd'hui détruit. Ses amis, le poète Luis de Gongora y Argote et le Jésuite Para-

vicíno dont il fit le portrait, *Fray Hortensio Felix de Paravicino*, vers 1610 (Musée de Boston), lui écrivent cette épitaphe : « *Ci-gît du grec ce qu'on y put enclore. La Piété le cache, la Foi scelle cette pierre. La Crète lui donna la vie et les pinceaux, Tolède une patrie meilleure où il commence à conquérir grâce à la mort l'éternité* ».

Grünewald, Mathis
Gothardt-Neithardt, *dit* **Mathias**
vers 1460-1528
(Wurzbourg-Halle)

Bien qu'il ait été l'un des plus grands artistes de son époque, nous ne savons rien de précis sur la vie de Grünewald. Vers 1501, il dirige un atelier de peinture et de sculpture sur bois à Seligenstadt. En 1509, il devient peintre officiel à la cour de l'archevêque - électeur de Mayence, Ulrich von Gemmingen. Dans cette cour, il existe un poste d'inspecteur des travaux. A ce titre, Grünewald s'occupe de la reconstruction du palais d'Aschaffenbourg, vers 1511. La première œuvre qu'on puisse lui attribuer avec certitude est *Le Christ aux outrages*, 1503 (Alte Pinakothek, Munich). En 1509, Heller, le conseiller de la ville de Francfort, lui commande un retable pour l'église des Dominicains. Dürer en peint le panneau central, l'*Assomption de la Vierge* (aujourd'hui disparu) ; Grünewald se charge de *Saint Laurent* et de *Saint Cyriaque* (Städelsches Kunstinstitut, Francfort). Entre 1513 et 1515, il exécute pour le couvent des Antonites son œuvre la plus importante : le *Retable d'Isenheim* (Musée d'Unterlinden, Colmar). Quoique vivant à une époque où la Renaissance italienne commence à envahir l'Allemagne, et bien que l'on en retrouve certaines tendances dans l'œuvre de Grünewald (perspective, modelé), il n'est guère touché par elle. Ses formes et ses figures sont inspirées de sentiments profonds et sincères. Ses toiles religieuses s'inscrivent parmi les plus dramatiques et les plus émouvantes de l'histoire de l'art. Elles montrent son enracinement dans la peinture du gothique tardif tout en annonçant des évolutions. L'intensité du coloris mœlleux, riche et brillant, son clair-obscur préparent déjà la manière de

Le Greco.
Le Christ dépouillé de ses vêtements, vers 1583.
Alte Pinakothek, Munich.

145

Mathias Grünewald.
La Résurrection du Christ.
Musée Interlinden, Colmar.

Rembrandt. Cet art tout à fait personnel qui le situe entre l'univers médiéval et les nouvelles formes d'expression picturales explique pourquoi il n'a pas créé d'école.

Après le *Retable d'Isenheim*, il exécute, pour le cardinal Albrecht von Brandebourg auprès duquel il est en service de 1516 à 1526, *Saint Erasme* et *Saint Maurice*, vers 1520-1523 (Alte Pinakothek, Munich) destinés à la collégiale de Halle. Les personnages, dont le donateur a pris le visage de saint Erasme, sont encore monumentaux ; toutefois le coloris s'atténue.

Il laisse une quarantaine de dessins, la plupart sont des études de détails pour ses tableaux. Après s'être converti au luthérianisme, il doit s'enfuir à Francfort en 1526, où il travaille comme ingénieur hydraulicien, puis à Halle où il meurt.

Holbein le Jeune, Hans
1497-1543
(Augsbourg/Londres)

Fils de Hans Holbein dit l'Ancien, Holbein le Jeune doit à son origine souabe le réalisme de la vision, le goût de la clarté dans la composition, le sens de l'harmonie des formes et des couleurs, enfin une répugnance instinctive

pour les outrances quelles qu'elles soient. Il est tout d'abord, en même temps que son frère Ambrosius, l'élève de son père, puis vient s'installer en 1515 à Bâle, où il entre dans l'atelier d'un peintre local, Hans Herbster. Il collabore à l'illustration de divers ouvrages publiés par le maître imprimeur, Johannes Froben. A Bâle, il rencontre Bonifacius Amerbach, fils du prédécesseur de Froben, à la tête de la première officine de la ville, et Erasme avec lequel il va préparer des

Hans Holbein le Jeune.
Edouard VI.
Metropolitan Museum of Art, New York.

Atelier de Holbein.
Portrait d'Edouard VI âgé de neuf ans.
Collection particulière.

Hans Holbein le Jeune.
Portrait d'Edouard VI enfant, 1538.
National Gallery of Art, Washington.

PARVVLE PATRISSA, PATRIÆ VIRTVTIS ET HÆRES
ESTO, NIHIL MAIVS MAXIMVS ORBIS HABET.
GNATVM VIX POSSVNT COELVM ET NATVRA DEDISSE,
HVIVS QVEM PATRIS, VICTVS HONORET HONOS.
ÆQVATO TANTVM, TANTI TV FACTA PARENTIS,
VOTA HOMINVM, VIX QVO PROGREDIANTVR, HABENT
VINCITO, VICISTI. QVOT REGES PRISCVS ADORAT
ORBIS, NEC TE QVI VINCERE POSSIT, ERIT. *Ricard. Morysine. Car:*

Hans Holbein le Jeune.
Portrait d'Edouard VI.
Kunstmuseum, Bâle.

dessins pour l'édition de l'*Eloge de la Folie*, en 1509. Holbein exécuta leur portrait qui le rendit célèbre. En 1523, il en peignit trois d'Erasme.

En dehors de deux *Têtes de Saints*, ses peintures les plus anciennes sont deux scènes d'un réalisme savoureux, ornant les deux faces d'un panneau qui servait autrefois d'enseigne à un maître d'école, *Le Bourgmestre Jakob Meyer zum Hasen et sa femme Dorothea Kannengiesser*, 1516 (Kunstmuseum, Bâle). L'année suivante, Holbein part à Lucerne pour y décorer la façade et l'intérieur de la maison du bourgmestre Hertenstein dont il ne reste plus qu'un fragment.

L'œuvre la plus célèbre de cette époque est le *Christ au tombeau* 1521-1522 (Kunstmuseum, Bâle), dont la morbidité est effrayante. Un voyage en Italie, à Côme et Milan, le met en contact avec l'œuvre de Vinci. A partir de ce moment, son style devient plus ample sous une facture encore précise. Sans se départir de son goût de la vérité et de l'objectivité, il recherche cependant l'idéalisation. Rentré à Bâle en 1519, il entre à la guilde des peintres, acquiert le droit de bourgeoisie et se marie. En 1524, il voyage en France et séjourne à la cour de François Ier. A Lyon, où est établi l'imprimeur allemand Trechsel, il donne les suites gravées de l'*Ancien Testament* et de la *Danse Macabre*, son chef-d'œuvre de la gravure sur bois, qui ne sera édité qu'en 1538. Après un

retour à Bâle où règne la peste en même temps qu'une crise religieuse et sociale, Holbein se rend en 1526 à Londres, en passant par Anvers où il rencontre sans doute Quentin Metsys. Il est accueilli par Thomas More, exécute le frontispice de son ouvrage *Utopie*. Il peint alors des portraits : celui de l'*Archevêque Warham*, le meilleur, et celui de l'*Astronome du roi, Niklaus Kratzer* (Musée du Louvre, Paris).

Rentré à Bâle, pendant l'été 1528, il est occupé à des travaux entièrement décoratifs et fournit des projets, précis comme des épures, pour des verriers, armuriers, orfèvres, exécute des dessins de mode d'une élégance un peu précieuse, et complète sa série d'illustrations de la *Bible* de Luther qui lui a, d'autre part, commandé des fresques pour la nouvelle salle du Conseil de l'hôtel de ville de Bâle. Comme graveur, ses *Simulacres de la Mort*, 1536, touchant au thème de la danse macabre, sont les plus célèbres. Parmi les dessins, l'*Homme au grand chapeau* (Kunstmuseum, Bâle) mérite une mention spéciale, tant par la largeur de l'exécution que par la sentimentalité rêveuse dont il est empreint. La seconde période bâloise compte une œuvre de qualité exceptionnelle : le *Portrait de la femme du peintre avec ses enfants*, 1528 (Kunstmuseum, Bâle).

En 1532, Holbein retourne à Londres. Chargé de la décoration du quartier allemand, lors de l'entrée solennelle à Londres de la reine Anne Boleyn, il retient l'attention de la cour. Il peint le portrait de *Thomas Cromwell*, 1533 (Collection Frick, New York), celui de *Sire de Morette*, l'orfèvre de Henri VIII (Musée de Dresde). En 1536, il est nommé valet de chambre du roi Henri VIII dont il fait le portrait à plusieurs reprises ; l'un des plus fameux se trouve à la Galerie nationale de Rome ; un autre, une tempera sur bois de chêne satiné, vers 1537, appartient à la collection Thyssen-Bornemisza, à Lugano. Il est chargé de tant de commandes qu'abandonnant son modèle il est obligé d'esquisser des croquis hâtifs à partir desquels il exécute le portrait définitif. Les cent cinquante portraits qui nous restent représentent uniquement les onze dernières années de sa vie. Mieux encore

que ses peintures, ses dessins permettent de voir combien son style est
dépouillé de ce maniérisme auquel sont
restés fidèles les autres grands représentants de l'école allemande. Son
graphisme apparaît plus étudié, plus
souple et arrondi. Il a de particulier cette sûreté et cette apparente
simplicité résultant d'une stricte discipline. Son œuvre est la première à
marquer la transition entre l'art du
gothique tardif et la peinture de
la Renaissance. Il meurt à Londres,
emporté par la peste.

Hans Holbein le Jeune.
Portrait de Georg Gisze, 1532.
Gemäldegalerie Dahlem, Berlin.

151

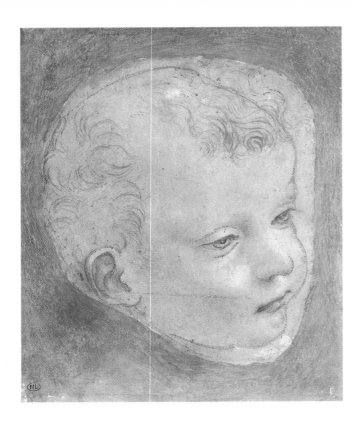

Léonard de Vinci.
Tête d'enfant.
Musée du Louvre, Paris.

Huber, Wolfang
1485-1553
(Feldkirch/Passau)

Originaire, pense-t-on, de Feldkirch, localité de Vorarlberg en Autriche, sa présence est attestée en 1515 à Passau sur le Danube, où il obtient le titre de citoyen en 1539. En 1540, il exerce les fonctions de peintre de cour du Prince-évêque. On connaît peu de tableaux de lui, son œuvre est avant tout graphique. Sa première création connue est un dessin daté de 1510 représentant une *Vue du Lac de Mondsee au Salzhammergut*, près de Salzbourg (Germanisches Nationalmuseum, Nuremberg). Dans sa façon de comprendre et de traduire la profondeur, on sent l'action de l'art de Michael Pacher, mais on y sent toutefois sa vision très personnelle, qui en fera l'un des vrais maîtres de l'école du Danube. Son plus ancien tableau, les *Adieux du Christ à sa mère*, 1519, (Kunsthistorisches Museum, Vienne) rappelle la *Mise au Tombeau* du retable de Saint-Florian, peint un an auparavant par Altdorfer : le paysage aux lointains baignés de clair-obscur est empreint d'une douceur mélancolique et rêveuse parfaitement intégrée au sujet. Le *Retable de sainte Anne* peint en 1521 pour l'église

de Feldkirch est sa première grande œuvre ; le fond de la *Déploration*, de grande dimension, dénote l'intention de l'artiste de mettre le décor à l'unisson de l'action. Son groupe de personnages, composé de façon plus sculpturale que chez Altdorfer, se dégage d'un crépuscule empreint de tristesse.

Après 1525, son style change : rythme plus animé, hardiesse des coloris. Usant de raccourcis audacieux, qui feraient admettre une possible influence italienne, Huber témoigne d'une réelle virtuosité dans la distribution de l'éclairage ; il en tire des effets aussi variés que saisissants : *Erection de la Croix*, après 1525 (Kunsthistorisches Museum, Vienne), le *Christ au Jardin des Oliviers* (Alte Pinakothek, Munich). En même temps qu'il y trouve matière à satisfaire son expressionnisme foncièrement germanique, les contrastes vigoureux d'ombre et de lumière lui permettent de donner plus de relief aux figures sur lesquelles se concentre désormais l'intérêt, cependant que les échappées sur des morceaux de paysage, d'une exécution très raffinée, prouvent que, pour lui, le décor garde avant tout une valeur sentimentale.

Huber a laissé un nombre important de paysages qui révèlent un dessinateur vigoureux. Il a préféré la technique de la taille sur bois à celle de la gravure en creux.

Léonard de Vinci
ou Leonardo da Vinci
1452-1519
(Vinci/Le Clos-Lucé, près d'Amboise)

Léonard de Vinci est né au château de Vinci, près de Florence. Infatigable d'esprit, précoce en tout, il s'adonne à diverses études. Les sciences exactes lui sont bientôt familières ; à vingt ans, il en sait assez en arithmétique et en géométrie pour embarrasser ses maîtres par les doutes et les questions qu'il soulève. Outre ces connaissances positives, il apprend très vite à dessiner, à modeler et à peindre et, avant trente ans, il fait progresser conjointement les sciences et les arts. Après avoir résolu les calculs les plus arides, après avoir combiné des formes motrices pour aplanir une montagne, creuser un canal ou élever un pont, son imagination trouve encore de la verve et de la poésie pour écrire une ode, jouer de la lyre ou peindre une madone.

Malheureusement, à toutes ces rares facultés il allie une certaine inconstance d'humeur qui lui fait aborder et abandonner plusieurs travaux tour à tour.

Le père de Léonard, Ser Piero da Vinci, notaire de la seigneurie de Florence, s'efforce de favoriser ses dispositions. Ayant pris quelques-uns de ses dessins, il les montre à Andrea del Verrocchio, peintre célèbre et ami. Andrea prend Léonard, vers 1469, dans son atelier, dans lequel étudient déjà Botticelli et Lorenzo di Credi. En 1472, il est inscrit à la corporation des peintres.

Léonard y devient rapidement un peintre habile, tout en s'adonnant à la sculpture et à l'architecture. Verrocchio le charge un jour de peindre un ange dans une œuvre de grande dimension, le *Baptême du Christ* (Musée des Offices, Florence).

Bientôt on lui commande une Vierge, *L'Annonciation* (Musée du Louvre, Paris), et cet ouvrage lui assure sa place à la tête des peintres de son temps. En 1481, les moines de San Donato à Scopeto lui commandent

Léonard de Vinci.
Carton pour la Sainte Anne, vers 1499.
National Gallery, Londres.

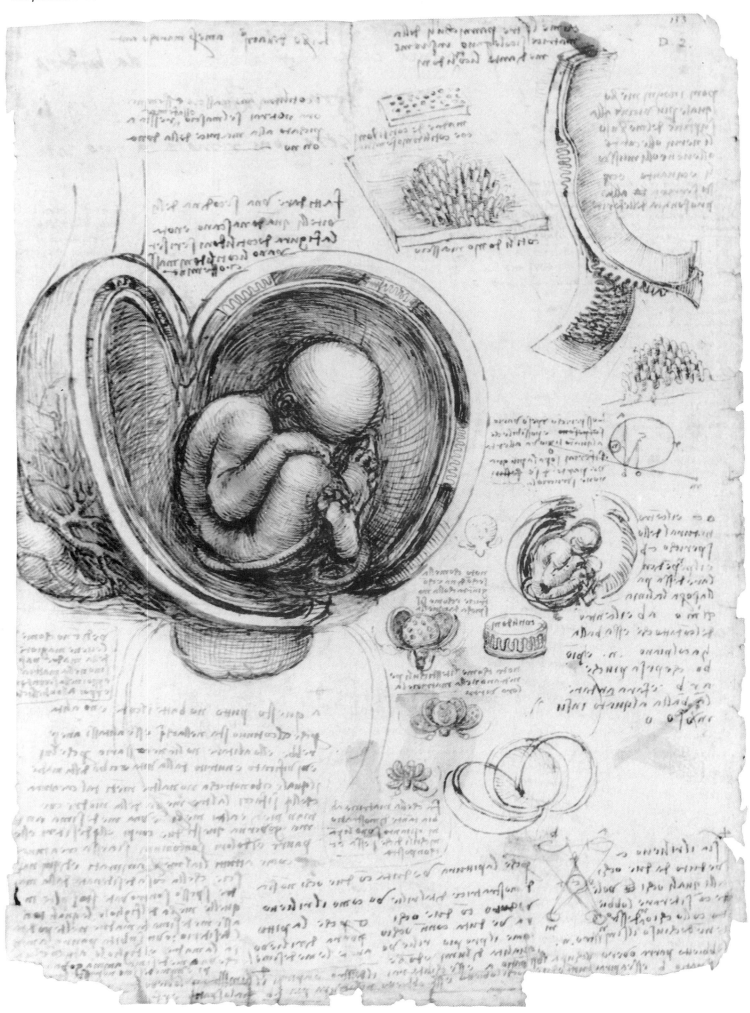

Léonard de Vinci.
Le fœtus in utero, 1510-1512.
Château de Windsor, Angleterre.

Léonard de Vinci.
Etude pour l'Adoration des Mages, 1481.
Musée du Louvre, Paris.

une *Adoration des Mages* (Musée des Offices, Florence), qui restera inachevée. La toile représente une soixantaine de personnages réunissant en deux cortèges distincts celui des Mages et des bergers. On lui confie ensuite un carton, d'après lequel on doit exécuter en Flandre une portière tissée de soie et d'or, destinée au roi du Portugal. Ce carton représente Adam et Eve dans le paradis terrestre, au moment de leur désobéissance. Léonard dessine plusieurs animaux dans une prairie émaillée de fleurs, qu'il rend avec un charme et une vérité inouïs.

Léonard de Vinci.
Etudes pour un nouveau Palais Médicis à Florence. Détail. 1514-1515.
Pinacoteca Ambrosiana, Milan.

Léonard pousse ses études et ses observations jusqu'à la recherche la plus minutieuse. Souvent, il réunit chez lui des paysans et des hommes du peuple pour étudier le jeu de leurs physionomies. Il lui arrive de suivre les condamnés jusqu'au lieu du supplice, afin de saisir sur leurs faces toutes les angoisses de leur rapide agonie. De cette période datent quelques Madones, *La Madone « Benois »*, vers 1475-1478 (Musée de l'Ermitage, Saint-Pétersbourg), la *Madone à l'œillet*, vers 1478-1480 (Alte Pinakothek, Munich), empreintes de douceur et de mystère, le *Portrait de Ginevra Benci*, vers 1478 (National Gallery of Art, Washington), et un *Saint Jérôme*, vers 1480 (Pinacothèque du Vatican).

En 1483, la confrérie de l'Immaculée Conception lui commande *La Vierge aux Rochers* (Musée du Louvre, Paris). Les descriptions géologiques de ses paysages témoignent de l'influence de Mantegna. L'un de ses élèves en fera une réplique en 1506 dans laquelle il ajoutera deux volets représentant des anges (National Gallery, Londres). Un autre de ses élèves, Cesare da Sesto, imitera sa *Leda* dont il ne reste qu'une copie, l'original de Léonard étant perdu. Il commence, à partir de 1490, la rédaction de son *Traité de la peinture*.

En même temps que ses talents personnels le font rechercher par la plus brillante société de Florence, son talent comme peintre, sculpteur et architecte lui procure des revenus considérables. On le consulte pour les ajustements de la mode, les ordonnances des fêtes, aussi bien que pour tout ce qui se rapporte aux arts et aux sciences.

A partir de 1481/82, Léonard vit à Milan où il a été appelé par Ludovic le More. Un jour qu'il doit jouer de la lyre devant ce duc passionné de musique, il arrive portant un instrument qu'il a façonné lui-même, presque entièrement en argent et ressemblant à un crâne de cheval. Cette forme, originale et bizarre, donne plus de sonorité et de meilleures vibrations. Léonard sort vainqueur du concours pour lequel les plus célèbres musiciens de l'Italie ont été rassemblés, et se montre aussi habile improvisateur qu'excellent musicien. Ludovic, séduit par son éloquence facile et brillante autant que par son talent, le retient à sa cour. Il le charge bientôt de la direction de tous les travaux qu'il fait exécuter dans ses Etats. Il collabore à l'élaboration de la coupole de la cathédrale de Milan en 1487, puis à celle de la cathédrale de Pavie, décore au Castello Sforzesco la *Sala delle Arse* (ou Salle « aux branchages »).

C'est durant ce séjour à Milan que Léonard exécute pour le couvent des Dominicains, à Santa Maria delle Grazie, sa célèbre fresque de *La Cène* qu'il peint de 1495 à 1497. Ses préoccupations picturales deviennent celles de la géométrie et de la réception de la lumière pour l'éveil humain. Il est alors en contact avec Luca Pacioli, le moine géomètre pour lequel il dessine

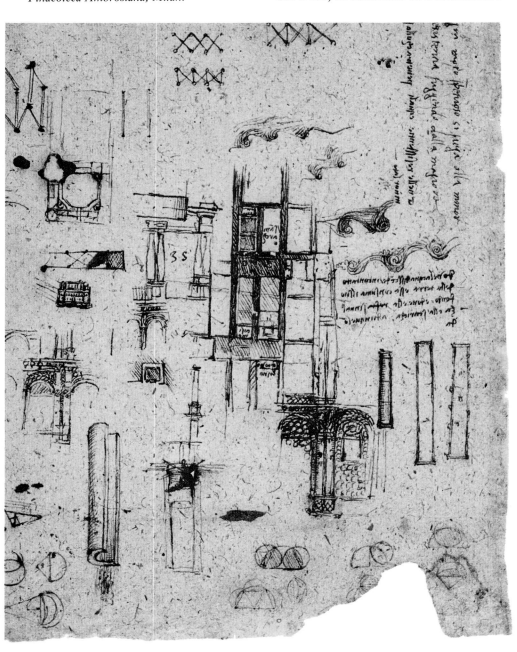

les polyèdres reproduits dans son livre *De Divina proportione*, 1498.

Après la prise de Milan par les Français et la fuite des Sforza en 1499, Léonard, ayant vu la gigantesque statue du duc François Sforza, son chef-d'œuvre en sculpture, donnée pour cible aux arbalétriers du roi Louis XII, revient à Florence. Il y fait son carton représentant *La Vierge, l'Enfant Jésus et sainte Anne*, tableau plein d'inspiration et de poésie (Musée du Louvre, Paris). Il exécute ensuite pour Francesco del Giocondo le portrait de *Mona Lisa*, sa femme, connue sous le nom de la *Joconde*, commencé en 1503 et terminé en 1507 en France.

Léonard de Vinci.
Etude pour la Bataille d'Anghiari, 1503.
Accademia, Venise.

Il développe dans ces toiles la technique du « sfumato » qui lui est caractéristique : la couleur perd son autonomie dans des nuances de clair et d'obscur donnant l'impression d'un voile léger, semblable à de la fumée, adoucissant les formes et les recouvrant. On n'a pu reconstituer la méthode de Léonard, pas plus que le médium huileux dont il s'est servi. A la même époque, en octobre 1503, on lui commande une fresque pour le Palazzo Vecchio. Il peint alors *La Bataille d'Anghiari*, projet qu'il commence, mais abandonne au bout de trois ans.

Comme il s'adonne alors à l'anatomie, il n'a le temps de rien peindre avant son départ pour Rome où il est appelé par Léon X. Il fait, à la cour de ce pape, plusieurs tableaux de petite

dimension. C'est au cours de ces trajets et de ces incertitudes qu'il est, en 1502, nommé, à Pavie, ingénieur général et architecte particulier de César Borgia. Léon X ne craint pas de le froisser en appelant auprès de lui Michel-Ange pour exécuter la façade de San Lorenzo. Cependant, l'idée seule d'avoir un rival lui fait abandonner ses ébauches. Depuis longtemps François Iᵉʳ, qui a vu ses chefs-d'œuvre et qui connaît sa position précaire, l'invite à sa cour. Malgré ses soixante-dix ans, Vinci accepte et part pour la France. Après être devenu « ingénieur » du roi, il dresse les plans pour l'installation de la cour à Romorantin et participe aux décors des fêtes données à Amboise et à Cloux en 1518 où il y meurt cinq ans plus tard. Il aura été l'initiateur de la Haute Renaissance.

Lotto, Lorenzo
vers 1480-1556
(Venise/Lorette)

Lorenzo Lotto subit de multiples influences, tout d'abord celle de son compatriote, Giovanni Bellini puis celle d'Antonello da Messina, comme l'attestent la fresque *Deux Guerriers*, réalisée en 1496, à San Niccolo de Trévise, et la *Madone à l'Enfant avec saint Pierre martyr*, réalisée en 1503 (Musée national de San Marin, Naples). Ses voyages en Italie et au-delà des Alpes lui font découvrir les œuvres du Corrège et de Léonard de Vinci, en même temps que celles de Grünewald, d'Altdorfer, de Schongauer et de Dürer dont il retient les figures mouvementées et grimaçantes : *La Crucifixion*, 1531

Lorenzo Lotto.
Saint Nicolas de Bari. Détail. 1529.
Santa Maria del Carmine, Venise.

(Monte San Giusto, Bergame). Le mélange d'influences rend son art non-conformiste et indépendant. En 1508, il travaille à Rome, sous les ordres de Raphaël, à la décoration des « Stanze » du Vatican. Sa rencontre avec le maître est évidente dans *La Transfiguration du Christ*, peinte en 1512 (Pinecoteca Civica, Recanati). De Rome, Lotto se rend à Jesi et, de 1513 à 1526, séjourne à Venise, puis près de Bergame où il réalise ses plus grandes œuvres : *La Madone aux deux saints*, 1513 (San Bartolomeo, Bergame), *Le Mariage mystique de sainte Catherine*, daté de 1523 (Accademia Carrara, Bergame), des portraits dont le *Jeune Homme au Béret*, 1526 (Castello Sforzesco, Milan) ainsi que des dessins de marqueterie pour les salles de Santa Maria Maggiore. Son style est alors caractérisé par des clairs-obscurs très contrastés, un accord de couleurs violentes. De 1526 à 1532, Lotto habite

dans le couvent des Dominicains de Santi Giovanni e Paolo, à Venise. Bien que Lotto ait toujours su préserver les traits essentiels de sa personnalité artistique, les œuvres de cette époque accusent une forte influence de Titien dont le colorisme le touche. *L'Apothéose de saint Nicolas da Tolentino* (Santa Maria del Carmine, Venise) et *Saint Antoine faisant l'aumône* (Santi Giovanni, Venise) en témoignent. Tourmenté par des questions d'ordre religieux, il se retire à Lorette où il devient frère oblat à la Santa Casa. Il y peint une ultime *Ascension*, 1550 (Ancône).

Peintre d'œuvres religieuses, Lorenzo Lotto s'est également montré l'un des portraitistes de la Renaissance italienne des plus talentueux. Son *Saint Jérôme dans le désert*, 1506 (Musée du Louvre, Paris), le portrait d'*Andrea Odoni*, 1527 (Hampton Court, Londres) et l'*Homme à la barbe rousse*, 1542

Lorenzo Lotto.
Vénus et Cupidon, 1520.
Metropolitan Museum of Art, New York.

(Pinacothèque de Brera, Milan) sont des chefs-d'œuvre par leur mise en pages originale, par l'expression des physionomies à la fois douce et inquiète, inscrite dans des tonalités veloutées.

Sa manière, résolument indépendante et originale, en marge de l'art dominant, annonce par ses audaces le Seicento et le baroque tardif.

Lucas de Leyde,
Lucas Hugensz, *dit*
1489 ou 1494-1533
(né et mort à Leyde)

Fils d'un peintre sur verre, Lucas de Leyde apprend les principes de son art chez des artistes peu connus. Son aptitude est telle qu'on cite des compositions qu'il a exécutées à l'âge de neuf ans. Devenu graveur illustre, en même temps que peintre de grand talent, créateur du tableau de genre par le style narratif employé, Lucas de Leyde reste encore profondément hollandais, bien qu'il ait subi, mais sans asservis-

sement, l'influence de Dürer, qu'il a rencontré en 1521 à Anvers. Son art est une transition entre le Moyen Âge et la Renaissance. Il a suivi, dans les sujets religieux, la tendance réaliste inaugurée par les frères Van Eyck, mais il les a souvent détournés de leur élévation primitive pour reproduire des scènes triviales. Néanmoins, la délicatesse des physionomies, la naïveté dans les attitudes et sa façon magistrale d'exprimer les idées lui confèrent un charme particulier.

Sa meilleure œuvre est, sans nul doute, le triptyque du *Jugement Dernier*, 1526

Michel-Ange.
Etude de nu. 1504-1505.
British Museum, Londres.

(Lakenhal Museum, Leyde). *La Lai-tière*, gravée en 1510, annonce déjà la scène de genre qui atteindra son apogée au XVIIe siècle en Hollande. Dans *Les Joueurs d'échecs*, 1508 (Staatliche Museen, Berlin), il a atteint le sommet de son art. Il est le premier à insérer dans le décor des paysages de son temps des scènes évangéliques : *La Guérison de l'Aveugle*, 1530 (Musée de l'Ermitage, Saint-Pétersbourg).

Il a laissé quelque cent soixante-douze gravures dont la moitié seulement est datée. Dans ce domaine, il inaugure encore en pratiquant la technique de la taille-douce. De par le succès de ses estampes, le maniériste Lucas de Leyde a joué un rôle de premier ordre dans l'évolution de l'école d'Anvers et de l'art hollandais.

Michel-Ange,
Michelangelo Buonarroti *dit*
1475-1564
(Caprese/Rome)

Michelangelo Buonarroti est issu de l'ancienne et noble maison des comtes de Canossa. Son père, Lodovico Buonarroti, podestat de Chiusi et de Caprese, dans le diocèse d'Arezzo, l'envoie étudier la grammaire chez Francesco d'Urbino ; mais un goût

pour le dessin, inné chez le jeune élève, le porte à dessiner en cachette. Face à son obstination, son père décide de le placer, à l'âge de quatorze ans, dans l'atelier de Domenico Ghirlandaio, peintre des plus renommés en Italie. Laurent de Médicis, surnommé le Magnifique, vient d'établir dans son palais et ses jardins de la place San Marco, à Florence, une école de peinture et de sculpture, l'école du Giardino Medico, dirigée par le sculpteur Bertoldo di Giovanni, élève de Donatello.

Il n'est que depuis peu de temps à l'école des Arts, lorsqu'il copie, en marbre, une tête de vieux faune, dont le nez et la bouche sont rongés par le temps. Quoiqu'il n'ait encore jamais touché le ciseau, il est assez hardi pour suppléer, par son imagination, à ce qui manque à l'original : il ouvre la bouche du faune de façon à ce que l'on aperçoive la langue et toutes les dents. A la vue de cet ouvrage, Laurent lui

Michel-Ange.
Le Prophète Isaïe.
Chapelle Sixtine, Rome.

dit en plaisantant : « Tu devrais savoir, jeune homme, qu'il manque toujours quelques dents aux vieillards ». Michel-Ange ne répond rien, mais il la répare en cassant une dent à son faune, et en imitant, dans la gencive, jusqu'au vide qu'elle devait laisser. Laurent, amusé par la docilité et l'ingénuité du jeune élève, le prend dès lors sous sa protection, en le traitant comme son propre fils. Il l'invite dans son palais et l'admet à sa table, à côté des plus grands d'Italie.

A la mort de Laurent, Pierre de Médicis n'hérite ni des qualités de son père ni de son estime pour les arts et pour Michel-Ange. Le prieur de l'église du Saint-Esprit lui commande un Crucifix en bois et lui offre un logement dans le couvent, où il lui procure des cadavres humains pour étudier l'anatomie. Michel-Ange s'y livre avec ardeur comme à tout ce qu'il entreprend et acquiert, par la dissection, une connaissance parfaite de la myologie. En 1494, il quitte Florence lors de la révolution populaire qui, en 1494, chasse Pierre de Médicis du territoire de la République ; mais il y

Michel-Ange.
Vierge à l'Enfant et Sainte Anne, 1501.
Ashmolean Museum, Oxford.

retourne dès que le calme est rétabli. Quelques temps après, le cardinal de Saint-George l'attire à Rome et le loge dans son palais. Bien que Michel-Ange n'ait guère à se louer de ce nouveau protecteur, il met à profit son premier séjour de 1496 à 1501 dans la capitale pour produire de nouveaux chefs-d'œuvre, entre autres la statue de *Bacchus ivre*, 1501-1504 (Musée national, Florence), qui a été depuis, transportée à Florence. Après le *Bacchus*, il exécute pour le cardinal de Villiers, ambassadeur de Charles VIII auprès d'Alexandre VI, sa première commande importante, une *Pietà*, réalisée entre 1498 et 1499, qui est à Saint-Pierre. Jamais artiste n'arrivera à la perfection de dessin, à la grâce et à la franchise d'exécution que Michel-Ange déploie dans cette composition. Rappelé à Florence en 1501, par les instances de ses amis, il y compose la statue colossale de *David*, sculptée en un seul bloc de marbre, qu'il achève en 1504 (Accademia, Florence). A la même époque, il sculpte une *Vierge à l'Enfant* dite *Madone de Bruges* (Notre-Dame, Bruges), parce qu'elle a été vendue, dès 1506, à des Italiens de Bruges, puis un médaillon, dit *Tondo Pitti* (Musée national, Florence), représentant la *Vierge à l'Enfant avec saint Jean*. Il exécute également *la Sainte Famille* 1503-1504 (Musée des Offices, Florence), seule peinture de cette époque qui puisse lui être attribuée avec certitude.

Le gonfalonier, Pier Soderini, le met en concurrence avec Léonard de Vinci, en lui confiant, pour être peinte à fresque, la partie de la salle du Conseil qui fait pendant à celle dont s'est chargé son rival. Michel-Ange choisit aussi pour sujet un épisode de la guerre de Pise et commence son carton, qu'il interdit à quiconque de voir avant qu'il ne soit achevé. Léonard peint les vétérans de son âge se faisant couper les poignets pour rapporter à Florence les drapeaux de Visconti ; Michel-Ange représente la jeunesse florentine s'élançant au combat, *La Bataille de Cascina*, 1505-1506.

Avec ce célèbre carton, Michel-Ange, alors âgé seulement de vingt-neuf ans, acquiert une telle réputation que Jules II, élevé en 1503 au trône pontifical, l'appelle auprès de lui pour lui confier l'érection de son fameux mausolée, que l'on voit encore aujourd'hui dans l'église de Saint-Pierre-aux-Liens, et qui ne sera achevée que longtemps après la mort du pontife par Baccio Bandinelli. Michel-Ange se rend à Carrare, où il reste pendant huit mois pour faire extraire des montagnes les marbres nécessaires à sa gigantesque entreprise. Amenés à Rome par mer, ces marbres couvrent la moitié de la place Saint-Pierre. Une fois les travaux commencés, l'artiste, selon sa coutume, ne permet à personne de les visiter ; mais le pape, curieux et impatient, après avoir soudoyé les ouvriers, s'introduit,

sous un déguisement, dans la Chapelle Sixtine, pendant son absence. Michel-Ange ne tarde pas à se douter de la trahison de ses ouvriers et se met en embuscade. Un jour, au moment où le pape entre, il lui lance du haut de son échafaud de lourdes planches. Redoutant le ressentiment du pape, il quitte Rome pendant la nuit et revient à Florence.

Pendant son absence, l'architecte Bramante a conseillé à Jules II d'abandonner le projet d'élever lui-même son propre tombeau. Il le persuade en même temps de charger Michel-Ange des peintures à fresque qu'il désire faire exécuter sur la voûte de la Chapelle Sixtine. Son but est de réduire l'artiste florentin au désespoir, en lui enlevant les travaux de sculpture susceptibles de l'immortaliser, pour le contraindre à entreprendre un genre de peinture dans lequel il ne s'est jamais essayé. Michel-Ange, à peine de retour à Rome, reçoit donc du pape l'ordre de laisser de côté son tombeau et de commencer les peintures de la Chapelle Sixtine. Il présente en vain toutes les excuses possibles pour se dispenser d'accepter une entreprise dont il ne se dissimule pas les difficultés. Tout ce qu'il peut dire ne sert qu'à aiguillonner davantage le désir de Jules II, dont les volontés restent immuables, et force lui est d'obéir. Buonarroti se met donc à l'œuvre et ne laisse pénétrer personne dans l'enceinte de ses travaux. La décoration de la voûte à moitié terminée, Jules II, dans son impatience, fait abattre tous les échafauds. Rome entière se précipite dans la Sixtine pour applaudir à ce chef-d'œuvre. Le peintre, ayant vu le succès obtenu, reprend aussitôt ses travaux et exécute la seconde moitié en l'espace de vingt

Michel-Ange.
Le Jugement dernier: le Baiser des Elus,
1534-1541.
Chapelle Sixtine, Rome.

mois, sans aucune aide, sans même employer un ouvrier pour broyer ses couleurs. La décoration de la Chapelle Sixtine, entreprise en 1508, se terminera en 1512.

A la mort de Jules II, le nouveau pape, Léon X, lui commande, en 1516, la construction de la façade de l'église San Lorenzo de Florence, qui ne verra jamais le jour faute de moyens financiers. Cependant, les sept figures taillées par Michel-Ange dans la chapelle funéraire des Médicis de San Lorenzo constituent le plus vaste ensemble légué par le sculpteur. Si San Lorenzo n'a pu être mené à bien, il n'en est pas de même pour la Bibliothèque Laurentienne, commencée en 1524 et achevée selon ses plans par Ammannati en 1560.

Parallèlement à ce travail, il exécute sa statue de *Moïse*, 1515-1516 (San Pietro in Vincoli, Rome), et les deux *Captifs* (Musée du Louvre, Paris), pour le tombeau de Jules II qu'il espère toujours terminer.

A cette époque de troubles en Italie, il devient ingénieur, est nommé commissaire général des fortifications de

Michel-Ange.
Le Jugement dernier: Saint Barthélémy,
1534-1541.
Chapelle Sixtine, Rome.

Florence et défend cette ville pendant un an contre les Espagnols.

A la chute de Florence qui s'empresse de rétablir l'influence des Médicis, Michel-Ange se cache. Découvert, il est amené devant Alexandre de Médicis, qui a pris la place du gonfalonier Pier Soderini. Il réhabilite Michel-Ange : « Je punis le rebelle, s'écrit-il, mais je récompense le talent ! »

Après le sac de Rome par les bandes du connétable de Bourbon, le pape Clément VII charge Buonarroti de peindre les deux extrémités de la Chapelle Sixtine dont il a décoré la voûte sous Jules II. Il désire voir figurer d'un côté le *Jugement Dernier*, et de l'autre la *Chute des Anges*. Michel-Ange s'inspire de Dante, et acquiert par l'étude de l'anatomie une connaissance intime des plus secrets mouvements des muscles. Aussi, dans son immense composition du *Jugement Dernier*, s'attache-t-il à représenter les attitudes

les plus variées du corps humain. Le désespoir des réprouvés, la joie des élus sont exprimés dans cette peinture avec une telle énergie que l'on croit voir réalisé ce vers du Dante : « *Morti li morti, e i vivi parean vivi.* » (« les morts paraissaient morts, et les vivants paraissaient vivants »).

Après huit années de travail, Buonarroti livre le *Jugement Dernier*, composition de dix-sept mètres sur treize occupant le mur d'autel de la Sixtine, le jour de Noël 1541. Dans le même temps, il livre ses plus émouvantes Pietà.

Les deux derniers tableaux remarquables de Michel-Ange sont la *Conversion de saint Paul* et la *Crucifixion de saint Pierre*, 1542-1545, dans la chapelle Pauline du Vatican. Ces compositions font preuve d'une audace dans l'expression des sentiments et d'un intérêt accru pour le décor scénique. Elles illustrent, dans l'œuvre de Michel-Ange, les traits dominants du maniérisme et tracent ceux, décisifs, du baroque. La vieillesse étant venue arrêter son pinceau, Buonarroti, dont le génie ne peut rester oisif, continue à s'occuper de la sculpture ; c'est alors qu'il exécute son admirable *Descente de Croix*, groupe de quatre figures tirées d'un seul bloc de marbre. Bientôt Paul III le force d'accepter la place d'architecte de Saint-Pierre, qu'ont occupée avant lui Bramante et San-Gallo, et lui confie le soin d'achever cette grande basilique. Après avoir examiné le plan de son prédécesseur, Michel-Ange le trouve inexécutable. Le pape l'ayant autorisé à suivre ses propres inspirations, il trace un nouveau plan qui réduit l'édifice à la forme d'une croix grecque. En supprimant le luxe des détails, il ajoute de la majesté à l'ensemble et diminue le poids de la coupole, sans rien retrancher de sa masse et de son diamètre. Après dix-sept ans d'un travail opiniâtre, pendant lesquels il ne voulut recevoir aucun traitement, l'artiste achève son travail en 1561.

Michel-Ange.
Le Jugement dernier: Sainte Catherine,
1534-1541.
Chapelle Sixtine, Rome.

La même année, il réalise le plan de Santa Maria degli Angeli.
Michel-Ange consacre exclusivement ses dernières années à l'architecture et joint d'autres travaux à ceux de la basilique de Saint-Pierre. C'est ainsi qu'il réalise, en 1466, l'ordonnancement de la place du Capitole à Rome et continue le palais Farnèse, terminé plus tard sur ses dessins par Vignole. Mais c'est son dernier ouvrage. Après avoir fourni une carrière presque séculaire, il meurt à Rome le 17 février 1563. Son corps, enlevé secrètement, d'après les ordres du duc Côme de Médicis, de l'église des Saints-Apôtres, est transporté à Florence. On lui élève dans l'église de Saint-Laurent un catafalque, à la décoration duquel contribuent tous les arts cultivés par Michel-Ange. Peu après un monument plus durable remplace cette fragile représentation. Le grand-duc donne tous les marbres nécessaires à l'exécution d'un mausolée que construit Vasari, et où il place le buste de celui qui est l'un des maîtres de la Renaissance italienne.

Morales, Luis
dit El Divino
vers 1510-1586
(né et mort à Badajoz)

Originaire d'Estremadure, Morales aurait fait son apprentissage à Séville dans l'atelier de Pedro de Campaña, si l'on en juge par sa première œuvre datée de 1546, *La Vierge à l'oiseau* (Collection Moret, Madrid), reflétant la technique flamande du maître de Bruxelles, établi depuis au moins 1537 à Séville.

Les œuvres de Morales représentent toujours des sujets de sainteté, particulièrement des Ecce Homo : *Christ mort dans les bras de la Vierge* (Musée du Prado, Madrid). Ses tableaux, habituellement peints sur cuivre ou sur bois, ne montrent généralement qu'une tête ou une figure à mi-corps, *Christ en larmes* ou *Mater Dolorosa*. Le caractère ascétique du modelé suave de leur visage permet de reconnaître aisément la manière de l'artiste. A partir de 1560, Morales jouit d'une grande renommée. Il exécute de nombreux travaux pour Juan de Ribera, évêque de Badajoz, tout en réalisant des retables pour les églises espagnoles.

Son art déplut cependant à Philippe II qui lui avait confié la décoration de l'Escurial.
Morales a eu beaucoup d'élèves et d'imitateurs de son style et de ses thèmes maniéristes, témoignage de sa grande popularité. Par l'austérité qui se dégage de ses œuvres, il annonce le Greco.

Parmesan, Francesco Mazzuoli
ou Mazzola dit Le
1503-1540
(Parme/Casalmaggiore)

Francesco Mazzuoli naît à Parme, d'où il tire son surnom, dans une famille de peintres. A la mort de son père, ses deux oncles, Pier Flario et Michele Mazzuoli le font étudier dans leur atelier. Puis, il se perfectionne en prenant le Corrège pour maître. Les premières études de Francesco sont si fructueuses, ses succès si rapides, qu'à quatorze ans, il peint le *Baptême de Jésus-Christ*, qui le révèle dès ce moment-là.

Sa réputation est déjà grande lorsque l'invasion française amène, en 1520, Prosper Colonna et son armée sous les murs de Parme. Francesco et ses oncles se réfugient à Viadana, village du Modenais. Ils peuvent, dans cette retraite paisible, continuer de se livrer à leurs études, et Francesco y peint deux tableaux en détrempe, *Saint François recevant les stigmates* et le *Mariage de sainte Catherine*, 1521 (Eglise Santa Maria, Bardi). Après la guerre, il revient à Parme et termine plusieurs tableaux qu'il a laissés inachevés. Il exécute à l'huile, pour les religieux observantins de Parme, une *Sainte Famille* et un *Saint Bernardin*. L'analogie de son style avec celui du Corrège le fait choisir par ce dernier en 1522 pour concourir à la décoration d'une chapelle voisine de la célèbre coupole qu'il peint pour l'église de San Giovanni de Parme. En 1523-24, il réalise son *Autoportrait dans un miroir convexe* (Kunsthistorisches Museum, Vienne) qui témoigne d'une recherche maniériste plus indépendante.
Francesco cependant ne tarde pas à comprendre qu'il est engagé dans une voie opposée à la sienne. Il se met à parcourir l'Italie pour étudier les chefs-d'œuvre. De 1523 à 1527, il est à Rome avec un de ses oncles. Clément VIII le

Le Parmesan.
Deux nymphes.
Fresques du Palais Sanvitale, Fontanello.

exigent de lui qu'il termine son ouvrage. Il part alors se réfugier définitivement à Casalmaggiore où il peint, vers 1534, sa célèbre *Vierge à l'Enfant avec les Anges*, dite la *Vierge au long cou* (Musée des Offices, Florence). Allongeant démesurément ses figures, il ne les déforme pas pour autant, mais leur confère une extrême élégance et une séduction ineffable qui le placent parmi les plus grands artistes du maniérisme en Italie. La grâce est la qualité principale du Parmesan et il n'est guère surprenant qu'Augustin Carrache, lorsqu'il veut signifier ce qu'est la vertu maîtresse d'un tableau parfait, conseille à ses élèves de lui donner : « *un po'di grazia del Parmigiano* » (« un peu de la grâce du Parmesan »).

Il laisse également de superbes portraits, *La Femme au renard*, dite aussi *La Courtisane Antea* (Musée de Capodimonte, Naples) qui relèvent d'une influence de Sebastiano del Piombo. Il donne à ses visages un ovale, dérivé de celui de Raphaël.

Il meurt à trente-sept ans, précisément comme Raphaël qu'il n'a cessé de prendre pour modèle. Son œuvre a influencé l'école de Fontainebleau.

Pontormo,
Jacopo Carucci, *dit*
1494-1557
(Pontormo/Florence)

Né à Pontormo, près d'Empoli, fils du peintre Bartolomeo Carucci, Jacopo part très jeune à Florence. Sa formation se fait auprès des plus grands : Léonard de Vinci, Albertinelli, Piero di Cosimo et Andrea del Sarto. Sa première œuvre connue est une fresque réalisée en 1516 pour Santa Annunziata de Florence, *La Visitation*. De 1520 à 1521, il décore avec Andrea del Sarto et Francesco Franciabigio la grande salle de la Villa impériale de Poggio à Caiano, abandonnée depuis la mort de Laurent le Magnifique. Il y peint des allégories et des scènes mythologiques campagnardes (*Vertumne et Pomone*).

Entre 1522 et 1525, il peint un grand cycle de la Passion pour le cloître de la chartreuse de Galuzzo, qui témoigne d'une certaine influence de la gravure allemande, principalement de celle de Dürer. C'est à Santa Felicità

charge de terminer la décoration de la salle des papes au Vatican. Le Parmesan y exécute son tableau de la *Circoncision*, si remarquable par l'habileté avec laquelle il sait distribuer la lumière.

En compagnie de son oncle encore, il se rend à Bologne en 1527, où il donne l'un de ses meilleurs tableaux d'autel, *La Madone de sainte Marguerite*, 1529 (Pinacothèque nationale, Bologne). Il s'adonne aussi à la gravure et se met à graver en clair-obscur de petites

planches que le public se dispute. Il exécute également plusieurs ouvrages parmi lesquels *Saint Roch avec un donateur* et une *Conversion de saint Pétrone*, pour la basilique San Petronio ; et lorsque Charles Quint vient se faire sacrer dans la ville, il fait son portrait de mémoire, sans l'avoir vu autrement que pendant un dîner d'apparat.

Le Parmesan retourne ensuite dans sa ville natale, où il consacre huit ans (de 1531 à 1539), à peindre les fresques de Santa Maria della Steccata. Il exécute son fameux *Moïse* et entreprend un groupe d'*Adam et Eve* qu'il n'achève pas, quoiqu'il en ait reçu le salaire d'avance. Les moines qui l'ont payé de Florence (1525-1528) qu'il s'affirme comme l'un des plus grands maniéristes toscans. Son *Annonciation*, et surtout la *Déposition de la Croix*, avec son atmosphère théâtrale, l'allure païenne des personnages, ainsi que la composition compliquée et sinueuse des formes, est un modèle du genre : en réaction, contre les règles tirées de l'art classique poursuivies pendant la Renaissance, Pontormo, qui se fait le chef de file du courant maniériste, cherche à exprimer des sentiments futiles en donnant à ses personnages des attitudes peu naturelles et artificielles. Pontormo a aussi exécuté des portraits dont les plus célèbres sont ceux de *Cosme 1ᵉʳ de Médicis*, 1518 (Musée des Offices, Florence), d'*Alexandre de Médicis* vers 1525 (Lucques) et du *Graveur de pierres fines* (Musée du Louvre, Paris). Il s'applique particulièrement à peindre les mains de ses modèles. Il a également exécuté des cartons pour les tapisseries retraçant l'*Histoire de Joseph* (1545-1549), thème qu'il avait déjà traité dans sa jeunesse, à Florence, en 1515 (National Gallery, Londres).

Pourbus, Pieter
1523/24-1584
(Gouda/Bruges)

On ignore tout de la formation de Pourbus. On sait par contre qu'il vient, vers l'âge de seize, dix-sept ans se fixer à Bruges. Franc-maître à la guilde des peintres dès 1543, il épouse vers 1544 une des filles de Lancelot Blondeel. Décorateur, cartographe et géomètre, il est aussi un peintre très fécond. Il s'impose avec le *Jugement Dernier*, 1551 (Musée Groeninge, Bruges), inspiré de Michel-Ange, tandis que son *Annonciation*, 1552, (musées communaux, Gouda) atteste qu'il est un peintre de la Renaissance. Dès les années 1550 et jusqu'à la fin de sa vie, il portraiture la bourgeoisie locale. Son *portrait de Van der Gheenste*, 1583 (Musées royaux des Beaux-Arts, Bruxelles), par son style vigoureux, figure certainement parmi les plus beaux. En même temps, il exécute des cartes pour le franc de Bruges, parallèlement à divers autres travaux, notamment des tableaux religieux. Son fils Frans, dit l'Aîné (1545-1581) et son petit-fils Frans II,

dit le Jeune (1569-1622) seront peintres également.

Primatice,
Francesco Primaticcio, *dit* **Le**
1504-1570
(Bologne/Paris)

Le Primatice, à la fois peintre sculpteur et architecte, est l'un des artistes les plus représentatifs du maniérisme. Elève de Giulio Romano, il travaille avec lui à la décoration du Palais du Té et du Palais ducal à Mantoue. Son style affectionne les formes antiques qui deviennent sous son pinceau élégantes et voluptueuses. Tirant tous ses thèmes de la mythologie, il y trouve prétexte à digressions galantes dont la femme reste le motif central et principal. En 1531, appelé par François 1ᵉʳ, il part seconder le Rosso à Chambord et à Fontainebleau. A la mort de ce

Pontormo.
Déposition de la Croix.
Eglise Santa Felicita, Florence.

dernier en 1540, le Primatice prend sa succession. Il est alors nommé peintre de la cour et commissaire général des bâtiments.

En France, le Primatice s'éloigne du maniérisme italien, un peu fébrile, et il fait sienne une peinture plus mesurée, plus sereine, plus fluide. Il devient ainsi le véritable fondateur de l'école de Fontainebleau. C'est grâce à lui que la Renaissance se développe très rapidement en France. Il est chargé par le Roi d'effectuer à plusieurs reprises des voyages en Italie pour y ramener tableaux, statues et bustes antiques.

Ses œuvres majeures sont la Galerie d'Ulysse, aujourd'hui détruite, réalisée à Fontainebleau entre 1540 et 1570, que Poussin alla étudier, et la Salle de Bal, réalisée entre 1551 et 1556.

Le Primatice a exécuté également des cartons de tapisseries, de nombreux dessins sur des thèmes antiques, ainsi que des tableaux : *La Continence de Scipion* (Musée du Louvre, Paris), *Ulysse et Pénélope* (Museum of Art, Toledo), qui introduit en France le nu antique, le drapé et la profondeur spatiale. Vers 1563, il consacre ses dernières années aux sculptures de la Rotonde des Valois à Saint-Denis.

Raphaël,
Rafaello Santi ou Sanzio *dit*
1483-1520
(Urbino/Rome)

Raphaël naît un Vendredi saint à Urbino, petite ville pittoresque, située dans les montagnes entre Pesaro et Pérouse, chef-lieu d'un duché qui fait partie des Etats de l'Eglise. Son père, Giovanni Sanzio, peintre médiocre, le fait d'abord travailler avec lui, puis, avant 1500, le place chez le Pérugin. Raphaël s'assimile rapidement à la manière de son maître. Ses progrès sont si rapides qu'à dix-sept ans il a déjà signé plusieurs morceaux comme l'allégorie de *La Force*, pour le Cambio de Pérouse, deux *Pala* pour Città di Castello, faites en collaboration avec di Meloto, un ancien élève de son père. Livré bientôt à lui-même, il peint

Raphaël.
Saint Georges, 1504.
National Gallery of Art, Washington.

le *Mariage de la Vierge*, signé et daté de 1504 (Pinacothèque de Brera, Milan), ce fameux *Sposalizio* où l'âme tendre, généreuse, pleine de grâce du jeune peintre, commence à se faire jour à travers le profond respect qu'il professe encore pour les préceptes de son maître, et qui, à lui seul aurait suffi pour le faire se placer à la tête des plus grands peintres. A peine âgé de vingt ans, il est chargé, conjointement avec le Pinturicchio, autre élève du Pérugin, des peintures à fresque de la cathédrale de Sienne, commandées par le cardinal Piccolomini. C'est Raphaël qui exécute les esquisses et les cartons de ces fresques.

Après s'être trempé à Pérouse dans la source de l'art naïf et religieux du Moyen Âge, Raphaël part pour Florence (1504), où l'attire la grande renommée de Michel-Ange et de Vinci. Les nombreux tableaux qu'il exécute pour les riches citoyens de Florence conservent néanmoins l'empreinte des leçons et des exemples du Pérugin. On y remarque encore la sobriété presque nue de la composition, la clarté des tons, l'exactitude un peu sèche du dessin, la douceur de l'expression. C'est ce que l'on appelle la première manière de Raphaël. Le tableau de la Vierge, connu sous le nom de la *Belle Jardinière*, 1507 (Musée du Louvre, Paris), est un des chefs-d'œuvre de cette manière.

Fortifié par l'étude des peintures de Masaccio et de celles de Fra Bartolomeo della Porta, qui l'aide de ses conseils en lui accordant son amitié, Raphaël accepte l'invitation de Bramante, l'architecte du pape Jules II, lui demandant de décorer au Vatican les vieux appartements de Nicolas V, les « Stanze » (ou Chambres).

Dans la Chambre de la Signature, entreprise en 1508 et terminée en 1511, il choisit de peindre à fresque quatre sujets abstraits : la Théologie, la Philosophie, la Poésie et la Justice. Il représente la Théologie par *La Dispute du Saint-Sacrement*, la Philosophie par

Raphaël.
Saint Georges luttant avec le dragon, 1504.
National Gallery of Art, Washington.

L'Ecole d'Athènes, la Poésie par *Le Parnasse*, la Justice par *Les Vertus*. La première de ces quatre grandes pages, *La Dispute du Saint-Sacrement*, nous offre le dernier et le plus bel effort de la manière de Raphaël à l'école pérugienne. Dans cette composition, il introduit les dégradés subtils et la disposition en pyramide des personnages dans les sujets de la Sainte Famille. Saint Jean-Baptiste, les apôtres, les évangélistes et les martyrs, sur des nuages, sont aux côtés de la Vierge et du Christ. Dieu le Père envoie l'Esprit-Saint sur une foule de bienheureux qui adoptent le sacrifice de la messe et se disputent au sujet de l'Eucharistie placée sur l'autel. Quatre enfants d'une grâce inimitable tiennent ouvert le livre des Evangiles, qu'expliquent, à l'aide des saintes Ecritures, les quatre docteurs de l'Eglise, éclairés par l'Esprit-Saint. Les saints, rangés circulairement dans la partie supérieure du tableau, se distinguent par l'harmonie de la couleur, des raccourcis et des ajustements. Les têtes ont une expression surhumaine ; celle du Christ surtout rayonne de la sainteté et de la clémence d'un Dieu. La Vierge, les mains posées sur le sein, contemple son fils dans l'extase d'un pur et ineffable amour. L'artiste a su imprimer aux saints patriarches le caractère solennel de l'Antiquité, aux apôtres celui de la simplicité, aux martyrs celui de la foi ; mais son talent et son génie brillent encore davantage dans ces docteurs cherchant la vérité, dont chaque geste est animé par le doute, l'inquiétude et la curiosité. En voyant cette composition, Jules II ordonne de détruire à coup de marteau les fresques des autres peintres qui ne sont autres que celles du Pérugin, de Signorelli, de Sodoma et de Bramantino.

A côté de *La Dispute du Saint-Sacrement*, Raphaël peint *L'Ecole d'Athènes*, qui offre le commencement de sa seconde manière. Raphaël abandonne tout à fait les types frêles, les dispositions timides, l'exécution minutieuse de l'école pérugienne, pour

Raphaël.
Saint Michel terrassant le dragon, 1518.
Musée du Louvre, Paris.

Attribué à Raphaël.
Résurrection du Christ.
Museum de Arte, Sao Paulo.

Raphaël.
Rencontre entre Léon le Grand et Attila.
Détail, 1514.
Chambre d'Héliodore, Vatican, Rome.

adopter cette allure savante et libre qu'affecte l'art nouveau de son siècle. Outre les qualités supérieures de composition, on ne saurait assez admirer, dans *L'Ecole d'Athènes*, le caractère profond de puissance intellectuelle imprimé sur les figures principales. Raphaël donne à chaque maître l'expression propre qui personnifie sa doctrine.

Pendant que Michel-Ange, occupé à la décoration de la Chapelle Sixtine, compose son *Jugement Dernier*, Bramante, qui, en sa qualité d'architecte, possède les clefs de la chapelle, l'ouvre à Raphaël en l'absence de Buonarroti, pour lui faire voir les travaux de son rival. Raphaël ne fait qu'entrevoir le *Jugement Dernier*, et se met aussitôt à faire son *Ecole d'Athènes*. Michel-Ange s'écrie aussitôt, furieux : « Il a vu ma composition ! ».

La renommée de Raphaël est alors grande. Agostino Chigi, riche marchand de Sienne, lui confie la décoration du palais de la Farnésine qu'il a fait construire sur les rives du Tibre, dans le Trastevere. Par son *Triomphe de Galatée* (dès 1511), qui sera suivi des scènes de l'*Histoire de Psyché* pour la loggia (dessins de Raphaël, exécutés par Giulio Romano et Penni), Raphaël montre tout ce qu'il doit à l'Antiquité. De cette époque datent les plus remarquables tableaux de Vierges jamais peints : *La Vierge à la chaise*, 1513-14 (Palais Pitti, Florence), *La Madone Sixtine*, 1513-1544 (Gemäldegalerie, Dresde). Poursuivant immédiatement ensuite en 1511 les Salles du Vatican, il entreprend la Chambre d'Héliodore qu'il achèvera en 1514 ; il y peint quatre fresques, *Héliodore chassé du temple*, la *Messe de Bolsène*, *La délivrance de saint Pierre* et *Léon I arrêtant Attila devant Rome*.

Pendant l'exécution de ces fresques, Léon X succède à Jules II. Il nomme Raphaël directeur des travaux du Vatican. C'est en cette qualité qu'il décore, en grande partie lui-même, la troisième « Stanza », « Chambre de l'Incendie » (juin 1514-1517). Sa réputation gagne la France et la Flandre. Dürer lui envoie son autoportrait peint à la gouache, sur une toile extrêmement fine. Emerveillé, Raphaël lui envoie en retour plusieurs dessins. La technique est si différente de celle inventée à Florence le siècle précédent par Tommasio Finiguerra qu'il encourage dans la pratique de ce procédé Marcantonio Raimondi de Bologne ; Marcantonio se perfectionne alors tellement dans cet art qu'il répand dès lors dans toute l'Europe des dessins que son maître réalise exprès pour lui, tel le célèbre *Jugement de Pâris*. Raphaël exécute ensuite pour le monastère des frères du Monte-Oliveto, à Palerme, un *Portement de Croix*, dans

Raphaël.
La Délivrance de saint Pierre, vers 1512.
Chambre d'Héliodore, Vatican, Rome.

lequel il s'élève au faîte de l'art par la vérité avec laquelle il peint les souffrances du Christ. Le vaisseau qui emporte le tableau à Palerme, lors d'une violente tempête, se brise contre un écueil ; tout périt, fret et équipage, à l'exception du tableau qui échappe au danger. Poussé par les flots sur la côte de Gênes, il est retrouvé indemne.

Après la mort de Bramante, en 1514, Raphaël lui succède dans sa charge d'architecte du Saint-Siège. En cette qualité, il fait construire la cour du Vatican, qu'on appelle la « Cour des Loges » ; après en avoir garni le pourtour de galeries, il entreprend de les décorer. On vient de découvrir les Thermes de Titus. Raphaël, pris d'une passion pour les arts retrouvés des Anciens, désire s'en inspirer dans les Loges du Vatican ; il réunit bientôt à

son titre d'architecte celui de directeur en chef des antiquités. Léon X le charge de présider aux fouilles faites dans Rome.

Mais, convaincu que l'art romain n'est qu'une imitation de l'art grec, il veut remonter aux sources et envoie dans toute l'Italie méridionale, à Pouzzoles, et jusqu'en Grèce, des dessinateurs chargés de recueillir pour lui dessins et fragments pour illustrer les cinquante-deux scènes de l'Ancien et du Nouveau Testament qui occupent le plafond des Loges.

Raphaël, alors parvenu à l'apogée de son talent, entreprend la grande salle du Vatican, où se trouvent les *Victoires de Constantin*, qui sont le premier ouvrage de sa troisième manière ou de son genre grandiose.

Puis il dessine et colorie les célèbres cartons destinés à servir de modèles aux riches tapisseries tissées d'or et de soie que Léon X veut faire fabriquer en Flandre pour sa chapelle.

Le peintre d'Urbino ne se borne pas à envoyer son travail aux manufactures flamandes ; il leur donne aussi Van Orlay de Bruxelles et Coxis de Malines, ses élèves, pour surveiller l'exécution des tapisseries pontificales. Ces cartons se trouvent à Londres, au Victoria and Albert Museum et à Rome, au Vatican.

Raphaël exécute ensuite, pour le cardinal Jules de Médicis, son fameux tableau de la *Transfiguration du Christ*, 1518-1520, (Pinacothèque vaticane, Rome).

Dans le choix de contrastes plus forts par l'application de la peinture et des couleurs audacieuses et par le choix des mouvements, Raphaël abandonne la composition de la Haute Renaissance pour ouvrir la voie au maniérisme.

Il a à peine terminé cette œuvre qu'il meurt un Vendredi saint qui aura été aussi le jour de sa naissance.

Sebastiano del Piombo
Sebastiano Luciani, *dit*
vers 1485-1547
(Venise/Rome)

Certaines des toiles attribuées à Giorgione lui ont été restituées, telles que la pala de *Saint Jean Chrysostome*. Del Piombo est l'élève et l'ami de Giorgione. En 1511, il est appelé à Rome par le banquier Agostino Chigi, qui le charge, en connivence avec Raphaël, de décorer son palais.

Lorsque Titien visite à Rome les Chambres de Raphaël, chargé d'y restaurer certaines parties dégradées, il est accompagné de Sebastiano, qui trouve les retouches malheureuses, et comme il en ignore l'auteur, s'écrie : « Quel est donc l'ignorant assez présomptueux pour avoir touché à cela ? »

Le Tintoret.
Concert de nymphes, vers 1570.
Gemäldegalerie, Dresde.

C'est alors, dit Dolce avec un jeu de mots, que Sebastiano devient « del Piombo », c'est-à-dire « de plomb ». Il est cependant plus vraisemblable que ce surnom lui soit venu de la charge de chancelier du Plomb, qu'il exerce à Rome.

A cette époque, les partisans de Raphaël et ceux de Michel-Ange se font une guerre implacable et tâchent d'attirer dans leur camp les artistes célèbres : tout d'abord ami de Raphaël dont il adopte la technique, Sebastiano se déclare en 1516/17 pour Michel-Ange et ce dernier, flatté, l'aide de ses conseils et de ses dessins. Cette rencontre provoque un bouleversement de son style. Il tente une synthèse de l'art énergique du Florentin et de sa culture vénitienne. Les meilleurs exemples en sont la *Flagellation* de San Pietro in Montorio, Rome, et la *Résurrection de Lazare* exécutée en 1517-19 (National Gallery, Londres), sous la direction de Michel-Ange. Ce tableau a été tout d'abord donné à la cathédrale de Narbonne, en dédommagement de la *Transfiguration* de Raphaël, œuvre qui lui était destinée, mais restée à Rome. Les chanoines, manquant de fonds pour réparer leur église, le vendirent au duc d'Orléans, et il fit partie de la galerie du Palais Royal jusqu'en 1791. Il est actuellement au musée de Londres.

Del Piombo est aussi un admirable portraitiste qui, dans cet art, s'inspire de Raphaël. Dans les années 1530, il est l'un des portraitistes les plus demandés à Rome. Il peint le portrait de *Clément VII et le secrétaire Carnesecchi*, 1526 (Musée de Capodimonte, Parme), celui de *La Jeune Romaine ou « Dorothée »* vers 1512 (Museo de Castelvecchio, Vérone), et encore celui d'*Andrea Doria* (Galerie Doria-

Le Tintoret.
Jésus et la femme adultère.
Ancien Palais Barberini, Rome.

Pamphili, Rome). Cependant c'est à son talent de coloriste qu'il doit sa place parmi les grands maîtres de l'école vénitienne.

Tintoret, Jacopo Robusti, *dit* le
1518-1594
(né et mort à Venise)

C'est de la profession de son père teinturier que lui est venu le surnom de « Tintoretto ». Probablement placé dans l'atelier de Titien, il se montre aussi attentif aux travaux des maniéristes, surtout à ceux du Parmesan et de Salviati. Il y joint bientôt l'étude des productions de l'Antiquité et des sculptures de Michel-Ange, dont il s'est procuré les plâtres. Persuadé que l'examen attentif du mouvement des muscles et de la charpente du corps humain est la base de toute bonne

peinture, il va étudier l'anatomie jusqu'à la morgue. Il modèle maquettes ou figures de cire qu'il place, après les avoir habillées, dans de petites chambres de planches ou de carton, aux fenêtres desquelles il adapte de petites lampes, afin de mieux connaître la distribution des ombres et de la lumière. D'autres fois, il suspend ces mêmes modèles au plafond avec un fil, leur donne toutes sortes de positions, et les dessine de différents points de vue, afin d'acquérir la science des raccourcis. Pour obtenir des commandes de la ville, le Tintoret imagine d'offrir ses services en ne demandant que le remboursement de ses avances matérielles. C'est ainsi qu'en 1545 il exécute *Apollon Marsyas* (Wasdworth, Atheneum Hartford) et *Mercure et Argus* (détruit), qui sont des peintures de plafond commandées par l'Aretin. L'année suivante, il exécute des fresques pour l'Arsenal. Les premiers travaux datés qui lui assurent ses premiers succès sont réalisés pour San

Marcuola de Venise, *La Cène*, 1547, et *Le Miracle de l'esclave*, 1548, pour la Scuola di San Marco (Accademia, Venise), qui déjà abandonnent les conceptions picturales de la Renaissance, les audacieux raccourcis, et les poses théâtrales des acteurs, saisis dans une lumière spectrale. Doué d'une très grande facilité d'exécution que seconde merveilleusement la vivacité de son imagination, il exécute en même temps un grand nombre de tableaux. Si le *Concert de dames en plein air*, peint en 1544-1545 (Museo di Castelvecchio, Vérone), témoigne encore de l'influence de son premier maître, Titien, *Suzanne et les vieillards*, vers 1550, (Musée du Louvre, Paris) ou la *Présentation de la Vierge au Temple*, vers 1552, (Eglise Madonna dell'Orto, Venise) donnent une nouvelle orientation à la peinture du Cinquecento. Autant par le dessin que par la composition agencée en grandes diagonales et par son coloris devenu sombre, il pousse plus loin l'interprétation de l'espace et du mouvement et trouve les effets les plus inattendus de clair-obscur.

Cependant, l'un de ses chefs-d'œuvre les plus importants, voire même de l'histoire de l'art tout entière, est l'ensemble des cinquante-six fresques réalisées en 1564 pour la Scuola di San Rocco, sur lesquelles il travaillera vingt-trois ans.

Les religieux de Saint-Roch, voulant faire orner de peintures la salle de leur couvent destinée à recevoir les étrangers, ouvrent un concours entre les plus célèbres peintres de Venise, au nombre desquels se trouve le Tintoret. Tandis que ses rivaux s'occupent de leurs compositions, le Tintoret, ayant obtenu secrètement la mesure de l'espace qu'il s'agit de remplir, fait un tableau dans lequel il représente saint Roch reçu par le Père éternel, et entouré d'anges qui portent les insignes de son pèlerinage. Son ouvrage achevé, il trouve le moyen de le faire mettre en place, toujours à l'insu des religieux. Le jour indiqué pour le jugement du concours, Paul Véronèse, le Schiavone, Salviati et Zuccari apportent leur esquisses. Quand on demande au Tintoret de produire la sienne, pour toute réponse il fait découvrir son tableau, disant que lors même qu'il n'obtiendrait pas la palme, il s'estimerait heureux d'en faire cadeau à saint Roch.

Moyennant une pension annuelle de deux cents ducas, les moines l'engagent à compléter la décoration du couvent.

Sur deux étages, le Tintoret représente l'histoire sainte. Les premières peintures datent des années 1560, comme la *Crucifixion*, 1565, *Jésus montant au Calvaire*, 1566-1567, *Le Christ devant Pilate*, 1566-1567. La majeure partie a été exécutée entre 1577-1585. Ces compositions religieuses ne sont pas des tragédies solennelles à la manière de Titien, mais de véritables mélodrames. La composition, le rendu étrange de la lumière en font des représentants quasi visionnaires.

Outre ces tableaux, le Tintoret exécute un grand nombre de portraits, tous dans la plus pure tradition vénitienne. Aux belles mises en page construites par Titien s'ajoutent plus d'éclat et plus d'intimité. Parmi ceux-là, le

portrait d'*Henri III* qu'il peint lors de son passage à Venise et qui désire le nommer chevalier, honneur que le Tintoret refuse. Son *Autoportrait*, peint vers 1588, est sans doute le plus achevé.

En 1579-1580, il est appelé à Mantoue où le duc lui commande huit portraits illustrant la famille Gonzague. Capricieux et mobile, il n'est pas toujours égal à lui-même, et il emploie tour à tour, avec la même indifférence, ce que les Vénitiens appellent son pinceau d'or, son pinceau d'argent et son pinceau de fer.

Parallèlement à l'exécution de San Rocco, le Tintoret réalise des travaux pour la Libreria Vecchia.

L'incendie de 1577 qui détruisit dans la salle du Grand Conseil du Palais des Doges les œuvres de Gentile da Fabiano et des frères Bellini, un an après la mort de Titien, offre une occasion au Tintoret de peindre des chefs-d'œuvre. En 1588, il couvre une paroi de la salle avec un *Paradis* de deux cents mètres carrés, contenant plus de figures que Michel-Ange n'en avait reproduit, dans la Chapelle Sixtine. Dans ces travaux, le Tintoret se fait aider de Véronèse. Il peint également dans la salle du Scrutin *La Bataille de Zara*.

Il meurt à l'âge de quatre-vingt-deux ans, sans avoir presque jamais quitté Venise. Sa dépouille est portée dans l'église de Madonna dell'Orto à Venise qu'il s'est plu à décorer. Il est l'un des plus grands initiateurs, voire le créateur même de l'art baroque.

Titien, Tiziano Vecellio
dit
vers 1485-1576
(Pieve di Cadore, Vénétie/Venise)

Titien naît dans une des plus anciennes familles de la République de Venise. Placé sous la férule d'un instituteur de village, il se sent bientôt entraîné vers les arts. Ses parents, ne voulant pas contrarier sa vocation, le placent à Venise dans l'atelier de Zuccato puis de Gentile Bellini qui lui fait découvrir les gravures de Dürer. Ses sculptures sur bois réalisées à partir de 1508, telles que sa *Vierge* (Kunsthistorisches Museum, Vienne) témoignent de son influence.

Titien s'éloigne bientôt de Bellini pour se rapprocher de Giorgione, qui se fait remarquer par un dessin plus correct et par l'éclat de son coloris. Il sait alors si bien assimiler la manière de ce grand peintre que leur production se confond souvent. En 1508, ensemble, ils embellissent l'extérieur du nouveau Fondaco dei Tedeschi, dont il ne reste aujourd'hui que quelques fragments (Accademia, Venise).

Leur œuvre commune la plus célèbre est réalisée en 1508, *La Vénus endormie* (Gemäldegalerie, Dresde), dans laquelle on trouve déjà l'une des caractéristiques de la manière de Titien ; l'installation harmonieuse de personnages au sein d'un paysage imaginaire sans architecture. Titien complète également la figure féminine du *Concert champêtre* (Musée du Louvre, Paris).

Appelé successivement à Vicence et à Padoue, il exécute en 1511 plusieurs ouvrages laissés inachevés par le Giorgione, dont trois fresques exécutées pour la Scuola del Santo représentant la vie de saint Antoine. Revenu à Venise, il entreprend les peintures commencées par Giovanni Bellini qu'il mettra dix ans à compléter dans la salle du Grand Conseil au Palais des Doges. Satisfait de l'ébauche du tableau de son prédécesseur représentant l'empereur Barberousse aux pieds de son fier ennemi Alexandre III, il recommence l'ouvrage et en accroît l'intérêt en mettant en scène plusieurs des personnages les plus marquants de son temps. Cet ouvrage, qui périt dans un incendie, vaut à son auteur le titre de courtier de la Chambre des Allemands, titre auquel est attaché le privilège de peindre chaque nouveau doge pour le prix convenu de huit écus.

En 1512, il peint les *Trois Ages de la Vie* (National Gallery of Scotland, Edimbourg) dans lequel éclate son talent de coloriste.

Titien s'occupe ensuite de la composition d'un tableau pour l'église Santa Maria Gloriosa dei Frari, à Venise, l'*Assomption*, 1516-1518, qui est probablement l'œuvre la plus importante

Le Titien.
L'Offrande à la déesse des amours, 1523.
Musée du Prado, Madrid.

de sa première période. Les apôtres y sont des géants et la Vierge, levant les bras au ciel, le visage illuminé, est la plus belle et la plus vivante. Ses figures, plus grandes que nature, choquent d'abord l'œil timide des spectateurs, habitués aux formes exiguës de Bellini ; mais, une fois la première impression passée, le public revient en foule admirer ce chef-d'œuvre qui place Titien à la tête de l'école vénitienne.

Vers 1516, Titien est appelé à la cour d'Alphonse d'Este, duc de Ferrare. Chargé de la décoration d'un cabinet du palais de Castello, il peint les *Bacchanales* (Musée du Prado, Madrid) dont une a été commencée par Giovanni Bellini et qu'Augustin Carrache proclame le premier tableau du monde. Il peint à Ferrare toute une série de scènes mythologiques directement inspirées de ses études sur l'Antiquité : *L'Offrande à Vénus*, 1518 (Musée du Prado, Madrid), *Bacchus et Ariane*, 1523 (National Gallery, Londres). Comme il l'avait déjà fait en 1515 dans

177

Le Titien.
Vénus, Cupidon et organiste, vers 1550.
Musée du Prado, Madrid.

L'Amour sacré et L'Amour profane (Galerie Borghèse, Rome), Titien partage son travail entre l'art profane et l'art religieux. Plus tard, lorsqu'il peindra pour le duc d'Urbino *La Vénus au petit chien*, 1538 (Musée des Offices, Florence), son œuvre profane la plus célèbre, il réalisera conjointement la *Madeleine* (Palais Pitti, Florence).
Pendant son séjour à Ferrare, Titien a l'occasion de connaître le poète l'Arioste. C'est de cette époque que commence l'étroite intimité de ces deux hommes, si bien faits pour se comprendre, et devenus immortels l'un par l'autre : Titien, pour avoir été chanté dans le *Roland furieux* ; l'Arioste, pour avoir été peint par Titien (Palais Pitti, Florence).

Menant ces travaux de pair avec les commandes pour les églises vénitiennes, il réalise de 1519 à 1526, le *Retable de la Madone des Pesaro*, famille fondatrice de l'église des Frari, dans lequel la composition avec la Vierge décentrée est tout à fait novatrice, et le superbe retable de *Saint Pierre Martyr*, peint en 1530 pour San Zanipolo détruit en 1867, dans lequel éclatent toute la vigueur et toute la magie de son style.
La renommée de Titien se répand bientôt dans toute l'Italie. François Ier lui commande un portrait réalisé en 1538, d'après une médaille de Cellini, et qui achève d'asseoir sa réputation (Musée du Louvre, Paris).
Mais si la gloire de Titien augmente de jour en jour, sa fortune ne suit pas la même progression. Il vit d'une manière tout à fait précaire, lorsque l'Arétin, son ami, le fait connaître au

cardinal Hippolyte de Médicis dont il fait le portrait en 1532 (Palais Pitti, Florence). C'est sur la recommandation de ce prélat qu'en 1529 il est appelé à Bologne pour peindre Charles Quint, venu se faire sacrer dans cette ville. Titien peindra plusieurs portraits du monarque : *Charles Quint et son chien*, 1532-33 (Musée du Prado, Madrid), ou encore *Charles Quint assis*, 1548 (Alte Pinakothek, Munich).
A l'exemple de l'empereur, tous les personnages de sa suite, princes, cardinaux, dames de qualité, demandent à être peints. Parmi les portraits les plus remarquables figurent celui d'*Antoine de Lève* et celui de *Don Alphonse d'Avalos, marquis de Guast*, qui accorde à Titien une pension viagère. Véritable fondateur du portrait moderne, il ne cherche pas à idéaliser ses modèles. En 1538, il peint pour les

Della Rovere, la *Vénus d'Urbino*, (Musée des Offices, Florence), toile entièrement profane du nu féminin, et la *Vénus du Pardo*, 1540 (Musée du Louvre, Paris), dont la composition se montre tout à fait inventive, en inversant le rapport habituel entre la figure principale et les arrière-plans.

Après le départ de Charles Quint, Titien retourne à Venise, où il continue de travailler jusqu'en 1543, époque à laquelle il fait le portrait de *Paul III* (Musée de Capodimonte, Naples), pendant le séjour du pape à Ferrare. En 1546, il exécute un deuxième tableau du pape, cette fois, un tableau de groupe, *Le Pape Paul III et ses neveux Alessandro et Ottavio Farnèse* (ibid.), dans lequel le peintre n'hésite pas à prendre ses modèles sans les attributs dûs à leur rang et à les saisir dans leur psychologie.

Le Titien.
Allégorie des trois âges de la vie, vers 1512.
National Gallery of Scotland, Edimbourg.

En même temps, il exécute, pour le compte du duc Ottavio Farnèse, un vrai chef-d'œuvre dans l'art du clair-obscur et dans l'harmonie parfaite des demi-tons, *Danaë*, 1545-1546 (Musée Capodimonte, Naples), dont Titien fera une deuxième version en 1553-54 (Musée du Prado, Madrid).

Dans cette dernière période, à partir de 1540, Titien déploie au maximum ses forces d'invention et ses facultés créatrices, prépare ainsi l'avènement des conceptions classiques et l'apport inédit des doctrines baroques. A plus de quatre-vingts ans, il jette sur la toile *Le Christ couronné d'épines*, 1570-76 (Alte Pinakothek, Munich) et la *Pietà* (Accademia, Venise), peints avec fougue et avec un sens aigu de l'action dramatique. La précision du dessin, le jeu désordonné, bien que savamment réglé, de l'ombre et de la lumière, les coloris assourdis où dominent pourtant les bleus opalescents et les jaunes dorés, donnent à ces toiles une beauté pathétique et poignante qui leur est particulière.

A son retour d'Allemagne où il a été appelé par Charles Quint, Titien est admis au Sénat pour y rendre compte de son voyage, distinction honorable qui ne s'accorde ordinairement qu'aux ambassadeurs. On le prie en même temps de concourir aux embellissements de la salle du Grand Conseil ; mais surchargé de travail, il se fait remplacer par le Tintoret, par Paul Véronèse, et par Horace, son second fils qui cultive la peinture avec assez de succès. Ne songeant désormais qu'à mériter la faveur du nouveau chef de la monarchie espagnole, il consacre ses dernières années à satisfaire l'esprit sombre et inquiet de Philippe II. Il peint successivement pour ce prince *Diane et Actéon, Andromède et Persée, Médée et Jason, Pan et Syrinx, Vénus et Adonis*, qui sont plutôt des poèmes que des tableaux.

Les dernières années du peintre sont éprouvantes. Après avoir vu mourir tour à tour son vieil ami l'Aretin et son bienfaiteur Charles Quint, il a encore à déplorer les écarts de son fils Pomponio.

Il travaille encore, lorsque la peste qui exerce ses ravages sur Venise l'emporte à l'âge de quatre-vingt-dix-neuf ans. Sa mort est un deuil public. Le Sénat, dérogeant à un règlement très sévère qui ordonne la destruction des cadavres pestiférés, permet que les restes de ce chef de l'école vénitienne soient déposés, avec tous les honneurs funèbres, dans l'église des Frari. Toutes les grandeurs, toutes les célébrités de la République assistent à son convoi. Il laisse deux *Autoportraits*, l'un fait de pourpre et d'or, vers 1562 (Staatliche Museen, Berlin), l'autre, sombre et introverti, vers 1567 (Musée du Prado, Madrid).

Véronèse.
La Cène.
Pinacothèque de Brera, Milan.

Véronèse, Paolo Caliari
dit Paul
1528-1588
(Vérone/Venise)

La postérité a laissé à Paolo Caliari le nom de sa ville natale, Vérone. Son père, Gabriele di Piero, sculpteur, désire lui enseigner son art, mais voyant les dispositions de son fils pour le dessin, il le confie aux soins de son oncle, Antonio Badile. A Vérone, où il reste jusqu'à l'âge de vingt-huit ans, il apprend à la fois la peinture, avec des imitateurs de Titien, la sculpture avec des disciples de Sansovino, et l'architecture avec les œuvres mêmes de Sanmicheli qui vulgarise en Italie du Nord le classicisme romain. Ces différentes écoles font de lui l'un des artistes les plus savants du XVIᵉ siècle. Ses premières œuvres sont plutôt simples, bien que sincères et solidement

construites. L'influence du maniérisme du Parmesan et du Primatice est notoire. Cependant, l'éclat des chairs, l'harmonie du coloris et l'élégance des ensembles donnent déjà mieux qu'un avant-goût de ce que seront ses chefs-d'œuvre. A preuve, la *Tentation de saint Antoine*, 1552 (Musée de Caen), qu'il exécute pour la cathédrale de Mantoue, commandée par le cardinal Hercule de Gonzague. Le prélat lui propose ensuite d'autres travaux, mais le désir de voyager est plus fort. Il visite tour à tour Sienne, Vicence et la petite ville de Fanzolo où il peint plusieurs fresques conjointement avec Bastita del Moro, élève du Tintoret. Dès 1553, il s'établit à Venise. Il y décore les plafonds de trois salles du Conseil des Dix au Palais des Doges. Les contrastes de couleurs claires, les nouveaux effets de perspective, les

Véronèse.
Les Noces de Cana.
Musée du Louvre, Paris.

références gréco-romaines marquent l'entrée du maniérisme à Venise.

En 1555, il jette les bases de son style, en décorant, seul, le plafond de la sacristie de l'église San Sebastiano. Il y réalise, avec un effet monumental de trompe-l'œil, le *Couronnement de la Vierge.*

L'année suivante, on lui commande un cycle de la *Vie d'Esther* pour la grande nef, œuvre terminée la même année, *Le Triomphe de Mardochée,* 1556, et *La Vie de saint Sébastien,* 1588. Le succès arrive pour lui.

Après avoir orné la Libreria de San Marco de plusieurs ouvrages de trois médaillons : *L'Honneur, L'Arithmé-tique et la Géométrie, La Musique,* 1556-1557, pour lesquels il obtient la médaille d'or des procurateurs de Saint-Marc, il part à Rome avec Giro-lamo Grimani, ambassadeur de la République de Venise auprès du Saint-Siège, pour y découvrir l'œuvre de

Véronèse.
La Dialectique ou l'Industrie, 1575-1577.
Palais ducal, Venise.

Michel-Ange et de Raphaël. A son retour, les commandes affluent. Il entreprend pour le couvent des Bénédictins de San Nazzaro e Celso *Le Repas chez Simon* (Galerie Sabauda, Turin), s'attaquant ainsi à l'un des sujets traités par son rival, le Tintoret. Mais, contrairement au Tintoret, Véronèse, même dans ses scènes religieuses, n'a jamais cherché à exprimer des idées abstraites pas plus que des sentiments dramatiques. Il ne connaît ni la souffrance, ni la douleur. Quel que soit le sujet traité, il célèbre la volupté et la vie. Ce qui frappe, c'est la splendeur des coloris faits d'oppo-sitions de tonalités chaudes et froides. Il peint en 1562 avec Orazio Uccellio, le fils de Titien, la salle du Conseil et réalise surtout la même année, pour le réfectoire des moines de San Giorgio Maggiore, *Les Noces de Cana* (Musée du Louvre, Paris), dans lesquelles on compte plus de cent trente figures. Ce tableau est peint à l'heure de la magnificence de Venise, alors que sur les quais accostent les navires de toutes les nations commerçantes, turques, africaines, asiatiques. S'abandonnant à la description et à la fidélité de ce qu'il voit, Véronèse ajuste ses personnages à la mode de son siècle, sans aucune préoccupation d'ordre anachronique. C'est ainsi que, dans *Les Noces de Cana*, il introduit, à côté de Jésus-Christ, de la Vierge et des Apôtres, les portraits des princes, des poètes, des musiciens du seizième siècle, en affublant ces personnages de vêtements empruntés à tous les pays. Véronèse peint encore en 1573 pour les Dominicains de San Zanipolo une autre variation sur le thème de la Cène : *Le Repas chez Lévi* (Accademia, Venise).

La magnificence et la joie profane qui s'étalent autour du Christ insignifiant semblent si insolentes que le tribunal du Saint-Office relève le défi. Véronèse

Martin de Vos.
Méléagre et Atalante chassant le sanglier de Calydon.
Collection particulière.

comparaît devant l'Inquisition, le 18 juillet 1573, et reçoit une réprimande pour avoir fait figurer dans le festin chez Lévi des bouffons, des chiens et des hallebardiers allemands. Il convient aussi de mentionner, parmi les œuvres de Véronèse, le tableau des *Pèlerins d'Emmaüs* qui a décoré pendant si longtemps le salon d'Hercule à Versailles.

Avec des éléments pris au maniérisme, son style annonce non seulement le baroque mais il prépare aussi Tiepolo et le XVIIIe siècle des fêtes galantes. *Le Triomphe de Venise*, immense composition couvrant le plafond de la salle du Grand Conseil, au Palais des Doges, inspirera les plus grands décorateurs des générations suivantes. Il a de même créé un type de femme dans les scènes bibliques et les allégories qu'il a composées, telles *Suzanne et les vieillards* (Musée du Louvre, Paris), *Vénus et Adonis*, 1580 (Musée du Prado, Madrid).

Une fièvre aiguë l'emporte le jour de Pâques 1588. Il laisse deux fils et un frère nommé Beneditto qui, tous trois, cultivent la peinture avec moins de talent.

Vos, Maerten de
1532-1603
(né et mort à Anvers)

Maerten de Vos fait son apprentissage dans sa ville natale, Anvers, avec Frans Floris. Puis il effectue un voyage en Italie, à Rome et à Venise où il assiste le Tintoret. Il peint alors beaucoup de paysages sous l'influence de son maître et reçoit de nombreuses commandes, dont des portraits réalisés pour la famille des Médicis. Rentré en 1558 à Anvers, il est reçu dans la confrérie des peintres de la ville. De nombreux tableaux pour les églises d'Anvers et des Pays-Bas lui sont commandés, la plupart détruits par les Guerres de Religion. Un des derniers italianisants, il affectionne un style maniériste. Ses portraits constituent le meilleur et le plus solide de son œuvre. De nombreuses gravures ont été tirées de ses tableaux.

Le XVIIᵉ SIÈCLE

ITALIE

Au début du XVIIᵉ siècle, l'Italie est encore considérée comme le centre privilégié des arts, et les artistes italiens, comme au plus beau temps de la Renaissance, sont recherchés dans toute l'Europe. Ainsi, lorsque Marie de Médicis, une Italienne pourtant, songe à confier à Rubens la direction du Luxembourg, Richelieu lui propose de préférence Josépin (1598-1680), ce représentant à Rome des derniers maniéristes, continuant l'œuvre de Vasari et de Zuccari. Plus tard, Louis XIV fera venir le Bernin pour compléter le Louvre. Doté d'une étonnante facilité et d'un certain sentiment décoratif, il exécute un grand nombre de statues dont les contorsions, les gestes déclamatoires, les draperies flottant à tout vent choquent le goût et la raison, mais lui apportent grand succès. Le nouveau style, le baroque, émerge en ce début de siècle, rompant avec le passé, en peinture comme en architecture et en sculpture, et trouve son achèvement en la personne du Vénitien Tiepolo, le dernier des décorateurs baroques.

En réalité, à la suite de la réforme catholique entreprise pour le Concile de Trente, il y a en Italie une véritable renaissance intellectuelle qui, pour les lettres, se caractérise par le Tasse et pour les arts, les Carrache. Deux grands partis dominent alors : les éclectiques veulent assimiler et combiner les qualités des grands maîtres du XVIᵉ siècle ; les naturalistes prétendent ne s'inspirer que de la réalité. L'école bolonaise, fondée par Ludovic Carrache (1555-1619) est le centre de l'éclectisme ; Annibal Carrache (1560-1609) en est le meilleur représentant, il est surtout connu pour sa décoration mythologique du palais Farnèse à Rome. Guido Reni (1575-1642) poursuit l'élégance, mais est souvent fade : l'*Aurore* (plafond du Palais Rospigliosi, Rome). Le Dominiquin (1581-1641), plus original et plus fort, ne manque ni d'élévation ni de sentiment, ainsi que le prouvent son tableau de la *Communion de saint Jérôme* au Vatican et ses fresques réalisées dans diverses églises de Rome et des environs. Albani (1578-1660) cherche la grâce, les sujets aimables qu'il emprunte surtout à la mythologie ; souvent, au milieu de paysages frais et ombreux, il place des figures nues de petites proportions, taches blanches qui s'enlèvent sur un fond plus sombre : *Toilette de Vénus*, *Vénus et Vulcain*, *Amours désarmés* (Musée du Louvre, Paris). L'influence de l'école bolonaise s'étend à toute l'Italie.

Dans l'autre camp, à la tête des naturalistes, se situe le Caravage (1573-1610), violent et brutal dans ses œuvres comme dans sa vie. Lorsqu'il traite des sujets religieux *Mort de la Vierge* (Musée du Louvre, Paris), il donne à ses figures un caractère trivial ; il préfère peindre des vagabonds et des aventuriers. Son coloris affecte les tons sombres et noirs. Son influence est surtout puissante à Rome et à Naples. Le naturalisme fait même des recrues dans l'école bolonaise comme le Guerchin (1591-1666). Entre les deux partis la lutte est ardente : le pauvre Dominiquin, persécuté toute sa vie, fut peut-être empoisonné par ses rivaux à Naples.

Malgré le puissant essor de ces deux courants à Rome, Barocci (vers 1535-1612) achève en 1612 sa longue carrière, toujours fidèle au Corrège. Giovanni Battista Salvi dit Sassoferroto (1605-1685) et Andrea Sacchi (vers 1598-1667) poursuivent l'œuvre de Raphaël dont se préoccupent peu Pietro da Cortona (1596-1669) et son rival Giovanni Lanfranco (1582-1647).

Venise également reste indifférente au mouvement des Carrache. Malgré Léandro Bassano (1557-1622) et Palma le Jeune (1544-1628), les peintres vénitiens ne s'affirment pas de grands novateurs.

Florence n'a plus à vrai dire, d'école. Au contraire, deux villes qui, jusque là, avaient peu participé à la gloire de la peinture italienne, Naples et Gênes, trouvent leurs meilleurs artistes.

A Gênes, il faut citer Bernardo Strozzi, dit il Capucino ou il Frate Genovese (1581-1644), dont le coloris brillant et harmonieux semble annoncer Murillo, et Castiglione (vers 1610-1665) qui peint de nombreux tableaux d'autel, mais se plaît surtout à représenter des animaux dans de grands paysages.

L'école napolitaine trouve son chef en la personne d'un peintre puissant, Ribera (1591-1652). Après lui, le Napolitain Salvator Rosa (1615-1673) compose des paysages pittoresques et sauvages où il introduit des brigands, des soldats, parfois de furieuses mêlées : *Bataille*, *Paysage des Abruzzes*, (Musée du Louvre, Paris).

Bien différent est Luca Giordano, dit Fa Presto (1634-1705), peintre-décorateur à l'Escurial et au Palais Riccardi, à Florence.

Attribué à del Moro.
Visite du Prince Sérénissime à Venise devant le Palais Ducal.

FLANDRE

Au commencement du XVIIᵉ siècle, la Flandre et la Hollande se séparent. Les Provinces du Nord, protestantes, conquièrent leur indépendance pour former un Etat nouveau. Le pays semble ruiné, mais la vitalité y est grande, les sources de richesse abondantes. Philippe II, en 1598, concède aux Pays-Bas un gouvernement particulier ; les archiducs Albert et Isabelle s'efforcent de réparer les maux du passé et tentent de se rendre populaires par leur modération. C'est donc comme un renouveau dans l'histoire de la Flandre ; la civilisation s'y épanouit, ample et féconde ; le goût du bien-être matériel, des joies franches, s'y marque fortement.

A cette période, un nom domine et résume presque à lui seul l'histoire artistique de la Flandre : Rubens (1577-1640), le chef illustre de l'école anversoise. Par bien des côtés,

il se rattache aux traditions de l'école nationale mais, selon la mode du temps, il a visité l'Italie et il y a même séjourné huit ans. Déjà se montre l'originalité de son tempérament ; ce sont les Vénitiens, les grands maîtres de la couleur, qu'il étudie de préférence. De retour à Anvers (1608), nommé peintre des archiducs, il se fixe définitivement dans son pays. Ainsi commence cette triomphante carrière pleine d'œuvres, pleine aussi de succès et d'honneurs, qui se prolonge pendant plus de trente années. Admiré, riche, heureux, vivant en prince, Rubens joue même un rôle politique ; Philippe IV le charge d'ambassades importantes : il est envoyé à Londres et négocie la paix entre l'Espagne et l'Angleterre (1630). Rubens est un Flamand qui aime les formes robustes et plantureuses ; volontiers, dans ses grandes compositions, il empruntera ses types aux mariniers du port d'Anvers ou aux servantes d'auberge. Pourtant ce n'est pas là son unique idéal ; il a peint bien des figures chez qui la force et la fraîcheur n'excluent pas la grâce, et souvent l'expression qu'il donne à ses personnages ne manque ni de sentiment ni de profondeur. Les belles œuvres religieuses de Rubens, si débordantes de vie, atteignent parfois à un haut degré de pathétique.

David Vinckboons.
Paysage boisé avec personnages.
Collection particulière, Paris.

Autour de Rubens se groupent de nombreux collaborateurs et disciples. Le plus illustre est Van Dyck (1599-1641). Au sortir de l'atelier du maître, il voyage en Italie (1621-1625) et devient grand portraitiste en étudiant Titien. Puis, après sept années passées en Flandre, il part pour l'Angleterre (1632) et s'y établit. Nommé par Charles Ier peintre ordinaire du roi et de la reine, il est l'artiste à la mode de la cour, et tout grand personnage tient à poser devant lui. Si dans ses œuvres on reconnaît l'élève de Rubens, cependant il n'a ni l'imagination ni la fougue du maître ; il est plus froid, d'une distinction plus correcte. Il a excellé en deux genres : le tableau religieux, la *Vierge aux Donateurs* (Musée du Louvre, Paris), le *Christ en croix* (Anvers) et le portrait, *Charles Ier* (Musée du Louvre, Paris), *Les Enfants de Charles Ier* (Berlin) etc. Au contraire, Jacob Jordaens (1593-1678), ami de Rubens, lui ressemble par sa verve. Bien qu'il ait abordé les sujets sacrés et historiques, il est surtout à l'aise quand il représente un intérieur flamand et qu'il groupe autour d'une table grassement servie de braves gens d'humeur joyeuse et de vaillante santé. Le Louvre possède en ce genre : *Le Roi boit, Concert de famille.*

Ecole flamande du XVIIe siècle.
Jésus chez Marthe et Marie.
Eglise Saint-Gervais, Paris.

Ces sujets, qui sentent le terroir, séduisent de plus en plus les artistes. David Téniers le Jeune (1610-1690) est le peintre de la vie flamande. Il se plaît aux paysanneries, aux lourdes joies des kermesses flamandes, aux beuveries et aux disputes de cabarets (plusieurs tableaux au Louvre, notamment l'*Enfant prodigue*).

Si les sujets ne sont pas nobles, le style est plein d'esprit et de finesse, le coloris d'une délicatesse de tons exquise. Louis XIV méprisait ces personnages populaires, qu'il appelait les « magots » de Téniers ; mais don Juan d'Autriche, gouverneur des Pays-Bas, lui demandait des leçons de peinture ; le roi d'Espagne, Philippe IV, faisait construire à l'Escurial une galerie destinée à ses tableaux. Bien d'autres seraient encore à citer, les descendants de Brueghel de Velours, Jan II le Jeune (1601-1678), son fils aîné, Brueghel le Napolitain (1631-1690), son petit-fils, l'animalier Snyders (1579-1657), le peintre de fleurs Seghers (vers 1589 - vers 1640), etc. Ceux-ci vivent en Flandre ; d'autres suivent l'exemple de Van Dyck et s'établissent à l'étranger : le portraitiste Frans Pourbus le Jeune (1569-1622) est successivement en Italie et en France ; à la cour d'Anne d'Autriche et de Louis XIV, travaillent Philippe de Champaigne, Van der Meulen. Pendant la plus grande partie du XVIIe siècle, l'école flamande est en pleine floraison ; puis tout à coup, elle sombre en même temps que faiblit la prospérité du pays. Dès la fin du siècle, la décadence est partout.

HOLLANDE

L'histoire de l'art connaît avec le XVIIe siècle hollandais, l'une de ses périodes les plus fécondes depuis le Quattrocento italien. L'école hollandaise se confond d'abord avec l'école flamande. Mais, après de terribles luttes, le pays obtient la reconnaissance de son indépendance. L'école hollandaise naît donc, au lendemain de l'armistice de 1609, consacrant la séparation des nouvelles Provinces-Unies protestantes d'avec les Pays-Bas espagnols.

Il semblerait qu'au milieu de ces troubles, les artistes auraient dû retracer leurs luttes nationales ; mais chose étrange, ils n'ont pratiquement jamais reproduit de grands faits historiques. Au contraire, familière et bourgeoise, ils se plaisent à représenter la vie quotidienne ou bien encore ils groupent dans des tableaux qui sont comme des galeries de portraits les magistrats des villes, les membres des confréries d'arquebusiers, des milices civiques. C'est que le protestantisme, qui triomphe en Hollande, modifie le grand art religieux, tandis que, d'autre part, les Hollandais, bien qu'ils aient fait preuve d'une énergie

héroïque, sont avant tout des gens paisibles et pratiques, attachés à leur ville, à leur maison, à leurs habitudes. Ils n'ont pas l'imagination dramatique, et la vraie poésie pour eux est celle du foyer. Vivre entouré de nombreux enfants, réunir quelques amis, faire de la musique, fumer de longues pipes, vider quelques pots de bière ou de vin, assister aux fêtes populaires, tels sont pour eux les meilleurs plaisirs. Les peintres s'inspirent de ces goûts, et ils font le portrait de la vie et de la nature hollandaises avec une sincérité pleine de bonhomie et de charme, tout ce qui constitue ce qu'on a nommé « tableau de genre ».

Les peintres de genre

Parmi les peintres de genre, Adriaen Brouwer (1605/06-1638) prend ses modèles au cabaret, et reproduit, sans les flatter mais avec un singulier talent, des gueux grossiers qui boivent, jouent et se battent. Chez ce peintre, qui a émigré des Flandres en Hollande, l'intérêt social s'allie déjà à l'attrait du dramatique.

Adriaen van Ostade (1610-1685), honnête père de famille comme en témoigne une toile du Louvre, *La Famille du peintre* où il s'est peint avec sa femme et ses huit enfants, prend, pour les scènes de ripailles, ses personnages parmi les paysans. Son frère Isaac a les mêmes goûts. Jan Steen (1626-1679), son élève, pénètre dans la société bourgeoise.

Ecole hollandaise.
La Cité et l'Ile Notre-Dame,
vues du quai de la Tournelle, vers 1645.
Musée Carnavalet, Paris.

Jan Vermeer.
L'Astronome.
Musée du Louvre, Paris.

En illustrant d'une manière ironique les proverbes néerlandais, il décrit l'équilibre fragile de la bienséance et de l'opulence bourgeoise. La composition de ses toiles dans lesquelles règne un grand désordre artistique illustre la cohérence entre réalisme et idées.

Gérard Ter Borch (1617-1681) est l'historiographe des mœurs de la bonne compagnie ; il excelle dans le genre qu'on a appelé les « Conversations », c'est-à-dire qu'il groupe deux ou trois personnages pour en faire un tableau : ici, une femme et deux seigneurs font de la musique ; là, un gentilhomme courtise une jeune dame. Il faut retenir de ces scènes la finesse du dessin et du coloris.

Gabriël Metsu (1629-1667) et Pieter de Hooch (1629-après 1684) se sont plu à représenter les logis bien propres et bien en ordre, et à introduire à travers les petits carreaux des fenêtres un rayon de lumière.

Le principal représentant de ce genre, évoquant le bien-être domestique, est Jan Vermeer de Delft (1632-1675) dont le raffinement a donné des chefs-d'œuvre.

Rembrandt

Au milieu des artistes qui l'entourent, Rembrandt (1606-1669) forme une exception par la puissance de son imagination. Ses contemporains parlent peu de lui et ne paraissent pas bien le comprendre : C'est un rêveur absorbé dans ses pensées. Les livres saints surtout le préoccupent. Il en tire de nombreux sujets, mais sans s'inquiéter des traditions, expliquant librement ses sentiments personnels. Il a laissé des tableaux fameux : *La Leçon d'anatomie*, 1632 (La Haye), *La Ronde de nuit*, 1642 (Amsterdam), les *Deux Philosophes*, 1633, *Les Pèlerins d'Emmaüs*, 1648, le *Bon Samaritain*, 1648 (Musée du Louvre, Paris), etc. Il a exécuté de nombreux portraits : portraits du bourgmestre Six, de sa femme Saskia, les *Syndics des Drapiers*, 1662 (Amsterdam). Dans toutes ces œuvres, il dégage avec force l'expression morale, le sentiment intime de chaque individu ; s'il s'agit d'une composition sacrée, il y introduit un élément de pathétique puissant et mystérieux. Mais comment le définir ? : « Si l'on cherche son idéal dans le monde supérieur des formes, on s'aperçoit qu'il n'y a vu que des beautés morales et des laideurs physiques. Si l'on cherche ses points d'appui dans le monde réel, on découvre qu'il en exclut tout ce qui sert aux autres, qu'il le connaît aussi bien, ne le regarde qu'à peu près, et que, s'il l'adapte à ses besoins, il ne s'y conforme presque jamais. Cependant il est plus naturel que personne, tout en étant moins terre à terre, plus trivial et tout aussi noble,

laid dans ses types, extraordinairement beau par le sens des physionomies. » (Fromentin). De même il est coloriste, mais ce n'est ni à la manière des Vénitiens, ni à celle des Flamands. Son originalité est de faire vivre la lumière, d'en tirer les effets les plus surprenants par la façon dont il la mêle ou l'oppose aux autres. Il est le maître, par excellence, du clair-obscur et des grands contrastes.

Tous ces caractères se retrouvent dans de nombreuses estampes. Il emploie l'eau-forte, c'est-à-dire le procédé qui permet l'exécution la plus rapide et qui, en même temps,

Rembrandt.
Aman rend les honneurs à Mardochée, vers 1665.
Musée de l'Ermitage, Saint-Pétersbourg.

Jan Abrahamsz Beerstraaten.
La Bataille navale de Ter Heyde.
Rijksmuseum, Amsterdam.

Claude de Jongh.
Vieux Pont de Londres, 1630.
Kenwood, Iveagh Bequest, English Heritage, Londres.

exprime le mieux toutes les nuances et les richesses de la coloration, tous les jeux de la lumière. Tout ensemble dramatique et familier, qu'il traite les sujets saints ou qu'il note les plus humbles aspects de la vie populaire, fait preuve d'une imagination et d'une habileté de main merveilleuses. Parmi les belles estampes de Rembrandt : l'*Ecce Homo*, le *Jésus guérissant les malades*, la *Résurrection de Lazare*, *Les Pèlerins d'Emmaüs*, *Le Docteur Faustus*, etc. Le minutieux Gérard Dou (1613-1675) sort de l'atelier de Rembrandt. C'est peut-être là qu'il a pris le goût du clair-obscur et des effets où la lumière se concentre pour éclater en un point déterminé.

L'Art du paysage

Presque tous les primitifs flamands et hollandais ont mis un peu de nature au fond de leurs tableaux religieux. Mais le paysage pur est né chez les Flamands. C'est par eux qu'il pénètre vers la fin du XVIᵉ siècle en Hollande où il ne tarde pas à s'implanter.

A première vue, la Hollande paraît un pays plat, monotone, sans grande poésie : une école de paysagistes s'y est pourtant développée. A force d'observer avec simplicité et franchise les aspects du sol, les jeux changeants de la lumière, les artistes ont atteint à une sincérité d'expression, à une diversité d'effets, qu'on ne retrouve nulle part à ce point.

Le rôle de Jan van Goyen (1596-1656) reste très important, car nul avant lui, n'a aussi bien exprimé la poésie et la profondeur des lointains horizons sous un ciel lumineux. De plus, par ses paysages de terre ferme, il ouvre la voie à Ruysdael et d'Hobbema.

De tous, Jacob van Ruysdael (vers 1628-1682) est celui dont les œuvres ont le plus de grandeur et de style. Volontiers il cherche les sites d'un caractère mélancolique, les cieux chargés de nuages. Meindert Hobbema (1638-1709) plus gai, préfère des fermes pittoresques au milieu des grands arbres, des moulins au bord de l'eau. Paulus Potter (1625-1654) peint les troupeaux, les vaches surtout, errant

dans les vastes prairies. Aelbert Cuyp (1620-1691) se plaît aussi à reproduire les pâturages, les lentes rivières et les canaux de sa patrie. Philips Wouwerman (1619-1668) peint des scènes de chasse et de guerre.

Dans la série des peintres paysagistes italianisants, il faut citer le brillant, fécond et pittoresque Nicolaes Berghem (1620-1683), Karel Dujardin (1622-1678) et Adriaen van de Velde (1636-1672) qui donnent le premier rôle aux personnages et aux animaux qu'ils installent au sein de sites d'aspect italien, monstrueux et accidentés.

Les peintures de marine

Les petits tableaux presque monochromes de Jan van Goyen (1596-1656) passent pour être les premiers où les bateaux aient une grande importance dans la composition. Les tableaux de Van der Neer (vers 1603-1677), le peintre incomparable des clairs de lune, représentent le plus souvent des paysages marécageux aux reflets argentés, au sein desquels un petit village hollandais paraît à l'horizon.

Cependant, les véritables spécialistes sont Ludolph Backhuyzen (1631-1708), Willem van de Velde, dit le Jeune (1633-1707) le frère d'Adriaen, dont le dessin minutieux pourrait servir de documents dans un musée de construction navale.

Jan Karel Donatus Van Beeck.
La Jonction de l'Amiral d'Estrées et du duc d'York, 1672.
Musée de la Marine, Paris.

Les peintres d'architecture

Parmi les peintres d'architecture, il faut citer Jan van der Heyden (1637-1712), ami et collaborateur d'Adriaen van de Velde, appelé le Gérard Dou de l'architecture pour la finesse de son exécution. Quant à Hendrik van Steenwyck le Jeune (vers 1580-1639) et Peeter Neefs (1578-1656/1661), son élève, ils ont peint les intérieurs d'églises gothiques en les peuplant de petits personnages.

La nature morte

La nature morte, particulièrement apte à traduire la réalité avec la plus grande précision, connaît dans ce XVIIᵉ siècle hollandais, créateur de la scène de genre et du tableau d'intérieur, une très grande expansion.

Les fleurs et les fruits de Jan Davidsz de Heem (1606-1683/84) ou les superbes poissons d'Abraham van Beyeren (1620-après 1674) traduisent le rapport des objets avec la vie. Jan Weenix (vers 1640-1719), très minutieux dans les descriptions de volaille ou de gibier, se montre en même temps, un excellent décorateur.

L'école hollandaise, au XVIIᵉ siècle, abonde en artistes de talent. Aussi, son déclin, le siècle suivant, suscite l'étonnement : le goût de l'observation, la verve, les qualités du coloris, tout s'efface. L'influence française envahit la Hollande, mais sous la forme la moins heureuse ; aux scènes familières se substituent de grandes machines mythologiques, froides et maniérées.

François Desportes.
Chien gardant du gibier.
Musée du Louvre, Paris.

FRANCE

Le XVIIe siècle, considéré dans son ensemble, est pour la France une période de grandeur. Dès le début, Henri IV et Sully travaillent à ramener le calme, à développer la richesse à l'intérieur tandis qu'au dehors, ils inaugurent la politique que suivront avec succès Richelieu et Mazarin. Après les traités de Westphalie et des Pyrénées, la prépondérance de la France en Europe est établie. Le règne de Louis XIV s'ouvre avec tout l'éclat de la gloire : aux victoires de Turenne et de Condé, répondent à l'intérieur les réformes de Colbert. La cour de France est l'expression la plus parfaite de la politesse et du bon ton ; la littérature française est l'émule de celle de la Grèce et de Rome. Cependant la fin du règne est triste, les guerres ruinent le pays, des persécutions religieuses le troublent. Déjà agissent avec force tous les vices de la monarchie absolue.

Au XVIIe siècle, arts et lettres se développent en grande partie sous la protection des rois et de leurs ministres. Henri IV, Marie de Médicis, Richelieu, Louis XIII, Anne d'Autriche, Mazarin, le surintendant Fouquet, Louis XIV, Colbert, tous ont multiplié les constructions, encouragé les artistes. De là, il y a dans les œuvres de ce temps, comme un caractère officiel : sous Louis XIV surtout, les artistes de la cour sont soumis à la discipline. Colbert leur donne pour chef le peintre Charles Le Brun (1619-1690) ; architectes, peintres, sculpteurs, graveurs, orfèvres, ébénistes, etc. travaillent sous sa direction, souvent d'après ses dessins. On peut critiquer cette centralisation : de là cependant sort un ensemble d'œuvres remarquables et qui témoignent d'une grande unité. On conçoit que des artistes de moyenne valeur, ainsi conduits, aient pu arriver à de meilleurs résultats que livrés à eux-mêmes ; mais ceux qui étaient doués d'une personnalité plus robuste devaient répugner à entrer dans ce régiment royal et plusieurs ont vécu en dehors de la cour.

Dans tous les arts et dans presque toutes les œuvres, le XVIIe siècle se reconnaît aux mêmes traits. On recherche ordinairement un style grave, noble, majestueux ; partout domine cet esprit d'ordre et de règle, qu'on appelle l'esprit classique. Dans un édifice de Mansart, un tableau de Poussin, se montrent la même grandeur et la même régularité que dans une tragédie de Corneille ou de Racine, la même correction que dans un poème de Boileau. Mais ces caractères, en sculpture ou en peinture aussi bien qu'en littérature, n'excluent ni l'originalité ni le sentiment et, à mesure qu'on étudie mieux l'art du XVIIe siècle, on s'aperçoit qu'il n'est nécessairement ni froid ni guindé. Recherche-t-on ses origines ? Il se sépare du passé de la France, il en méconnaît injustement la valeur ; toutes ses admirations vont à l'Antiquité et à l'Italie. Ces tendances, qui se sont progressivement développées au XVIe siècle, triomphent sans réserve. Un séjour au-delà des Alpes est,

Pierre Courtilleau.
Entrée de Louis XIII à La Rochelle, le 1er novembre 1628.
Musée des Beaux-Arts, La Rochelle.

pour tout jeune artiste, une règle presque absolue. En 1666, Louis XIV fonde l'Académie de France à Rome. Désormais, les jeunes gens jugés dignes de cette faveur sont pendant plusieurs années entretenus à Rome aux frais du roi. A d'autres, un séjour en Italie ne suffit pas ; ils y passent leur vie en compagnie des antiques et des œuvres des maîtres du XVIe et du XVIIe siècle. Pourtant tous n'entendent pas par là abdiquer leur personnalité et souvent ceux qui montrent le plus d'originalité sont aussi ceux qui ont le plus longtemps vécu en dehors de France. Ils ont emporté certaines qualités nationales qu'ils ne perdent pas. Le goût, la mesure, l'amour de ce qui est clair et bien ordonné, ils les conservent au milieu de la décadence italienne : Nicolas Poussin (1594-1665), Claude Lorrain (1600-1682), ont beau se fixer à Rome, ils restent Français. Pierre Puget (1620-1694), qui procède du Bernin, a bien plus de force et d'expression que son modèle.

Au commencement du XVIIe siècle, l'école française semble d'abord bien médiocre ; Martin Fréminet (1567-1619), le peintre en titre d'Henri IV, fait du mauvais Michel-Ange ; après lui, Simon Vouet (1590-1649), premier peintre de Louis XIII, français de naissance, est tout italien d'éducation. De par son talent facile, mais sans grande personnalité, il connaît à la cour une vogue extraordinaire et voit se presser autour de lui des élèves qui devraient lui être bien supérieurs, tels que Eustache Le Sueur (1617-1655), Charles Le Brun et Pierre Mignard (1612-1695).

Dès cette époque cependant, et pour la cour même, travaillent des artistes chez qui l'étude des anciens maîtres n'a pas étouffé l'originalité. Né à Bruxelles, Philippe de Champaigne (1602-1674) s'est de bonne heure établi en France. Il est le peintre préféré de Marie de Médicis et de Richelieu, ami des Jansénistes de Port-Royal dont il partage les doctrines sévères. Ennemi de toute emphase et de tout clinquant, ses œuvres, peu brillantes d'aspect, frappent par leur expression morale. Dans son *Portrait de Richelieu* (Musée du Louvre, Paris), l'attention est saisie par cette tête maigre et fine, fatiguée par la pensée, dont les traits annoncent une volonté froide et ferme : l'œuvre du grand ministre revit dans sa physionomie. Les tableaux du Louvre où il a représenté les solitaires de Port-Royal ne sont pas moins admirables par le sentiment de foi calme et sévère qu'il a donné aux figures.

Eustache Le Sueur est une nature plus douce et plus aimable, un talent plus souple et plus riche. Mort encore jeune, en plein épanouissement, il inspire par là même une sympathie mélancolique qui a donné naissance à une légende : la douleur qu'il a éprouvée à la mort de sa femme, l'aurait fait entrer aux Chartreux et il y serait mort ; cependant, les documents ont détruit ce roman poétique. Le Sueur est tout entier dans deux séries d'œuvres bien distinctes. L'une comprend les vingt-deux tableaux relatifs à la *Vie de saint Bruno* (Musée du Louvre, Paris) qui lui furent commandés par les Chartreux de Paris. Le Sueur y a poussé au plus haut degré l'art de varier, selon la condition et l'âge des personnages, l'expression des sentiments produits par un même événement. A l'Hôtel Lambert qu'il a été chargé de décorer, il s'est inspiré de la mythologie antique, et il a traité l'histoire de l'Amour, sachant se montrer gracieux et suave sans être maniéré. Dans cette décoration, les plus beaux tableaux représentent les *Muses* (Musée du Louvre, Paris) ; au milieu de poétiques paysages elles se groupent dans des compositions d'une harmonie parfaite.

Le Sueur n'a jamais vu l'Italie, Nicolas Poussin y a vécu. Né aux Andelys, il est à Rome dès 1624, admirant l'Antiquité et les grands maîtres du XVIe siècle. Ses compositions historiques, sévères et fortes, attirent sur lui l'attention ; sa réputation s'étend ; en 1639, à force d'instances, Louis XIII et Richelieu le décident à revenir en France, l'établissent au Louvre et l'opposent à Simon Vouet. Mais son caractère ne s'accommode pas des intrigues de cour ; dès 1642, il est de retour à Rome et désormais n'en sort plus. Poussin est avant tout un penseur et la raison domine dans ses œuvres. Ses compositions, celles surtout qu'il emprunte aux livres saints, sont pleines à la fois de simplicité et de grandeur (voir notamment, au Louvre : *Eliézer et Rébecca*, *Moïse sauvé des eaux*, *Manne au désert*, *Le Déluge*, etc.). Mais à ces fortes qualités se joint souvent

la recherche de l'élégance et de la grâce, toujours grave. Il comprend la nature, et en dégage, brisant sa coupe pour ainsi dire, l'expression morale dans ses paysages historiques, *Diogène* (Musée du Louvre, Paris).

A Rome, autour de Poussin, se groupent des artistes qui, souvent, subissent l'autorité de son caractère et de son talent, Gaspard Dughet (1615-1675), son beau-frère, Jacques Stella (1596-1657), qui revient en France en 1634 et devient un des peintres de Louis XIII. Valentin (1591-1632), au contraire, adopte le style du Caravage, prend pour modèles les types populaires les moins nobles, les joueurs et les ivrognes, prodigue le noir dans ses tableaux, sous prétexte d'énergie : *Concert au bas-relief*, *Jugement de Salomon* (Musée du Louvre, Paris). Dans cette colonie française, le plus illustre après Poussin est Claude Gellée, dit Claude Lorrain. Etabli de bonne heure à Rome, il y a passé sa vie, multipliant soit les simples pastorales, soit les paysages héroïques où, dans des sites parsemés d'édifices et de ruines, il introduit les personnages célèbres de l'Antiquité. Plusieurs tableaux sont au Musée du Louvre, notamment le *Débarquement de Cléopâtre*, *Vue d'un port au soleil levant*, *Vue d'un port au soleil couchant*. Claude Lorrain est le peintre de la lumière telle qu'elle éclate dans les pays du Midi, chaude, dorée, toujours riche en effets puissants. Il la connaît sous tous ses aspects, il en a noté toutes les nuances depuis les lueurs de l'aube jusqu'aux

Jean-Baptiste de La Rose.
Le Port de La Ciotat en 1664, 1664.
Musée de la Marine, Paris.

splendeurs du soleil couchant. S'il laisse le pinceau pour l'eau-forte ou la plume, il ne s'y montre ni moins coloré ni moins habile ; ses estampes, son livre d'esquisses, le fameux *Livre de Vérité* (British Museum, Londres), l'attestent.

Les peintres de la cour de Louis XIV, Poussin, Claude Lorrain, se sont fixés à Rome ; d'autres y sont allés, mais sont rentrés en France, attirés par l'éclat de la cour. Charles Le Brun a été le camarade de Le Sueur chez Simon Vouet, et Poussin l'a initié à la connaissance de l'antique, lors du séjour qu'il fit à Rome de 1642 à 1646. Il n'a ni leur force de conception ni leur sensibilité, mais actif, doué d'une grande facilité d'invention, il possède toutes les qualités nécessaires au rôle que son ambition veut jouer.

Rentré en France, c'est lui qui, en 1648, obtient la constitution de l'Académie royale de Peinture et de Sculpture, destinée à grouper les maîtres et à assurer leur unité de direction sur les jeunes artistes. Dès le début, il en est le chef véritable, il en devient plus tard le directeur à vie. Nommé premier peintre de Louis XIV (1662), il apparaît dès lors comme le vice-roi des beaux-arts. Ses plus importantes compositions sont, dans toute l'acception du mot, de grandes machines décoratives. L'allure, quoique théâtrale, en est souvent superbe. A Versailles, dans la décoration de la grande galerie, où il a retracé l'histoire de Louis XIV, au Louvre, dans la Galerie d'Apollon qu'il n'a pu achever, malgré les collaborateurs dont il s'est entouré, il a prodigué sans réserve tout le faste qui devait plaire au roi.

Parmi les peintres qui travaillent sous sa direction, un des plus originaux est le flamand Van der Meulen (1632-1690). Ses tableaux des batailles et des sièges de Louis XIV, habilement composés, servent d'illustration à toute une partie des événements du règne (Musée du Louvre, de Versailles). Hyacinthe Rigaud (1659-1743), Nicolas de Largillière (1656-1746), protégés de Le Brun, sont des portraitistes en vogue à la cour. Le premier excelle à saisir

la ressemblance, à composer un portrait, attentif non seulement à la figure, mais aux fonds, aux draperies, aux accessoires : personnages politiques, artistes, écrivains ont posé devant lui, et ses portraits forment comme une galerie des grands hommes du temps.

Si puissant qu'ait été Le Brun, il trouve un rival acharné dans Mignard, comme lui élève de Simon Vouet. Après un long séjour en Italie (1636-1657), Mignard, lorsqu'il revient en France, a acquis une grande réputation. Chargé en 1663 de décorer la coupole du Val-de-Grâce, il y groupe deux cents figures de dimensions colossales, dans une composition qui représente le Paradis. Furieux des succès de Le Brun, il intrigue contre lui avec tant de vivacité que Colbert en vient à le menacer d'exil ; ce n'est qu'à la mort de son rival qu'il peut être nommé premier peintre du roi. Parmi ses œuvres, les portraits méritent surtout l'attention.

A côté de ces artistes, bien d'autres peintres encore : Georges de La Tour, qui a utilisé le « ténébrisme » du Caravage dans le sens de la sublimation ; peintres d'histoire comme Laurent de La Hyre (1606-1656), Sébastien Bourdon (1616-1671), Charles de La Fosse (1636-1716), les Coypel et Jean Jouvenet (1644-1717) ; peintres de batailles comme les Parrocel, Jacques Courtois (1621-1676) ; peintres de genre comme les Le Nain ; peintres de fleurs comme Jean-Baptiste Monnoyer (1636-1699) ; ornemanistes comme les Bérain et François Lemoine (1688-1737).

Aurore et Céphale.
Boîtier peint d'après Simon Vouet.
Le Jugement de Pâris.
Boîtier peint d'après Laurent de la Hyre.
Musée du Louvre, Paris.

La gravure

Jusqu'alors la gravure française n'avait pas offert une physionomie bien originale. Jacques Callot (1592-1635) la transforme. Il passe douze ans en Italie et ne revient en France qu'en 1621. Callot débute par la gravure au burin, mais la lenteur de ce travail le gêne bientôt, il n'emploie plus que l'eau-forte. Il faut l'étudier dans les compositions où son imagination se donne libre cours (*Tentation de saint Antoine*), et surtout dans ces recueils où il fait défiler les bohémiens, les gueux, les soudards dont il a étudié les mœurs avec tant de force d'observation et tant d'esprit (*La Foire de l'Impruneta*, où l'on dénombre plus de mille personnages et deux cent cinquante animaux, les *Gueux*, les *Misères de la guerre*, etc.) Abraham Bosse (1602-1676) reproduit fidèlement les types et les costumes du temps. Puis viennent les interprètes des œuvres de la peinture : Jean Pesne, Claudia Stella s'attachent à celles de Poussin ; sous la direction de Le Brun, travaillent Sébastien Le Clerc, Edelinck, Robert Nanteuil, Gérard Audran. Celui-ci est de tous le plus fameux par la précision du dessin, la science de l'effet juste. Dans ses estampes des *Batailles d'Alexandre*, d'après Le Brun, il surpasse les modèles qu'il était chargé de reproduire, et, par sa répartition des lumières et des ombres, il atteint une puissance de coloration inconnue au peintre. Nanteuil et Edelinck excellent dans le portrait par leurs qualités de vérité et de finesse.

Les arts industriels

Les industries d'art fleurissent. Colbert assure la supériorité des tapisseries françaises par la fondation de la Manufacture des Gobelins (1662), dont Le Brun est nommé directeur. Les grandes tentures qui en sortent alors, sont des modèles de style décoratif. Plusieurs ont été exécutées d'après ses dessins. Nulle part Le Brun ne s'est montré plus original et plus libre ; les qualités de coloris qui manquent dans ses tableaux se trouvent au contraire dans les tapisseries faites sous ses ordres. Dans l'orfèvrerie, dans l'ameublement se retrouve encore l'influence du premier peintre du roi. Les meubles de Charles Boulle (1642-1732), en ébène incrustée d'écaille, de cuivre, d'or et d'argent, les grandes pièces d'orfèvrerie de Claude Ballin (1615-1678) décorent les demeures royales et princières. Des dessinateurs pleins de richesses et de goût, Le Pautre, Bérain, fournissent des modèles aux ébénistes et aux ornemanistes.

La Rencontre d'Eliézer et Rébecca.
La Nativité.
Montres peintes d'après Rubens.
Musée du Louvre, Paris.

ALLEMAGNE

Tout au long du XVIIe siècle, la peinture allemande subit une éclipse. Deux noms cependant méritent d'être cités : Adam Elsheimer et Joachim von Sandrart. Adam Elsheimer, qui, de Francfort, se rend à Venise et à Rome, apprend la manière du Caravage en recherchant une luminosité accentuée et en peignant de très beaux nocturnes. Son influence est manifeste chez Rembrandt et chez Claude Lorrain. Joachim von Sandrart se rapproche lui aussi du Caravage pendant son séjour en Italie. De retour dans sa patrie, il revient cependant à la tradition plus nordique du portrait officiel.

ESPAGNE

En Espagne, c'est au XVIIe siècle, alors que décroissent la gloire et la postérité du pays, qu'apparaît une école de peinture originale. Elle se développe grâce à la protection de rois qui s'intéressent aux arts et de l'Eglise catholique, désormais toute puissante. Au XVIe siècle, l'influence italienne avait régné. Les artistes du XVIIe siècle sont les plus nationaux que leur patrie ait produits. La caractéristique de leur art est d'être essentiellement religieuse et spiritualiste, sous des apparences naturalistes. Ils glorifient les tourments, les martyres, les souffrances. En même temps, ils magnifient les pauvres et les déshérités.

La plupart des peintres espagnols du XVIIe siècle sortent de l'école de Séville. Francisco de Herrera le Vieux (vers 1576-1656), né à Séville, élève de Luis Fernandez et de Juan de las Roelas peut être considéré comme le fondateur de cette école. Il libère l'art de l'italianisme et des manières académiques dans sa recherche à outrance du naturalisme, et l'affranchit de l'esprit d'imitation. De son atelier sort Vélasquez (1599-1660), né aussi à Séville.

La plus grande partie de son existence se passe à la cour de Philippe IV dont il est l'artiste favori. Il connaît Rubens et visite deux fois l'Italie. Observateur patient et consciencieux de la nature, il l'interprète tout à la fois avec sincérité et finesse ; admirable coloriste, il place ses personnages dans une lumière claire et vraie ; mais il ne s'attache pas moins au caractère, à l'expression, au mouvement des figures. De là, le mérite de ses portraits. Il s'entend aussi aux compositions historiques, la *Reddition de Breda*, son chef-d'œuvre (Musée du Prado, Madrid), religieuses, mythologiques ; et, s'il aborde les sujets de genre, il rend avec une force singulière les types populaires : *Los Borrachos*, *Les Fileuses* (Musée du Prado, Madrid).

Vélasquez se montre toujours calme, clair, bien équilibré. On n'en saurait dire autant de tous les peintres espagnols. Murillo (1618-1682), né aussi à Séville, présente d'étranges contrastes : tantôt il cherche à donner aux Vierges, aux séraphins, une expression suave, *Immaculée Conception*, *Cuisine des Anges* (Musée du Louvre, Paris) ; tantôt réaliste implacable, il se plaît à peindre des mendiants et des déguenillés, *Le Jeune mendiant* (Musée du Louvre, Paris). Peintre religieux, il est bien éloigné de l'idéal chrétien des anciens maîtres. La Contre-Réforme va se concrétiser sous son pinceau. D'instinct, il traduit et transpose les effusions de l'âme qui n'aspire qu'à Dieu, et son art est l'expression même du catholicisme aimable et familier, issu des enseignements d'Ignace de Loyola et de Thérèse d'Avila.

Francisco de Zurbarán (1598-1664), lui aussi issu de l'atelier de Herrera Le Vieux, peint, son existence entière, les moines et leur ascétisme, d'un style vigoureux. Tout en empruntant à son maître le goût des riches étoffes, la science des draperies et des plis, il se sent particulièrement attiré par l'expression de l'être intime et moral et se montre le fidèle interprète de l'austérité et du mysticisme espagnol.

Tout en se montrant naturaliste, il n'a rien de la brutalité de José Ribera (1591-1652), né dans les environs de Valence, dont la vie se passe à Naples où il devient l'élève du Caravage. Dans ses tableaux poussés au noir, il arrive à reproduire les objets les plus sombres, des scènes de martyres et de supplices. A côté de ces ouvrages, il sait brosser aussi d'autres compositions humaines dans lesquelles se montre l'influence de Corrège.

Alonso Cano (1601-1667), né à Grenade, mérite d'être classé parmi les premiers peintres de l'Espagne du XVIIe siècle. Ses peintures beaucoup moins fougueuses que celles de ses compatriotes, d'un dessin des plus élégants, d'une coloration chaude, sont certainement les plus idéalistes de l'école espagnole.

Après ces grands peintres, l'art espagnol faiblit. Les Bourbons succèdent aux Habsbourg, précipitent ce déclin, en négligeant de faire appel aux artistes espagnols auxquels ils préfèrent les Italiens. Il faudra attendre la fin du XVIIe siècle, et Goya, pour que l'Espagne connaisse une nouvelle renaissance.

Murillo.
Le Jeune mendiant.
Musée du Louvre, Paris.

Albani, Francesco
1578-1660
(né et mort à Bologne)

Fils d'un riche marchand de soie, Albani entre à l'âge de treize ans chez Denis Calvaert où il connaît Guido Reni. En 1595, ils passent ensemble à l'école des Carrache. Albani assiste Annibal Carrache dans ses œuvres : dans la chapelle Herrera à San Giacomo degli Spagnoli (1604-1606), ainsi que dans la chapelle Aldobrandini à San Carlo al Corso où il réalise une *Ascension* (Galerie Doria-Pamphili, Rome). Il aide également Guido Reni dans ses fresques de Monte Cavallo. En 1611-1614, il est le maître d'œuvre des fresques de la voûte Capella Maggiore à Santa Maria della Pace où Raphaël avait peint deux groupes de sibylles. Il fait lui-même de vastes compositions, mais c'est surtout dans les petits

Nicolaes Berghem.
Halte de chasseurs au bord du Tigre.
Musée des Beaux-Arts, Dunkerque.

tableaux de chevalets que son talent se révèle. On l'a appelé « l'Anacréon de la peinture » c'est-à-dire, le peintre des Grâces. Ses Diane, ses Vénus et ses sujets mythologiques sont toujours entourés d'une foule de petits amours, et quand il traite des sujets religieux, les petits anges emplissent également le tableau. Il arrive à représenter Vénus à sa toilette et entourée par les Grâces, ou bien assise sur un char de coquillages que les Néréides, montées sur des dauphins, traînent sur les vagues tranquilles, tandis que les Amours tiennent la voile enflée par les vents. Albani a vécu très riche, au milieu de ses douze enfants qui lui servaient de modèles. Il a joui d'une vogue extraordinaire au XVIIIᵉ siècle, mais il a été très déprécié par l'école de David. Ses œuvres les plus importantes sont réalisées en 1620-1622 avec quatre Tondi illustrant l'*Histoire de Vénus* (Galerie Borghèse, Rome). De 1623 à 1625, il peint le *Triomphe de Galatée* (Gemäldegalerie, Dresde).

Bega, Cornelis
vers 1631/32-1664
(né à Haarlem)

Elève d'Adriaen van Ostade, Bega entre à la guilde de Haarlem en 1654.
Il peint des scènes de la vie paysanne à la manière de son maître qu'il essaie d'imiter mais dont il se distingue nettement. Il y a moins de bonhomie dans ses personnages, dans lesquels il met une certaine recherche pouvant passer pour de l'élégance.

Berghem ou Berchem,
Nicolaes Pietersz
1620-1683
(Haarlem/Amsterdam)

Berghem reste l'un des peintres les plus célèbres de ce groupe de paysagistes « italianisants », tel Van Laer ou Karel Dujardin, presque tous venus des Pays-Bas à Rome, demeurant ensemble de manière à former comme une petite Flandre au milieu de l'Italie.
S'il faut en croire les anecdotes du temps, Berghem ne serait pas le

véritable nom de l'artiste. On raconte en effet que, lorsqu'il était apprenti chez Van Goyen, son père, monté contre lui, le poursuivit en le menaçant jusque chez son maître qui, prenant parti pour son jeune élève, dit à ses disciples : « *Berg hem, berg hem !* » ce qui signifie en hollandais « *Cachez-le !* ».

Il est fort probable qu'il soit allé en Italie entre 1651-53. Son œuvre, en tout cas, montre dès le début l'influence de Pieter van Laer, qui, au temps où Berghem apprend encore le métier, est, à Haarlem, le plus connu des artistes revenus de Rome. En 1660, il crée ses meilleures œuvres, *Tivoli* (Musée de Francfort) et *Gué italien* (Musée de La Haye).

Jan Brueghel le Jeune.
Paysage fluvial avec barques.
Collection particulière.

Ses tableaux se distinguent par leur ordonnance pittoresque et par le sentiment poétique animant le paysage. Ses pastorales qui ont connu un grand succès en France au XVIIIᵉ siècle ont inspiré Oudry et Boucher.

En 1642, il devient maître dans la corporation des peintres de Haarlem.

Brouwer, Adriaen
1605/06-1638
(Audenarde/Anvers)

Adriaen Brouwer appartient à la Hollande par son éducation faite chez Frans Hals. Suite aux mauvais traitements dont son maître l'accable, il le quitte bientôt pour s'installer successivement à Amsterdam, Anvers et Paris, où il gagne beaucoup d'argent qu'il dépense aussitôt. En 1631-32, il devient membre de la guilde de Saint-Luc d'Anvers. Ses scènes de cabarets, de rixes, ses fêtes villageoises

touchent au grand art par la vérité de l'observation et l'unité de l'aspect. Dans sa peinture, l'intérêt social s'allie de façon exemplaire à l'attrait du dramatique. Presque aussi grand dessinateur que son compatriote et prédécesseur Pieter Brueghel l'Ancien, il doit aux leçons du maître hollandais la souplesse de la forme et le charme de la lumière.

Toujours poursuivi par ses créanciers, il trouve refuge chez le boulanger Van Eck Craesbeck qui, l'ayant vu travailler, devient son élève et finit par devenir un peintre de talent. Brouwer a également un autre ami qui devient également un grand peintre, tout en restant cabaretier : Jan Steen, dont la maison est le rendez-vous des ivrognes les plus invétérés et des peintres qui les dessinent d'après nature.

Parmi ses meilleures œuvres, il faut citer le *Festin* (Kunsthaus, Zurich),

Les Paysans de Mœrdjik (Collection Markus, Scarsdale, New York) et surtout *L'Aubergiste* (Alte Pinakothek, Munich). Rubens et Rembrandt ont été de grands collectionneurs de Brouwer.

Brueghel ou Abraham,
dit Le Napolitain
1631-1690
(Anvers/Naples)

Petit-fils de Brueghel de Velours, fils de Jan II le Jeune avec qui il fait son apprentissage, Abraham Brueghel part très tôt en Italie où il s'établit. En 1649, il est au service du prince Antoine Ruffo à Reggio Campo, près de Messine. Entre 1660 et 1671, il travaille à Rome où il entre à l'Accademia di San Luca. Il s'installe ensuite définitivement à Naples où il crée une école de peinture. Son œuvre se compose essentiellement de natures mortes de fleurs et de fruits : *Raisins et Grenades*, 1670 (Rijksmuseum, Amsterdam). Il réalise également quelques trophées de chasse.

Brueghel le Jeune ou Jan II
1601-1678
(né et mort à Anvers)

Fils aîné de Brueghel de Velours, il imite son père. C'est pourquoi on les confond souvent. En 1625, il est reçu maître à la guilde de Saint-Luc d'Anvers et hérite de l'atelier de son père. Comme lui, il collabore avec Rubens et d'autres peintres anversois. Il a peint un *Zodiaque* (Kunsthistorisches Museum, Vienne). Il a eu onze enfants parmi lesquels sept fils dont cinq furent peintres.

Cano, Alonso
1601-1667
(né et mort à Grenade)

Cano est l'artiste le plus complet du siècle d'or espagnol. Peintre, sculpteur, architecte, fils d'un constructeur de retables, il est tout d'abord, comme Vélasquez, élève de Pacheco. Nommé maître à Séville en 1626, il réalise cinq grands autels, dont les tableaux, les statues, les architectures sont entièrement de lui. A la suite d'un duel, il se retire à Madrid en 1638 où il exécute pour le comte-duc d'Olivarès des travaux importants. Il est nommé peintre du Roi. En 1644, il retourne à Grenade où il reçoit le titre de maestro mayor de la cathédrale. Ses toiles n'ont pas la même puissance d'exécution que celles de Ribera. Il a presque

exclusivement traité des sujets religieux où il a poussé très loin l'étude de l'expression. C'est ce qui fait que ses saints et ses martyrs traduisent toutes les formes et tous les degrés de la douleur.

On peut noter dans sa manière une évolution sensible, allant de la technique encore ténébriste aux modelés sombres de la période sévillane des années 1620, à la manière plus légère aux touches claires et déliées, à la recherche de la beauté idéale des années 1640/50, pour acquérir, vers la fin de sa vie, une certaine emphase baroque et une relative grandiloquence.

Parmi ses œuvres, *Saint Jean l'Evangéliste*, 1335/37 (Wallace Collection, Londres) démontre clairement l'élégance et le raffinement encore inspirés du style de la Renaissance. *Le Miracle du Puits* (Musée du Prado, Madrid), *Le Christ et la Samaritaine* (Académie royale des Beaux-Arts de San Fernando, Madrid), et la série de toiles réalisées sur la Vierge, décorant la chapelle majeure de Grenade, déterminent tout le développement postérieur de l'école grenadine. Cano a eu pour élèves ou continuateurs des artistes comme Bocanegra, Juan de Sevilla et José Risueño.

Caravage, Michelangelo Merisi
ou Amerighi *dit,* Le
1573-1610
(Caravaggio/Porto d'Ercole)

Le Caravage naît au château dont il porte le nom, dans le Milanais. Fils d'un maçon, il est, dans sa jeunesse, employé à broyer les couleurs des peintres fresquistes ; mais bientôt, à l'âge de seize ans, il quitte sa profession pour exercer la peinture à Rome. Là, il rencontre des mécènes qui lui seront toujours fidèles, le cardinal del Monte, le marquis Guistiniani ainsi que Joseph Césari, connu sous le nom de Josépin, Chevalier d'Arpino, avec qui il partage sa première commande, en 1590 : la décoration de la chapelle Contarelli à Saint-Louis des Français. Son premier tableau, *Saint Matthieu et l'Ange* aujourd'hui détruit, est refusé pour son trop grand réalisme. Il le remplace par un autre et peint *La Vocation de saint Matthieu* et son *Martyre*, mis en place vers 1600. Il plonge des personnages dans une obscurité seulement traversée par des rayons de lumière. Toujours à

Rome, pour la chapelle Cerasi de Santa Maria del Popolo, il peint *La Conversion de saint Paul* et *La Crucifixion de saint Pierre* dont le réalisme est encore plus brutal. Ce réalisme jugé « indécent » s'affirme dans *La Vierge de Lorette* (Sant'Agostino, Rome) et dans *La Mort de la Vierge*, 1605 (Musée du Louvre, Paris). Une prostituée trouvée noyée lui aurait servi de modèle. La même année, il peint *La Madone des Palefreniers* (Galerie Borghèse, Rome) refusée par la corporation de la basilique Saint-Pierre de Rome, scandalisée, mais qui l'achète.

Après avoir étudié à Venise les œuvres de Giorgione, il adopte quelque temps la manière de ce grand coloriste. De cette période, datent *La Diseuse de bonne aventure*, vers 1594 (Musée du Louvre, Paris), *Le Joueur de luth*, vers 1595 (Musée de l'Ermitage, Saint-Pétersbourg), *La Tête de Méduse* et *Bacchus adolescent*, vers 1593 (Musée des Offices, Florence), *La Corbeille de fruits*, 1596 (Pinacothèque Ambrosienne, Milan).

A partir de 1600, le Caravage ne tarde pas à se libérer du maniérisme. Il se pose lui-même en réformateur et se crée une manière qui connaîtra beaucoup de vogue et lui fera acquérir la renommée. Mais cette manière préconisée par tous les jeunes peintres de Rome est bientôt abandonnée. L'idole devant laquelle tout le monde s'agenouille est renversée par les efforts du Josépin, d'Annibal Carrache et du Dominiquin, qui se déclarent ouvertement les antagonistes du Caravage en restant fidèles à la correction du dessin et à la noblesse des pensées. Le Caravage, en effet, peu sensible aux beautés de l'antique et aux ouvrages de Raphaël et de son école, copie rigoureusement la nature telle qu'elle s'offre à lui, sans chercher à l'embellir.

Ses peintures prennent de la force, ses couleurs de la vérité. Il faut remarquer le clair-obscur et l'éclat de la lumière. Le Caravage modèle ses personnages dans des faisceaux de lumière qui n'est plus naturelle. Le fond est noir, le décor disparaît. Même dans ses œuvres, pour plus de réalisme, il n'hésite pas à mêler des personnages pris dans la vie quotidienne. Dans sa dernière œuvre, peinte en 1610, *David avec la tête de Goliath*

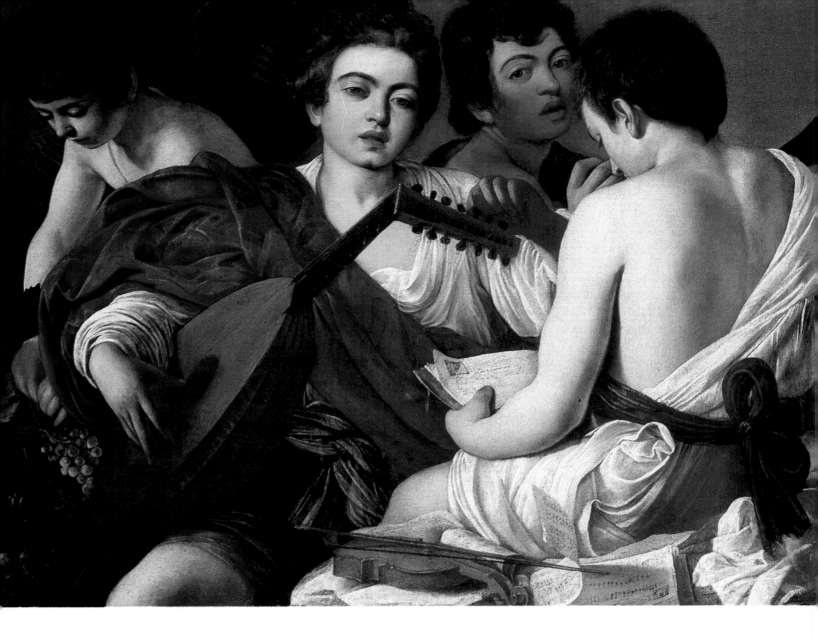

Le Caravage.
Les Musiciens.
Metropolitan Museum of Art, New York.

(Galerie Borghèse, Rome), il s'est vraisemblablement peint lui-même en Goliath.

L'esprit inquiet et chagrin du Caravage est peu propre à lui concilier l'affection des artistes, ses contemporains ; aussi vit-il toujours seul, ne fréquentant que les lieux les plus retirés, n'ayant d'autre retraite que les tavernes les plus obscures. Comme presque tous les fondateurs d'écoles, il a la prétention d'être seul excellent peintre, et ne parle des autres qu'avec le plus profond mépris. Ses querelles avec Josépin occupent une partie de sa vie et la rendent très mouvementée. Son animosité en vient à un tel point qu'un jour, ayant rencontré son adversaire, il court

l'épée à la main et tue un jeune homme qui s'efforce de les séparer. Pour échapper à la justice, on le retrouve d'abord à Naples, où il peint *La Flagellation* pour San Domenico Maggiore et *Les Sept œuvres de la Miséricorde*, 1607 (Eglise Pio Monte della Misericordia, Naples), exprimant un immense désespoir.

Le Caravage s'embarque ensuite pour Malte, où la fougue de son caractère lui suscite de nouvelles querelles. Il y réside plusieurs années, et finit en 1608, par se faire recevoir chevalier servant de l'Ordre, titre qu'il sollicite pour être réputé digne de croiser le fer avec Josépin.

Le chef-d'œuvre de cette période est *La Décollation de saint Jean-Baptiste*, réalisée pour la cathédrale de La Valette.

Mis en prison pour avoir insulté un chevalier de distinction, il parvient à s'évader ; mais, repris par des gardes,

qui le blessent dans la lutte qu'il engage avec eux, il est remis une seconde fois en prison, d'où il s'échappe encore, et repasse en Italie, toujours animé du désir d'assouvir sa vengeance. Heureusement pour son rival, une fièvre violente dont il est saisi, en revenant à Rome, le met hors d'état d'exécuter son projet. Cet homme bizarre, qui a constamment refusé les faveurs de la fortune, termine misérablement sa carrière sur un grand chemin. Il meurt à Porto d'Ercole, à l'âge de quarante ans, sans secours et sans amis, en laissant cependant à tous les artistes européens du XVIIe siècle, jusqu'à Rembrandt, l'immense héritage de ses clairs-obscurs à la puissance dramatique.

Le Caravage.
L'Amour victorieux.
Staatliche Museen, Berlin.

Carreño de Miranda, Juan
1614-1685
(Avilès dans les Asturies/Madrid)

Né dans une famille noble, Carreño fait un premier apprentissage à Valladolid dans l'atelier de son oncle, Andrés Carreño de Miranda, et de Diego Díaz, le plus grand peintre de la ville. A Madrid, il devient l'élève de Pedro de Las Cuevas et de Bartolomé Román. Ses modèles sont Rubens, Van Dyck et Vélasquez qui l'introduit en 1655 à la cour de Madrid. Ses débuts sont entièrement consacrés à la peinture religieuse, destinée à des églises, des couvents ou de simples particuliers. En 1658, il réalise deux fresques pour le Salon des Miroirs de l'Alcázar de Madrid : *Les Noces de Pandore* et *Vulcain montrant à Jupiter la statue de Pandore*, aujourd'hui disparue avec le bâtiment. Son talent de fresquiste se révèle encore à Tolède dans la chapelle du Sagrario de la cathédrale (1665-70, refaites en 1788 par Maella). Il devient peintre du roi en 1669. Jouissant de la faveur de la reine-mère, Doña Mariana d'Autriche, dont il exécute le portrait (Musée du Prado, Madrid) et du souverain Charles II, dont il exécute plusieurs portraits (musées de Madrid, Berlin, Vienne et New York), il est nommé aide de La Furriera (charge palatine que Vélasquez a déjà occupée). Deux ans plus tard, il est nommé « Pintor de Cámara », c'est-à-dire « peintre de la Chambre du roi ».

Carreño de Miranda est un grand portraitiste. Certaines œuvres, comme le *Portrait du Duc de Pastrana*, vers 1680 (Musée du Prado, Madrid) ont l'élégance, rare dans la peinture espagnole, de Van Dyck. Dans d'autres, il se montre l'héritier direct de Vélasquez, lorsqu'il peint le bouffon, *Francisco Barzán* ou la monstrueuse naine *Eugenia Martinez Vallejo* (Musée du Prado, Madrid). Mais son talent de portraitiste ne doit pas faire oublier ses nombreuses toiles religieuses, telles que *Le Baptême du Christ*, 1682, inspirée du Tintoret ou encore *La Fondation de l'ordre des Trinitaires* (Musée du Louvre, Paris), l'une des plus grandes réussites de la peinture espagnole de la seconde moitié du siècle.

Castiglione, Giovanni Benedetto
vers 1610-1665
(Gênes/Mantoue)

Castiglione, plus connu sous le nom de Benedetto, naît au sein d'une famille de magistrats. Son père le destine à perdre sa succession mais lorsqu'il le voit dessinant sans cesse à la plume, sur la marge de ses livres classiques, des arbres, des animaux et de petites maisons, il le place chez Giovanni Battista Paggi, peintre médiocre. Après la mort de ce peintre, Benedetto passe dans l'atelier de Giovanni Antonio de Ferrari, et, peu de temps après, reçoit des leçons de Van Dyck auquel il est redevable de son talent de portraitiste. Avec son imagination mobile, son profond désir de s'instruire, le jeune peintre voyage de ville en ville. Il visite successivement Rome, Naples, Florence, Parme et Venise. C'est dans cette dernière ville qu'à la vue des chefs-d'œuvre de Titien, du Tintoret, de Paul Véronèse, il achève de perfectionner son goût ; c'est là qu'il acquiert cette vigueur de coloris, cette force de clair-obscur, qui est le caractère distinctif de son talent. Enfin, las de courir le monde et de changer continuellement de place, Benedetto vient se fixer à Mantoue. Le duc Charles Ier, afin de le retenir à sa cour, lui assigne une pension considérable, lui fait don d'un carrosse, et le fait travailler dans ses palais.

Très doué, il sait aborder tous les genres, dans une manière ferme et gracieuse tout à la fois : des caravanes orientales, des marches d'animaux, des campagnes remplies d'ouvriers, des vendangeurs, des bergers et leurs troupeaux sont les sujets ordinaires de ses compositions. Lorsqu'il a voulu prendre un vol plus élevé et se lancer dans la carrière de l'histoire, on le retrouve avec le style des meilleurs maîtres de l'école romaine, comme l'attestent ses toiles *Noé dans l'Arche* et *Jésus chassant les marchands du Temple* (respectivement à la Gemälde-galerie de Dresde et au Musée du Louvre à Paris). Il s'est également adonné à la gravure à l'eau-forte. Ses plus belles œuvres sont *Diogène cherchant un homme*, *La Fuite en Egypte* et *La Résurrection de Lazare*. La plus célèbre se trouve à l'église San Luca de Gênes, *La Crèche*, réalisée en 1645.

Champaigne, Philippe de
1602-1674
(Bruxelles/Paris)

Les maîtres de Philippe de Champaigne furent successivement Jean Bouillon, Michel Bourdeaux et le paysagiste Jacques Fourquières, ami et collaborateur de Rubens. Ce dernier l'emmène en 1621 à Paris où il travaille sous la direction de Georges Lallemant et Nicolas Duchesne dont il prendra la succession au titre de peintre ordinaire de Marie de Médicis et épousera la fille, en 1628. Il rencontre Poussin à la veille de son départ pour l'Italie, où, pour sa part, Champaigne ne se rendra jamais. Ils travaillent tous deux à la direction du Palais de Luxembourg. Plus tard, il peint au château de Vincennes (œuvre détruite) et au Val-de-Grâce (œuvre perdue), il décore également la coupole de l'église de la Sorbonne. Il sera membre fondateur de l'Académie Royale de peinture en 1648, et peintre des échevins de Paris.

Naturalisé français en 1629, apprécié du roi dont il fait le portrait la même année, *Louis XIII couronné par la Victoire* (Musée du Louvre, Paris) et, en 1638, *Vœu de Louis XIII* pour Notre-Dame de Paris (Musée des Beaux-Arts, Caen), et *Richelieu* qu'il représente à plusieurs reprises. Son *Triste portrait du Cardinal Richelieu* (National Gallery, Londres) et son *Portrait en pied du Cardinal-Ministre*, peints vers 1635, (Musée du Louvre, Paris) sont ses plus grandes réussites. Devenu portraitiste de la cour, il peint les plus grands hommes : Mazarin, Turenne, Mansart, le maître de Sacy qu'il cache chez lui. Tous ces portraits sont des chefs-d'œuvre. Toute l'âme humaine, toutes les facultés intellectuelles y sont mises à nu par l'artiste dont la haute moralité est fortement marquée par la forme la plus élevée du jansénisme.

Le *Portrait d'Homme*, 1650 (Musée du Louvre, Paris), celui de *Robert Arnauld d'Andilly*, 1667 (Musée du Louvre, Paris) sont d'une intense pénétration psychologique. Lorsque ses deux filles prennent le voile en 1643,

Juan Carreño de Miranda.
Eugenia Martinez Vallejo, dit Le Monstre vêtu.
Musée du Prado, Madrid.

AVXILIO SOCIOS, QVI FORTIBVS ARMIS
TENDIT LÆSAQVE IVRA DEI

Philippe de Champaigne.
Louis XIII de France couronné par la Victoire.
Musée du Louvre, Paris.

Philippe de Champaigne.
Triple Portrait du Cardinal de Richelieu, 1642.
National Gallery, Londres.

Champaigne entre en relation avec les religieuses de Port-Royal. C'est à partir de cette période que sa peinture s'écarte du style baroque pour atteindre une grande retenue dans les attitudes et une grande sobriété dans les couleurs. *L'Ex-Voto* de 1662, qu'il peignit en reconnaissance de la guérison de sa fille atteinte de paralysie, illustre à merveille ce que la foi et la dévotion la plus forte peuvent traduire quand elles se rencontrent.

Ces talents de portraitiste ne doivent pas occulter ses œuvres religieuses au style tranquille et fort, d'une noblesse grave et sereine : ainsi, le *Songe de saint Joseph* (National Gallery, Londres) et l'*Adoration des Bergers* (Wallace Collection, Londres), les panneaux exécutés en 1629-1630 pour les Carmélites de Saint-Jacques à Paris (musées

Aelbert Cuyp.
La Meuse à Dordrecht, vers 1660.
National Gallery of Art, Washington.

des Beaux-Arts de Dijon et de Grenoble).

On a longtemps cru que Champaigne était l'homme d'un seul style. Mais son « fini flamand » qui rappelle celui des primitifs de son pays, son goût pour les surfaces nettes et lisses, les couleurs vives ne doivent pas faire oublier les tendances de sa manière qui va d'une formule flamande, largement empruntée à Rubens et à Pourbus, à des compositions figées d'une monumentale austérité.

Cuyp, Aelbert Gerritsz
1620-1691
(né et mort à Dordrecht)

Aelbert Cuyp est l'élève et le collaborateur le plus proche de son père, Jacob Gerritsz, peintre d'histoire et portraitiste. Comme lui, il peint des paysages emplis d'animaux. Sa première période, vers 1640-45, est très influencée par l'œuvre de Jan van

Goyen ; sa palette est faite avec des bruns ou des verts, quasi monochromes. Mais, sous l'influence des peintres italianisants d'Utrecht, tels Jan Both et Adam Pynacker, ses compositions baignées de lumière changent. Il accorde une importance accrue aux phénomènes atmosphériques et aux effets de lumière : *Pâturage* (Buckingham Palace, Londres).

Le charme des tableaux d'Aelbert Cuyp vient alors surtout du jour qui les éclaire. Dans ses vaches qui paissent le long des canaux en ruminant tranquilles dans la campagne, les riches couleurs du bétail forment un contraste avec la lumière éblouissante qui les entoure de toutes parts. Les tableaux de Cuyp traduisent toujours une impression poétique. Nul autre, Claude Lorrain excepté, dont il partage les qualités, n'a su rendre comme lui les teintes vaporeuses du crépuscule. Il ne faut pas chercher dans ses animaux la

précision de ceux de Potter. Il est avant tout un coloriste, et peu de peintres ont connu aussi bien que lui la magie des effets de lumière, surtout quand le soleil perce à travers les vapeurs du matin.

Deruet, Claude
1588-1660
(né et mort à Nancy)

Claude Deruet est en 1605 l'apprenti de Jacques Bellange auquel il succède en 1620 comme peintre de la cour de Lorraine. A partir de 1611, il effectue un séjour à Rome où il est l'élève de Tempesta et du Chevalier d'Arpino et où il se trouve en contact avec les derniers défenseurs du maniérisme. Ses tableaux, assez nombreux, d'un charme naïf, d'une préciosité non sans saveur, sont les derniers reflets d'un maniérisme attardé, goûté à Xla cour de Lorraine. Il excelle dans la représentation de fêtes et dans le portrait : *Portrait cavalier de Charles IV de Lorraine*, 1630 (Musée lorrain, Nancy), *Le Mariage de Louis XIV*, 1660 (Musée de Versailles).

Dominiquin, Domenico Zampieri
dit Le
1581-1641
(Bologne/Naples)

Domenico Zampieri est le premier, le plus célèbre et le plus malheureux des élèves de l'école des Carrache. Son surnom lui est donné par Ludovic Carrache, son maître, qui, par amitié et par l'habitude qu'ont les Italiens de diminuer tous les noms propres, ne l'appelait que « Dominichino » (« petit Dominique »). Le père de Dominique, simple cordonnier, lui fait donner les principes d'une éducation littéraire ; il le destine à la prêtrise ou au doctorat ; mais lorsqu'il constate le goût dominant de son fils pour le dessin, il le place dans l'atelier de Denis Calvaert, qui occupe le second rang dans l'école de Bologne dont les Carrache sont les chefs. Le peintre flamand défend expressément à ses élèves d'imiter la nouvelle école. Mais le jeune Zampieri, entraîné vers les Carrache par son goût naturel, copie en secret les modèles mis

Claude Deruet.
La Chasse de la Duchesse de Lorraine.
Musée des Beaux-Arts, Orléans.

à l'index par son maître, qui un jour le surprend en flagrant délit. Calvaert s'emporte même une fois contre lui au point de le frapper. Le père de Zampieri, indigné, retire son fils de l'atelier du peintre flamand, et le place en 1595 dans celui de Ludovic Carrache.

En 1602, à l'exemple d'Albani, avec lequel il se lie d'une amitié jamais démentie, et de Reni, il part à Rome aider Annibal Carrache dans ses travaux du palais Farnèse. Il peint trois paysages mythologiques à la Loggia del Giardino (1603-1604) et *La Dame à la Licorne*, vers 1602, qui témoignent d'une parfaite connaissance du travail de Raphaël à la Farnésine. A Rome, le Dominiquin étudie aussi l'Antiquité ainsi que le style idéaliste d'Annibal Carrache auquel il restera fidèle.

Un tableau de la *Mort d'Adonis* attire l'attention publique sur le débutant et

Le Dominiquin.
Martyre de saint Pierre.
Pinacothèque nationale, Bologne.

lui vaut l'amitié de J.-B. Agucchi, illustre Bolonais passionné pour les arts et frère du cardinal de ce nom. C'est à partir de ce moment aussi

que surviennent la jalousie et les persécutions incessantes. Parmi ses détracteurs, Augustin Carrache ne se montre pas le moins acharné, et, prenant pour de la lenteur ce qui n'est chez l'artiste que de la réflexion, il ne l'appelle jamais que « le bœuf ». Mais Annibal, qui a compris tout ce qu'il y a d'avenir dans son élève, le venge un

jour de cette épithète injurieuse en assurant que « le bœuf tracerait si bien son sillon qu'il fertiliserait le champ de la peinture. » Le tableau de la *Délivrance de saint Pierre* éclaire le cardinal Agucchi sur le mérite injustement contesté de Zampieri ; le prélat lui confie la décoration de l'église de Saint-Onuphre. Peu de temps après, le Dominiquin doit diriger l'érection du tombeau de son protecteur. Il y sculpte de sa main quelques ornements, et peint au-dessus, dans un ovale, le portrait de l'ami qui vient de mourir.

Le Dominiquin a produit *Suzanne et les Vieillards*, *Le Ravissement de saint Paul*, *Saint François à genoux devant un Crucifix*, et *Saint Jérôme dans sa grotte*, lorsque J.-B. Agucchi, devenu majordome du cardinal Aldobrandini, lui fait obtenir les peintures de la villa Belvedere, appartenant au prélat. Dans ce palais, le Dominiquin trace quelques épisodes de l'histoire d'Apollon que la gravure a rendus célèbres. A la suite de ce travail, le cardinal Odoardo Farnèse le charge de peindre divers miracles de saint Barthélemy dans la chapelle de l'abbaye de Grotta Ferrata. Il relate alors *La Légende de saint Nil* (1608-1610) qui cherche à atteindre la perfection de l'image et du geste. C'est dans un de ces ouvrages qu'il peint, en costume de page, le portrait d'une jeune fille de Frascati, qu'il aime et que vainement il a demandée en mariage. La ressemblance est si parfaite que les parents de la jeune personne, courroucés de voir l'image de leur fille exposée ainsi publiquement, obtiennent le renvoi du peintre.

De retour à Rome, il y trouve son fidèle Albani travaillant au château de Bassano pour le marquis de Giustiniani. Albani engage ce dernier à confier au Dominiquin une partie des peintures qui reste à faire. L'habileté dont il fait preuve augmente de beaucoup sa réputation, et lui fait confier, en 1609, la direction des fresques de l'oratoire de San Gregorio Magno, où il représente la *Flagellation de saint André*, concurremment avec Guido Reni, cet autre élève des Carrache, dont la fresque offre le même saint agenouillé devant la croix. L'influence baroque s'y fait sentir.

Pourtant sa composition n'est payée que cent cinquante écus, contre quatre cents pour celle de son collaborateur. *L'Histoire de sainte Cécile*, réalisée en 1612/1615 à la chapelle Polet à Saint-Louis des Français est exécutée en même temps que son fameux tableau d'autel, *La Dernière communion de saint Jérôme* (Pinacothèque vaticane), commandée en 1614, par la congrégation de San Girolamo della Carità. L'œuvre est un hommage à Augustin Carrache.

Entre 1617 et 1621, le Dominiquin retourne à Bologne, et plus exactement à Fano, pour décorer dans un style sévère, néo-Renaissance, la chapelle Nolfi de la cathédrale. Il y retrace l'histoire de la Vierge. Il est rappelé dans sa patrie par les seigneurs de Ratta, qui le chargent d'exécuter le grand tableau de la *Vierge du Rosaire* pour l'église de Saint-Jean-in-Monte. Il se marie avec Marsibilia Barbetti.

Quelques années après son mariage, le Dominiquin retourne à Rome avec sa femme, et il reprend ses travaux avec plus d'ardeur que jamais. On vient d'achever l'église de Sant'Andrea della Valle, et le cardinal de Montalte, qui l'a fait bâtir, choisit Zampieri pour embellir cette église qui devient l'œuvre la plus monumentale de la première période baroque romaine.

Collaborant avec Lanfranco, il représente, de 1624 à 1628, les *Quatre évangélistes* sur les pendentifs de la coupole, ainsi que les *Scènes de la vie de saint André*. Alors qu'il s'apprête à terminer les peintures du dôme, Lanfranco se fait attribuer l'ouvrage. Pour consoler le Dominiquin, le pape Grégoire XV, qui, avant de parvenir au trône pontifical, a tenu un de ses fils sur les fonds baptismaux, lui accorde la charge d'architecte du palais apostolique ; mais la courte durée du pontificat de ce protecteur ne permet pas au peintre de tirer de cet emploi tous les avantages qu'il en doit attendre. Le Dominiquin, dégoûté du séjour de Rome, se rend à Naples pour peindre en 1631 la chapelle Saint-Janvier. Mais il n'a pas plutôt commencé son œuvre que ses détracteurs (Ribera se montre le plus acharné) poussent l'ouvrier chargé de confectionner les enduits à ajouter de la cendre à la chaux, afin de sillonner le fond de gerçures. Excédé, le Dominiquin s'enfuit de Naples, comme l'ont déjà fait Annibal

Carrache, Guido Reni et Josépin. Il meurt sans doute empoisonné. Lanfranco, son éternel rival, achève la décoration entreprise à Saint-Janvier. Nicolas Poussin fut son élève à Rome, en 1624.

Dou, Gerard Gerrit
1613-1675
(né et mort à Leyde)

Fils d'un graveur sur verre, il apprend le dessin chez le graveur Bartholomeus Dolendo, puis chez le graveur sur verre Pieter Kouwenhorn, avant de travailler dans l'atelier de son père. De 1625 à 1627, il est membre de la guilde des vitriers. Il est le fondateur de l'école dite des *Fijnschilders* (peintres raffinés) de Leyde.

En 1628, il entre dans l'atelier de Rembrandt à Leyde, et c'est peut-être là qu'il prend le goût du clair-obscur et des effets de lumière concentrée sur un point précis de la toile. Mais c'est surtout à la prodigieuse finesse de son exécution qu'il doit son immense réputation. On reconnaît là la formation du graveur sur verre par la technique quasi miniaturiste de ses petits tableaux. Ses qualités d'adresse de pinceau, très facilement appréciables pour le public, et le succès immense qu'il a connu lui ont donné parmi ses contemporains une influence qui a eu pour effet de modifier sensiblement les tendances primitives de l'école hollandaise. A partir de ce moment, les efforts des artistes se portent moins vers l'éclat et l'harmonie de l'ensemble que vers le rendu exact de chaque accessoire.

Parmi ses meilleures œuvres, il faut citer *La Jeune Mère*, 1658 (Mauritshuis, La Haye), *La Mère de Rembrandt*, vers 1630 (Rijksmuseum, Amsterdam) ; son chef-d'œuvre reste *La Femme hydropique*, 1663 (Musée du Louvre, Paris).

Dyck, Anthonis van,
dit Antoine van
1599-1641
(Anvers/Londres)

Fils d'un riche négociant d'Anvers, Van Dyck a à peine dix ans, lorsqu'il rentre dans l'atelier de Hendrik van Balen, et quinze lorsqu'il collabore avec Rubens qui exercera sur lui une influence indélébile. De cette époque datent des tableaux à thème mythologique ou

biblique, comme *Le Silence ivre* (Gemäldegalerie, Dresde) ou *Suzanne au bain* et *Le Martyre de saint Sébastien* (Alte Pinakothek, Munich). Reçu à dix-neuf ans, confrère de la guilde de Saint-Luc, il effectue un voyage à Londres de quelques mois qui le met en présence d'œuvres du Tintoret, de Titien, de Véronèse. Il est déjà un portraitiste talentueux très recherché par l'aristocratie. En 1621, Rubens lui conseille d'aller en Italie : Gênes, Rome, Mantoue, Milan, Turin, Florence, Palerme... son séjour dure cinq ans. De grandes familles, les Bentivoglio, les Barberini, les Colonna, s'intéressent à lui. A Gênes, il exécute plus de quarante portraits. A Florence, il peint *Le Cardinal Giulio Bentivoglio* (Palais Pitti, Florence). Ses personnages nobles et distingués, sont généralement habillés de couleurs sombres et discrètes, de sorte que les traits du visage, engoncé dans une lourde fraise, et les mains au dessin délicat, sont seuls à rayonner dans l'ombre. En Italie, il exécute les premiers de ses portraits équestres les plus impressionnants. Il peint pour la première fois, le destrier gris-pommelé, à la crinière ondulante : *Portrait d'Antonio Giulio* (Palais Bianco, Gênes) qui reviendra souvent dans son œuvre. L'Italie encore lui fournit ses arrière-fonds rutilants de draperies, de jardins, de terrasses et de balustrades de marbre.

De retour à Anvers, il peint principalement des tableaux religieux en peuplant les grandes églises d'innombrables œuvres : *Extase de saint Augustin* à Anvers, *La Crucifixion* à Gand, l'*Elévation de la Croix* à Courtrai. Ni le style ni l'atmosphère ne rappellent les œuvres antérieures. Ces toiles sont nettement baroques. Durant cette période, il réalise également des portraits, peints à mi-corps. Il abandonne la tonalité sombre, propre aux portraits de la période génoise, pour une lumière scintillante et son écriture, se dépouillant à l'extrême, évolue de plus en plus vers une austérité déroutante, tandis que ses clairs-obscurs sont parfois d'un effet surprenant. Parmi ces œuvres : *Henri de Bergh*, vers 1630 (Musée du Prado, Madrid), *Le Peintre Jan de Wael et sa femme Gertrud de Jode*, vers 1627 (Alte

Pinakothek, Munich). Mais c'est en Angleterre qu'il réalise ses portraits les plus célèbres. A la fin de 1632, appelé par Charles 1er d'Angleterre, Van Dyck se fixe à Londres et se nomme bientôt Sir Anthony van Dyck, peintre de la cour. Pensionné par le roi, il n'exécute pas moins de trente-huit portraits de son protecteur, dont plusieurs sont équestres. Le chef-d'œuvre est sans doute celui qui est au musée du Louvre, exécuté en 1635. Tout ce que la Grande-Bretagne et l'Ecosse comptent de nobles et d'aristocrates passe dans son atelier. Il réalise plus de trois cent cinquante œuvres. On peut dire de lui qu'il a été le portraitiste du paraître plus que de l'être, qu'il a exprimé l'idéal d'une classe à laquelle ses modèles cherchaient à ressembler. Il n'en demeure pas moins vrai que sa

Frans II Francken.
Vertumne et Pomone.
Musée du Louvre, Paris.

conception du portrait a dominé la peinture anglaise jusqu'à la fin du XVIIIe siècle, et que sans lui, Reynolds et Gainsborough n'auraient pas existé. Malgré tout, il n'a jamais formé d'école. Il laisse un *Autoportrait* (Musée des Beaux-Arts, Strasbourg), empreint d'un sentiment aristocratique. Il meurt à Londres et est enterré dans la cathédrale Saint-Paul.

Francken, Frans II, dit Frans le Jeune
1581-1642
(né et mort à Anvers)

Frans II Francken est le quatrième fils de Frans Francken I dont il est l'élève. Jusqu'en 1616 au moins, il signe Le Jeune pour se distinguer de son père qui signe Le Vieux. Après 1628, il doit recourir lui-même à cette appellation pour ne pas se confondre avec son fils Frans III (1607-1667). Comme tous les artistes de sa génération, il part faire un voyage d'étude en Italie et s'initie aux principes de l'école vénitienne. A son retour à Anvers, il est admis, en 1614, doyen de la guilde de Saint-Luc. Il entretient des relations avec bon nombre d'artistes : Rubens, probablement rencontré en Italie, et Van Dyck qui exécutera son portrait.

Il a pour collaborateur son frère Ambrosius II (1544-1618) et ses fils Frans III et Jérôme III. C'est grâce à leur aide que sa production est considérable et connaît un succès tant en Flandre qu'à l'étranger. Il collabore également avec d'autres peintres tels que les paysagistes Govaerts ou Momper et les peintres d'intérieurs d'églises comme Neefs ou Van Bassen pour lesquels il peint des figures.
Son style, au dessin encore un peu dur au début, s'assouplit sous l'influence maniériste, puis, vers 1630, la composition, sans varier beaucoup, devient plus ample, la facture plus fluide.
Il se partage entre la grande peinture d'autel et le petit tableau d'amateur traitant des sujets mythologiques, d'histoire religieuse ou antique, des scènes de genre, cortèges et scènes de bal.

Fyt, Jan
1611-1661
(né et mort à Anvers)

Fils d'un riche marchand, Fyt entre, en 1621, dans l'atelier de Snyders qui lui transmet son goût pour la peinture d'animaux et les natures mortes avec gibier. En 1630, il est nommé maître à la guilde d'Anvers et part aussitôt pour Rome en passant par Paris, où il rejoint les « Bentveughels » ou « volée d'oiseaux », nom donné à la communauté d'artistes hollandais et flamands installés à Rome. On lui donne le sur

nom de « Goudvinkt », le « Chardonneret ». Son style, tout d'abord baroque, devient plus simple et plus élégant. Employant dans une palette riche et somptueuse des effets de contrastes, d'ombres et de lumière étonnants, qu'il doit à l'influence des artistes hollandais, maîtres dans le mode du clair-obscur, il surpasse son maître Snyders. Parmi ses œuvres, il faut mentionner ses *Chasses* et ses *Combats d'animaux*, telle *La Tête de sanglier*, 1646 (Kunsthistorisches Museum, Vienne).

Giordano, Luca
1634-1705
(né et mort à Naples)

Le père de Luca Giordano, peintre peu talentueux, habite porte à porte avec Ribera qui ne tarde pas à prendre Luca pour élève. Ses premières toiles, telles que *Apollon et Marsyas* (Musée National de San Martino, Naples), dans ses clairs-obscurs et son tracé

dynamique révèlent la grande influence du maître. Après avoir travaillé pendant neuf ans avec la plus grande application, Luca, à peine âgé de seize ans, quitte Naples secrètement et se rend à Rome, où il se fait admettre dans l'atelier de Pietro da Cortona, dont la manière séduisante lui plaît tellement qu'il semble tout à coup s'identifier avec la manière de ce nouveau maître. Il est bientôt en état de l'aider dans plusieurs de ses travaux.

Cependant son père, parti à sa recherche, rencontre ce fils qu'il croyait perdu, dessinant dans le Vatican. Rassuré désormais sur son sort et sur ses projets, il l'engage à quitter Rome et lui fait entreprendre une sorte de pèlerinage à travers l'Italie. Ils visitent successivement Venise, où le jeune Luca s'attache à surprendre les secrets de ce coloris dont Giorgione et Titien seront les créateurs, Florence, où il apprend l'anatomie et le dessin devant les chefs-d'œuvre de Léonard de Vinci, de

Michel-Ange, d'Andrea del Sarto, enfin Parme, où ses compositions s'enrichissent de l'art de Paul Véronèse. Tandis qu'il étudie, Giordano réalise de nombreuses copies des Anciens qu'il vend à très bas prix. Le père ne cesse d'exciter le fils au travail, en lui répétant du matin au soir : « *Luca, fa presto !, Luca fais vite !* » Mot devenu proverbial parmi les artistes, et qui a servi depuis de surnom au peintre.

Luca Giordano fait son second voyage à Rome, qu'il quitte peu de temps après pour retourner à Naples, où il se marie et s'établit. Tout imbu du style et de la manière des maîtres qu'il a copiés tant de fois, il se met à composer des ouvrages originaux qu'il expédie avec la même prestesse que ses copies. Le grand tableau de *Saint François-Xavier*, qu'il est chargé de peindre pour les Jésuites de Naples, est un des exemples les plus frappants de cette prodigieuse célérité. L'avant-veille du jour où l'inauguration du tableau doit avoir lieu, Giordano n'a pas encore commencé son œuvre. Le vice-roi, averti par les religieux, va le trouver et lui reproche sa négligence. Giordano se contente de répondre qu'il sera prêt ; et, en effet, un jour et demi lui suffisent pour produire cet ouvrage, qui, dit-on, mérite les suffrages de tous les connaisseurs.

Il serait impossible d'énumérer les tableaux que Giordano exécuta pendant plus de trente ans pour les églises et les palais de Naples. Les œuvres plus importantes sont probablement la coupole de Santa Brigida en 1678, et la fresque de la coupole de la Chartreuse San Martino réalisée en 1705, relatant l'*Histoire de Judith*. Entre-temps Cosme III de Médicis le fait venir à Florence où, de 1682 à 1685, il peint l'immense plafond de la galerie du Palais Riccardi, représentant l'*Apothéose des Médicis*. En 1692, le roi Charles II d'Espagne l'appelle auprès de lui à Madrid. C'est ici l'époque la plus brillante de l'existence de Giordano. On lui accorde un présent de onze cents ducats pour son voyage, le transport et l'entrée franche de tout ce qu'il lui plaît d'apporter, l'emploi de fourrier de la chambre sans obligation de le remplir, une maison montée, un carrosse et une pension de cent doublons par mois pendant tout le temps de son séjour en Espagne.

Ses premiers travaux sont les fresques, en 1692-1694, du grand escalier de l'Escurial. Il ne lui faut que deux ans pour peindre les dix voûtes et leurs accessoires, temps qui suffirait à peine à un autre pour tracer les esquisses. De l'Escurial, il passe au Buen Retiro, où il peint tout un poème épique, l'*Histoire de l'ordre de la Toison d'Or*, incroyable mélange d'histoire, de fable, d'astronomie et de figures allégoriques. Cette œuvre colossale est à peine achevée qu'il est envoyé, en 1697-1700, à la cathédrale de Tolède pour y peindre à fresque la voûte de la sacristie. Il revient ensuite à Madrid, où il orne de peintures à fresque et de tableaux à l'huile la chapelle du vieux palais, la coupole de Notre-Dame-d'Atocha et l'église de Saint-Antoine-des-Portugais. Malgré tant de travaux considérables, Giordano trouve encore le temps d'exécuter une foule de tableaux pour les princes et les riches particuliers. On ne lui attribue pas moins de cinq mille portraits à l'huile : parmi les authentiques, la série des *Philosophes* (Galerie Doria-Pamphili, Rome).

Après huit années de travaux en Espagne, les commandes d'ouvrages publics ayant été suspendues par la mort de Charles II, Luca Giordano reprend, en 1705, la route de Naples. Il meurt le 4 janvier 1705, à l'âge de soixante-treize ans. On l'enterre dans l'église de Saint-Nicolas-de-Bari avec une pompe égale à celle qui avait accompagné la dépouille mortelle de Titien.

Goyen, Jan Josephsz van
1596-1656
(Leyde/La Haye)

Jan Josephsz van Goyen reçoit une influence directe de Esaias van de Velde grâce à son apprentissage de ce qui est caractéristique dans le paysage hollandais. De 1619 à 1631, il travaille à Leyde et obtient en 1634 la plus haute fonction de la corporation de peintre de sa ville.

Le début de son œuvre est caractérisé par des paysages dans lesquels évoluent de nombreux personnages, hauts en couleurs. Puis, à partir de 1927, sa palette se réduit, prend une allure monochrome tandis que ses compositions se simplifient. Son thème de prédilection devient le paysage marin et les bords de rivière. Grand dessinateur, ses esquisses forment un point de départ pour ses compositions peintes ensuite en atelier ou pour les dessins plus travaillés, destinés à être vendus.

Très peu reconnu à son époque, Van Goyen est considéré depuis l'impressionnisme comme l'un des plus grands paysagistes hollandais. Son chef-d'œuvre est probablement la *Vue de Dordrecht* (Musée du Louvre, Paris).

Guerchin,
Giovanni Francesco Barbieri *dit* Il Guercino, ou Le
1591-1666
(Cento/Bologne)

Originaire de Cento près de Bologne, Giovanni Francesco Barbieri reçoit le surnom de « Il Guercino » en raison de son strabisme (« *guercio* » signifiait « qui louche » en italien). Né de parents pauvres, il est envoyé à l'école pour y apprendre seulement à lire et à connaître les principes de sa langue. Cependant, à l'âge de dix ans, il attire déjà l'attention générale par son

Le Guerchin.
Portrait du Cardinal Bernardino Spada, 1631.
Galerie du Palais Rosso, Gênes.

penchant irrésistible pour le dessin. Son père le place chez un peintre de son village. A vingt ans, il vient à Bologne. Admirateur passionné des chefs-d'œuvre de ses contemporains comme ceux de Ludovic Carrache, il s'abstient néanmoins de les copier, et ne s'approprie que ce que leur manière a de vigoureux. Il s'attache surtout à donner à ses compositions un relief très marqué, ce qui l'a fait appeler parfois le magicien de la peinture italienne.

Il élabore ainsi un style naturaliste très personnel. Mêlant à sa palette vive le clair-obscur du Corrège, il devient l'un des grands maîtres du baroque au XVIIe. *La Vierge entre deux saints*, peint entre 1616 et 1621 pour l'église du Rosaire de Cento, exprime la puissance de son style qui doit arriver à notoriété vers 1619-20.

C'est à cette époque qu'il exécute ses meilleurs ouvrages tels que *L'Aurore*, qui se trouve aujourd'hui dans la villa Ludovisi, près de Rome, et qu'il exécute en étant le rival de Guido Reni. S'il ne surpasse pas en dessin le tableau de son antagoniste, il faut convenir qu'il lui est de beaucoup supérieur sous le rapport de la composition, du coloris et d'une certaine poésie dont Guido est généralement dépourvu, témoignant d'une extraordinaire liberté picturale. Son grand tableau *L'Inhumation de sainte Pétronille*, 1623 (Musée du Capitole, Rome) peint pour Saint-Pierre de Rome, marque une évolution vers un style beaucoup plus classique, influencé par le Dominiquin et les théories de Mgr Agucchi consignées dans son

Trattato Sulla Pittura, rédigé vers 1610, dans lequel il développe la notion de beau idéal. Après la mort, en 1623, du pape Grégoire XV Ludovisi, qui lui a commandé tous ses travaux, ses œuvres révèlent une nouvelle tendance dans laquelle il calme sa fougue et revient à un style plus contrôlé, en basant ses compositions selon les règles de l'esthétique classique. Il vit alors de nouveau dans sa ville natale. Les tableaux des dernières années annoncent, par leur lumière diffuse, leur facture plus délicate, les raffinements de la peinture du XVIIIe siècle, *La Madone à l'hirondelle* (Musée des Offices, Florence). La gamme chromatique s'éclaircit. Grand dessinateur, le Guerchin laisse plusieurs milliers de dessins.

Hals, Frans
1581/85-1666
(Anvers/Haarlem)

Il est probable que le premier maître de Frans Hals soit van Noort à Anvers et qu'après son départ pour Haarlem il soit entré dans l'atelier de Van Mander, peintre maniériste et historien d'art, qui le donne, en 1618, comme peintre de portraits.

En 1610, il devient maître indépendant à la guilde de Saint-Luc de Haarlem. Les deux œuvres les plus anciennes qui nous soient parvenues, *Deux petits chanteurs*, 1611 (Musée de Kassel), et les *Arquebusiers de Saint-Georges*

(Musée Hals, Haarlem) le consacrent d'emblée dessinateur incomparable et fin psychologue. Il doit sa célébrité à ses portraits de groupe, tels que le *Banquet des officiers du corps des archers de Saint-Georges* dont il existe deux versions, l'une de 1616, l'autre de 1627, ou encore, le *Banquet des officiers de Saint-Joseph*, de 1626-1627 (tous trois au Musée Hals de Haarlem). Parmi ses chefs-d'œuvre, il faut citer également *Les Régents de l'hôpital Sainte-Elisabeth* (1641) et *Les Régentes de l'hospice de vieillards*, 1664 (tous deux au Musée Hals de Haarlem), dans lesquels le peintre reprend les schémas de composition des maniéristes en même temps que les poses et les gestes du portrait médiéval italien. Cependant, il représente ses personnages dans les poses les plus variées mais aussi les plus naturelles, bannissant énergiquement affectation et contrainte. La même perspicacité et une pénétration psychologique tout aussi profonde se déploient dans les grands portraits de *Jacques Olycan* (Musée de La Haye) et d'*Albert van der Meer* (Hôtel de Ville, Haarlem) qui l'apparentent à Vélasquez par exemple, bien que ce dernier se montre moins exubérant. Nul autre peintre que Hals n'a su exprimer la jovialité des êtres saisis dans la plus grande spontanéité. Il se révèle dans ses portraits un peintre de la bonne humeur, décrivant le sourire épanoui, proche souvent du rire canaille : *La Bohémienne*, vers 1628 (Musée du Louvre, Paris), *Le Joyeux Buveur*, 1625, 1630 (Rijksmuseum, Amsterdam) en sont les meilleures illustrations. Négligeant toute étude préalable et toute esquisse, il applique d'un premier jet de peinture son pinceau sur la toile, dans une touche large et puissante. Hals a été non seulement l'un des portraitistes les plus importants de l'histoire de l'art, mais il apparaît aussi comme le précurseur de l'art moderne. Courbet lui a emprunté son réalisme, Van Gogh, la remarquable expression de ses couleurs.

Herrera de, Francisco
dit le Vieux
vers 1576-1656
(Séville/Madrid)

Elève de Francisco Pacheco et de Luis Fernandez, Herrera est l'une des personnalités les plus importantes de la première génération baroque de Séville, en même temps qu'un personnage légendaire dont l'humeur sombre et violente terrorisait les élèves et son entourage.

Ne pouvant vivre avec personne, il est successivement abandonné par ses amis, sa famille, son fils qui part avec la caisse, et sa fille qui s'enferme dans un couvent. On prétend que seule une vieille servante resta pour l'aider à ébaucher ses tableaux. Poursuivi après avoir fait de la fausse monnaie, il se réfugie dans le collège des Jésuites où il peint un tableau tellement admiré par le roi que celui-ci lui accorde sa grâce, en disant : « Celui qui a un tel talent ne doit pas en faire mauvais usage ».

De nombreux élèves, attirés par sa réputation, viennent lui demander des leçons. Vélasquez est de ceux-là, mais pas plus que les autres, il ne résiste à la brutalité de ses procédés et le quitte pour l'atelier de Pacheco, homme de lettres autant qu'artiste.

Les premières de ses œuvres restent dans la tradition maniériste. Mais, entre 1627 et 1628, il peint pour le collège de San Buenaventura une série de quatre tableaux, que Zurbarán achèvera. Il trouve son style dans *Saint Bonaventure reçu par l'ordre des Franciscains* (Musée du Prado, Madrid) : réalisme parfois brutal, éclat du coloris, technique libre et souple.

Ses œuvres revêtent alors une grande maturité dans l'expression. Ses figures sont animées d'un souffle grandiose dans des coloris sobres, dans lesquels dominent les terres : *Saint Basile dictant sa doctrine*, 1639 (Musée du Louvre, Paris), ou *Saint Joseph*, 1648 (Musée Lázaro Galdiano, Madrid).

Il est le fondateur de l'école sévillane.

Heyden, Jan van der
1637-1712
(Gorinchem-sur-Waal/Amsterdam)

Peintre né et mort en Hollande, Van der Heyden est surtout connu pour ses vedute et pour son esprit inventif. En 1668, il crée un nouveau plan pour l'éclairage d'Amsterdam qui restera actuel jusqu'en 1840. En 1672, il construit la première pompe à incendie munie de tuyaux. En tant que peintre, on le connaît grâce à ses vues de villes et à ses paysages représentant des propriétés de campagne. On lui doit un appareil optique destiné à mieux représenter les perspectives de ses scènes de ville et de campagne. Le rendu minutieux jusque dans les moindres détails, qui lui fait par exemple peindre les briques d'un mur, l'une après l'autre, lui est caractéristique. Après avoir réalisé la composition, il demande à d'autres artistes, tel Adriaen van de Velde, de peindre à l'intérieur les figures, qu'il s'agisse de personnages ou d'animaux.

Hobbema, Meindert
1638-1709
(né et mort à Amsterdam)

Orphelin, Hobbema fait son apprentissage chez Jacob van Ruysdael dont il reprend parfois les compositions habituelles et les sujets, surtout dans ses paysages antérieurs à 1662. Ensemble, ils font de nombreuses excursions au cours desquelles les deux peintres esquissent ce qui les frappe pour les reprendre en atelier. C'est ce qui explique l'exécution du *Moulin à eau* de Ruysdael (Rijksmuseum, Amsterdam) et le *Moulin à eau* de Hobbema (Collection Widener, Londres) ou encore *Les Ruines du château de Brederode* par Ruysdael (Collection Northbrook, Londres) et le même par Hobbema, 1671 (National Gallery, Londres). Cependant les différences stylistiques sont nombreuses. Hobbema emploie des couleurs plus épaisses, recherche l'effet décoratif. Ses toiles sont toujours optimistes, claires, lumineuses, aux avant-plans très fouillés. On y trouve invariablement une masse de détails attrayants. Dans ses dernières œuvres, la composition acquiert plus d'originalité, comme par exemple, dans le paysage très étonnant de 1689 qui est son œuvre maîtresse : *L'Allée d'arbres à Middelharnis* (National Gallery, Londres). L'ambiance, sous un éclairage diffus et décrite dans une palette claire et lumineuse, est tout à fait nouvelle, alors que la conception reste encore typiquement baroque. Cette toile amorce la peinture paysagiste du

Pieter van Laer.
Le Départ de l'hôtellerie.
Musée du Louvre, Paris.

XVIIIe siècle en même temps que l'impressionnisme, dans sa recherche des rendus d'atmosphère.

Jordaens, Jacob
1593-1678
(né et mort à Anvers)

Jacob Jordaens entre, en 1607, à l'atelier d'Adam van Noort dont il épousera la fille. Il est inscrit à la guilde de Saint-Luc en 1615 comme peintre à la détrempe et aussi comme auteur de cartons de tapisserie. Dans ce genre, la suite des *Grands Chevaux* (Kunsthistorisches Museum, Vienne) est sa meilleure œuvre. Rubens lui voue une amitié jamais démentie et lui donne des conseils, ce qui fait qu'on range Jordaens parmi ses élèves.

Ses premières œuvres sont marquées par le maniérisme : *Jacob Jordaens et la Famille de son beau-père*, vers 1616 (Gemäldegalerie, Kassel). Son œuvre est considérable, on lui attribue plus de cinq cents tableaux. Il a abordé tous les genres : sujets religieux et tableaux d'autel, *Crucifixion*, 1617 (Eglise Saint-Paul, Anvers) ; allégories plus ou moins mythologiques, *Apollon et Marsyas*, 1637 (Musée du Prado, Madrid), il a repris six fois l'*Allégorie de la Fécondité*, 1649 (Musée d'Art, Copenhague) dans laquelle le baroque conserve une allure sculpturale ; scènes intimes ou populaires, *Le Satyre et le Paysan* (Alte Pinakothek, Munich), inspiré d'une fable d'Esope, thème qui revient fréquemment.

Converti au protestantisme en 1645, il traitera dès lors une partie de sa peinture comme une peinture « à programme », comme l'avait fait Brueghel auparavant, et en ajoutant parfois des inscriptions démoralisantes. Son œuvre principale dans laquelle débordent son exubérance et sa générosité, est le *Triomphe de Frédéric-Henri de Nassau*, 1651-52, peint dans le grand salon du Palais du Bois, près de La Haye, qui est en même temps le triomphe du baroque. Plusieurs esquisses sont à Anvers, Bruxelles et Varsovie. Ses œuvres font de lui l'un des grands maîtres flamands du baroque.

Laer, Pieter van
dit Il Bamboccio
vers 1592-1642
(né à Haarlem)

Pieter Boddingh van Laer subit l'influence d'Esaias van de Velde dont on ne peut assurer qu'il fut son maître. Il subit d'abord l'influence du maniérisme tardif.

En 1625-26, il se rend avec son frère Roelant, peintre comme lui, à Rome où il rencontre Poussin et Le Lorrain. Il est admis au sein du *Schildershent* qui

le baptise du sobriquet de *Bamboccio* (signifiant *marionnette*), en allusion à sa difformité physique, puisqu'il est bossu. De là, vient le nom *Bambochade* qui est une scène de rue italienne représentant des mendiants, des colporteurs et des musiciens ambulants. Il obtient alors un vif succès, reposant plutôt sur le scandale. Tous les critiques du temps se plaignent de « ces tableaux laids et vils, étrangers aux convenances de l'art, au décorum de la peinture, et qui les réduisaient à donner en spectacle les farces des cabarets et des mauvais lieux, à secouer la vermine des pouilleux, des voleurs et de la canaille. » On peut citer *Le Départ de l'hôtellerie* (Musée du Louvre, Paris). Ces bambochades ont occulté le restant

Laurent de la Hyre.
La Musique, 1649.
Metropolitan Museum of Art, New York.

de son œuvre. Peintre animalier, il a également peint de nombreux paysages, des tableaux d'histoire, et s'est adonné à l'art du portrait.

La Hyre, Laurent de
1606-1656
(né et mort à Paris)

Fils du peintre Etienne de la Hyre, Laurent va tout d'abord étudier à Fontainebleau avant d'entrer dans l'atelier de Quentin Varin et Georges Lallemant. Il suit également l'exemple de Gentileschi qui passe près de deux ans à Paris vers 1623-1625. Ses premières œuvres, encore maniéristes, révèlent déjà son goût pour les couleurs claires et les atmosphères transparentes. La première phase de sa carrière, très variée, marquée par la commande de deux « Mays » pour Notre-Dame, _Saint Pierre guérissant les malades par la vertu de son ombre_, 1635 (Musée du Louvre, Paris), _La Conversion de saint Paul_, 1637 (Eglise Saint-Thomas-d'Aquin, Paris) et par des décorations et des tableaux pour le palais de Richelieu en 1636, est une période de recherches et d'élaboration d'un style original, élégant et gracieux. Il multiplie les scènes bibliques et mythologiques placées dans des décors champêtres, dans lesquelles il se place en maître de la perspective. A partir de 1641, La Hyre s'oriente vers un art plus froid, plus réservé, volontairement classique, tendance illustrée par Le Sueur et influencée par Poussin, dominant la peinture parisienne de cette époque. En 1648, il peint l'_Allégorie de la Musique_ (Metropolitan Museum of Art, New York), l'une de ses œuvres les plus connues.

La même année, appelé parmi les douze membres fondateurs de l'Académie de peinture, il accorde une place croissante au paysage. Il prend volontiers pour cadre de ses compositions, qu'elles soient mythologiques ou religieuses, les environs de Paris. A la fin de sa vie, il va même jusqu'à les exécuter seul, sans prétexte historique.

Lanfranco, Giovanni
dit aussi Giovanni di Stefano
1582-1647
(Terenzo/Parme)

Lanfranco naît près de Parme, au sein d'une famille modeste. A peine sorti de l'enfance, il est contraint d'entrer au service du comte Horace Scotti, à Plaisance, chez lequel il commence à faire connaître ses dispositions pour le dessin. Une frise qu'il dessine un jour autour de sa chambre avec du charbon et du blanc attire l'attention de son maître, qui, pour lui procurer les moyens de se livrer à son penchant artistique, le place dans l'atelier d'Augustin Carrache. A la mort d'Augustin, en 1602, il part pour Rome, où il continue ses études sous la direction du frère d'Annibal Carrache, qui est alors occupé à peindre la Galerie Farnèse. Lanfranco l'aide beaucoup, notamment dans une _Adoration des Mages_ (Galerie Doria-Pamphili, Rome). Les premières peintures à fresque qu'il fait pour son compte, peu de temps après son arrivée à Rome, sont plusieurs compositions que le cardinal Sannese lui commande. A la mort de son second maître, en 1609, Lanfranco vient à Parme pour y étudier les peintures du dôme du Corrège. C'est là qu'il se forme cette manière large et lumineuse qu'il a si bien mise en pratique dans toute son œuvre. Il y reste deux ans. De retour à Rome en 1612, il se fixe dans cette ville, et se voit chargé de plusieurs grands ouvrages qui confirment sa réputation.

L'influence de Gentileschi et de Reni y est notoire. Durant cette période protobaroque qui se termine en 1625, Lanfranco exécute des travaux essentiels : Palais Mattei, 1615 (_Scènes de la vie de saint Joseph_), Chapelle Buongiovanni à San Agostino, 1616, (_L'Assomption_), Sala Regia du Quirinal, loge des Bénédictions de Saint-Pierre, fresques de la Chiesa Nuova en 1621, chapelle Sacchetti à San Giovanni di Fiorentini en 1621-1624. Commandes obtenues à la suite du départ de Rome de Reni, en 1614, et du Dominiquin, en 1617.

A partir de 1625 commence la période baroque de Lanfranco, avec le décor de la coupole de Sant' Andrea della Valle, déjà entrepris par le Dominiquin. Cette grande composition, _La Gloire du Paradis_, à l'achèvement de laquelle l'artiste emploie plus de quatre années, fait époque dans l'histoire de l'art. L'ouverture de cette coupole représente le ciel dans toute sa gloire. La lumière principale qui jaillit de la figure du Christ placé au milieu du dôme répand ses rayons avec un éclat éblouissant sur tous les groupes ; enfin toutes les figures des différents plans sont distribuées de telle façon qu'elles paraissent de grandeur naturelle. L'inspiration du Corrège et son sens des raccourcis est évidente.

De 1634 à 1646, spécialisé dans la fresque, il se rend à Naples où il exécute les coupoles de l'église du Gesu et de la chapelle du Trésor de Duomo, ainsi qu'une _Ascencion_, 1638, pour la Chartreuse de San Martino. Il est obligé de revenir à Rome pour assister à la cérémonie de la prise du voile religieux par une de ses filles. L'insurrection, qui chasse les Espagnols de Naples en 1646, l'ayant empêché de retourner dans cette ville, il reste à Rome et entreprend les grands travaux de Saint-Charles-des-Catinares. Ces ouvrages terminés, on les découvre le 27 novembre 1647, jour de la fête du saint ; mais Lanfranco n'a pas le bonheur de jouir de son triomphe : il meurt le jour même, à l'âge de soixante-six ans.

Largillière, Nicolas de
1656-1746
(né et mort à Paris)

Fils d'un chapelier qui s'installe à Anvers, Largillière fait son apprentissage avec Antoon Goubau, peintre de natures mortes et de scènes paysannes. En 1672, il est reçu maître à la guilde d'Anvers. A dix-huit ans, il part en Angleterre, entre à Londres dans l'atelier du portraitiste Peter Lely pour qui il peint les accessoires et les drapés, malgré le désir de Charles II de se l'attacher. En 1682, il quitte l'Angleterre où l'animosité des protestants professée contre le catholicisme romain s'affirme. De retour à Paris, il rencontre Le Brun, présenté par Van der Meulen, qui favorise sa carrière. En 1686, il devient membre de l'Académie et présente à cette occasion, comme œuvre de réception, l'une de ses œuvres maîtresses, _Portrait de Charles Le Brun_ (Musée du Louvre, Paris). Bien qu'il se soit essayé à la peinture d'histoire, il s'adonne principalement au portrait. Il devient le peintre attitré de la cour et de la bourgeoisie intellectuelle. Concurrent de Rigaud, ses portraits de tradition française, mais

Attribué à Nicolas de Largillière.
Le Comte de Toulouse, amiral de France.
Musée de la Marine, Paris.

d'influence flamande, sont réalistes dans leur description : aucune flatterie dans les expressions, observation détaillée des costumes et du mobilier. Ses meilleurs portraits sont ceux qui touchent à ses proches, comme *La Famille du peintre* (Musée du Louvre, Paris). Citons également l'*Ex-voto de sainte Geneviève*, 1696 (Saint-Etienne-du-Mont, Paris), et son chef-d'œuvre, *La Belle Strasbourgeoise*, 1703 (Musée des Beaux-Arts, Strasbourg).

La Tour, Georges de
1593-1652
(Vic-sur-Seille, près de Nancy/Lunéville)

Comme Vermeer qui fut ignoré durant des générations, Georges de La Tour est resté longtemps oublié puisqu'il a été découvert en 1915, grâce aux travaux d'Hermann Voss. Né dans la province alors indépendante de Lorraine, il est le fils d'un boulanger. Un voyage en Italie, vers 1615, le met en contact avec le Caravage qui lui communique directement sa passion du clair-obscur fortement contrasté. A la même école, il apprend le goût d'introduire le peuple des petits et des

Georges de La Tour.
Adoration des Bergers.
Musée du Louvre, Paris.

humbles dans ses scènes inspirées de l'Ecriture. En 1617 ou 1618, son mariage avec la fille de l'argentier du duc de Lorraine l'introduit dans le milieu bourgeois. En 1620, il s'installe à Lunéville, engage son premier apprenti ; sa renommée lui fait ouvrir un atelier, et il devient le seul « maître peintre » de la ville. En 1633, il vend un tableau à Henri III, duc de Lorraine qui l'année suivante lui achète une seconde œuvre représentant une « image de Saint Pierre », payée cent cinquante livres, somme déjà importante. En 1639, il vient à Paris et devient peintre ordinaire du roi, titre qu'il doit probablement à la protection de Louis XIII, auquel il a offert en 1631 un *Saint Sébastien pleuré par Irène* (Berlin, copies à Détroit et à

Kansas City), saint invoqué en cas de peste, au moment où le roi investit la ville victime de ce fléau.
Il continue de travailler à Lunéville et reçoit de la municipalité, de 1644 à 1651, d'importantes commandes de tableaux destinés au maréchal de La Ferté, gouverneur de Lorraine, dont le *Reniement de saint Pierre* (Musée des Beaux-Arts, Nantes).
Ses premières œuvres, tirées de la vie quotidienne, sont représentées à la lumière du jour ; elles sont moins poétiques et plus réalistes que ses scènes de nuit qu'il préfère après 1630. Pas de portraits, pas de paysages, si ce n'est à l'arrière-plan du *Saint Sébastien*, ni de natures mortes. Les œuvres « diurnes » ont généralement pour sujet des scènes de genre : *La Rixe de*

Georges de La Tour.
Les Larmes de saint Pierre, 1645.
Cleveland Museum of Art, U.S.A.

Georges de La Tour.
Le Reniement de saint Pierre, 1650.
Musée des Beaux-Arts, Nantes.

Georges de La Tour.
Le Joueur de vielle, 1630.
Musée des Beaux-Arts, Nantes.

musiciens (collection particulière, Angleterre), *La Diseuse de bonne aventure*, 1620-1625 (Metropolitan Museum of Art, New York), *Le Tricheur à l'as de carreau*, vers 1625 (Musée du Louvre, Paris), *Le Joueur de Vielle*, avant 1630 (Musée des Beaux-Arts, Nantes). Les tableaux religieux traitent tous de figures isolées de saints, généralement en buste : *Saint Jérôme*, vers 1620-1630 (National Museum, Stockholm et Musée des Beaux-Arts, Grenoble).

Les nocturnes sont d'un caractère tout différent. Les compositions profanes y sont en nette minorité. Le monde de la Bible est avant tout celui du Nouveau Testament, il est aussi celui de la réalité quotidienne : avant de devenir *Job*, le tableau d'Epinal s'est appelé *Le Prisonnier*. *Le Nouveau-né* (Musée des Beaux-Arts, Rennes) est tout autant une mère avec un enfant qu'une Nativité et le *Saint Joseph charpentier* (Musée du Louvre, Paris), un père travaillant avec son fils à la lueur d'une chandelle. Leçon directement assimilée du Caravage, aimant jouer avec les ambiguïtés, optant pour le rappel à la réalité, le retour à la nature, quant à l'origine de l'utilisation des chandelles et des lanternes, chères à La Tour, et qui font sa caractéristique. S'il est vrai que Caravage n'en a quasiment jamais fait usage dans ses nocturnes, les exemples abondent au XVIe siècle, du Corrège au Bassan et à Cambiaso. Mais c'est Honthorst (1590-1656), à Rome, dès 1610-1612, où il reçoit le surnom révélateur de Gherardo delle Notti, qui a popularisé la formule à partir, semble-t-il, de 1618. Par sa façon d'utiliser la lumière pour modeler les volumes, de les traiter comme des surfaces par le souci géométrique de ses lignes, La Tour est l'un des précurseurs de l'art moderne.

Le Brun, Charles
1619-1690
(né et mort à Paris)

Le Brun peut être regardé comme la personnification la plus complète du goût régnant à la cour de Louis XIV. Il est tout d'abord, comme Le Sueur, élève de Simon Vouet. Il part de bonne heure en Italie où il rencontre Poussin, et sa réputation est déjà faite, lorsqu'il revient en France. Il entre aussitôt au service de Louis XIV. Il fonde l'Académie royale de Peinture et de Sculpture en 1648, la Manufacture des Gobelins en 1663 et l'Académie de France à Rome en 1666. Il est l'instigateur du prix de Rome. C'est aussi lui qui conçoit et dirige la décoration de la Galerie d'Apollon au Louvre, de la Galerie des Glaces, de l'escalier des Ambassadeurs (1674-78), du Salon de la guerre et de la Paix (1678-1684) à Versailles. Il y exécute jusqu'aux serrures des portes et les statues et les fontaines du parc.

Dans ses tableaux de bataille, car il a traité tous les genres, Le Brun prend souvent pour collaborateur le flamand Van der Meulen que Colbert a fait venir de Bruxelles pour l'attacher au service du roi.

Le Brun devient le juge et l'arbitre suprême de toutes les idées d'artistes, de toutes les formes d'art de son temps. C'est d'après ses modèles que les enfants dessinent dans les écoles ; c'est lui qui donne aux sculpteurs le dessin de leurs statues ; les meubles ne peuvent être ronds, carrés ou ovales que pour son bon plaisir, et les étoffes ne se brochent que d'après les cartons qu'il a fait tracer sous ses yeux. Il laisse plus de trois mille dessins.

Il trouve aussi le temps de réaliser l'une des plus grandes œuvres épiques de l'art français, les quatre *Batailles d'Alexandre*, réalisées en 1661 pour le château de Fontainebleau (Musée du Louvre, Paris).

Le Nain, Antoine
1588-1648
Le Nain, Louis
1593-1648
Le Nain, Mathieu
1607-1677
(tous trois nés à Laon, morts à Paris)

Nés d'un père sergent royal au bailliage de Vermandois, les frères Le Nain viennent s'installer à Paris en 1629. Cette même année Antoine est reçu maître peintre dans la corporation des peintres de Saint-Germain-des-Prés, ce qui leur permet d'ouvrir un atelier et d'y accueillir des apprentis. En 1632, l'aîné des trois frères, Antoine, passe marché avec les échevins de Paris pour faire le portrait collectif de la municipalité. En 1633, Mathieu est reçu peintre ordinaire de la ville de Paris et, la même année, lieutenant de la compagnie bourgeoise du Sieur du Ry. Le 1ᵉʳ mars 1648, ils participent à la première assemblée de l'Académie royale de Peinture et de Sculpture qui vient d'être fondée. Mathieu offre à cette occasion un *Portrait de Mazarin*, perdu, peint avant 1646.

La même année, Antoine et Louis meurent à quelques jours d'intervalle. Mathieu poursuit seul la direction de l'atelier pendant vingt-neuf ans. Ils ont été à la peinture française ce que Bruegel l'Ancien a été à la peinture flamande et néerlandaise. En effet, à une époque qui se laisse fasciner par des allégories mythologiques et les actions héroïques du roi, les trois Le Nain, fidèles à leur jeunesse passée au milieu des paysans et des vignerons, se consacrent corps et âme à des sujets inspirés de la vie des humbles. Pour les peindre, ils se souviennent à la fois des Espagnols, des Néerlandais et du Caravage, choisissant des tons aussi neutres et assourdis que possible et se créant un style tout à fait propre, fait de sobriété, de retenue et de dépouillement, qui met d'autant mieux en valeur un clair-obscur frappant. Leurs toiles contiennent les germes de bon nombre de développements qui ne feront ressentir leurs effets qu'au XIXᵉ siècle.

Les frères Le Nain ont toujours signé leurs tableaux de leur nom sans mentionner leur prénom ou même leurs initiales. Il est donc a priori difficile de savoir quelle part revient à l'un ou à l'autre. Toutefois, les œuvres sont de qualité et d'esprit trop différents pour qu'on ne tente pas de rendre à chacun des trois frères sa personnalité artistique. On peut attribuer à Antoine les tableaux de petits formats montrant des personnages réunis autour d'une table ou écoutant un musicien. S'il ne témoigne pas d'un grand talent d'inventeur, il révèle celui de miniaturiste et de grand coloriste : *La Réunion de famille*, 1642 (Musée du Louvre, Paris), *Portraits dans un intérieur*, 1647 (ibid.) ou l'*Atelier* (collection particulière, Londres) dans lequel figurent probablement les trois frères en présence de leur père et de leur quatrième frère, Nicolas.

Louis domine nettement ses frères, par l'ampleur et la gravité de ses compositions. Artiste sobre et émouvant, intérieur et recueilli, il fuit l'élégance et préfère les gris et les bruns nuancés aux couleurs vives d'Antoine : *La Famille de paysans*, et *Le Repas de paysans*, peints tous deux vers 1642 (Musée du Louvre, Paris), *La Forge* (Musée du Louvre, Paris).

Mathieu nommé en 1662 chevalier de l'Ordre de Saint-Michel (qu'il devra quitter en 1666) a le goût du militaire. Il est le plus parisien et le plus mondain de tous. Sa meilleure œuvre est *Le Corps de garde*, 1643 (Collection particulière, Paris), démontrant un style réaliste, ample et vigoureux. Le Musée du Louvre détient *La Réunion d'amateurs* et les *Joueurs de tric-trac*.

Le Sueur, Eustache
1617-1655
(né et mort à Paris)

Fils d'un sculpteur qui lui apprend le dessin, Eustache Le Sueur entre en 1632 dans l'atelier de Vouet qui lui inculque sa manière et les grands principes d'effet et de grandiose. N'ayant pas fait, à l'exemple de ses condisciples, le traditionnel voyage en Italie, il se livre cependant à l'étude de l'antique et s'intéresse aux œuvres des Italiens. Il s'enthousiasme pour Raphaël dont il s'inspire.

Les premiers ouvrages par lesquels il se fait connaître sont huit compositions destinées à être des tapisseries, commandées à Vouet qui lui en donna l'exécution. Les sujets, romanesques, tirés du *Songe de Polyphile*, seront terminés en 1637 (Musée des Beaux-Arts, Rouen).

Reçu maître de l'ancienne Académie de Saint-Luc, il peint pour elle un *Saint Paul imposant les mains aux malades*, morceau d'expression qui attire l'attention de Poussin. Il est possible qu'ils se soient rencontrés lors du séjour de deux ans que fit le peintre à Paris en 1640-42. Il est certain cependant que, de retour à Rome, Poussin dessina des croquis qu'il envoya à Le Sueur accompagnés de lettres d'estime prodiguant des conseils. A partir de cette date d'ailleurs, on peut noter la nette influence de Poussin sur les œuvres de Le Sueur, principalement dans vingt-deux tableaux composant la *Vie de saint Bruno*, 1445-1448 (Musée du Louvre, Paris), exécutés dans le couvent même, pour les Chartreux de Paris. A la manière de Poussin, les attitudes, les gestes, les physionomies sont des pensées réalisées. Les formes, le dessin, les

Le Lorrain.
Le Siège de La Rochelle par Louis XIII, 1628.
Musée du Louvre, Paris.

draperies qu'ils recouvrent sont d'une vérité saisissante.

Lorrain, Claude Gellée, *dit* Le
1600-1682
(Chamagne, Vosges/Rome)

A Rome, Poussin a deux amis, Claude Lorrain et Moïse Valentin qui est peintre, très habile imitateur du Caravage, épris des réalités. Claude Lorrain est l'un des plus grands paysagistes du monde, c'est un des maîtres de la lumière. Il est l'artiste dont on a le plus dénaturé la biographie. On s'est plu à le représenter comme un pauvre garçon dépourvu de toute intelligence et qui fut mis en apprentissage chez un pâtissier. Sa vocation de peintre se serait révélée tout à coup, et il aurait ainsi réuni un admirable talent à une incapacité proverbiale. En vérité, Claude Lorrain a un frère graveur qui l'emploie très jeune à

dessiner des ornements. Il étudie le paysage à Rome, alors qu'il accompagne l'un de ses parents peintre, Agostino Tassi, puis à Naples, où il est l'élève du miniaturiste allemand Goffredo Wales. Admis en 1634 à l'Académie de Saint-Luc, il devient l'assistant du paysagiste. Il y revient plus tard pour y rencontrer un immense succès avec les paysages que papes (Urbain VIII, Alexandre VII et Clément IX), souverain (le roi d'Espagne) et grands seigneurs se disputent.

Claude Lorrain compose toujours ses tableaux sans jamais entrer dans le naturalisme qui caractérise l'école hollandaise. Ses troupeaux qui ruminent sous des ombres épaisses, ses palais qui profilent sur le sol leur silhouette élégante, ses ports où la brise du soir roule doucement les vagues d'une mer tranquille, il les a peints comme la nature aurait pu les faire, mais il les a

inventés comme son esprit se plaisait à les concevoir. L'idéal par la réalité. S'il rivalise avec la nature pour l'éclat de la lumière, si dans un petit espace de la toile, il sait montrer des étendues immenses, s'il connaît les brumes fraîches du matin et les tièdes vapeurs du soir, il s'en sert pour donner la vie et la vérité à son rêve intérieur.

Son œuvre peint comporte plus de mille deux cents dessins et quelque deux cent cinquante toiles. Parmi les plus importantes réalisées pendant sa première manière où son classicisme atteint sa pleine maturité (vers 1640-1650), il faut citer *L'Eglise de la*

Le Lorrain.
Ulysse remet Chryseis à son père, 1647.
Musée du Louvre, Paris.

Trinité-des-Monts à Rome, 1632 (National Gallery, Londres), ses marines, le *Port de Gênes*, 1634 (Musée du Louvre, Paris), *Port de mer au soleil levant*, *Port de mer au soleil couchant*, 1639 (Musée du Louvre, Paris).

La seconde période traite principalement de sujets bibliques et mythologiques : *L'Embarquement de sainte Ursule*, 1641 (National Gallery, Londres), *Les Noces d'Isaac et de Rébecca* et l'*Embarquement de la Reine de Saba*, tous deux exécutés en 1648 (National Gallery, Londres).

Dans les dernières années, il donne à ses compositions une atmosphère fantastique : *Persée et Méduse*, 1674. Il installe dans des architectures

imaginaires des scènes tirées des poètes de l'Antiquité : *Vue de la côte de Délos avec Enée*, 1672 (National Gallery, Londres).

En 1644, il entreprend un *Livre de Vérité* (British Museum, Londres), livre de compte, recueillant cent quatre-vingt-quinze dessins de ses tableaux, avec la mention du nom de leurs acquéreurs.

Metsu, Gabriël
1629-1667
(Leyde/Amsterdam)

Gabriël Metsu a tout d'abord été l'élève de son père, le peintre Jacques Metsu, avant de devenir celui de Gerard Dou, le premier peintre de genre de Leyde. Après avoir été à l'âge

de quinze ans l'un des membres fondateurs de la guilde de Saint-Luc de Leyde en mars 1648, il s'installe définitivement à Amsterdam.

Metsu n'est pas un grand innovateur. Il subit les influences de la peinture hollandaise déjà existante, celle de Dou, dans ses premières œuvres, puis celle de Steen, de Weenix, de Terborch, de Vermeer et de Hooch. Sa technique fait preuve d'un grand raffinement, principalement dans le rendu des textures.

Metsu a puisé ses sujets dans la vie des classes supérieures, et aussi dans les rues et les marchés, tels que *Le Marché aux herbes d'Amsterdam*

Pierre Mignard.
Mademoiselle de Blois en train de faire des bulles de savon.
Musée du Louvre, Paris.

(Musée du Louvre, Paris). Dans ses portraits de groupe, il introduit des éléments anecdotiques qui ont souvent été beaucoup imités dans ce qu'on a appelé des « gezelschapstukken » (« scènes de compagnie ») : *Les Amateurs de musique* (Musée de La Haye).

Il a également peint des tableaux à thème religieux et quelques natures mortes.

Mignard, Pierre
dit le Romain
1612-1695
(Troyes/Paris)

Pierre Mignard est d'abord l'élève de Jean Boucher à Bourges, puis de Simon Vouet à Paris. Un séjour à Rome, effectué de 1635 à 1657, le met en contact avec les œuvres du Dominiquin et des Carrache, du Corrège et de Poussin dont il s'inspire. Ce long séjour de vingt-deux ans en Italie lui vaut le surnom de Pierre le Romain qui le distingue de son frère Nicolas, peintre également. Il fait sa renommée comme peintre de madones et exécute les portraits de l'aristocratie romaine et des papes successifs. A son retour à Paris, il est nommé peintre du roi. Il entre alors en opposition avec Le Brun à qui il succédera au poste de directeur de l'Académie de Peinture, à la mort de ce dernier en 1690.

C'est au XVIIe siècle que commence véritablement l'art du portrait qui se poursuivra durant tout le XVIIIe siècle. Mignard aurait pu trouver sa place parmi les décorateurs puisqu'il a peint de grandes peintures comme celles des Tuileries, du Petit Appartement du Roi à Versailles, du Cabinet du Dauphin et de Saint-Eustache, aujourd'hui disparues. Il a également peint à fresque le dôme du Val-de-Grâce, gigantesque composition où il entre plus de deux cents figures, dans laquelle il a affronté « la promptitude et les brusques fiertés de la fresque » pour reprendre le poème de Molière célébrant l'œuvre de son ami.

Mignard a également peint plusieurs tableaux religieux, dont *La Vierge à la grappe* (Musée du Louvre, Paris) copiée un nombre incalculable de fois. Il continue de peindre ses madones pour lesquelles on inventera l'appellation de « mignardes ». Néanmoins, il est surtout connu comme peintre de portraits. Sa simple tête de Molière, à Chantilly, est aussi estimée que ses œuvres d'apparat. Il a également exécuté ceux de *Madame de Maintenon* (Musée du Louvre, Paris), de *Colbert* (Musée de Versailles), la *Famille du grand Dauphin* (National Gallery, Londres).

Murillo, Bartolomé Esteban
1618-1682
(né et mort à Séville)

Murillo naît un 31 décembre dans une rue de Séville qui porte aujourd'hui son nom. Orphelin à dix ans, il entre

Bartolomé Esteban Murillo.
Le Jeu de dés.
Alte Pinakothek, Munich.

Bartolomé Esteban Murillo.
Le Garçon au chien.
Musée de l'Ermitage, Saint-Pétersbourg.

dans l'atelier de Juan del Castillo, maître d'Alonso Cano. Il dessine d'après nature, jetant ses grandes compositions sur de grandes « sargas » ou toiles écrues qui servent à la décoration. Pauvre, il revend ses peintures à la feria de Séville où s'approvisionnent les commerçants exportant dans les colonies espagnoles. L'un de ses amis, Pedro de Moya, rentrant d'Angleterre où il a travaillé sous la direction de Van Dyck, l'initie à l'art du Flamand d'après les copies qu'il a rapportées. Il part ensuite à Madrid où il rencontre Vélasquez et étudie les chefs-d'œuvre des collections royales. De retour à Séville, il ouvre un atelier qui devient vite prospère. Lors de la fondation de l'Académie des Beaux-Arts en 1660, il est porté à la présidence.

La première grande série qu'entreprend Murillo se situe dans les années 1645-1648. Il reçoit la commande de onze toiles pour le petit cloître du couvent des Franciscains à Séville. Cet ensemble comprend deux vastes compositions : *La Mort de sainte Claire* (Gemäldegalerie, Dresde) et le *Miracle de San Diego d'Alcala*, plus connu sous le nom de *La Cuisine des Anges*, 1646 (Musée du Louvre, Paris). En 1650, il peint trois tableaux pour la Merced Calzada. Parmi ceux-ci, *La Fuite en Egypte* (Palais Bianco, Gênes) est traitée en scène de genre. Rien n'évoque le divin : aucun accessoire mystique autour de la Vierge et de Joseph, simples Andalous. Deux autres versions de Murillo sont à Saint-Pétersbourg et à Budapest.

A partir de 1655, époque de la pleine maturité de l'artiste, il réalise toute une série de peintures destinées à la cathédrale de Séville : *La Naissance de la Vierge* (Musée du Louvre, Paris), par la tonalité des couleurs, le réalisme plein de séduction tout en harmonie et en fluidité est annonciatrice de l'art du XVIIIᵉ. *La Vision de saint Antoine de Padoue* (Cathédrale de Séville) est également un chef-d'œuvre. Murillo peint ensuite deux vastes compositions destinées à Santa Maria la Bianca : *Le Songe du Patricien Jean* et la *Révélation du songe au pape Libère* (Musée du Prado, Madrid) marquent, par la bonhomie, la familiarité et le naturel, mêlés à la beauté des couleurs, un des sommets de l'art de Murillo. De la même époque, date *Saint Thomas distribuant des aumônes* (Musée de Séville). La beauté du clair-obscur, le sobre réalisme des personnages rattachent ces œuvres aux peintures du Caravage et de Ribera.

C'est entre 1671 et 1674 que se place la série des quatorze tableaux peints pour la chapelle de l'Hôpital de la Charité à Séville. Dans *La Sainte Elisabeth de Portugal* (et non de Hongrie comme il a été dit) *soignant les teigneux*, Murillo a recherché avant tout le caractère et l'expression morale à l'aide du naturalisme le plus absolu. En 1678, il peint plusieurs compositions pour le couvent des Augustins et, la même année, quatre tableaux pour l'hôpital de « Los Venerables Sacerdotes ». Parmi ceux-ci, l'*Immaculée Conception* (Musée du Louvre, Paris). Murillo a su créer un type de Vierge tout à fait personnel, qui n'a rien de ces êtres idéalisés produits par la Renaissance italienne. Ce sont des brunes sévillanes, voluptueuses, mères attentives : ainsi *La Vierge du Rosaire*, 1643 (Palais Pitti, Florence), *La Vierge à la serviette* (Musée de Séville).

Murillo peint aussi, parallèlement à ses œuvres religieuses, des compositions profanes, telles que *Le Jeu de dés* (Alte Pinakothek, Munich). Possédant, profondément enraciné en lui, ce caractère picaresque cher aux Espagnols, il évoque avec sympathie les gens de la rue, les gamins déguenillés. Sa peinture est le miroir de l'âme nationale. Alors que Ribera exprime le caractère cruel, quasi oriental du peuple espagnol en des pages picaresques, que Zurbarán sonde son âme ardente, mystique et fière, que Vélasquez reproduit plus volontiers leur caractère noble, Murillo peint des portraits populaires dans leur expression joyeuse et insouciante.

Du point de vue du style et de la technique, l'influence de Murillo sur ses contemporains et surtout sur les artistes français et anglais du XVIIIᵉ siècle est essentielle.

Ostade, Adriaen van
1610-1685
(né à Haarlem)

Ami et condisciple de Brouwer rencontré chez Frans Hals, Van Ostade est fils d'un tisserand. Tous deux peignent des scènes de genre très appréciées alors, que l'on appelle, au

XVIIe siècle, des « grillen » (« drôleries »), représentant en général des intérieurs d'auberges de village et des scènes de la vie campagnarde. Dans les premières années de sa vie de peintre, il cherche et trouve la vérité : ses paysans sont observés fidèlement, traduits comme avec la pointe d'un graveur. La finesse et la puissance de sa couleur, l'admirable harmonie de son clair-obscur, l'ont fait comparer à Rembrandt dont il subit bientôt

Adriaen van Ostade.
La Marchande de poisson, 1672.
Rijksmuseum, Amsterdam.

l'influence. Sa toile, *Le Maître d'école* (Musée du Louvre, Paris), en est une parfaite illustration. Van Ostade a été remarquablement prolifique. Il a laissé plus de huit cents tableaux, cinquante gravures et quelques centaines de dessins et d'aquarelles.
Son meilleur élève, qui mourut jeune, est son frère, Isaac van Ostade. Bien qu'il se soit révélé très bon peintre, ses toiles ont moins de force. Il a donné plus d'importance au paysage, et les petits personnages paraissant dans ses tableaux n'y figurent souvent que de façon secondaire.

Pietro da **Cortona,**
Pietro Berrettini, *dit*
1596-1669
(Cortone/Rome)

Pietro Berrettini, dit da Cortona d'après le nom de sa ville natale, est à la fois peintre et architecte. Après une première formation en Toscane, il se rend en 1612 à Rome où il reçoit l'enseignement de Baccio Carpi. Ses premières œuvres connues sont *Le Triomphe de Bacchus*, vers 1624 (Pinacothèque du Capitole, Rome) et l'*Enlèvement des Sabines*, vers 1630 (ibid.) exécutées pour la puissante famille des

Sachetti qui l'a pris sous sa protection. Il exécute alors des compositions mythologiques. Nourrissant une grande admiration pour Titien qui enrichit sa palette, il est profondément marqué par l'œuvre des Carrache.

Mais tandis que le Tintoret ou les Carrache divisent en compartiments la surface à peindre, da Cortona l'emplit d'une seule composition. A travers les œuvres de Lanfranco, élève d'Augustin Carrache, il remonte jusqu'au Corrège et parvient à élaborer un style de peinture caractérisé par une perspective en trompe-l'œil. Il révolutionne alors l'art de la fresque plafonnante baroque. Il peuple l'ensemble par des figures allégoriques, des stucs et des ors, répand la lumière et l'ombre sur les nuages.

Protégé par le pape Urbain VIII et par sa famille, il réalise, entre 1633 et 1639, son œuvre capitale, en peignant l'immense fresque allégorique de *La Gloire des Barberini* sur un plafond du palais Barberini à Rome. De 1640 à 1647, il travaille pour les Médicis à Florence. Aidé par son élève Ciro Ferri, il décore vers 1660 plusieurs pièces du Palais Pitti. Ses peintures de chevalet sont empreintes des mêmes caractéristiques baroques et lumineuses que ses décorations : art du raccourci, couleurs peu nombreuses, liberté d'allure des personnages, *Rencontre d'Enée et de Didon* (Musée du Louvre, Paris). Nommé président de l'Académie de Saint-Luc à Rome, il dirige un atelier renommé d'où sortiront Luca Giordano et Romanelli. En tant qu'architecte, il a construit les façades de Santa Maria della Pace (1655-1657) et de Santa Maria in via Lata (1658-1662), à Rome. Ses derniers grands travaux sont la galerie d'Enée, au Palais Pamphili, et les voûtes de la Chiesa Nuova, terminées en 1665 (*Vie de saint Philippe de Néri*). Avec le Bernin et Borromini, da Cortona s'affirme comme l'un des trois maîtres du baroque romain.

Pietro da Cortona.
L'Age d'Argent. Détail.
Palais Pitti, Florence.

Potter, Paulus
1625-1654
(Enkhuisen, Hollande/Amsterdam)

Potter est tout d'abord l'élève de son père Pieter Potter, peintre de figures et de paysages moyennement doué, puis de Nicolaes Moeyaert, peintre d'histoire. En 1646, il devient membre de la corporation des peintres de Delft, puis il part travailler à partir de 1649 à La Haye, où il est le voisin de Jan van Goyen, pour finalement s'installer à Amsterdam en 1652. Protégé du Prince d'Orange, il peint pour lui le *Jeune Taureau* (Mauritshuis, La Haye), mesurant trois mètres, aussi

Paulus Potter.
Le cheval pie, 1653.
Musée du Louvre, Paris.

célèbre que décrié qui passe pour son chef-d'œuvre.

Peintre animalier avant tout : les paysages et les personnages s'effacent devant les animaux minutieusement représentés en gros plans.

Potter a travaillé avec fièvre et une rapidité incomparable, comme s'il avait eu conscience que son existence serait courte. Aussi ses œuvres sont-elles nombreuses et toujours belles, quoique les toiles de petit format réalisées puissent paraître supérieures à ses toiles de grande dimension. Son optique est invariablement objective et sereine, son écriture simple, directe, ses figures animalières nettement individualisées et décrites avec force détails. Son œuvre de graveur mérite également d'être notée pour sa technique et l'emploi particulièrement chaud des noirs.

Poussin, Nicolas
1594-1665
(Villers-en-Vexin/Rome)

Nicolas Poussin est né près des Andelys au sein d'une famille aisée originaire de Soissons. Très tôt, il montre des dispositions pour le dessin, mais ses parents s'opposant à sa vocation, il quitte à dix-huit ans la maison paternelle pour gagner Paris. Là, il ne trouve aucun maître qui le satisfasse. Après en avoir délaissé deux en très peu de temps, un peintre de portraits, Ferdinand Elle, et Georges Lallemant, peintre d'histoire, il rencontre Alexandre Courtois, garde des tableaux du roi, qui lui donne l'occasion de voir les œuvres de Raphaël et de Giulio Romano. Il découvre ainsi les maîtres de la Renaissance italienne et les sculptures antiques, pour lesquels il

s'enthousiasme. De 1612 à 1624, il tente par deux fois un voyage à Rome, interrompu par le manque d'argent. En 1623, lorsque les Jésuites de Paris célèbrent la canonisation de saint Ignace et de saint François-Xavier, les écoliers de leur collège, afin de rendre la cérémonie plus solennelle, souhaitent faire peindre les miracles des deux saints. Poussin est choisi pour faire six grands tableaux en détrempe. Ces tableaux, qu'il exécute avec beaucoup de hardiesse et de vigueur, aujourd'hui disparus, lui valent la protection de l'Italien Marino, poète à la cour de Marie de Médicis. Par son intermédiaire, il obtient la décoration du Palais du Luxembourg qu'il exécute avec Philippe de Champaigne, de 1622 à 1623.

En 1624, il peut enfin partir à Rome où il retrouve, dans l'atelier de Simon Vouet, de nombreux peintres français. Admirateur passionné de Michel-Ange et de Raphaël, il se met à étudier leurs œuvres, dessine d'après les œuvres antiques, se retire dans les endroits les plus écartés de Rome pour observer avec plus de liberté ce beau idéal dont il est à la recherche.

En même temps, il épie tous les secrets du mouvement dans la nature vivante ; il remarque les phénomènes de l'optique, s'instruit des théories de

la perspective, assiste aux dissections de Nicolas Larche pour apprendre l'anatomie, et s'inspire de la lecture d'Homère, de Plutarque et surtout de la Bible.

A son arrivée à Rome, il ne suit déjà plus les grands principes posés par Raphaël et ses élèves. L'école romaine se divise entre deux partis opposés, celui d'Annibal Carrache et celui du Caravage. Poussin a le courage de n'entrer dans aucun. Il force les Romains à admirer ses productions, issues du classicime de la Renaissance, empreintes pourtant d'une manière très personnelle, faite d'idéalisme. Il défend le Dominiquin, dans l'atelier duquel il entre, malgré les attaques de Lanfranco, Spada et Ribera.

En 1628-1629, il exécute coup sur coup, grâce à la protection du cardinal Barberini, deux commandes : *Le Martyre de Saint-Erasme*, réalisé pour la Basilique Saint-Pierre (Pinacothèque vaticane), d'un très grand réalisme et qui ne connaît pas de succès, et *La Mort de Germanicus* (Institute of Arts, Minneapolis). Ce tableau est suivi de *La Prise de Jérusalem par l'empereur Titus*, sujet qu'il peint deux fois. Mais la composition qui confirme sa réputation est celle des *Philistins frappés par la peste* ou *La Peste d'Asdod*, 1630 (Musée

du Louvre, Paris), qu'il vend au trafiquant de tableaux, Valguarnera, en même temps que *L'Empire de Flore*, dit *Le Printemps*, 1630-31 (Gemäldegalerie, Dresde), dans lequel les personnages mythiques ou historiques s'incarnent en fleurs après leurs morts. Le peintre montre, par l'énergie de sa pensée, par l'expression qu'il sait donner aux figures principales, combien il a à cœur de réaliser les desseins des artistes de l'Antiquité. Il exécute ensuite, dans un style tout à fait différent, la série des *Sept Sacrements*, 1644 (Belvoir Castle, colection du Duc de Rutland, Grande-Bretagne), pour le chevalier Cassiano del Pozzo, érudit et mécène, passionné par l'étude de l'Antiquité, qui lui voue une amitié durable, et lui ouvre sa bourse en même temps que ses archives personnelles sur les vestiges de la Rome impériale.

C'est de la paroisse de San Lorenzo in Lucina, où il a fixé sa résidence, que partent successivement, pour ceux qui les lui ont commandés, ces divers chefs-d'œuvre, auxquels il faut ajouter *Eliezer s'adressant à Rebecca près du puits de Nachor*, 1648 (Musée du Louvre, Paris), le *Testament d'Eudamidas*, *L'Enlèvement des Sabines*, 1635 (Musée du Louvre, Paris) et 1637 (New York), l'*Evanouissement d'Esther devant Assuérus*, *Moïse foulant aux pieds la couronne de Pharaon*, et le *Triomphe de Neptune, ayant à ses côtés une foule de Tritons et de Néréïdes*, celui de ses ouvrages où il a paru le plus pénétré de ce beau idéal, de ce feu divin tant vantés par les Anciens.

La réputation du peintre à Rome ne pouvait manquer de se répandre jusque dans la capitale de la France, témoin de ses premiers essais. Sublet de Noyers, alors secrétaire d'Etat et surintendant des Bâtiments de la couronne, les a vus et appréciés. Il sollicite de Louis XIII et du cardinal de Richelieu la permission de faire venir Poussin de Rome, pour orner la Grande Galerie du Louvre (il ne restera pratiquement rien du travail commencé sur les quarante compositions en camaïeu représentant la

Nicolas Poussin.
Le Jugement de Salomon.
Musée du Louvre, Paris.

fable d'Hercule), et il lui envoie le brevet de premier peintre du roi. Le souvenir de certaines intrigues anciennes le fait hésiter, et il n'accepte de quitter Rome que sur lettre exprès de Louis XIII. Avant de partir, il termine *La Ronde de la vie humaine*, 1639-40 (Collection Wallace, Londres), destinée au futur pape Clément IX, l'une de ses plus belles œuvres qui le classe parmi ses contemporains comme le successeur de Raphaël. Dès son arrivée en 1640, Poussin offre à Richelieu son *Testament d'Eudamidas* (Musée de Copenhague). Par l'ampleur de la composition, la tenue et la sobriété, Poussin parvient à créer l'émotion, hors de tout déchirement et

Nicolas Poussin.
La chasse de Méléagre et Atalante.
Musée du Prado, Madrid.

de toute passion. Louis XIII gratifie Poussin d'une pension de trois mille livres et l'installe dans un appartement que Sublet de Noyers lui a fait préparer au beau milieu du jardin des Tuileries. Mais, l'ensemble des peintres, au nombre desquels Vouet et ses élèves, devant tant de réussite, se ligue contre lui.

Arrivé à Paris en 1640, il la quitte en 1642 pour Rome, qu'il aime comme Socrate aimait Athènes. Cependant, il ne renonce pas à travailler pour la France et l'on peut dire que, par ses travaux et ses conseils, il a contribué grandement à la formation de Le Sueur, Le Brun et Mignard. Louis XIV lui conserve son titre et ses honoraires de premier peintre.

De sa maison de la via Paolina, où il s'installe avec sa femme, Poussin commence à traiter des sujets où les

beautés de la nature peuvent avoir une place, et ne montre pas moins de talent pour le paysage historique que pour l'histoire. A partir de ce moment, tous ceux de ses ouvrages qui ne peuvent être animés par un intérêt dramatique ont un réel caractère de poétique mélancolie. Dans ce nombre, il faut surtout citer *Eurydice piquée par un serpent*, 1648 (National Gallery, Londres) : Orphée célèbre à ce moment près d'Eurydice les louanges des dieux ; *Les Funérailles de Phocion*, 1648 (Collection Earl of Plymouth, Grande-Bretagne), *Diogène brisant sa coupe* (Musée du Louvre, Paris), *Le Triomphe de Bacchus*, vers 1636 (Kansas City), chefs-d'œuvre qui se font remarquer par l'heureux choix des sites, la beauté des lignes, la fidélité de la couleur locale. Mais ce que Poussin produit de plus admirable en ce genre est *Bergers*

d'Arcadie, vers 1650 (Musée du Louvre, Paris): c'est ce fameux paysage, où, à travers les danses légères et les jeux folâtres d'une troupe de bergers livrés à la joie qu'inspirent la jeunesse et le printemps, on aperçoit une tombe que couronne un cyprès avec cette inscription: ET IN ARCADIA EGO! («Même en Arcadie, j'existe»). Méditation métaphysique sur la mort, exprimée dans une harmonie souveraine de lumières et de coloris.

Après une attaque de paralysie, Poussin peint très peu. Il réalise cependant *Les Quatre saisons*, 1660-1664 (Musée du Louvre, Paris), œuvre ébauchée avant sa maladie, qui évoque quatre épisodes de l'Ancien Testament. Il est intéressant de voir, par la touche molle et incertaine de ces quatre

tableaux, par leur coloris terne et sans vigueur, par leur dénuement complet des prestiges de l'art, combien les forces physiques du grand artiste se sont affaiblies.

Il meurt à l'âge de soixante et onze ans, après qu'une seconde attaque de paralysie lui ait enlevé l'usage des mains. Poussin n'a pas formé d'élèves, cependant son influence n'a pas cessé de s'exercer sur la peinture française. Sa conception d'une construction presque géométrique de ses compositions, l'importance de l'idée et de contenu moral, la subordination de la couleur et de la lumière à l'ensemble, en font un des artistes les plus représentatifs du classicisme français. La manière de David, Ingres, Delacroix, Chassériau et Corot est, sans lui, à peine concevable.

Rembrandt, Harmensz van Rijn
1606-1669
(Leyde/Amsterdam)

Rembrandt est né entre les villages de Leyendorp et de Konkerch, près de Leyde. Il est encore fort jeune lorsque son père, meunier sur un bras du Rhin — d'où dérive le nom de Van Rijn qu'il a coutume d'ajouter au sien — l'envoie à Leyde pour lui faire apprendre la grammaire et le latin, dans l'intention de lui donner une profession savante. Il ne tarde pas à le retirer d'une école où il ne fait aucun progrès pour le placer dans l'atelier d'un peintre formé en Italie et peu connu, Jacob van Swanenburgh, chez lequel il reste trois ans. En le quittant, il part pour Amsterdam et suit assidûment les leçons du peintre d'histoire Pieter Lastman et de Georges Schooten. Après six mois d'études, il quitte leur atelier, et n'entreprend pas, comme Rubens et Van Dyck, son tour d'Italie, pas plus qu'il ne visite les galeries de Florence, de Rome et de Venise. Il n'en a ni le goût, ni les moyens. Il revient au moulin paternel, de 1626 à 1632. Dans sa retraite, il ne désire plus avoir désormais d'autre maître que la nature. A ce moment naissent des toiles de petites dimensions, d'inspiration religieuse pour la plupart, ainsi que quelques portraits qui témoignent encore de l'influence de Lastman: *Tobie et sa femme*, 1626 (Collection Thyssen, en dépôt au Rijksmuseum, Amsterdam), *Le Prophète Balaam*, 1626 (Musée Cognacq-Jay, Paris). *Siméon au temple*, 1631 (Nationalmuseum, La Haye), retrouvé en 1669 sur son chevalet, est un dernier témoignage de sa grande foi. Il s'essaye déjà aux effets de clair-obscur qui contribueront à sa renommée. En 1631, il est à nouveau à Amsterdam où il se passionne pour le portrait. Il a obtenu du chirurgien Tulp la commande de *La leçon d'anatomie* (Mauritshuis, La Haye) destinée à décorer une salle d'anatomie: son premier portrait collectif. Après Th. de Keyser, Aert Pietersz et Frans Hals, Rembrandt

Rembrandt.
La Tempête sur le lac de Galilée, 1633.
Isabella Stewart Gardner Museum, Boston.

montre dans ce genre des qualités scéniques. En 1632, il épouse Saskia van Uylenburgh qui mourra de phtisie dix ans plus tard. Il la peindra à plusieurs reprises ; parmi ses toiles : *Rembrandt et Saskia* (Buckingham palace, Londres), *Saskia en Flore*, 1634 (Musée de l'Ermitage, Saint-Pétersbourg). De cette époque datent de nombreux autres portraits, tantôt sobres, en noir et blanc, tantôt très colorés. Il suffirait de publier la série de ses autoportraits (plus d'une centaine) pour faire l'histoire de son genre. A travers son effigie, il étudie les rôles et les types de personnages qu'il peindra en même temps qu'il sonde sa nature et son psychisme. Sa production cependant reste essentiellement d'inspiration religieuse : *La Descente de Croix*, vers 1633 (Alte Pinakothek, Munich), *Le Sacrifice d'Abraham*, 1635 (Musée de l'Ermitage, Saint-Pétersbourg), et *L'Aveuglement de Samson*, 1636 (Städelsches Kunstinstitut, Francfort). Ces œuvres sont caractéristiques de la manière de Rembrandt, par la composition choisie dans une atmosphère dramatique, donnant l'impression d'instantanéité, par la description psychologique des personnages pleine de bienveillance. Vers 1637, le paysage commence à s'annoncer dans son œuvre. A ce moment, les commandes affluent. Rembrandt mène une existence fastueuse. Il achète en 1639, rue des Juifs, une maison pour treize mille florins. Il dessine, grave, peint des paysages baroques, des oiseaux, des natures mortes telles que *Le Bœuf écorché*, 1655 (Musée du Louvre, Paris et Musée de Glasgow). En 1642, il termine ses derniers portraits de groupe avec *La Sortie de la compagnie du Capitaine Banning Cocq*, toile de cinq mètres, plus connue sous le nom de *La Ronde de nuit* (Rijksmuseum, Amsterdam). Contrairement aux usages Rembrandt ne privilégie plus le portrait, mais la composition générale. Certains, tels que le capitaine ou le lieutenant, sont figurés dans la lumière et sont reconnaissables, tandis que les autres personnages sont les acteurs

d'une scène de genre. Le déplaisir causé par cette toile à ses commanditaires, autant que le décès de sa femme, marque un tournant dans la vie de Rembrandt. Il délaisse les mondanités. Son œuvre devient mélancolique et confesse tout autant une paix et une sérénité qu'elle n'a jamais atteintes. Après la richesse baroque de *La Ronde de nuit*, son style s'épure. Il traite de préférence des sujets religieux, choisissant ses thèmes dans le Nouveau Testament et non dans l'Ancien comme il en avait l'habitude jusqu'alors : *Les Pèlerins d'Emmaüs*, 1648 (Musée du Louvre, Paris), *Le Combat de Jacob avec l'Ange*, vers 1660 (Gemäldegalerie Dahlem, Berlin). Sa touche devient plus décidée, sa palette, plus chaude. Il entre dans sa période classique. En même temps que de la lumière, Rembrandt est le peintre

de toutes les émotions divines et luminescentes. Quel mystère de souffrance et de résignation dans le visage du Christ des *Pèlerins d'Emmaüs* ! Quelle pitié se dégage du *Bon Samaritain*, 1648 (ibid.) ! Une de ses plus belles œuvres, *Bethsabée*, 1654 (Musée du Louvre, Paris), est d'une intense concentration, puissamment modelée et d'une couleur merveilleuse. Les années 1643-1656 sont l'époque du dessin et de l'estampe. Il se remet à graver à l'eau-forte, technique qu'il avait négligée, faute de temps, durant ses années de succès. Cette collection de gravures contient d'excellents portraits témoignant d'un sens psychologique particulièrement pénétrant. Son œuvre la plus importante est *La Pièce aux cent florins*, 1642-1650 (Amsterdam), nom donné à la grande planche *Jésus guérissant les malades*,

Rembrandt.
La lutte de Jacob avec l'Ange, vers 1659/60.
Gemäldegalerie der Staatlichen Museen, Berlin.

Rembrandt.
Jésus et la Femme adultère, 1644.
National Gallery, Londres.

Rembrandt.
Le Repas d'Emmaüs, 1648.
Musée du Louvre, Paris.

en raison de son prix élevé. Dans cette technique, Rembrandt choisit d'illustrer des paysages, la Passion du Christ, des scènes bibliques, des études de nus. L'eau-forte des *Trois arbres*, 1643, est le début d'une nouvelle conception du paysage dans les caractéristiques de la peinture hollandaise qui cède la place à un plus grand réalisme, à une plus grande clarté.

A partir de 1656, Rembrandt est devenu un vieillard. Ces ennuis financiers sont accablants, il doit alors abandonner ses collections. Il perd Hendrijke Stoffels, sa maîtresse, six ans avant d'assister à la mort de son fils Titus et de sa jeune femme. Pourtant, c'est durant les dernières années de sa vie que le peintre donne le meilleur : *David et Saül*, 1657 (Mauritshuis, La Haye), *La Fiancée juive*, 1666-68 (Rijksmuseum, Amsterdam), *le Retour de l'Enfant prodigue*, vers 1668 (Musée de l'Ermitage, Saint-Pétersbourg) qui

Rembrandt.
La Vision de Daniel près du fleuve Ulaï,
vers 1650.
Gemäldegalerie der Staatlichen Museen, Berlin.

sont des symphonies de couleurs posées au couteau en touches épaisses et grasses.

En 1662, il peint son dernier portrait de groupe, *Les Syndics des drapiers* (Rijksmuseum, Amsterdam), simple réunion de cinq ou six portraits de bourgeois dans laquelle il n'exploite aucun effet dramatique comme il l'avait fait dans *La Ronde de nuit*. Cependant les visages rayonnent d'une telle puissance expressive que cette toile est un chef-d'œuvre. On estime à plus de sept cents les toiles de Rembrandt, à plus de deux cent cinquante ses eaux-fortes, à plus de deux mille ses dessins. Exécutés à la plume avant tout, d'autres l'ont été à la craie rouge et noire, d'autres relèvent de la technique du bistre. Parmi ses dessins, on apprécie le plus les paysages qu'il esquissa avec la plus grande simplicité de lignes. Beaucoup d'entre eux sont terminés tandis que d'autres, à peine moins nombreux, sont des études plus ou moins rapides, préparatoires à l'exécution d'un grand tableau.

Reni, Guido
dit aussi **Il Guido,**
Le Guide
1575-1642
(Calvenzano di Vergato
près de Bologne/Bologne)

Daniel Reni, le père de Guido Reni, musicien distingué, veut d'abord lui enseigner la musique ; mais il doit lui laisser suivre sa vocation. Il le place dans l'atelier de Denis Calvaert. Guido Reni y acquiert cette rare facilité d'exécution qui caractérise tous ses ouvrages ; mais, à l'exemple des autres élèves du peintre flamand, il ne tarde pas à le quitter pour suivre les leçons des Carrache. Il entre dans leur Académie, en 1594-1595. C'est l'époque où ils s'efforcent de détourner leurs élèves de la manière sombre et sauvage enseignée par le Caravage. Reni, que le caractère doux et réfléchi porte à travailler dans le genre opposé à celui du fougueux rival de ses maîtres, suit leurs conseils. Son coup d'essai est le tableau d'*Orphée et Eurydice*, qui par l'élégance de la composition, par la vérité du coloris, la distribution large et harmonieuse de la lumière, mérite à son auteur des félicitations générales. Les Carrache et tous les ennemis du Caravage s'en emparent comme d'un chef-d'œuvre qu'ils opposent aux ouvrages de Reni. Dès lors, la guerre entre les deux écoles se rallume plus vive que jamais. Le caractère timide de Reni ne peut guère tenir tête à la brutalité du Caravage qui menace de son épée quiconque refuse de l'admirer ; mais à toutes les provocations, à toutes les insultes dont il est l'objet, il se contente de répondre : « La lumière du jour est préférable aux ténèbres de la nuit ; j'aime mieux mon style que celui du Caravage ».

Il réalise sa première commande publique, *Le Couronnement de la Vierge*, en 1595 (Pinacothèque nationale, Bologne). Invité à Rome avec Albani, en 1601 par Clément VII, protégé du cardinal Sfondrato, personnage actif de la Contre-Réforme, il participe à la redécouverte du premier

Guido Reni.
Le Massacre des Innocents, 1611.
Pinacothèque nationale, Bologne.

art chrétien proposé pour modèle à la peinture réformée. Dans cet esprit, il peint *Le Martyre de sainte Cécile* et *Le Couronnement de sainte Cécile et saint Valérien*, réalisés pour Santa Cecilia in Trastevere, en 1601.

Il est présenté à Josépin, qui, voyant surtout en lui l'antagoniste du Caravage, se déclare son protecteur et emploie tout son crédit à lui faire supplanter son rival. Ce dernier avait ébauché pour le cardinal Borghèse la *Crucifixion de saint Pierre*, 1604-1605 (Musée du Vatican, Rome), le tableau qui lui est retiré pour être confié à Reni. Toutefois le cardinal, qui aime le style du Caravage, y met la condition que la peinture serait terminée à la manière de celui qui l'avait commencée. Reni, en remplissant exactement la condition, prouve que rien ne lui est difficile.

En 1611, il peint pour San Domenico, *Le Massacre des Innocents* (Pinacothèque nationale, Bologne) : c'est l'une de ses œuvres les plus importantes. Elle consacre le point de départ de sa période hellénique qu'il va appliquer pendant une quinzaine d'années. Il maîtrise alors le sens de la proportion, de l'ordre et de la grâce.

C'est à cette époque qu'il exécute ses tableaux les plus remarquables : les *Quatre Travaux d'Hercule* qu'il peint pour le duc de Milan, 1617-1621 (Musée du Louvre, Paris) ; la *Toilette de Vénus*, pour le duc de Bavière ; l'*Enlèvement d'Europe*, pour le roi d'Angleterre ; les *Grâces couronnant Vénus*, pour le duc de Savoie ; une *Vierge*, pour le roi d'Espagne ; l'*Annonciation*, pour Marie de Médicis.

Les années 1615-1618 marquent la période d'accomplissement de son art. Il évolue ensuite vers une manière plus froide *La Pala de la peste*, ex-voto peint sur soie (Pinacothèque nationale, Bologne) en est le point culminant. A partir de 1630, il adopte un style inachevé et une monochromie qui confine à l'abstraction. Peintre très éclectique, Guido Reni s'est caractérisé par la richesse de sa composition,

Francisco Ribalta.
Saint François réconforté par un ange.
Musée du Prado, Madrid.

la correction du dessin, la grâce et l'élégance de l'expression, la fraîcheur du coloris, un grand goût dans la manière de draper, une touche moelleuse, vive et légère.

Ribalta, Francisco
1565-1628
(Solsona, province de Lérida/
Algemesi, province de Valence)

L'artiste espagnol qui, à la fin de la Renaissance et à l'aube du XVII° siècle, se montre manifestement inspiré par le naturalisme italien est Francisco Ribalta.

On ignore tout de sa première formation si ce n'est qu'il part très jeune avec ses parents à Barcelone où il travaille comme apprenti peintre. Il est en contact avec les peintres de l'Escurial qui exercent sur lui une profonde influence stylistique.

En 1582, il se trouve à Madrid où il signe son premier tableau, une *Crucifixion* (Musée de l'Ermitage, Saint-Pétersbourg). La composition surprend par son ampleur ; des apports naturalistes propres au tempérament espagnol alternent avec des modèles traditionnels d'idéalisme italien. La famille part en 1599 à Algemesi (près de Valence) où il demeure jusqu'à la fin de sa vie. Protégé par l'archevêque de Valence, don Juan de Ribera, dont il peint le portrait, il obtient de nombreuses commandes pour les églises et les couvents de la région. De 1603 à 1606, Ribalta est chargé de différents travaux pour le Colegio del Patriarca et pour l'église du Corpus Christi dont l'œuvre principale, *La Cène*, orne le maître-autel. Le caractère espagnol est marqué par le réalisme des modèles. On a prétendu que la figure de saint André était celle de Pedro Muñoz, tandis que Judas serait celle de son cordonnier avec qui il a eu des démêlés. Les tableaux de cette époque démontrent un peintre de formation maniériste, intéressé par les problèmes du clair-obscur. Son style se rattache parfois à celui du Caravage, bien que ses œuvres restent empreintes d'un académisme raphaélesque. Certaines de ses peintures trahissent, en effet, l'influence de Sebastiano del Piombo. Conjointement à ces influences italiennes, les œuvres du début de sa carrière sont empreintes de cette suavité édulcorée,

observée dans l'œuvre de Juan de Juanes avec qui il a étudié, et de Juan Fernandez de Navarrete « Le Muet », peintre de l'école de l'Escurial.

Les tableaux peints à partir de 1616, tels que le retable de l'église d'Andilla, ou ceux de la Chartreuse de Portacoeli de 1627, comprenant un *Couronnement de la Vierge*, un *Saint Pierre* et un *Saint Bruno* (Musée des Beaux-Arts, Valence), révèlent une évolution vers un naturalisme empreint de ténébrisme. José de Ribera a été son élève.

Ribera, José de
dit l'Espagnolet
1591-1652
(Játiva, près de Valence/Naples)

José de Ribera naît à Játiva en Espagne (aujourd'hui San Felipe) près de Valence. Son père, qui a passé la plus grande partie de sa vie dans les armées, le destine à la carrière militaire. Le penchant irrésistible du jeune Ribera pour les beaux-arts lui fait bientôt préférer aux classes universitaires l'atelier de Francisco Ribalta, surnommé le Caravage espagnol, parce qu'il apprend à l'Espagne ce qu'un peintre peut tirer du clair-obscur. A son école, Ribera acquiert une grande maîtrise dans l'art d'opposer entre elles l'ombre et la lumière, et, son apprentissage terminé, il part en Italie en 1616, en compagnie de son frère aîné qui s'apprête à prendre le commandement d'une compagnie de cavaliers espagnols à Naples. Les deux frères ne tardent pas à être séparés par la guerre et José gagne Rome avant de s'installer définitivement à Naples. Après avoir étudié les fresques de Raphaël et les œuvres des Carrache, il poursuit son éducation dans le milieu caravagesque dont il devient le fervent disciple.

Ribera se rend ensuite à Parme où il se met à étudier et à copier les œuvres du Corrège. Il revient ensuite à Rome avec un style tout à fait original qui relève d'un mélange de la manière forte du Caravage et de celle, gracieuse, du Corrège. Il devient ainsi l'un des premiers peintres réalistes, sans perdre pour autant ses grandes qualités de poète. En effet, si son dessin est précis autant que puissant, créant des figures pleines de vérité, elles sont aussi pleines d'humanité et de sentiment. Ses premières toiles, qui rappellent ses premiers maîtres, accusent un très grand penchant pour les tonalités sombres, tandis que celles de sa maturité seront plus lumineuses et affectionneront les reflets dorés.

Les chefs-d'œuvre de cette première période sont le *Silène* (Musée de Capodimonte, Naples) et *Saint Jérôme et l'ange du Jugement* (Musée de l'Ermitage, Saint-Pétersbourg) tous deux datés de 1626 et le *Martyre de saint André*, 1628 (Szépmürészeti Muzeum, Budapest).

Sa célébrité le fait élire à l'Académie de Saint-Luc de Rome avant 1626, malgré la rareté des tableaux réalisés avant cette date. Sous l'influence probable de Van Dyck, de Vélasquez, de Novelli ou de Castiglione, les chefs-d'œuvre de la deuxième période, réalisés à partir de 1634, sont des œuvres d'un grand lyrisme. En 1637, il peint pour cette seule année : *Vénus découvrant Adonis mort* (Galerie Corsini, Rome), *Apollon et Marsyas* (Musée di San Martino, Naples), *La Déposition de la Croix* (Chartreuse de San Martino).

Malgré son énorme succès lui amenant les commandes des églises, couvents, palais, et même du roi Philippe IV, la jalousie que porte Ribera à l'encontre des écoles rivales est sans pareille. C'est sous sa direction, que se forme cette faction de peintres, espèce de *bravi* (spadassins), qui ne permettent l'entrée de Naples à aucun artiste étranger, et qui soutiennent à la pointe de l'épée la supériorité de leur maître. A sa demande sont expulsés de grands artistes, Annibal Carrache, Reni Guido, Josépin, appelés pour concourir avec lui aux décorations du Duomo de Saint-Janvier et pour lequel il peint, en 1646, *Le Miracle de saint Janvier* (Cathédrale de Naples). Parmi les œuvres remarquables de Ribera, il faut citer également : *Le Songe de Jacob*, 1639, et son *Martyre de saint Barthélémy*, le plus renommé de ses tableaux à effet terrible qui l'a fait accuser de se complaire dans l'horreur, son réalisme étant souvent synonyme de brutalité (tous deux au Musée du Prado à Madrid). Le Musée du Louvre

Hyacinthe Rigaud.
Portrait du peintre Sébastien Bourdon.
Städelsches Kunstinstitut, Francfort.

renferme *Le Pied-Bot*, peint en 1652. C'est dans la représentation de telles œuvres qu'il pousse encore plus loin la rudesse et la violence de la peinture napolitaine et qu'il exerce sur la peinture baroque italienne, une influence déterminante.

Rigaud, Hyacinthe Rigau y Ros, *dit* Hyacinthe
1659-1743
(Perpignan/Paris)

Après un apprentissage à Perpignan, sa ville natale, chez Paul Pezet et Antoine Ranc, Rigaud part à Paris en 1681 étudier à l'Académie royale. A peine un an plus tard, il remporte le deuxième prix de peinture d'histoire et obtient le Prix de Rome la même année. Il devient l'un des portraitistes les plus appréciés de la fin du règne de Louis XIV dont il peint deux effigies d'apparat : le premier en 1694, le second en 1701 (Musée du Louvre, Paris) qui, tout d'abord destiné à la cour d'Espagne resta, à la demande du roi, qui en fit faire une copie, dans la salle du Trône à Versailles. Tous les grands personnages de la cour et d'Europe posent pour lui. Remarquable metteur en scène dont l'élégance rappelle Van Dyck dont il s'inspire, il s'attache plus à la fonction, en représentant les symboles du statut de ses modèles et les accessoires qui les définissent, qu'à leur psychologie. Ainsi *Louis XV enfant*, 1715-1717 (Musée historique, Versailles), le *Cardinal Dubois*, 1723 (Musée de Cleveland) ou *Philippe V d'Espagne*, vers 1700 (Musée du Louvre, Paris).

A côté de ces portraits fastueux, d'inspiration baroque, Rigaud sait aussi exécuter des portraits réalistes et intimistes, bien plus attachants : celui de sa mère, *Marie Serre*, 1695 (Musée du Louvre, Paris), réalisé avec une grande simplicité, pour servir de modèle à un sculpteur, ou encore le *Portrait de la famille Laffitte*, vers 1694 (Musée du Louvre, Paris). Peintre très prolifique et très demandé, Rigaud s'est entouré de nombreux aides, tels que Desportes pour peindre les natures mortes et les paysages, Monnoyer ou Hulliot, les fleurs, et Parrocel, les scènes de batailles. Il a pu produire ainsi trente-cinq portraits en moyenne par an pendant soixante-deux ans.

Son art est à la charnière de deux conceptions du portrait, celle du XVIIe siècle avec ses portraits fastueux et solennels, et celle du XVIIIe siècle, sensibles et délicats.

Rosa, Salvator
1615-1673
(Arenella/Rome)

Salvator Rosa est né à Arenella, près de Naples, d'un père maître maçon, se proclamant architecte, et d'une mère, artiste, qui peuvent à peine subvenir à leurs besoins.

Les pères Somasques sont chargés de diriger l'éducation du jeune Salvator. On le surprend sans cesse, un charbon à la main, occupé à couvrir les murs du couvent de ses dessins.

Il est convenu qu'il échangerait la robe de procureur, qu'on lui destine, contre la palette ; et son oncle, appelé localement le Greco, lui donne des leçons de peinture. Le jeune élève n'est pas longtemps sans s'apercevoir de l'incapacité de son maître ; il se met alors à travailler sous la direction de Francanzano, disciple de Ribera, qui est devenu son beau-frère. Son temps se partage entre les causeries et les études dans l'atelier de son nouveau professeur et des courses longues et fréquentes sur les bords du golfe de Naples.

A la mort de son père, alors qu'il n'a que dix-sept ans, il doit subvenir aux besoins d'une famille nombreuse, dont il est désormais l'unique soutien. Il exécute alors des bambochades.

Rosa fait à cette époque connaissance d'un autre élève de Ribera, Aniello Falcone, avec lequel il se lie d'amitié, et produit des paysages qui lui assurent de quoi vivre. Dès lors, son talent prend cette teinte sombre et sauvage, créée par une existence pénible et douloureuse.

Il se laisse emporter par son amour des sites sauvages et incultes. Il les peint, les étoffant de figures frustres de pâtres et de soldats, s'acheminant petit à petit vers la peinture de batailles. De cette époque, datent les *Pêcheurs de corail* (Museum of Art, Columbia), *Bataille* (Collection Mostyn Owen, Londres). Il peint plusieurs paysages pour Lanfranco, appelé à Naples pour décorer le Duomo de Saint-Janvier, qui lui fait sentir la nécessité d'aller à Rome

pour se perfectionner. Lanfranco lui facilite le voyage en lui trouvant pour compagnon un jeune et riche enthousiaste qui se charge des frais de route. En 1635, il arrive à Rome, où, après l'influence de Ribera, il reçoit celle de Pieter van Laer et de ses émules. Il peint là *Assaut de bandits* (Collection Lord Sackville, Knole).

Lors d'un voyage à Florence, où il est appelé par le duc de Toscane, en 1639, il peint *Vue d'un golfe*, 1640 (Galerie Estense, Modène) et *Port de mer avec la villa Médicis* (Palais Pitti, Florence). On note l'influence des *Bacchanales* de Titien et des paysages de Claude Lorrain par l'atmosphère harmonieuse qui en émane.

En 1649, Rosa retourne à Rome. Jamais depuis le grand siècle de Léon X, Rome n'a vu une réunion plus nombreuse d'hommes célèbres : le Dominiquin, Guido Reni, Albani, le Guerchin, Lanfranco, Pietro da Cortona, confondus avec les noms les plus illustres des écoles étrangères, tels que Poussin, Vouet, Claude Lorrain, Rubens et Van Dyck.

Encore inconnu, Rosa profite d'un usage, alors presque général dans les grandes villes d'Italie, qui permet à chacun de se cacher sous le masque, pendant les amusements du carnaval, pour lancer des épigrammes aux passants. Déguisé en marchand d'orviétan, il se met à parcourir les divers quartiers de Rome, en distribuant des remèdes et des ordonnances contre les calamités publiques : ce sont autant de satires contre les puissants et contre ses rivaux. Cette idée, aussi neuve que piquante, fait fortune. En peu de jours, Salvator, charlatan, acquiert la célébrité. A ce moment sa fortune artistique commence ; on rend justice à son mérite, on se dispute ses tableaux. Il ouvre sa maison à ses amis, son atelier à ses admirateurs. Il exécute avec une prodigieuse rapidité une foule d'ouvrages qu'il vend à des prix excessivement élevés. Mais, bientôt, Naples, depuis longtemps opprimé, se soulève. Rosa va rejoindre les insurgés menés par son ami Aniello Falcone. L'insurrection ayant échoué, Rosa retourne à Rome et chacune de ses toiles va à présent être empreinte des mouvements terribles qu'il a suivis et vécus.

Si les paysages avaient occupé une place importante dans son œuvre, il se consacre à présent à des toiles plus ambitieuses à résonance philosophique : *Démonite en méditation* et *Diogène jetant son écuelle* (Statens Museum for Kunst, Copenhague).

A l'exemple de Poussin, des grands maîtres, de Raphaël à Giulio Romano, il peint le *Martyre d'Attilius Regulus* (Museum of Fine Arts, Richmond) ainsi que deux compositions sur la fragilité humaine, *Humana Fragilitas* (Museum Fitzwilliam, Cambridge) et la *Fortune* pour lesquelles il est poursuivi, parce qu'on croit y découvrir une allusion outrageante contre les personnages les plus notables de Rome et contre le pape lui-même.

Il compose son poème de l'*Envie*, abondant en traits violents et hardis, et qui fit taire ses détracteurs. Il les stupéfie encore davantage par la manière savante dont il traite ses derniers sujets de peinture (1652) ; c'est alors qu'il fait son fameux tableau de bataille, *Bataille héroïque*, destiné à être offert à Louis XIV par la cour de Rome, et qui figure aujourd'hui au Musée du Louvre. Cette toile, exposée publiquement à Rome, y obtient le plus grand succès, et commence pour le peintre une nouvelle ère de gloire. Parvenu à la maturité de son talent, il ranime la

cendre de *Pythagore* (Kimbel Art Foundation, Forth Worth), en le faisant reparaître au milieu de ses disciples, après avoir été conservé avec les ombres d'Hésiode et d'Homère. Il évoque les mânes de *Catilina* (Musée des Offices, Florence) dont la présence sur la toile scandalise une seconde fois Rome ; il rallume le bûcher de deux martyrs chrétiens qu'une main invisible vient arracher à la mort ; enfin il réveille l'ombre de Samuel, annonçant à Saül sa fin prochaine : *La Pythonisse d'Endor évoquant l'ombre de Samuel* (Musée du Louvre, Paris). Salvator Rosa aime trop l'occulte et le sensationnel pour être rangé parmi les classiques qui restent attachés à l'idée du beau absolu. Son œuvre, comme celle de Castiglione, illustre la part romantique du baroque. Il a exercé une grande influence, surtout dans l'art du paysage, sur les générations suivantes, et principalement sur Joseph Vernet, lors de son séjour à Rome.

Rubens, Pierre Paul
1577-1640
(Siegen, Westphalie/Anvers)

Noble, attachée à la maison de l'empereur Charles Quint, la famille de Pierre Paul Rubens est amenée en Flandre lors du couronnement du prince à Aix-la-Chapelle. Son père, Jean Rubens, catholique fervent, épousa, à Anvers, Marie Pypelinckx. C'était à l'époque où les Pays-Bas commençaient à se trouver agités par l'hérésie des iconoclastes. Après avoir rempli, pendant six ans, les fonctions de conseiller du Sénat à Anvers, Jean Rubens résolut de quitter cette ville, et d'aller demander, pour sa famille et pour lui, une existence paisible à Cologne, loin du schisme qui armait les Anversois les uns contre les autres. Afin de rétablir un peu sa petite fortune, Jean s'établit argentier, et fit d'assez lucratives affaires. En peu de temps, il fut à même d'acheter une maison dans laquelle Marie de Médicis devait mourir plus tard. Heureux près de sa femme, il avait déjà six enfants,

Sainte Famille avec sainte Anne et saint Jean-Baptiste.
Montre peinte d'après Rubens.
Musée du Louvre, Paris.

Pierre Paul Rubens.
Le Roi David.
Städelsches Kunstinstitut, Francfort.

lorsque, le 29 juin 1577, il devint père pour la septième fois. Le nouveau-né fut placé sous l'invocation des deux saints qui avaient présidé à sa naissance, et reçut les noms de Pierre Paul.

Ses parents le destinent à l'étude des lois et à la robe. En 1587, à la mort de son époux, la mère de Pierre Paul revient à Anvers, sa ville natale, où il reprend ses études. Epris d'art, il la convainc de le laisser entrer dans l'atelier du portraitiste, Adam van Noort. Il rencontre Sébastien Franck et Jacob Jordaens. Puis il entre, de 1596 à 1600, dans l'atelier d'Otto Vaenius, peintre de l'art roman néerlandais. Franc-maître en 1598, il est de 1600 à 1608, au service du duc de Mantoue, Vincent de Gonzague qui se l'attache comme peintre en titre. En Italie, il visite Venise, Florence, Gênes, Rome. Il étudie Mantegna, Giulio Romano, Raphaël, Le Caravage. Il alterne les copies des maîtres (il dessine d'après Michel-Ange), avec des productions originales parmi lesquelles trois retables commandés par l'archiduc Albert de Bruxelles, pour Sainte-Croix-de-Jérusalem, *La Glorification de la Croix*, 1601/02 (Musée des Beaux-Arts, Grasse), la *Crucifixion* et la *Découverte de la croix par l'Impératrice Hélène*. S'y révèle, à travers l'influence des Italiens, sa manière baroque, notamment dans le traitement de la lumière et l'expression pathétique des figures.

Rentré à Anvers en 1608, il est nommé peintre en titre des archiducs Albert et Isabelle dont il exécute le portrait. Trois années suffisent pour le rendre célèbre. les commandes affluent, de même que les collaborateurs : les animaliers comme Snyders et Paul de Vos, des paysagistes comme Wildens et Lucas van Uden. Plus tard, Van Dyck, que Rubens préféra à tout autre, le réjouit. Rubens esquisse le sujet du tableau que ses collaborateurs reportent sur la toile qu'il reprend pour imprimer au final ses caractéristiques. De cette intense collaboration sont nés plus de deux mille toiles et

Pierre Paul Rubens.
Chasse à l'hippopotame et au crocodile, vers
1613.
Alte Pinakothek, Munich.

Pierre Paul Rubens.
La chasse au lion, vers 1615/18.
Alte Pinakothek, Munich.

dessins. Trois œuvres sont importantes : le *Saint Ildefonse* (Kunsthistorisches Museum, Vienne), où pour la première fois il traduit les traits d'Albert et d'Isabelle ; l'*Erection de la Sainte-Croix*, 1610-1611, toile de 4 m × 3 m, et la *Descente de Croix*, 1612-1614, de 2 m × 3 m (Cathédrale Notre-Dame d'Anvers). Il peint dans l'abondance du style baroque. En 1620, il réalise, en moins de deux ans, trente-neuf fresques de plafonds pour l'église jésuite Saint-Charles-Borromée d'Anvers ainsi que deux panneaux de retables dont le *Miracle de saint François-Xavier* (Kunsthistorisches Museum, Vienne) que Fromentin considère comme le chef-d'œuvre de Rubens. Conjointement à ce grand foisonnement d'œuvres, il livre à Marie de Médicis vingt-quatre grandes compositions de la *Vie de Henri IV* (Musée du Louvre, Paris) destinées à la décoration du palais

Rubens et Bruegel de Velours.
Diane et ses nymphes.
Musée de la Chasse et de la Nature, Paris.

du Luxembourg, chefs-d'œuvre de la peinture décorative du XVIIe siècle. La deuxième partie ne sera jamais achevée. Il peint avec emphase les sujets religieux, tel le *Jugement Dernier*, 1616 (Pinakothek, Munich), page gigantesque où il semble vouloir se mesurer à Michel-Ange. Deux ans plus tard, il réalise l'*Enlèvement des filles de Leucippe* (ibid.) dans une même abondance, une fête ineffable de couleurs et de mouvements et la *Chasse aux lions* (ibid.), thème souvent traité, et avec la même violence. En 1630, quatre ans après le décès de sa femme, il épouse Hélène Fourment.

Dorénavant, il ne peint plus aucun tableau, religieux ou mythologique, sans que sa jeune femme de trente-sept ans sa cadette n'y paraisse. Dans *Le Jugement de Pâris*, 1632 (National Gallery, Londres), elle apparaît de dos, de face et de profil, figurant tour à tour Vénus, Minerve et Junon. Ses plus beaux portraits (vers 1636) sont au Louvre et à Munich, *Hélène en costume de cour* et *Hélène en costume de noces*. Elle y apparaît élégante, dans des

tonalités rappelant Titien. La violence de ses compositions s'estompe pour plus de lyrisme, le pathétique pour plus d'évocation. Il réchauffe sa palette. Sans abandonner sa peinture, Rubens, chargé de missions diplomatiques tendant à rétablir de meilleures relations entre la Flandre et la Hollande, la Hollande et l'Espagne, l'Espagne et l'Angleterre, voyage beaucoup. Il est nommé secrétaire d'Etat du roi d'Angleterre, et anobli par le roi d'Espagne. Sa dernière commande, en 1637, pour le roi Philippe IV d'Espagne est un cycle de tableaux illustrant les *Métamorphoses* d'Ovide servant à la décoration du grand pavillon de chasse de la Torre de la Parada, près de Madrid. Il réalise seul les esquisses d'après lesquelles d'autres peintres travailleront en 1637-1638. A la même époque, il peint quelques grands tableaux religieux, *La Montée au Calvaire*, véritable marche triomphante du Christ, pour l'abbaye des Bénédictins d'Afflingem, 1636 (Musées royaux des Beaux-Arts, Bruxelles). Rubens passe les dernières années de sa vie au château d'Elewyt,

qu'il a acquis en 1635. C'est là qu'il réalise ses plus beaux paysages dans lesquels s'exprime un sentiment profond de la nature : *Le Retour des champs*, 1637 (Palais Pitti, Florence), le *Paysage à l'oiseleur*, 1639 (Musée du Louvre, Paris), sont des hymnes de paix et de beauté à la campagne flamande. Il meurt le 30 mai 1640. Sa femme lui fait ériger un magnifique mausolée dans l'église Saint-Jacques d'Anvers, et l'orne d'un de ses tableaux, la *Madone et saint Georges*.

Se jetant au carrefour des traditions flamandes et italiennes, Rubens a affectionné d'emblée la décoration grandiose. Sa peinture, lisse d'abord, et un peu sèche, donc romanisante, s'enhardit sans compliquer les tons, ni empâter ses couleurs. Foncièrement flamand, il sent moins l'idée que la matière, aimant les formes opulentes, la clarté, la force ; il reste sensuel, même au milieu des sujets les plus religieux, voire mystiques. Rubens est l'un des protagonistes du baroque euro-péen. C'est lui qui a introduit dans la synthèse du concept « baroque flamand », des éléments comme « enthousiasme », « joie », « puis-sance », cadrant fort mal avec les réalités historiques du XVIIᵉ siècle.

Pierre Paul Rubens.
« Quos ego ».
Musée de Dresde.

Ruysdael ou Ruisdael, Jacob van
vers 1628-1682
(Haarlem/Amsterdam)

Jacob fait son apprentissage avec son père Isaacsz van Ruisdael, encadreur et peintre de dunes et de vues de village, et avec son oncle Salomon van Ruysdael, un habile paysagiste. Il subit en même temps l'influence de bon nombre de peintres travaillant alors à Haarlem, et en particulier, celle de Cornelis Vroom. En 1648, il devient membre de la guilde des peintres de Haarlem. Ses premières œuvres datent de cette époque : *Paysage de dunes*, 1648 (Musée de l'Ermitage, Saint-Pétersbourg). En 1650, il fait avec Nicolas Berghem qui lui peindra plus tard les figures de ses tableaux un voyage dans la région frontalière des Pays-Bas, près de Bentheim, et finit par s'installer, en 1657, définitivement à Amsterdam où il meurt à l'hospice, pauvre et abandonné de tous. Et pourtant, Ruysdael est sans doute le plus grand paysagiste dans ce pays qui n'a pas manqué de grands talents en ce genre.

Il a peint quelque sept cents peintures, représentant avec un art extrême arbres et frondaisons, villes surgissant au loin dans la plaine, marines, scènes de plage. Il reste sans rival quand il s'agit d'interpréter une clairière solitaire, une cascade, un moulin : *le Moulin de Wijk, près de Duurstede*, vers 1670 (Rijksmuseum, Amsterdam), est son œuvre la plus connue.

L'exécution magistrale donnée par l'effet de lumière et l'existence de certains éléments dramatiques évoquent un romantisme avant l'heure.

A partir de 1665, il élargit le thème de ses peintures avec des paysages urbains. *Le Cimetière des Juifs* dont il existe deux versions, l'une exécutée en 1660-1670 (Institute of Arts, Detroit) et l'autre, en 1670 (Gemäldegalerie de Dresde), est une vision de désespoir. L'atmosphère particulière de ses œuvres l'ont fait très apprécier des collectionneurs du XVIIIᵉ et du XIXᵉ siècle tandis qu'elle a inspiré bon nombre de peintres.

Ruysdael, Salomon van
vers 1600-1670
(né à Naarden, Hollande/Haarlem)

Salomon van Ruysdael est l'oncle de Jacob van Ruysdael. Inscrit à la corporation des peintres de Haarlem en 1623, il signe son premier paysage en 1626. Ses œuvres de jeunesse sont sous l'influence visible de Pieter Molijn. Puis, à partir de 1631-1632, ses peintures sont presque monochromes, exécutées dans des tons bruns, verts et gris. Il peint de préférence des paysages fluviaux, comme *Vue d'un fleuve*, 1632 (Kunsthalle, Hambourg). La composition, simple et efficace, rappelle Jan van Goyen. Après 1650, sa palette et son répertoire s'élargissent : il représente des paysages d'hiver, des marines et quelques natures mortes au gibier, exécutées dans l'esprit de Willem van Aelst.

Snyders, Frans
1579-1657
(né et mort à Anvers)

Elève de Brueghel d'Enfer, ami de Brueghel de Velours et collaborateur de Rubens, Snyders peint à ses débuts des tableaux très fins et très détaillés

Frans Snyders.
Nature morte, 1614.
Wallraf Richartz Museum, Cologne.

Jan Steen.
Scène de taverne.
Musée du Louvre, Paris.

figurant des fleurs et des fruits, mais se spécialise bientôt dans la peinture animalière, donnant d'admirables scènes de chasse et de combats de fauves *Chasse au sanglier* (Musée du Prado, Madrid) et *Chasse au daim* (Musées royaux des Beaux-Arts, Bruxelles). Sa composition est toujours riche et variée, son dessin concret et plein de relief, sa touche audacieuse et précise dans le rendu des fourrures et des robes d'animaux.

Assistant Rubens et Jordaens, il est le plus grand des peintres flamands de natures mortes baroques.

Steen, Jan
1626-1679
(né et mort à Leyde)

Inscrit à l'Académie de Leyde en novembre 1646, Jan Steen connaît plusieurs maîtres : Nicolaus Knupfer à Utrecht, Adriaen van Ostade à Haarlem, Jan van Goyen à La Haye, dont il épouse la fille. En 1648, il est admis à la guilde de Saint-Luc de Leyde récemment fondée.

Son père, brasseur, lui offre la direction d'une brasserie à Delft qu'il gère de 1654 à 1657. C'est là qu'il puise, aux côtés de Brouwer, les sujets de ses peintures. Il décrit des grandes scènes d'intérieur souvent accompagnées d'un texte moralisateur, généralement un proverbe, rappelant ainsi la manière de Brueghel. Il met à jour les faiblesses des hommes, *Rixe de joueurs* (Staatliche Museen, Berlin) et dépeint les excès de plaisir, le *Monde renversé*, 1663 (Kunsthistorisches Museum, Vienne). Grand observateur, il sait traduire tous les sentiments, de la colère à l'hébètement des ivrognes, jusqu'aux joies paisibles des fêtes de famille. Parmi les toiles de kermesses ou de fête les plus connues, il faut citer la *Fête des Rois* (Musée de Kassel).

Bien qu'il se soit plutôt consacré aux scènes de genre, Steen a également peint des portraits ainsi que des scènes religieuses et mythologiques telles que les *Pèlerins d'Emmaüs* (Rijksmuseum, Amsterdam).

Strozzi, Bernardo
1581-1644
dit Il Cappucino
ou Il Prete genovese
(Gênes/Venise)

Né au sein d'une famille modeste, Bernardo Strozzi étudie la peinture chez Pietro Sorri de Sienne.

En 1598, il entre dans l'ordre des Capucins et commence son noviciat dans le couvent de Saint-Barnabé. Mais très rapidement, l'habit lui pèse. Il réussit à quitter le couvent, et après une vie faite d'épisodes romanesques qui lui valent en 1630, trois ans de prison, il s'exile à Venise où il restera jusqu'à sa mort sous l'habit d'un prêtre séculier. Là, trouvant des protecteurs puissants qui interviennent auprès du pape, il reprend sa formation artistique. Etant très éclectique, il assimile plusieurs influences : tout d'abord maniéristes, ses retables dénotent celle du Caravage et de ses disciples, ses natures mortes celle des peintres flamands tels que Pieter Aertsen, Van Dyck et Rubens. Parmi ses œuvres, il convient de citer *La Cuisinière* (Palazzo Rosso, Gênes), *Saint Sébastien et sainte Irène*, 1630 (San Benedetto, Venise) et *la Vierge et l'Enfant Jésus portés sur des nuages* (Musée du Louvre, Paris). Il a exécuté à Venise un grand nombre d'ouvrages, réalisés pour la Bibliothèque Saint-Marc, pour l'église Saint-Benoît et l'Hôpital des Incurables.

Ter Borch, ou Terboch Gerrit
1617-1681
(Zwolle/Deventer)

Né à Zwolle où il est d'abord l'élève de son père, le peintre Ter Borch l'Ancien, Gerrit entre, en 1633 à Amsterdam, dans l'atelier du peintre paysagiste Pieter Molijn qu'il aidera en exécutant des portraits dans les paysages de son maître. Il devient en 1635, maître dans la corporation des peintres à Haarlem.

Il effectue de nombreux voyages, tout d'abord en Angleterre, à l'intérieur des Pays-Bas, puis en Allemagne, en Italie, en France et en Espagne. Son séjour en Italie ne laisse aucune influence visible sur son œuvre.

Ses premières scènes de genre sont des casernes et des intérieurs exécutés à la manière de Codde et de Duyster. Ce n'est qu'à partir de 1650 qu'il adopte son style très particulier, faisant de lui, le créateur de ce genre de peinture : il réalise une série de tableaux comprenant rarement plus de trois personnages appartenant toujours à la classe opulente. Là, la robe de satin blanc d'une dame, la représentation richement vêtue de brocart ou de soie d'une autre, forment le centre et la masse lumineuse. Les scènes d'intérieurs des années 1660 sont le point culminant de son œuvre. Ter Borch a également peint beaucoup de portraits, et son fameux tableau de *La Prestation du serment lors de la Paix de Münster*, 1648 (National Gallery, Londres), où, contrairement à ses habitudes, il a réuni un grand nombre de personnages, a la valeur d'un document historique, en même temps qu'il est un chef-d'œuvre de l'art.

Son principal élève a été Caspar Netscher, mais son influence s'étend encore dans les générations suivantes.

Valdés Leal, Juan de
1622-1690
(né et mort à Séville)

De père portugais et de mère sévillane, Valdés Leal fait son apprentissage à Cordoue dans l'atelier d'Antonio del Castillo. C'est dans cette ville qu'il se marie avec une femme peintre. On n'entend pas parler de lui à Séville avant 1656.

Lors de la fondation de l'Académie de peinture, il en est un des premiers membres, et il est nommé président en 1663.

Ses premières peintures sont un peu dures, encore sous l'influence du naturalisme ténébriste. Rentré à Séville en 1656, il reçoit sa première commande importante pour la chapelle des Clarisses à Carmona (1653-54).

Dans ces compositions ayant trait à la vie de sainte Claire, le style est libre, le réalisme domine et la vie y est exprimée déjà avec cette exubérance propre à son génie. En 1656, il reçoit une série de commandes importantes parmi lesquelles il faut citer les peintures de la sacristie du monastère de San Jerónimo (Musée de Séville) et celles du retable de San Benito de Calatrava (1659). Naturalisme souvent romanesque, couleurs chaudes et subtiles, sont les éléments dominants de ces séries. Les sujets relatifs à saint Jérôme sont traités avec fougue. Dans la *Tentation du Saint*, les costumes orientalistes font songer à Rembrandt, tandis que certaines figures rappellent Claude Vignon. Valdés Leal demeure avec Murillo, un des principaux peintres de l'*Immaculée Conception*, 1661 (National Gallery, Londres) et de l'*Assomption* 1658 (Couvent des Carmélites, Cordoue) mais marque sa volonté de s'écarter du type « murillesque ». Ses Immaculées nous présentent la Vierge sous les traits d'une toute jeune fille, blonde et poupine, l'opposant radicalement à la brune Madone de Murillo.

A partir de 1660, il devient véritablement « baroque ». De cette époque date *La Remise de la Chasuble à saint Ildefonse*, 1661 (Cathédrale de Séville). En 1674, il exécute huit grandes toiles consacrées à *Saint Ignace de Loyola* et à la *Compagnie de Jésus* (Musée de Séville). Compositions au réalisme pittoresque, elles offrent, à l'exemple de l'ensemble de l'œuvre de Valdés Leal, ce caractère de mise en scène qui est un des éléments les plus puissants de la peinture polychrome espagnole, et cet aspect baroque porté souvent à sa quintescence.

Quatre ans avant sa mort, il peint l'œuvre qui domine la fin de sa carrière *Jésus discutant avec les Docteurs* ; le décor et les ornements sont essentiellement baroques, quant au coloris, doux et nuancé dans son clair-obscur, il fait penser à Rembrandt.

Le rôle de Valdés Leal dans la peinture sévillane est comparable à celui que Tintoret a joué dans l'évolution de la peinture vénitienne. Leur génie à tous deux est celui d'un dramaturge. Cette fièvre qui les habite est un des éléments essentiels du baroque. Mais là où Valdés Leal diffère de Tintoret, c'est par son réalisme qui atteint parfois une âpreté rarement dépassée. Ribera se plaisait à évoquer des scènes de martyres ; Valdés Leal, purement baroque, affine ses instincts morbides, mais non dans l'interprétation des supplices, il aime la mort, le néant, son thème préféré est la fin inévitable de l'homme. Citons *Allégorie de la Vanité* et le *Triomphe de la Mort* (tous deux de 1672, à l'Hôpital de la Caridad, Séville), sur lesquels Murillo s'exclama : « C'est tout juste s'il ne faut pas se boucher le nez ». Avec lui se clôt l'ère triomphale de l'école de Séville. Son fils, Luca de Valdés s'adonna surtout à l'art de la fresque et laisse quelques gravures.

Vélasquez, Diego Rodriguez de Silva
1599-1660
(Séville/Madrid)

Issu d'une famille noble portugaise de Porto, établie à Séville, Vélasquez reçoit dans cette ville une formation classique, c'est-à-dire, le latin et la philosophie. Il étudie ensuite la peinture dans l'atelier de Francisco Herrera, surnommé le Vieux, et non moins connu par la rudesse de son caractère que par la facilité de son pinceau. D'un caractère timide et doux, d'un tempérament faible et délicat, l'élève ne peut s'habituer aux emportements du maître ; il quitte l'atelier de Herrera pour entrer dans celui de Francisco Pacheco, artiste habile, et d'un commerce facile, dont la maison est le rendez-vous de l'intelligentsia de Séville.

Pacheco rentre de Tolède où il a rencontré le Greco. Il lui transmet le souci de rendre compte du volume. En même temps, Vélasquez s'imprègne des peintures du Caravage qui commencent à être connues à Séville. *L'Adoration des Mages*, vers 1619 (Musée du Prado, Madrid), l'une de ses premières œuvres, illustre cette volonté de donner du relief à ses figures par le jeu d'ombre et de lumière. En 1617, Vélasquez épouse la fille de Pacheco, Francesca, tandis qu'il est reçu à la guilde de Saint-Luc de Séville. Il part pour Madrid, où il arrive au printemps de 1622. Sa réputation l'a précédé à la cour de Philippe IV. Un de ses compatriotes, Don Juan de Fonseca y Figueroa, grand dignitaire d'Espagne, le reçoit chez lui. Les premiers travaux de Vélasquez le mettent bientôt en évidence. Philippe IV lui commande son portrait, dont il est si charmé, qu'il fait aussitôt réunir et enfermer tous ceux qui ont été faits jusqu'alors et qu'il nomme, le 6 octobre 1623, Vélasquez son premier peintre, avec une gratification de 300 ducats d'or.

Vélasquez obtient en outre, les places d'huissier de la Chambre Royale et de fourrier du palais. Depuis ce jour, il n'a à parcourir qu'une carrière de fortune,

Diego Vélasquez.
Le Triomphe de Bacchus.

Diego Vélasquez.
Le Prince Baltasar Carlos avec un nain.
Musée des Beaux-Arts, Boston.

Diego Vélasquez.
Portrait équestre d'Isabelle de France, 1628.
Musée du Prado, Madrid.

d'honneurs et de gloire. Admis, comme le poète Calderon, dans l'intimité du monarque, il est toute sa vie l'un de ses courtisans familiers.

Durant cette première période, le style de Vélasquez est proche de celui de l'école sévillane. Les « Bodegones » (natures mortes) qu'il exécute alors mêlés à des personnages, laissent déjà percevoir son talent exceptionnel d'imitation de la nature. Les tableaux les plus importants sont, sans nul doute, la *Vieille femme faisant frire des œufs*, 1618 (National Gallery of Scotland, Edimbourg) et *Le Porteur d'eau de Séville*, 1619 (Wellington Museum, Londres). D'un grand réalisme, aucun détail n'est laissé au hasard. En 1628, Rubens vient à Madrid comme ambassadeur d'Angleterre. Ils se lient d'amitié et parcourent ensemble les galeries du Prado et de l'Escurial. C'est l'époque où sa manière, sans perdre de réalisme, prend une autre ampleur. Les modèles posent dans une attitude plus nonchalante sans être pour autant dénués de dignité : *Philippe IV avec la Requête* (Musée du Prado, Madrid), *le Duc de Olivarès* (Hispanic Society of America, New York).

Dans leurs longs entretiens sur l'art, Rubens parle avec tant d'enthousiasme de l'Italie, de Raphaël et de Michel-

Ange, qu'il fait naître chez son ami le désir de s'y rendre.

Il s'embarque à Barcelone pour Venise, où l'ambassadeur d'Espagne le loge dans son hôtel, et où il étudie les œuvres de Tintoret, de Titien et de Véronèse. La guerre pour la succession de Mantoue ayant éclaté entre la France et l'Espagne, il se voit forcé de quitter Venise et de partir pour Rome, où, après avoir obtenu du pape Urbain VIII d'être logé au Vatican, il copie une grande partie du *Jugement dernier* de Michel-Ange, ainsi que l'*Ecole d'Athènes* et le *Parnasse* de Raphaël. Mais Philippe IV le rappelle à Madrid. Après avoir visité Naples, et son compatriote Ribera, qui a alors atteint toute sa célébrité, Vélasquez revient en Espagne (1631) avec un talent mûr. Il rapporte *La Tunique de Joseph* (Escurial) et *La Forge de Vulcain*, 1630 (Musée du Prado, Madrid), d'un réalisme exceptionnel. Pendant les dix-sept ans où il reste enfermé dans son atelier de la cour d'Espagne, tous les tableaux sont consacrés presque exclusivement à reproduire des faits à la gloire de son souverain. *La Reddition de Breda* réalisée pour le « Salon de Reines » ou Salle des Royaumes du Buen Retiro, 1634-35, dit ou *Tableau des Lanus* (Musée du Prado, Madrid) décrit la ville hollandaise assiégée par les troupes espagnoles en 1625. Le réalisme donne une impression de vécu tandis que la composition sobre, les gammes de couleurs et la facture de l'œuvre donnent à l'ensemble une unité spatiale qui traduit l'atmosphère de la scène. Il peint également toute une série de portraits, parmi lesquels *le Bouffon Barbarroja* (Musée du Prado, Madrid), *François d'Este*, 1638 (Modène), *Isabelle de Bourbon* (Kunsthistorisches Museum, Vienne) ainsi que la série des portraits de Philippe V, du Prince Baltasar Carlos et de l'Enfant Don Fernando, peints dans une richesse accrue des couleurs. En même temps, il exécute pour la Torre de la Parada un *Esope*, vers 1640 (Musée du Prado, Madrid) et un *Ménippe* (ibid) d'une très grande vigueur pour lesquels il prend des clochards pour modèles.

Philippe IV nourrit depuis longtemps le projet de doter sa capitale d'une Académie de peinture. Vélasquez est chargé de présider à la fondation de cet établissement, et entreprend en 1649, un second voyage pour aller emprunter des modèles à l'Italie. Il est reçu à Rome par le pape Innocent X, et on l'admet dans l'Académie de Saint-Luc. Il peint le portrait du souverain Pontife, en 1650 (Galleria Doria-Pamphili, Rome). L'année suivante, il peint la célèbre toilette de Vénus, connue sous le nom de la *Vénus au miroir* (National Gallery, Londres), nu exceptionnel dans l'art espagnol, le contrôle par l'Inquisition interdisant ces « œuvres du démon ». Après avoir fait exécuter douze tableaux par les douze plus grands maîtres de cette époque, après avoir acheté les tableaux comme *Le Paradis* de Tintoret (Musée du Prado, Madrid), un très grand nombre de bustes et de statues antiques, Vélasquez rentre en Espagne. Nommé chevalier de Santiago en 1658, il reçoit de Philippe IV, en récompense de ce nouveau service, le titre de « Aposentador de Palacio » c'est-à-dire, Grand maréchal du Palais, chargé de la décoration et des fêtes, et c'est en cette qualité qu'il entreprend au mois de mars 1660, le voyage d'Irun, lorsque Philippe IV conduit sa fille Marie-Thérèse à Louis XIV, qui vient recevoir à la frontière sa fiancée. Vélasquez est chargé de préparer dans l'île des Faisans le pavillon où se rencontrent les deux monarques.

C'est l'époque où il peint les *Ménines*, 1656 (Musée du Prado, Madrid), dans lequel il se représente devant son chevalet en train de peindre l'Infante Marguerite. Il est possible que Vélasquez se soit inspiré du jeu du miroir des *Epoux Arnolfini* de Van Eyck qui figurent alors dans la collection royale d'Espagne. Réalisées un an après les *Ménines*, *les Fileuses* peintes à la Manufacture de Madrid (Musée du Prado, Madrid) ont su également dicter par le jeu de lumière, leur idéal à Goya, et plus tard, aux impressionnistes.

Diego Vélasquez.
Le Prince Baltasar Carlos à cheval, 1636.
Musée du Prado, Madrid.

Diego Vélasquez.
Le Nain Francisco Lezcano dit *Le Nain de Vallecas, vers 1643/45.*
Musée du Prado, Madrid.

263

Il est enterré avec sa veuve qui ne lui survécut que quelques jours, dans l'église San-Juan de Madrid.

Quoiqu'il peignît du premier jet, sans hésitation, sans retouche, son dessin est toujours d'une irréprochable pureté ; sa couleur est toujours ferme, sûre et parfaitement naturelle. Personne, mieux que lui, n'a connu l'entente des plans divers, la distribution de la lumière, la perspective linéaire et aérienne. En un mot, Vélasquez a été l'homme de la nature et de la vérité. On ne lui connaît ni dessins, ni esquisses. Peu prolifique, il ne laisse que cent vingt-quatre toiles seulement. Toutefois, sans être le fondateur d'une école, il a exercé une influence considérable, non seulement sur ses contemporains mais sur les générations suivantes.

Adriaen Van de Velde.
Noble équipage cheminant sur la plage de Scheveningen, 1660.
Musée du Louvre, Paris.

Velde, Adriaen van de
1636-1672
(né à Amsterdam)

Fils du peintre de marines Willem van de Velde le Vieux et frère de Willem van de Velde le Jeune, Adriaen est d'abord l'élève de son père avant d'être celui de Johannes Wynants, le peintre animalier et paysagiste.

Il peint des portraits, des scènes de genre et quelques rares sujets religieux, mythologiques et allégoriques. Cependant, la majorité de ses tableaux sont des paysages.

Bien que mort à trente-deux ans, Adriaen van de Velde a immensément produit, surtout si l'on considère le nombre d'œuvres de ses confrères tels que Wynants, Van der Heyden, Hobbema ou Ruysdael qu'il a aidés en plaçant dans leurs paysages des animaux ou de petits groupes de personnages.

Il se plaît à représenter les bocages mystérieux où le berger rêve au milieu de son troupeau, mais aime les paysages découverts où il peut donner au ciel toute son ampleur et faire dérouler la plaine jusqu'au plus lointain horizon. Adriaen van de Velde est aussi un admirable peintre animalier, comme Potter ou Berghem. Ce qui le caractérise surtout, c'est le sentiment poétique de ses ouvrages, qui contraste avec le talent exact, mais positif, d'un grand nombre de peintres hollandais, et notamment de son maître Wynants. Parmi ses œuvres, on peut citer *La Petite ferme*, 1661 (Londres) ou *Le Repos des bergers*, 1664 (Amsterdam).

Velde, Esaias van de
vers 1591-1630
(Amsterdam/La Haye)

Esaias van de Velde est le fils d'un peintre et marchand d'art originaire d'Anvers. En 1611, il est membre de la

Willem Van de Velde II.
Vaisseau de guerre hollandais et yatch.
Greenwich national Maritime Museum, Londres.

corporation des peintres de Haarlem. Il a pour élève Van Goyen et Van Ruysdael. Portraitiste des princes d'Orange, il peint aussi des tableaux d'histoire et des scènes de genre, souvent des soldats, des combats ou des assemblées festoyant en plein air : *L'Attaque*, 1616 (Amsterdam). Van de Velde se révèle aussi excellent paysagiste lorsqu'il peint les paysages de Hollande avec ses horizons plats sous d'amples ciels, remarquables par les effets de lumière et leur atmosphère poétique. Il est l'un des premiers paysagistes réalistes de l'école hollandaise.

Velde, Willem van de
dit le Jeune
1633-1707
(Leyde/Londres)

Fils de Willem van de Velde dit le Vieux, frère cadet d'Esaias, Willem est l'élève de Simon de Vlieger. Ses premières

œuvres, datant de 1653, sont des marines tout à fait dans l'esprit de son maître. Tout d'abord sombres, ses couleurs gagnent en luminosité. La caractéristique de Willem van de Velde est de donner une telle précision aux bateaux qu'il peint quasiment le portrait des vaisseaux. En 1672, son père et lui partent pour l'Angleterre. L'année suivante, il devient peintre à la cour du roi Charles II d'Angleterre. Pour la cour, il peint les événements maritimes tels que *La Visite du Roi à la flotte sur la Tamise, le 5 juin 1672*, toile qui mesure plus de trois mètres de large. On lui connaît plusieurs milliers de dessins.

Vermeer, Johannes
dit Jan Vermeer de Delft
1632-1675
(né et mort à Delft)

Johannes naît d'un père ouvrier en soie

venu de Flandre, à la fois aubergiste et marchand d'art. Il fait sans doute son apprentissage chez Léonard Bramer. En 1653, il épouse Catharina Bolnes dont il aura onze enfants et devient maître dans la corporation Saint-Luc à Delft dont il sera le doyen en 1663 et 1669. Il est mentionné en 1672 comme marchand de tableaux. Il reste de lui aujourd'hui trente et une peintures, peintes entre 1654 et 1675, dont trois seulement sont datées : *L'Entremetteuse*, 1656 (Gemäldegalerie, Dresde), *La Jeune fille à la perle*, 1665 (Mauritshuis, La Haye) et *L'Astronome*, 1668 (collection particulière, Paris). Il ne reste curieusement ni dessins, ni gravures.

A ses débuts, Vermeer peint des tableaux d'histoire où l'influence des

Willem van de Velde le Jeune.
Le Port d'Amsterdam. Détail. 1686.
Rijksmuseum, Amsterdam.

Willem van de Velde II.
Navires anglais pris après la bataille des
Quatre Jours.
Rijksmuseum, Amsterdam.

Jan Vermeer.
Concert à trois, vers 1658-1664.
Isabella Stewart Gardner Museum, Boston.

caravagistes est flagrante, en même temps que celle plus directe des peintres d'histoire d'Amsterdam, Jacob van Loo et Erasmus Quellin par exemple. Trois œuvres de ses débuts montrent la base de son style : *Diane et ses nymphes*, vers 1653 (Mauritshuis, La Haye), *Le Christ chez Marthe et Marie*, vers 1654 (National Gallery of Scotland, Edimbourg) et *L'Entremetteuse*, 1656 (Gemäldegalerie, Dresde). Ces œuvres sont toutes imprégnées de l'influence italienne. Il se consacre alors aux scènes d'intérieur : d'abord des pièces très simplement indiquées par une figure, et plus tard, des espaces plus construits avec comme base un carrelage, peut-être par analogie avec les œuvres des peintres d'église de Delft.

Sa technique lui est très particulière : on a souvent admiré chez lui ses effets de trompe-l'œil. La profondeur est rendue par la géométrie de la composition : une chaise placée de travers, le bord d'une fenêtre ou celui d'un carrelage. A cette composition, Vermeer utilise une grande richesse de tons qui accentue les formes et leur confère une beauté sensuelle : il oppose les bleus et les jaunes aux vermillons et aux ocres rouges, tandis que les blancs exacerbent ces contrastes et que les gris enveloppent de douceur ces harmonies. Cet art des couleurs explose dans *La Jeune fille au turban*, vers 1665 (Mauritshuis, La Haye) et *La Dentellière* (Musée du Louvre, Paris). Sa manière donne une résonance poétique aux scènes de la vie quotidienne.

Comme les peintres de son temps, ses toiles décrivent un milieu bourgeois ; seulement, l'aspect descriptif du tableau de genre cède, chez Vermeeer, la place à une pensée symbolique. Ainsi *La Jeune fille lisant une lettre devant la fenêtre ouverte*, vers 1658 (Gemäldegalerie, Dresde) évoque-t-elle l'amour, *La Peseuse de perles*, 1665 (National Gallery, Washington), la vanité des choses.

Les quelques tableaux d'histoire qu'il a peints plus tard se placent aussi dans un intérieur et revêtent cette recherche symbolique. Dans l'*Allégorie de la Peinture*, vers 1666 (Kunsthistorisches Museum, Vienne), le peintre et son modèle Clio, muse de l'Histoire, apparaissent comme la représentation de saint Luc, peintre de la Vierge. Vermeer a également peint deux tableaux d'extérieur : *La Ruelle* et la *Vue de Delft*, vers 1661 (Rijksmuseum,

Claude Vignon.
Ravitaillement à l'Ile de Ré, 1627.
Musée de la Marine, Paris.

Amsterdam et Mauritshuis, La Haye) dont l'audace dans l'emploi des couleurs est sans égal entre les reflets de l'eau et la plage de sable rose, les jeux de lumière du soleil sur le rouge brique des toits dans le ciel matinal, créant une symphonie qui est une véritable fête de couleurs. Malgré la haute estime de ses contemporains, Vermeer n'a pas eu de grande influence sur eux.

Vignon, Claude
1593-1670
(Tours/Paris)

Claude Vignon est l'un des peintres qui s'est montré le plus ouvert aux influences les plus variées, du milieu maniérisant parisien (Bunel, Lallemant) aux peintres caravagesques (le Caravage, Manfredi), des maîtres, de Rembrandt qu'il a rencontré à Guerchin ou Vouet.

Arrivé à Rome vers 1616, il peint en 1617 le *Martyre de saint Matthieu* (Musée Saint-Vaast, Arras) et une *Adoration des Mages*, en 1619 (Dayton) dont le clair-obscur est directement issu d'une grande influence caravagesque. Entre 1621 et 1623, il remporte avec *Les Noces de Cana* (détruit en 1945 à Berlin), un concours organisé par le prince Ludovisi. En 1623, il se marie à Paris avec Charlotte de Leu qui lui donnera, avec sa seconde femme, trente-quatre enfants. Un voyage en Espagne lui fait connaître les œuvres de Murillo et de Vélasquez. En 1624, il entre à la cour comme décorateur.

A partir de cette date, il multiplie sa production : tableaux profanes, religieux ou mythologiques, scènes de genre, portraits, allégories. Lorsqu'il devient membre de l'Académie royale en 1653, sa manière est faite d'épais empâtements où l'or rutile sur des fonds sombres. Il laisse principalement un grand nombre de toiles de style baroque.

Vouet, Simon
1590-1649
(né et mort à Paris)

Fils du peintre des Ecuries du Roi sous Henri IV, Laurent Vouet, Simon, dit-on, a fugué vers l'âge de quatorze ans en Angleterre pour y peindre le portrait d'une dame française. En

1611-1612, grâce à l'ambassadeur de France en Turquie, il part à Constantinople, se rend à Venise l'année suivante, puis à Rome en 1614 où il demeure jusqu'en 1627, à l'exception d'un bref séjour à Gênes et à Milan en 1620-21. Protégé par le cardinal Barberini, il reçoit l'influence du Caravage puis s'oriente vers un style moins réaliste, plus élégant et recherché sous l'influence de Guido Reni et d'Annibal Carrache : *Sophonisbe recevant la coupe de poison*, vers 1622-1624 (Gemäldegalerie, Kassel). 1624 est une année importante pour Vouet : il est élu, à trente-quatre ans, prince de l'Académie de Saint-Luc, reçoit une commande pour Saint-Pierre de Rome et entreprend la décoration de l'église San Lorenzo in Lucina.

Artiste parmi les plus célèbres à Rome, considéré comme le chef de la colonie des peintres français à Rome, il ouvre une école où l'on peint sur le motif. L'année 1626 représente une année charnière dans sa manière : il peint son dernier tableau sombre et ténébreux, *L'Intelligence*, *La Mémoire et la Volonté* (Musée du Capitole, Rome), pour adopter un art plus clair, fait de couleurs plus vives, peint dans un style plus décoratif et plus élégant qu'il imposera en France, l'*Allégorie des Beaux-Arts* (Galerie nationale, Rome).

En 1627, rappelé par Louis XIII et Richelieu en France, il est nommé premier peintre du Roi. Il s'installe au Louvre, réorganise la vie artistique. Les meilleurs peintres défilent dans son atelier, Dorigny, Poerson, et ceux qui marqueront la génération future, Le Sueur, Mignard, Le Brun (son successeur à la tête du mouvement artistique français).

Il décore le palais royal à Saint-Germain-en-Laye, le château de Fontainebleau, le Louvre. Les grands décors ont souvent été détruits (seul subsiste dans son intégralité le décor, *La Nymphée*, du Château de Wideville). Les tableaux d'église ont presque toujours été déplacés à la Révolution. Il peint aussi quelques tableaux de chevalet. En 1648, il participe activement à la fondation de l'Académie royale de Peinture et de Sculpture. Simon Vouet est sans doute l'artiste français le plus influent de sa géné-

ration. Le mouvement baroque dont il fut l'instigateur s'est cependant arrêté avec le classicisme de Poussin, qui avait déjà menacé sa position de peintre officiel lors de son retour passager en France, en 1640.

Weenix, Jan
dit le Jeune
1640-vers 1719
(né et mort à Amsterdam)

Jan est le fils de Jan Baptist Weenix. Avec Melchior d'Hondecoeter, il est l'un des plus célèbres peintres de natures mortes de son époque. A Amsterdam, il décore un grand nombre de maisons patriciennes et, sur commande du prince palatin Jean Guillaume, il donne une série de *Grandes scènes de chasse* (Alte Pinakothek, Munich). Ses œuvres sont caractérisées par le souci d'un rendu minutieux.

Weenix, Jan Baptist
dit l'Ancien
1621-avant 1663
(Amsterdam/Huister Mey près d'Utrecht)

Weenix est tout d'abord l'élève de Nicolaes Moeyaert, et, à Utrecht, d'Abraham Bloemaert. En 1642, il effectue un voyage en Italie, à Rome, où il reçoit de nombreuses commandes du pape Innocent X et du cardinal Pamphili. Rentré en Hollande vers 1649, il travaille avec Jan Asselijn, peintre flamand qui marquera sa production ultérieure. Il peint avant tout des paysages étoffés de ruines et de figures, des vues de ports et de plages et des natures mortes. Sa palette est tout d'abord nuancée, puis, à la fin des années 1650-60, les jeux d'ombre et de lumière atteignent leurs plus grands effets. Il est considéré comme l'un des plus grands peintres de paysage italianisants. Il a comme élève son fils, Jan, Berghem et Hondecoeter. Le Musée du Louvre détient *Couple dans une barque*.

Witte, Emanuel de
1617-1692
(Alkmaar/Amsterdam)

Né en Hollande, Emanuel de Witte est membre de la corporation des peintres

Jan Baptist Weenix.
Scène de chasse.
Musée de Douai.

Jan Baptist Weenix.
Le Lièvre mort, 1709.
Musée du Petit Palais, Paris.

Jan Weenix.
Repos de chasse.
Musée Lambinet, Versailles.

de sa ville en 1636. Il travaille ensuite successivement à Rotterdam (1639-40), à Delft (1641-51) où il est l'élève du peintre de natures mortes, Evert van Aelst, et enfin à Amsterdam, à partir de 1652.

Au début de sa carrière, entre 1644 et 1647, il réalise de nombreux portraits, puis, à partir de 1650, se spécialise dans la peinture d'architecture, principalement d'intérieurs d'église,

Philips Wouwerman.
Le Départ pour la chasse au pied d'un palais.
Musée du Louvre, Paris.

qu'ils soient réels ou imaginaires. L'un de ses chefs-d'œuvre en ce genre est *L'Eglise de Delft pendant le sermon*, 1651 (Collection Wallace, Londres), dans lequel il crée un nouveau type d'intérieurs d'églises et parvient à résoudre certains problèmes de perspective. En les peuplant de personnages, il se révèle aussi un excellent peintre de figures. A Amsterdam, il peint également des scènes de genre et des marchés en plein air.

Son chef-d'œuvre reste cependant *Femme au clavecin* (Boymans-Van Beuningen Museum, Rotterdam), véri-

table étude de perspective dans laquelle s'exprime l'intimité d'un intérieur bourgeois hollandais.

Wouwerman, Philips
1619-1668
(né et mort à Haarlem)

Philips est d'abord formé par son père, le peintre d'histoire, Paulus Joosten Wouwerman, puis par Frans Hals. A Haarlem, il apprend aussi de Jan Wynants la manière d'agencer un paysage. Mais l'étude particulière qu'il fait des figures et des animaux, l'animation qu'il sait donner à ses

Philips Wouwerman.
Halte de chasseurs et de cavaliers.
Musée du Louvre, Paris.

chasses, à ses combats de cavalerie, à ses haltes, la tournure imprimée à chaque personnage et le sentiment pittoresque de l'ensemble, en font un artiste à part dans l'école hollandaise. Le nombre prodigieux de ses œuvres produites pendant une vie assez courte prouve à la fois son activité et sa

Jan Wynants.
Paysage au fauconnier, vers 1670.
Musée des Beaux-Arts, Lille.

facilité de travail. On peut citer le *Cheval gris* (Rijksmuseum, Amsterdam) ; nombre de ses toiles se trouvent également au musée de l'Ermitage à Saint-Pétersbourg.

Wynants, Jan
1620/25-après 1671
(né et mort à Haarlem)

Le patriarche du paysage familier en Hollande est Jan Wynants. C'est lui qui le premier s'est aperçu que la nature était belle autour de sa ville natale, Haarlem, qu'il n'a jamais quittée.

Ses tableaux montrent habituellement des terrains ravinés, ombragés de grands arbres et traversés par des chemins dont les ornières sont fortement accusées. Personne n'a rendu mieux que lui les terrains déclinés, les monticules de sables, les lisières des bois. On attribue au grand soin qu'il y portait le nombre restreint des œuvres qu'il a laissées.

Il a eu pour élèves Wouwerman, Van de Velde et Lingelbach.

Zurbarán, Francisco de
1598-1664
(Fuente de Cantos/Madrid)

Francisco de Zurbarán est né à Fuente de Cantos, province de Badajoz en Estremadure. Venu à Séville en 1614, il commence sa formation chez Pedro Diaz de Villanueva, « pintor de imagineria », c'est-à-dire peintre d'imageries pieuses. A la même époque, il rencontre Vélasquez, apprenti lui aussi à Séville. Comme lui, il prend pour modèle les œuvres du Caravage et de Ribera. En 1617, il s'établit à Llerena, autre village de l'Estremadure où il épouse une femme dont il aura trois enfants : l'un d'eux, Juan, sera peintre et composera dans le style de son père de superbes natures mortes.

Devenu veuf en 1623, il se remarie deux ans plus tard.

L'année 1626 est décisive : il peint pour le monastère San Pablo à Séville une

Francisco de Zurbarán.
La Défense de Cadix contre les Anglais, 1634.
Musée du Prado, Madrid.

vie de saint Dominique en quatorze tableaux dont il ne subsiste plus que deux scènes (Eglise Santa Magdalena, Séville), et sept portraits de docteurs de l'Eglise dont il n'en reste que trois (Musée des Beaux-Arts, Séville). Le succès est tel que les commandes ne cessent d'affluer. Le Conseil municipal de Séville lui demande de se fixer définitivement dans leur ville malgré l'opposition violente d'Alonso Cano. Il devient alors le peintre favori des couvents qui recherchent tous sa collaboration. De 1628 à 1630, il peint sept compositions inspirées de la vie de *Saint Pierre Nolasque* pour la Merced Calzada. Le caractère dominant de ces premières grandes peintures religieuses est une propension marquée à la plasticité des formes, à laquelle se joignent une composition simple et ordonnée et une harmonie parfois très subtile des couleurs (la prépondérance des gris et des beiges y apparaît déjà). *L'Apparition de saint Pierre à saint Pierre Nolasque* (Musée du Prado, Madrid) est le plus beau de la série et un des plus prenants dans l'œuvre de Zurbarán. L'ensemble est presque monochrome, le modelé est plus souple qu'à l'ordinaire et une grande noblesse et une profonde ferveur se dégagent de la composition. A la même époque, vers 1629, se place un autre cycle de peintures qui complètera celles d'Herrera au couvent des Franciscains de San Bonaventura à Séville. Il peint cinq toiles de *La Vie de saint Bonaventure* dont le *Concile de Lyon* et l'*Exposition du Corps de saint Bonaventure* (Musée du Louvre, Paris).

En 1631, Zurbarán peint l'*Apothéose de saint Thomas d'Aquin* (Musée provincial des Beaux-Arts, Séville) qui est sa plus vaste composition (4,80 m × 4 cm). Il est alors en pleine possession de ses moyens. De 1630 à 1640, il produit le plus remarquable de son œuvre : natures mortes, comme *Les Cédrats, orange et rose*, 1633 (Collection Contini-Bonacossi, Florence) mais surtout compositions religieuses. Il reçoit la commande de trois toiles pour la Chartreuse de Las Cuevas, à Triana, faubourg de Séville : *La Vierge abritant les Chartreux sous son manteau*, dans laquelle on retrouve le thème de la Vierge de Miséricorde, fréquemment traité au Moyen Age, principalement au XVe siècle. La modestie des personnages s'oppose violemment à l'expression de leurs visages tendus vers la Vierge dans un sentiment de ferveur, de confiance et d'amour. Grâce probablement à ces travaux et peut-être aussi grâce à son amitié avec Vélasquez, il est invité à Madrid par Philippe IV, en 1634, pour réaliser une série de toiles pour son nouveau palais du Buen Retiro, aujourd'hui démoli. Il peint deux tableaux d'histoire, dont il reste *La Défense de Cadix contre les Anglais* et les *Travaux d'Hercule* (Musée du Prado, Madrid).

L'un de ses chefs-d'œuvre est l'ensemble qu'il réalise entre 1638 et 1639 pour la Chartreuse de Jerez de la Frontera : quatre tableaux sont au Musée de Grenoble, les autres au Musée des Beaux- Arts de Cadix. Ils représentent des figures solitaires de

Chartreux ou des amis de l'Ordre de Saint-Bruno ; *Saint Hugues, évêque de Grenoble*, 1636-1639 (Musée provincial de Bellas Artes, Cadix) est marqué d'une profonde religiosité.

Le troisième grand ensemble de peintures se trouve encore en place au monastère de la Vierge de Guadalupe, 1638-1639.

Il exécute onze tableaux pour décorer la sacristie de la chapelle Saint-Jérôme ; parmi eux, *P. Gonzalès de Illescas*. Ici le talent de Zurbarán s'est affiné, le modelé se fait plus doux, les motifs accessoires sont traités avec force, toutes choses qui n'enlèvent rien à l'expression monastique toujours incomparablement rendue.

A partir de 1640, jusqu'à sa mort, Zurbarán transforme sa manière stylistique d'abord, technique ensuite. Ses tableaux religieux prennent parfois l'apparence de scènes de genre, telle *Marie cousant* (Musée de l'Ermitage, Saint-Pétersbourg). Son art devient à la fois tendre, dévôt et populaire, à la façon de Murillo qui aura une influence sur lui à partir de 1648-1650. Il entreprend alors toute une série de tableaux de piété dont l'image de *Saint François* (Musée des Beaux-Arts, Lyon) et de celle de l'*Immaculée Conception* fournissent les principaux thèmes.

En 1661, il peint encore une de ses œuvres maîtresse : une *Immaculée Conception* (Musée de Budapest) où il revient à la vigueur non dénuée de grâce, et surtout à ce mysticisme élevé qui fait de son œuvre une des plus profondément religieuses de l'histoire de l'art.

Le XVIIIe SIÈCLE

FRANCE

Dans les arts comme dans la politique et les lettres, le XVIIIe siècle réagit contre le XVIIe et ne semble d'abord préoccupé que d'en rejeter toutes les traditions. Autant l'un apparaît grave, majestueux, soucieux de la discipline, autant l'autre se montre capricieux, impatient des règles. Le désordre des mœurs, que Louis XIV et ses contemporains dissimulaient sous des dehors imposants, s'étale avec une gaieté effrontée ; le scepticisme, qui était proscrit, ne se limite plus au monde des lettres, il gagne toute la société et devient comme une marque de bon ton. De même en art, au style correct, grandiose du XVIIe siècle, se substitue un style nouveau, d'une grâce libre et voluptueuse, dont les Robert de Cotte, les Watteau, les Boucher sont les maîtres par excellence.

Toutefois, dans la seconde moitié du XVIIIe siècle, on commence à s'en lasser : cette société légère et affectée se prend d'un beau regret pour ce qui est sérieux et vrai ; elle se détache des mythologies voluptueuses, des pastorales enrubannées. C'est le temps où Diderot veut introduire au théâtre le drame bourgeois, où Jean-Jacques Rousseau prêche le retour à la nature ; dès lors la peinture de la vie familière et rustique, travestie à l'usage du monde, devient à la mode. Ou bien on retourne à l'antique, les critiques le vantent, les architectes le copient de plus belle, les sculpteurs et les peintres l'étudient ; au moment où éclate la Révolution, David est le chef d'une nouvelle école.

En peinture, la différence entre le XVIIe et le XVIIIe siècle se marque rapidement et avec évidence. Watteau (1684-1721) ouvre l'histoire de l'école nouvelle, dont il est aussi le représentant le plus original et le plus charmant. Devenu peintre à la mode, il ne songe qu'à célébrer, en les idéalisant, les plaisirs de la société qui l'entoure, dans ses *Amusements champêtres*, ses *Fêtes vénitiennes*, ses *Conversations*. Quand on le reçoit à l'Académie de peinture (1717), c'est sous le titre de *Peintre des fêtes galantes*.

Bien d'autres s'engagent dans la même voie, mais avec moins de talent : Lemoyne (1688-1737) se plaît aux mythologies amoureuses qu'il traite d'un style coquet et maniéré, mais avec un coloris clair et gai : *Hercule et Omphale* (Musée du Louvre, Paris).

Il aborde aussi la grande décoration dans le plafond de Versailles qui représente *L'Apothéose d'Hercule* et qui excite l'admiration de Voltaire. Natoire (1700-1777), son élève, traite le même genre de sujets, mais avec plus de fadeur, *Histoire de Psyché* (Archives nationales, ancien Hôtel de Soubise). Pater, Lancret, élèves de Watteau, sont comme lui des peintres de fêtes galantes.

Boucher (1703-1770) est l'élève de Lemoyne et l'admirateur de Watteau, dont il a gravé plusieurs dessins. Vers le milieu du XVIIIe siècle, il est en vogue et sa renommée domine toute l'école. Passionné pour son art, dans son existence à la fois laborieuse et dissipée, il passe dix heures par jour au travail, produit plus de dix mille dessins, plus de mille tableaux ou esquisses. S'il emprunte des sujets à l'Antiquité, *Naissance de Vénus* (Musée de Stockholm), *Diane sortant du bain*, *Forges de Vulcain*, etc. (Musée du Louvre, Paris), ainsi qu'on l'a fort bien dit, son Olympe est celui d'Ovide, non point d'Homère ou de Virgile, et sa mythologie sensuelle s'adresse aux petits-maîtres et aux petites-maîtresses du temps. Il multiplie aussi les pastorales, où les bergers musqués, les bergères poudrées et enrubannées jouent à la vie champêtre, y introduisent leur licence raffinée.

Parmi ses élèves, Fragonard (1732-1806) est le plus original grâce à sa verve naturelle. Observateur d'une merveilleuse exactitude, Chardin (1699-1779), quant à lui, applique son talent aux plus humbles sujets et tout d'abord aux natures mortes. « On conviendra, écrit Diderot, que des grains de raisin séparés, un macaron, des pommes d'api isolées ne sont favorables ni de formes, ni de couleurs ; cependant, qu'on voie le tableau de Chardin... Cet homme est le premier coloriste du Salon et peut-être un des premiers coloristes de la peinture. » Il peint aussi des scènes de la bourgeoisie modeste et honnête : des enfants qui jouent, une mère qui montre à broder à sa fillette, chefs-d'œuvre de vérité et souvent d'émotion, *Le Bénédicite* (Musée du Louvre, Paris).

Joseph Vernet (1714-1789) s'inspire aussi de la nature, mais sous d'autres aspects. Vers dix-huit ans, comme il s'en va en Italie, la vue de la mer détermine sa vocation. Quand il en revient (1753), il est célèbre par ses marines ; le marquis de Marigny lui commande pour le roi les vues des ports de France. Dans ces tableaux, qui sont au Louvre, Vernet sait rendre l'aspect de chaque ville, la physionomie de la population qui s'y agite ; il y montre à la fois les qualités du paysagiste et du peintre de mœurs.

L'artiste préféré de Diderot, celui qu'il exalte sans cesse, est Greuze (1725-1805). Greuze, qui se révélait au Salon

Carle Vernet.
Scène de chasse en Angleterre, 1790.
Musée Nassim de Camondo, Paris.

Jean-Baptiste Hilair.
La Lecture, 1781.
Musée du Louvre, Paris.

de 1755 par son *Père de famille lisant la Bible*, représente le goût de son temps sous un nouveau jour.

C'est par l'idée, par le sentiment qu'il plaît à ses contemporains ; il est le peintre en titre de la morale, ce qui charme le littérateur Diderot. Le XVIIIᵉ siècle, qui met alors la sensiblerie à la mode, croit retrouver en lui la nature et la vertu.

Parmi les portraitistes, Rigaud et Largillière peignent encore jusque vers le milieu du siècle. Maître dans un genre spécial, le portrait au pastel, La Tour (1704-1788) voit poser devant lui tout le XVIIIᵉ siècle : princes et hommes de lettres, financiers et comédiennes. Dans l'œuvre de celui que Diderot appelait le « Magicien » revit la société intelligente, aimable et vive du temps passé.

Que d'artistes furent alors célèbres, auxquels on ne songe plus guère aujourd'hui, comme Carle Van Loo, premier peintre du roi, qui passait hardiment pour égaler Raphaël et Titien, comme Lagrenée et Doyen, ses élèves ! Les peintres d'histoire sont nombreux et, dans leur camp aussi, se produit peu à peu une réaction qui bientôt triomphera. Sous prétexte de revenir à un art plus sévère, on s'éprend de l'Antiquité. Diderot y pousse.

Vien, artiste consciencieux, mais peintre médiocre, est à la tête de la nouvelle école ; Watelet, qui publie en 1760 *l'Art de peindre* et les *Réflexions sur la peinture* en est le théoricien.

A la fin du XVIIIᵉ siècle, dans les arts comme dans les institutions politiques, s'accomplit une évolution décisive. La réaction contre le goût frivole du siècle s'accentue avec plus de force : un élève de Vien, David, va devenir chef de l'école française sous la Révolution et l'Empire ; son atelier, où on ne jure que par les Grecs et les Romains, s'ouvre en 1787 ; la Révolution française, dont les orateurs invoquent sans cesse les souvenirs des républiques antiques, en accroîtra la vogue ; il n'est pas jusqu'au costume, jusqu'aux meubles où ne se marque cette mode. L'art nouveau ne présentera point, il est vrai, une physionomie uniforme : si David veut retrouver la force et la sévérité des œuvres antiques, Prud'hon rêve d'en imiter la grâce ; d'autre part, les événements contemporains, les grandes batailles de l'Empire inspirent des artistes d'un talent vigoureux, comme Gros. Derrière l'école de David une autre se forme, l'école romantique qui, sous la Restauration, se révèle dans tout son éclat avec Géricault et Delacroix.

Louis Gauffier.
Les Dames romaines faisant don à la patrie de leurs bijoux.
Musée de Poitiers.

La gravure et les dessins d'illustrations

Le XVIIIᵉ siècle est l'âge d'or de la gravure en France, du moins jamais ne l'a-t-on pratiquée avec plus d'ardeur. Tout le monde s'en mêle : les artistes, les amateurs, les femmes et jusqu'à Mme de Pompadour. Pourtant on peut distinguer diverses écoles. L'une représente la tradition et se rattache au XVIIᵉ siècle ; le Lyonnais Pierre Drevet, élève de Gérard Audran, son fils Pierre-Imbert et son neveu Claude en sont les chefs et continuent la série des beaux portraits historiques. D'autres interprètent les œuvres des peintres du temps avec beaucoup d'habileté et une grande finesse d'exécution : les estampes d'après Watteau, Boucher, Greuze se répandent partout. Laurent Cars, Lebas, Lépicié, Flipart, Levasseur, etc., sont parmi les meilleurs en ce genre. A côté, c'est la foule de ces artistes charmants, dessinateurs ou graveurs, qui nous offrent sous tous ses aspects la vie de leur temps. Gabriel de Saint-Aubin, portraitiste vagabond des rues de Paris, en note dans ses croquis tous les incidents ; son frère Augustin préfère les mœurs aristocratiques, les promenades à la mode, les concerts, les bals ; Cochin compose les illustrations qui conservent le souvenir des cérémonies officielles et multiplie les dessins de portraits en médaillons qu'il laisse à d'autres le soin de graver ; Gravelot, Eisen, plus tard Moreau illustrent les belles éditions. Presque tous prodiguent les légères vignettes : invitations, programmes, billets de théâtre, annonces, catalogues, etc. ; il n'est pas au XVIIIᵉ siècle de feuille imprimée que n'accompagne une de ces compositions et où pétillent l'esprit et la fantaisie.

ITALIE

C'est entre Venise et Naples que se répartit l'activité picturale la plus importante au XVIIIᵉ siècle, malgré le maintien d'une école bolonaise avec Giuseppe Maria Crespi (1665-1747), malgré la présence à Rome, du décorateur de l'église Sant'Ignazia, Andrea Pozzo (1642-1709) et celle du graveur Piranèse (1720-1778). A Naples, l'art baroque anime puissamment l'œuvre de Francesco Solimena (1657-1747) et de son élève G. Bonito (1707-1789), tandis que le passage du baroque au rococo s'effectue, à Gênes, dans l'œuvre de Gregorio da Ferrari (1647-1726) et à Venise, dans celle de Jacopo Amigoni (vers 1682-1752) et de G.-B. Piazzetta (1682-1754). Pietro Longhi (1702-1785) s'est fait le chroniqueur de la ville.

Le fait qu'il y ait eu deux Renaissance à Venise, malgré la décadence politique et commerciale de la ville après la ligne de Cambrai (1512), prouve à quel point les tendances de la Renaissance y avaient trouvé un terrain propice.

Pierre-Denis Martin.
Vue perspective du Grand Trianon,
prise du côté de l'avenue, 1772.
Château de Versailles.

En plein XVIIIᵉ siècle encore, Venise compte un grand artiste de la Renaissance, Tiepolo (1696-1770). On voit toujours dans la ville, comme par le passé, de magnifiques processions et des fêtes imposantes enveloppées d'une atmosphère transparente, que Canaletto (1697-1768) d'abord, puis Francisco Guardi (1712-1793), paysagistes des lagunes, ont rendues avec tant de charme et de vérité. Giambattista Tiepolo, et puis plus tard son fils Giandomenico (1727-1804) a donné une dernière expansion à ces splendeurs. Son génie dérive de celui du Tintoret, mais avec plus de mesure, plus d'élégance ; c'est le peintre d'une aristocratie raffinée, dont la religion, influencée par l'Espagne, la Contre-Réforme et les Jésuites, offre un mélange subtil de mondanité et de dévotion. Tiepolo est à la fois le dernier des peintres anciens et le premier des modernes ; presque tous les grands décorateurs du XIXᵉ siècle se sont inspirés de lui.

Il a été imité par Goya, de qui dérive, en bonne partie, la peinture française de la seconde moitié du XIXᵉ siècle. Une seule chose cependant a manqué à Venise, qui a fait la gloire de Florence : la gravité de la vie et la profondeur de la pensée.

Si la « veduta » (vue de ville) domine tout le paysage vénitien du XVIIIᵉ siècle, une autre peinture de paysage va prendre naissance : il s'agit du tableau d'imagination, totalement objectif et romantique. Marco Ricci (1676-1730) en est le promoteur. A l'inspiration romantique de ses œuvres de jeunesse succède une rigueur classique dans ses vues imaginaires. C'est sur cette recherche que vont germer les expériences de Zuccarelli qui tendent déjà à la grâce et au raffinement rococo.

HOLLANDE

En Hollande comme en Belgique, le XVIIIᵉ siècle est une époque de stagnation et de régression pour la peinture. Le goût de l'observation, la verve, les qualités du coloris, tout s'efface en même temps que décline la force créatrice. L'influence française envahit la Hollande mais sous la forme la moins heureuse : aux scènes familières se substituent de grandes et froides compositions mythologiques. L'élégance de la vie et les scandales dans certains milieux fournissent à des artistes, tels que Cornelis Troots, des tableaux de genre proches de la caricature. A. Schelfhout, qui affectionne le paysage et l'animalier H. van de Sande-Backhuysen annoncent le romantisme.

ALLEMAGNE

Suite à la Révolution française, des changements radicaux s'opèrent dans toute l'Europe. Partout, les commandes d'Eglise s'amenuisent tout comme son pouvoir, et la demande pour la peinture religieuse s'altère et devient profane.

Sur le plan politique, Frédéric II de Prusse parvient à s'opposer à la domination traditionnelle des Habsbourg sur l'Europe Centrale et constitue un centre d'attraction pour les Etats qui morcelaient l'Allemagne.

Antonio Joli.
La Tamise vers Westminster, 1746.
National Westminster Bank, Londres.

Par contre, dans le domaine de l'art pourtant, jadis si original en Allemagne, les artistes allemands vivent sous l'influence des Italiens, des Hollandais et des Français qui viennent jusqu'à les supplanter dans leur pays. Tiepolo exécute à Wurtzbourg les fresques gigantesques qui décorent l'escalier du palais de l'archevêque ; Canaletto peint à Dresde, sur les bords de l'Elbe, de superbes vues. Au nombre des Français appelés en Allemagne, Antoine Pesne, Ch.-A.-Ph. Van Loo se chargent de peindre à Postdam et à Berlin les personnages de la cour et de décorer le palais du Roi. De Genève vient également J.-E. Liotard, le peintre voyageur qui parcourt l'Europe, de Constantinople à Paris, laissant partout des traces de son talent de portraitiste : *Marie-Thérèse*, *La Belle Chocolatière* ou *Madame d'Epinay* (Musée de Dresde).

C'est dans le domaine de la décoration à fresque que la peinture allemande donne le meilleur avec Holzer, Wink et Zimmermann. Les thèmes de ces décorations sont très variés : scènes bibliques et vies de saints, s'il s'agit d'églises ; tableaux de famille, sujets mythologiques, idylles champêtres, s'il s'agit de palais. Les couleurs sont transparentes, les formes aériennes, la composition pleine de fantaisie.

Les portraitistes allemands poursuivent un idéal de grâce et poursuivent la tendance délicatement flatteuse du style rococo. Johann-Heinrich Tischbein, chef d'école, cherche à renouveler l'art de son pays en exigeant de ses élèves des études d'après nature. Il choisit ses sujets de préférence dans l'histoire ancienne et la Bible, *Ecce homo* (Musée Kassel). La peinture de genre est représentée par Daniel Chodowiecki qui illustre volontiers des scènes de la vie populaire dans lesquelles perce une pointe d'ironie.

Il convient de citer également l'un des premiers peintres néo-classiques allemands, Anton Raphael Mengs dont les compositions ont montré, en leur temps, un très vif succès.

SUISSE

Les XVIIe et XVIIIe siècles introduisent en Suisse l'influence française, mais le climat intellectuel en même temps que le champ d'activité insuffisamment lucratif y étant peu favorables, la peinture y languit. Aussi, nombreux sont les peintres de talent qui émigrent : Merian, le père (1593-1650), paysagiste qui s'est formé en Hollande, Merian, le fils (1621-1687), qui a travaillé avec Van Dyck en Angleterre, J. Werner (1637-1716), miniaturiste et peintre de Louis XIV, Jean Petitot (1607-1691) dit l'« émailleur prodigieux », qui s'est fixé à Paris, puis à Londres, J.-R. Huber (1668-1748) qui a vécu aux cours du Wurtemberg et de Bade, Anton Wyrsch (1732-1798) qui a émigré à Besançon, Anton Graff (1736-1813), surtout actif à Dresde.

Toutefois, vers la fin du XVIIIe siècle, naît l'école du paysage alpestre : Caspar Wolf (1735-1798) en est l'instigateur dans une inspiration qui dénoncera le romantisme dont Johann Heinrich Füssli (1741-1825) sera, pour la Suisse, le premier représentant, bien que sa carrière se soit déroulée essentiellement en Angleterre.

De même, par ses vues alpestres, Pierre-Louis de la Rive (1753-1817), inaugure la série des paysagistes suisses.

Genève et Neuchâtel sont les deux centres artistiques de la Suisse française. Genève a été, durant le XVIIIe siècle, le berceau d'une pléiade d'artistes. Au seuil du XIXe siècle, nous y rencontrons le portraitiste Firmin Massot (1766-1849), l'animalier romantique Jacques-Laurent Agasse (1767-1849) et le peintre de mœurs Adam Toepffer (1766-1847).

Amie de la civilisation et de la culture françaises, la Suisse romande cède à son rayonnement. A Genève, dans tout le pays de Vaud et jusqu'à Berne, le portraitiste en vogue est Robert Gardelle (1682-1766) dont le *Portrait du*

Pierre-Louis de la Rive.
Le Mont-Blanc vu de Sallanches au coucher du soleil, 1802.
Musée d'Art et d'Histoire, Genève.

conseiller *J.-L. Du Pan* (Musée de Genève) prouve qu'il a tiré profit des leçons de Largillière auprès duquel il a travaillé pendant un an. Petit-fils de Petitot, Gardelle est le frère d'un miniaturiste qui a été le premier professeur de Jean-Etienne Liotard (1702-1789), l'un des plus charmants petits maîtres que la Suisse ait donnés à l'histoire de l'art. Son œuvre la plus célèbre est *La Belle Chocolatière* (Musée de Dresde), création délicate à laquelle on peut reprocher

trop de jalousie. Sans jamais atteindre au grand style, Liotard fait preuve d'une plus grande originalité que son compatriote alémanique, Anton Graff ; il s'est créé une manière personnelle, à l'écart des formules académiques, sans pour cela tomber dans un réalisme étroit. Parmi les portraitistes encore, il convient de citer Angelica Kauffmann (1741-1807), rivale en gloire d'Elisabeth Vigée-Lebrun, aux antipodes de l'art de Liotard. Elle doit beaucoup aux portraitistes anglais, à Reynolds en particulier qui a songé à l'épouser.

En Suisse, où l'on a toujours marqué un réel attachement au sol natal, l'art du paysage fleurit aussi au XVIIIe siècle, grâce en particulier à J.-L. Alberli, de Winterthour

Jacques-Laurent Agasse.
La charrette fleurie au printemps, 1822.
Collection particulière.

(1723-1786) : *Vue du Lac de Thoune* (Musée de Berne). L'accueil favorable fait à ses estampes et à ses peintures lui vaut des disciples et des imitateurs, à Berne même et dans les autres cités helvétiques. A Zurich, J.-B. Bullinger (1713-1793) reste fidèle à la formule du paysage de style baroque ; Salomon Gessner (1730-1788) pratique le genre idyllique aussi bien dans ses poèmes et contes que dans ses peintures et eaux-fortes. H. Wüest (1741-1821), premier peintre du glacier du Rhône et Ludwig Hess (1760-1800) sont les représentants de l'école de Zurich. Quant aux autres petits maîtres romands, les frères Sablet, François (1745-1819) et Jacques (1749-1803) de Morges qui, ayant vécu longtemps à Paris, pourraient être classés dans l'école française, ils représentent déjà la tendance classicisante, de même que J.-P. Saint-Ours (1752-1809) dont les œuvres sont empreintes d'une nuance de gravité à laquelle l'action du milieu calviniste de Genève n'est certainement pas étrangère.

Si les Bernois et les Romands ont été attirés surtout par l'art français, c'est plutôt vers l'Allemagne et l'Angleterre que se tournèrent les Zurichois, notamment H. Freudweiler (1755-1795) et son ami Conrad Gessner (1764-1826), fils du peintre-écrivain, auxquels il conviendrait de joindre J.-H. Füssli.

En Suisse, beaucoup d'édifices religieux ont également été décorés au cours du XVIIIᵉ siècle, mais ces ouvrages sont généralement dus à des étrangers : les Asam ont travaillé à l'abbaye d'Einsiedeln (1724-1726) ; le grand monastère de Saint-Gall a fait appel à Ch. Wenzinger de Fribourg-en-Brisgau pour les peintures de l'église abbatiale (1757-1758) et au Wurtembergeois J. Wannenmacher pour celles de la bibliothèque (1763-1764). Les Tessinois, ralliés par tradition à l'école italienne, ont souvent fait preuve de dextérité tant dans la fresque que dans la peinture de retables.

ESPAGNE

Avec l'arrivée, en 1701, du duc d'Anjou, petit-fils de Louis XIV, Philippe IV, sur le trône d'Espagne, commence une dynastie, celle des Bourbons, qui inaugure une ère nouvelle.

Au cours de son histoire, l'art espagnol, dont la personnalité s'est affirmée au XVIIᵉ siècle, a résisté aux infiltrations étrangères, notamment après que Philippe II eut fait venir pour l'Escurial un groupe important d'artistes italiens. Grâce à leur despotisme éclairé, succède au baroquisme exalté de Luca Giordano un art aimable, courtisan, fin et galant, nettement français. Leur premier ouvrage est la construction d'une sorte de Versailles, le Palais de San Ildefonso, La Granja, près de Ségovie, à laquelle participent architectes et décorateurs français. Sous Philippe IV, la charge de peintre de cour est exclusivement tenue par des Français.

La présence en Espagne d'artistes étrangers, en majorité italiens et français, et la création de l'Académie royale de San Fernando en 1751 — l'événement artistique le plus important du règne de Ferdinand VI — où artistes étrangers et nationaux se mêlent au début, ne pouvaient qu'influer sur les orientations futures. Sous l'impulsion

Francisco Goya.
La Novillada, 1779-80.
Musée du Prado, Madrid.

Joshua Reynolds.
George Brydges, 1er Lord Rodney, 1789.
Lord Chamberlain's Office, Londres.

Joshua Reynolds.
Portrait d'Edward Hughes.
National Maritime Museum, Greenwich.

de Charles III (1759-1788), l'Académie San Fernando deviendra le sanctuaire de l'art néo-classique.

Charles III fait venir à Madrid Anton Raphael Mengs, rival de Tiepolo. Tous deux vont exercer une influence considérable sur l'art espagnol.

Parmi les disciples de Mengs : le Valencien Vicente Lopéz, grand portraitiste de la période romantique en dépit de sa formation de peintre du XVIIIe siècle, à Madrid, Salvador Maella (1739-1819), nommé peintre de la maison du roi en 1714 dont les portraits, un peu froids, ne manquent cependant pas, par leurs couleurs, d'un certain charme.

Le plus important est probablement Francisco Bayeu y Subias, né à Saragosse (1734-1795), élève de Vélasquez, beau-frère de Goya. Engagé par Mengs comme collaborateur en 1763, nommé peintre de la chambre en 1767, membre de l'Académie en 1765 dont il devient le directeur en 1788 et le directeur général en 1795, il laisse une œuvre considérable.

Parmi les artistes espagnols, certains ont joué un rôle très appréciable dans l'évolution de la peinture au

XVIIIe siècle, avant Goya. Tout d'abord, la famille Gonzáles Vélasquez : les trois frères, Luis (1715-1764), Alejandro (1718-1772) et Antonio (1729-1793) collaborent à des compositions décoratives aussi bien au Palais Royal que dans les églises madrilènes ; le plus jeune, Antonio, est le directeur de l'Académie San Fernando.

Ainsi la peinture espagnole du XVIIIe siècle se développe-t-elle selon un processus d'application de critères académiques, ce qui s'accorde peu avec la tradition picturale du pays. C'est dans ce contexte que survient Goya, dont le génie redonne à l'art espagnol le lustre qu'elle a perdu. Il écarte les influences étrangères, lutte contre l'esprit officiel qui s'est implanté depuis Mengs et retrouve les accents populaires instinctifs des Espagnols. Dans son réalisme sincère, il est le digne continuateur des Grecs, de Ribera et de Vélasquez, tout en préparant aussi l'art du XIXe siècle.

Cependant, le traditionalisme espagnol apparaît dans les peintures de Luis Meléndez (1716-1780), fils du miniaturiste de Philippe V. Par leur composition sobre et simplifiée, par la force de leurs coloris qui leur confèrent un réalisme

Thomas Gainsborough.
L'Amiral Howe, vers 1770.
Collection particulière.

Mary, Comtesse Howe, vers 1763-64.
Greater London Council as Trustees of Kenwood, Londres.

poétique, ses « bodegones » (natures mortes) perpétuent un genre inséparable de la tradition picturale espagnole. On a appelé Meléndez « Le Chardin espagnol », parce qu'on lui reconnaît la même sincérité dans la représentation des objets familiers. En dehors de ces « bodegones », il a également peint des compositions religieuses et des portraits dont son *Autoportrait*, signé et daté 1746 (Musée du Louvre, Paris). Par son hispanisme et le caractère national qui s'en dégage, cette œuvre est annonciatrice de plusieurs portraits peints par Goya.

Luis Paret y Alcázar (1747-1799), né à Madrid, est fortement influencé par la manière essentiellement française de la Traverse, un peintre de la suite de l'Ambassadeur de France. Son art demeure le reflet du XVIIIe siècle français dans toute sa finesse.

L'art d'Antonio Carnicero (1748-1814), né à Salamanque, dont les peintures illustrent des coutumes, offre certaines analogies avec celui de Paret y Alcázar. Sa verve populaire, propre à l'art espagnol de la fin du XVIIIe siècle, contrebalance les progrès de l'Académie.

ANGLETERRE

Jusqu'au XVIIIe siècle, l'Angleterre n'a pas eu d'école originale. L'art roman et l'art gothique ont passé du continent chez elle ; après ses belles cathédrales, elle a employé une ornementation particulière du style ogival, le style perpendiculaire ; au XVIe siècle le style Tudor va du gothique au classique en combinant les deux. En peinture ce sont des étrangers, Holbein, Rubens, Van Dyck qui portraiturent l'aristocratie anglaise.

La véritable école anglaise dérive de l'école flamande. Le premier de ses peintres est William Hogarth (1697-1764). Ses tableaux sont des satires, des sermons, qui connaissent un grand succès et retracent avec fidélité les mœurs anglaises de ce temps. Sir Joshua Reynolds (1723-1792), remarquable technicien, a les qualités d'un Flamand ou d'un Vénitien. Il a d'ailleurs voyagé en Flandre et en Italie. Sa palette possède un éclat, une chaleur qui rend à merveille la fraîcheur des jeunes femmes dont il a laissé un grand nombre de portraits. Thomas Gainsborough (1727-1788) est resté en Angleterre. Il a beaucoup admiré Van Dyck. Ses portraits sont d'une élégance rêveuse et sentimentale. D'autres portraitistes, Romney, Hoppner, Raeburn ont peint aussi de séduisants portraits. Lawrence (1769-1830) plaît par l'élégance de ses figures. Sa palette raffinée joue à merveille des oppositions de noir et de blanc. Il est le dernier grand portraitiste de cette école.

François Boucher.
Sylvie fuyant le loup qu'elle a blessé.
Musée de Tours.

Boucher, François
1703-1770
(né et mort à Paris)

Né d'un père dessinateur de broderies qui l'initie au dessin, François Boucher entre vers 1720 dans l'atelier de Jean-François Cars où il apprend la technique de la gravure. A partir de 1722, il travaille à la publication des *Figures de différents caractères*, pour le collectionneur Julienne, puis à l'*Œuvre gravée* de Watteau. Parallèlement à cette activité lucrative, il entre dans l'atelier de François Lemoyne, chez qui il apprend la peinture à l'huile. Il n'a pas tout à fait vingt ans lorsqu'il rentre à l'Académie. Il remporte un premier prix en 1723, avec *Evilmerodoch délivrant Joaquim*, aujourd'hui disparu. En 1727, en compagnie de Carle, François et Louis-Michel Van Loo, il voyage en Italie. Il y découvre les *Plafonds* de Tiepolo, et les maîtres du baroque, Albani et Barocci. C'est là qu'il trouve le genre et le style qui lui deviendront propres ; de son imagination exubérante naîtront des compositions généralement allégoriques ou pastorales dans lesquelles les bergères remplaceront les déesses.

A son retour d'Italie, en 1731, il est reçu académicien et le succès arrive rapidement. Il devient le peintre de Madame de Pompadour qu'il peint sept fois (Château de Versailles ; Alte

290

François Boucher.
Boîtier de montre, L'Education de l'Amour.
Musée du Louvre, Paris.

Pinakothek, Munich) et pour laquelle il réalise décorations, peintures, dessins ainsi que tabatières et même poupées. Pour elle, il peint ses plus belles œuvres, *La Nativité*, 1750, (Musée des Beaux-Arts, Lyon), *La Toilette de Vénus* et *Vénus consolée par l'Amour*, 1751 (Metropolitan Museum, New York). Très vite, vers 1736, il trouve son style, en devenant le maître incontesté du goût rocaille en peinture. Il est surnommé le « Peintre des Grâces » en raison de sa prédilection pour le nu féminin ; son chef-d'œuvre est probablement *Diane sortant du bain*, réalisé en 1742 (Musée du Louvre, Paris). Il cherche ses sujets dans la mythologie d'Ovide, tel l'*Enlèvement d'Europe*, 1747 (ibid.), et dans la pastorale. Très éclectique, il peint aussi des scènes de la vie familiale, telles que *Le Déjeuner*, 1739 (ibid.), des paysages, des portraits et même des tableaux religieux. Il aurait composé plus de dix mille dessins et mille tableaux et esquisses.

Depuis 1735, il fournit des cartons de tapisserie à la manufacture de Beauvais, tissés à la manufacture des Gobelins qu'il dirige à partir de 1755, à la mort d'Oudry : *Les Fêtes italiennes*, 1736-1762, l'*Histoire de Psyché*, 1739-1742. Il donne également, de 1757 à 1767, de nombreux modèles à la manufacture de porcelaine de Sèvres. En 1765, à la mort de Carle Van Loo, il est nommé premier peintre du Roi. Malgré les vives attaques de la critique, il garde la faveur du public et du roi, et malgré son sentiment personnel de baisse de popularité, les commandes se sont maintenues jusqu'à sa mort. Si l'on ajoute à sa production le nombre considérable de gravures tirées de ses compositions, on peut constater combien le style rococo de Boucher a pu correspondre à l'esprit et au goût de son époque. Si, parmi ses élèves, Baudouin, qui était également son gendre, Challe et Deshays ne sont pas devenus de grands maîtres, il faut se rappeler que Fragonard est sorti de son atelier.

Canaletto,
Giovanni Antonio Canal, *dit*
1697-1768
(né et mort à Venise)

Né au sein d'une famille de décorateurs de théâtre, Antonio débute comme scénographe en réalisant notamment des décors pour les opéras de Scarlatti à Rome, en 1719-1720, où il rencontre probablement des peintres néerlandais qui lui communiquent le goût de la précision et de l'observation de la vie quotidienne. En même temps, il fait la connaissance de Pannini, l'un des plus remarquables peintres spécialisé dans les vues de Rome et des ruines antiques, de Vanvitelli et de Piranèse.

De retour à Venise en 1720, il est admis à la guilde des peintres de Venise et poursuit sa formation auprès de Luca Carlevarijs et de Marco Ricci dont il subit l'influence. Sa plus ancienne vue de 1723, une *Place Saint-Marc* (Collection Thyssen, Lugano) et quatre *Vue de Venise*, 1725/26 (Collection Pillow, Montréal) font preuve d'un intérêt profond pour le clair-obscur dans la perspective. Cette ampleur panoramique trouve son aboutissement dans *L'Eglise de la Carita, vue de l'atelier des marches de San Vitale* (National Gallery, Londres). Ses premières vues sont peintes sur le motif, méthode qu'il abandonne pour revenir à des peintures réalisées d'après des

Antonio Canaletto.
Whitehall et le jardin privé de Richmond House, 1747.
Duc de Richmond, Goodwood House, Chichester.

dessins détaillés, souvent faits à l'aide d'une chambre noire, ou encore d'après des eaux-fortes.

Vers 1730, Canaletto abandonne les effets de clair-obscur et les vues idéalisées pour des représentations fidèles de Venise. Il peint la société, les festivités, les architectures. *La Réception de l'Ambassadeur Bolognano au Palais des Doges* et le *Départ du Bucentaure pour le mariage avec la mer*, tous deux dans la collection Aldo Crespi

à Milan, datent de cette période. Les commandes affluent. Sa touche devient curviligne, ses coloris éclatants, sa lumière vibrante. Entre 1746 et 1754, il voyage en Angleterre. Joseph Smith, un marchand anglais, vend au roi George III une importante collection de vues vénitiennes et romaines. Il peint également de nombreuses vues de Londres et d'autres villes d'Angleterre, ainsi que des « caprices », œuvres d'imagination. Les vues de la Tamise

Antonio Canaletto.
La Tamise avec la Cathédrale de Saint-Paul.
Détail, 1747.
Galerie Národni, Prague.

permettent aussi une perspective grandiose, comme *La Tamise et Saint-Paul avec Londres à l'arrière-plan*, 1747 (Galerie Národni, Prague). Lors de ses séjours, il adopte une luminosité froide pour décrire la réalité. Il s'attache aussi à rendre le calme de la campagne anglaise, *Château de Warwick* (collection particulière, Warwick).

En 1763, Canaletto est reçu à l'Académie de Venise. Il exerce une influence considérable sur les peintres de la ville tels que Guardi et Marieschi, et aussi en Angleterre, dans l'art de traiter le paysage, en aidant à instaurer la représentation de vues réelles, par opposition aux paysages imaginaires.

Chardin, Jean-Baptiste Siméon
1699-1779
(né et mort à Paris)

Fils d'un menuisier-ébéniste, Chardin fait son apprentissage dans l'atelier du peintre d'histoire P.-J. Cazes de 1718-1720. Pour gagner sa vie, il restaure des fresques à Fontainebleau sous la direction de Carle Van Loo. Après un stage chez Coypel (1720-1728) il entre à l'Académie Saint-Luc de Paris pour y apprendre l'art de la nature morte. Deux de ses premières œuvres, *La Raie* et *Le Buffet*, 1727 et 1728, (toutes deux au Musée du Louvre, Paris), envoyées à l'Exposition de la Jeunesse, place Dauphine, lui ouvrent les portes de l'Académie. Ce succès l'encourage à réaliser des natures mortes de petit format dont il s'exerce à rendre les effets de clair-obscur. Citons *Le Canard* vers 1728-1730 (Musée de la Chasse et de la Nature, Paris). Vers 1733, Chardin aborde la scène de genre dans laquelle il décrit la vie quotidienne : *La Fille de cuisine*, vers 1735 (Art Gallery, Glasgow) et *Le Bénédicité*, 1740 (Musée du Louvre, Paris). Sa sympathie se porte sur les petites gens qu'il dépeint dans une fine bonhomie et une grande simplicité. Il expose au Salon, diffuse des compositions gravées et connaît bientôt le succès.

A partir de 1748, il ne s'adonne pratiquement plus qu'à la nature morte. Vers la fin de sa vie, souffrant de troubles de la vue, il doit renoncer à la peinture à l'huile qui requiert trop de minutie. Il expérimente le pastel qui lui permet de travailler plus rapidement. Au Salon de 1775, il présente,

Jean-Baptiste Chardin.
Le Chien courant, vers 1724.
The Norton Simon Foundation, Pasadena.

Jean-Baptiste Chardin.
Les Attributs de la musique, 1765.
Musée du Louvre, Paris.

Jean-Baptiste Chardin.
Le Chien courant, vers 1724.
The Norton Simon Foundation, Pasadena.

Jean-Baptiste Chardin.
Les Attributs de la musique, 1765.
Musée du Louvre, Paris.

Jean-Baptiste Chardin.
Le Bénédicité, 1740.
Musée du Louvre, Paris.

à côté de ceux de Quentin de La Tour, beaucoup plus mondains, un portrait de sa femme (Musée du Louvre, Paris) et deux autoportraits (ibid.).
Chardin est l'un des plus grands peintres intimistes que l'histoire de l'art ait jamais connu, talent tout à fait remarquable à une époque qui a vu s'épanouir l'art de cour et le style rococo.

David, Jacques Louis
1748-1825
(Paris/Bruxelles)

Parent éloigné de François Boucher qui est tout d'abord son professeur, fils d'un négociant en ferraille, David se révèle un piètre adepte des études classiques. Poussé par son milieu maternel favorable aux arts, il entre dans l'atelier de Vien et achève sa formation artistique à Rome. Après trois échecs successifs au grand Prix, il triomphe, en 1774, avec *La Maladie d'Antiochus*, composition classicisante et maladroite. A ce moment, le classicisme est en pleine vogue :

Winckelmanns publie des livres, Mengs enseigne et les collections du Vatican célèbrent les beautés de l'antique. Aussi est-ce à Rome que naît *Le Serment des Horaces*, 1784-1785 (Musée du Louvre, Paris). Cette toile, l'un des chefs-d'œuvre de la culture des lumières, remplit pour la première fois, et par son fond et par sa forme, les aspirations esthétiques de l'école classique, dont elle est en quelque sorte le manifeste : imitation des statues et des bas-reliefs antiques, dédain des sujets de genre, mépris de la peinture sensuelle ou aimable, coloris froid. Tout ce qu'il expose jusqu'à la veille de la Révo-

Jacques Louis David.
Portrait de Monsieur et Madame Lavoisier.
Metropolitan Museum of Art, Washington.

lution est de la même veine, entre autres, *Les Sabines séparant les Romains et les Sabins*, 1799 (Musée du Louvre, Paris).

David prend une part active à la Révolution. Membre de la Convention, il vote la mort du roi. *Le Serment du Jeu de Paume*, toile immense demeurée inachevée, (Versailles), dont le dessin préparatoire réunit cinq cents portraits de députés, déclarés suspects avant

la fin de l'année, est la première incursion du peintre d'histoire dans l'actualité. *La Mort de Marat*, 1793 (Musées royaux des Beaux-Arts, Bruxelles) dans laquelle il confère au révolutionnaire la noblesse d'un martyr, lui donnant ainsi un sens

Jacques Louis David.
Bonaparte franchissant le col du Saint-Bernard,
1801.
Musée de Rueil-Malmaison.

Jacques Louis David.
Les Licteurs rapportant à Brutus les corps de
ses fils, 1789.
Musée du Louvre, Paris.

Jacques Louis David.
Esquisse peinte pour le « Serment du Jeu de Paume ».
Musée de Versailles.

symbolique, témoigne de la sincérité de son engagement.

Le 8 août 1793, après avoir dissous l'Académie, David crée un nouveau système de contrôle des Arts, La Commune des Arts, composée de trois cents membres. Il est l'organisateur des fêtes révolutionnaires. A la chute de Robespierre, David est emprisonné au Luxembourg et sera amnistié en octobre 1795. En 1798, il rencontre Napoléon Bonaparte. Devenu peintre officiel du Consulat et de l'Empire, David célèbre le nouveau régime : *Bonaparte au Grand-Saint-Bernard,*

1801 (Château de Versailles), déjà romantique, consacre le héros ; *Le Sacre de l'Empereur,* 1805-1807 (Musée du Louvre, Paris), chef-d'œuvre de la peinture d'histoire, fait vivre chacun des personnages dans une composition pleine de faste et de grandeur. La *Distribution des aigles,* 1810 (Château de Versailles) est en quelque sorte la version moderne et grandiloquente des *Horaces.* Ces compositions annoncent grandement l'avènement du courant romantique. Quant à l'art du portrait auquel David s'est adonné depuis sa jeunesse, sa première grande réussite est proba-blement celui des *Epoux Lavoisier,* 1788 (Metropolitan Museum, New York), qui célèbre la dignité du servant et

donne à la vie conjugale une valeur nouvelle. La subtile esquisse de *Madame Récamier,* 1800 (Musée du Louvre, Paris), paraissant méditer dans une grande solitude, donne à un simple village une dimension excep-tionnelle. Après vingt ans passés à la tête de l'art officiel français, la défaite de Waterloo, 1815, la Restauration des Bourbons obligent David à s'exhiler à Bruxelles jusqu'à la fin de sa vie. Nul fondateur d'école de peinture n'a exercé autant d'influence que lui : il a mis fin au maniérisme du XVIIIe siècle, instauré et défendu en France la peinture néo-classique qui devait rester déterminante jusqu'au milieu du XIXe siècle, et dans un même temps, il a su annoncer le romantisme.

Fragonard, Jean-Honoré
1732-1806
(Grasse/Paris)

Fragonard s'installe à Paris à l'âge de six ans. Elève de Chardin, de 1746 à 1752, près de Boucher, il assimile si complètement son style que ce dernier le charge bientôt d'exécuter des répliques de ses toiles. Bien qu'il n'ait jamais appartenu à l'Académie, il remporte en 1752 le grand prix avec *Jéroboam sacrifiant aux idoles* (Ecole des Beaux-Arts, Paris), marqué par l'influence de Coypel et de Troy. En 1756, il part à Rome pour entrer à l'Académie de France où il travaillera jusqu'en 1761. Il y rencontre Greuze et Hubert Robert. Il étudie Barocci, da Cortona et Tiepolo. Le contact direct avec la nature, la vie romaine

Alexandre-Evariste Fragonard.
Boissy d'Anglas saluant la tête du député Ferraud.
Musée du Louvre, Paris.

renforcent son sens puissant de la réalité. Il dessine de nombreux jardins et monuments. De retour à Paris, il hésite entre la peinture d'inspiration religieuse et celle des sujets profanes. L'esprit du temps ne prolonge guère ses doutes : malgré le succès de *Corésus et Callirrhoé*, 1765 (Musée du Louvre, Paris), qui lui vaut d'être reçu membre associé de l'Académie, il se consacre à des thèmes plus légers : fêtes galantes, scènes de cour souvent teintées d'érotisme.

Citons l'*Orage*, 1759 (Musée du Louvre, Paris), l'*Escarpolette* 1767 (Wallace Collection, Londres) ou les épisodes galants comme la *Leçon de musique* entre 1760 et 1765 (Musée du Louvre, Paris) et *Le Baiser*, 1765 (Musée de l'Ermitage, Saint-Pétersbourg). Fragonard sait alors allier le raffinement de la couleur et l'harmonie de la composition.

Tournant le dos à l'académisme, il

préfère conserver sa liberté et se crée très rapidement une clientèle mondaine.
A partir de 1770, il exécute de nombreuses décorations. Parmi celles-ci, *Les Progrès de l'Amour* (Frick Collection, New York), destinées à orner le pavillon de Madame du Barry à Louveciennes n'ont jamais été mises en place. Des œuvres de Vien les ont remplacées.

En 1772, Fragonard effectue un voyage en Hollande où il s'intéresse aux clairs-obscurs de Rembrandt et la même année retourne à Rome où il réalise ses plus beaux dessins : paysages de Tivoli et de la campagne environnante, personnages au lavis et à la sanguine. Vers 1785, il change sa manière abandonnant la préciosité et la frivolité pour le classicisme et l'intimisme. Il passe sans effort du baroque au romantisme. Sa carrière se termine avec la Révolution. En 1789, il se réfugie à Grasse pour fuir la Terreur.

Jean-Honoré Fragonard.
L'Enfant costumé en Pierrot, vers 1785-1788.
The Wallace Collection, Londres.

Ses riches clients sont aussi exilés. Ruiné, il doit revenir à Paris où il trouve un emploi de conservateur au nouveau Musée de peinture (le futur Musée du Louvre). Il meurt oublié du public. Son fils Alexandre-Evariste a été son élève ainsi que celui de David.

Füssli, Johann Heinrich
1741-1825
(Zurich/Londres)

Fils du peintre Johann Kaspar (1706-1782), Füssli découvre par son père les gravures des maniéristes suisses du XVIe siècle. Il se destine pourtant à la littérature. Après un départ forcé à Londres en 1763, pour des raisons politiques, il travaille à des traductions de français, d'italien et d'allemand lorsqu'il rencontre Reynolds. Celui-ci

le pousse à un voyage en Italie en 1769, pour y parfaire son apprentissage de la peinture. Durant son séjour qui durera huit ans, il est fortement impressionné par la manière de Michel-Ange. Ses dessins révèlent alors la certitude de ne pouvoir se dégager de son empreinte qu'en le copiant et en l'exagérant encore.

De retour à Londres, il est reçu à la Royal Academy en 1790 et y sera nommé professeur neuf ans plus tard. Enthousiaste de Shakespeare, il dessine et peint en s'inspirant de l'œuvre du poète, puis de celle de Milton. Toute sa vie, également, il se montre un grand admirateur de William Blake. Aussi, le symbole, la légende et le fantastique l'entraînent-ils d'une façon irrésistible : *Le Cauchemar*, 1781 (première version, Institute of Arts, Detroit) en est une douce illustration.

Il a peint ainsi quelques toiles belles

et émouvantes, qui, si elles ont fourni à leur auteur un excellent moyen de s'évader, laissent rêver celui qui les contemple. Il peut être considéré comme le précurseur du surréalisme.

Gainsborough, Thomas
1727-1788
(Sudbury Suffolk/Londres)

Gainsborough est né d'un père fabricant de draps, dans le Suffolk, et toute sa vie, il est resté attaché au paysage de l'est de l'Angleterre, bien que ses paysages, même les plus anciens inspirés de Wynants et de Ruysdael, ne soient presque jamais la représentation exacte d'un site.

Il entre à quatorze ans dans l'atelier du graveur français Gravelot où il

Johann Heinrich Füssli.
Télèphe, fils d'Hercule, nourri par une biche,
1794.
Musée des Beaux-Arts, Zurich.

Thomas Gainsborough.
Portrait présumé de l'artiste et de sa femme Margaret, ou Conversation dans un parc, 1746-47.
Musée du Louvre, Paris.

copie et restaure des paysages flamands du XVIIe siècle. Elève de Boucher, établi à Londres, il devient l'élève d'Haymann, ami d'Hogarth. Il revient au pays à dix-neuf ans et épouse Margaret Burr, fille naturelle du duc de Beaufort. Le couple s'installe quatre ans à Londres où Gainsborough peint *The Chaterhouse*, 1748, qu'il offre au Foundling Hospital. Il devient l'un des paysagistes les plus recherchés d'Angleterre. Très tôt, ses paysages révèlent un réalisme peu commun, comme dans *Conversation dans un parc*, vers 1746-1747 (Musée du Louvre, Paris) dans laquelle il se représente probablement avec sa femme. Cependant ses œuvres se vendent mal, il se tourne vers le portrait. Installé à Bath en 1759, il se consacre désormais à des portraits mondains dans lesquels se fait sentir l'influence de Van Dyck. Il lui arrive même d'habiller ses modèles en costumes de l'époque de Van Dyck, comme dans *Le Jeune Garçon en bleu*, 1770 (San Marino, Californie, Huntington Art Gallery), représentant

Jonathan Buttall. Cette magnifique symphonie bleue est composée pour démontrer l'erreur de Reynolds lorsqu'il proscrit le bleu comme dominante dans un portrait. La tonalité des portraits de Gainsborough est invariablement claire et transparente, leur coloris est riche, et quoique le bleu et le vert y dominent, il varie sans cesse. L'arrière-fond est généralement un paysage qui crée une atmosphère entièrement en harmonie avec les sentiments du modèle. Au cours de ses quatorze ans passés à Bath, les quelques rares paysages que peint Gainsborough, comme *La Charrette des moissonneurs*, vers 1767 (Barber Institute, Birmingham), s'inspirent de Rubens. Elu membre fondateur de la Royal Academy en 1768, il s'installe en 1774 à Londres où il rencontre Reynolds, son rival.

Il devient cependant, malgré sa technique peu classique, le portraitiste officiel de la famille royale en 1780. L'un des plus beaux portraits est sans doute celui de la *Reine Charlotte*, peint en 1781 (Royal Art Collection, Windsor Castle).

Dans les années 1780, Gainsborough se consacre à des « compositions de fantaisie » qui représentent avec

sentimentalité des petits paysans, tels que *La Jeune Paysanne avec un chien et une cruche*, 1785 (Collection Sir Alfred Beit), et à des paysages dont le style, sous l'influence de Claude Lorrain, de Salvator Rosa, et du paysage de la région anglaise des lacs, devient plus romantique et plus grandiose. Son émotion devant la nature a fait l'admiration des peintres romantiques de la seconde génération, et notamment de Constable.

Goya, Francisco
1746-1828
(Fuendetodos près de Saragosse/Bordeaux)

Francisco de Paula Goya y Lucientes est né le 30 mars 1746 en Aragon, à Fuendetotos, d'un père, José Goya, maître doreur, et d'une mère, Gracia Lucientes, appartenant à une famille de nobles. La famille séjourne à Saragosse où Francisco étudie aux « escuelas pías » et où il fréquente l'atelier de Luzán, peintre et décorateur ; pendant quatre ans, il étudie les principes du dessin à travers les meilleures estampes que possède

Francisco Goya.
La Maja vêtue, vers 1798-1805.
Musée du Prado, Madrid.

Francisco Goya.
Le Colosse.
Musée du Prado, Madrid.

Francisco Goya.
La Marquise de Pontejos.
National Gallery, Washington.

son maître. Francisco Bayeu, peintre à Saragosse, son futur beau-frère, est engagé à Madrid par Mengs en 1763, Goya ne tarde pas à y aller. A dix-sept ans, il se présente au concours de l'Académie des Beaux-Arts de San Fernando mais il échoue. Il se représente en 1766 et échoue à nouveau. Il voyage en Italie et se présente à un concours de l'Académie de Parme en 1771 où il obtient le second prix. La même année, il rentre à Saragosse et peint une *Gloire* pour la basilique du Pilar, exécute des travaux pour le palais des comtes de Sobradial, et en 1773 des fresques pour la Chartreuse d'Aula Dei qui accusent clairement l'influence de Tiepolo. En 1773, également, il épouse Josefa, la sœur de Bayeu, qu'il rejoint à Madrid. Des vingt enfants qu'il aura avec elle, un seul survivra. Bayeu le fait engager dans l'équipe de Mengs, l'artiste allemand néo-classique pour l'entreprise de cartons de tapisseries destinés à la manufacture royale de tapisseries de Santa Barbara. Le 30 octobre 1776, Goya remet son premier carton, *Le Goûter*. Il en produira soixante-trois jusqu'en 1791 dont *L'Escarpolette*, les *Lavandières* et *Enfants cueillant des fruits* (tous sont au musée du Prado à Madrid). Sa réputation ne cesse d'augmenter.

Comme on le laisse entièrement libre, il choisit des scènes de genre inspirés de la vie populaire et ouvre ainsi un chapitre entièrement neuf dans l'histoire de l'art décoratif. Dès à présent, il rompt avec les traditions de beauté idyllique que le XVIIIe siècle a affectionnées, en conférant à son dessin un naturel et une spontanéité jamais atteints.

En 1780, il est élu académicien de mérite de l'Académie de San Fernando. Cinq ans plus tard, il est nommé sous-directeur de peinture de cette institution. En 1768, il est nommé peintre du roi, et deux ans plus tard, après l'avènement de Charles IV, il est désigné peintre de la chambre du roi. Après avoir peint les grandes familles aristocratiques, celles du duc d'Albe et du duc d'Osuna, il se consacre dès lors aux portraits de la famille régnante : la *Famille de Charles IV*, 1800 (Musée du Prado, Madrid), représente treize membres de la famille royale, avec en arrière, dans la pénombre, la figure du peintre, et un souvenir évident des *Ménines* de Vélasquez toile qu'il avait déjà copiée. Ses portraits constituent la base fondamentale de son art, car même dans ses tableaux de pure composition, la vision du portraitiste s'accuse formellement. Dans ces mêmes portraits, qui analysent avec une cruelle acuité et une cynique sincérité l'âme du modèle, le peintre se montre l'observateur effronté et impitoyable, mais intelligent et perspicace d'une cour décadente. En 1792, Goya est atteint de surdité. La solitude qui l'entoure développe sa puissance imaginative : le visionnaire apparaît et va suivre dès lors son destin sombre et tragique. En 1798, il réalise la décoration à fresque de San Antonio de la Florida (Madrid) représentant des scènes religieuses.

En 1803, il offre au roi les vingt-quatre planches de cuivre des *Caprices*, gravées vers 1793 et publiées en 1797, contre une pension pour son fils. Il s'agit d'une violente satire des mœurs dissolues de la haute société. Il se montre là directement inspiré des gravures de Rembrandt. Tout est traité dans un clair-obscur tragique qui contribue à donner un caractère à la fois puissant et suggestif à ces scènes. 1808 ouvre une nouvelle crise dans l'existence de Goya.

L'occupation des troupes françaises, le soulèvement d'Aranjuez, l'abdication de Charles IV puis sa rétractation, la révolte de Madrid, enfin la guerre de l'Indépendance qui dure jusqu'en avril 1814, sont autant d'événements qui déterminent chez Goya des impressions et des impulsions terribles. Son style devient encore plus dépouillé. C'est l'époque de la suite de ses gravures sur les *Désastres de la guerre*, composées en 1810, mais parues en 1863, où l'artiste s'exprime par des images d'horreur et d'atrocité, témoignant de nouvelles tendances révolutionnaires et romantiques. C'est vers cette époque qu'il exécute ses scènes de *Tauromachie*, étonnante suite d'aquatintes, réalisées dans le style réaliste.

En 1814, au retour du roi Ferdinand VII, le conseil de Régence lui commande deux de ses toiles les plus prestigieuses : les *Deux Mai* et la *Fusillade du trois mai*, 1808 (Musée du Prado, Madrid). Mais l'ambiance réactionnaire qui règne à la cour déplaît

Francisco Goya.
La Reine des Martyrs.
Musée de la Seo, Saragosse.

à Goya. Il achète la « quinta del sordo », « la maison du sourd », comme le nomment ses voisins, maison qu'il occupe de l'autre côté du Manzanarès.

Il en recouvre les murs de quatorze *Peintures noires*, de 1820 à 1822 (Musée du Prado, Madrid). Ces visions fantastiques sont comme le testament de Goya et montrent le côté sombre de son humeur : *Le Sabbat des sorcières*, *Les Parques*, *Saturne dévorant ses enfants* comptent parmi ses peintures les plus émouvantes.

En 1824, l'abolition de la constitution et l'instauration de l'absolutisme amènent Goya à solliciter la permission de s'absenter de la cour pour prendre les eaux à Plombières. Pendant le voyage, il change de destination et se dirige vers Bordeaux où vivent de nombreux réfugiés espagnols. Il revient à des scènes réalistes, picaresques et de caractère populaire : ainsi, la célèbre *Laitière de Bordeaux* (Musée du Prado, Madrid). Il exécute enfin deux compositions religieuses d'un ardent mysticisme : le *Christ au Jardin des Oliviers* et la *Dernière communion de saint Joseph de Calasanz* (Saint-Antoine, Madrid) dont le naturalisme sincère exacerbe la puissance mystique. C'est à Bordeaux qu'il meurt. Son corps a été transféré à San Antonio de la Florida.

Son ascendant en France a été considérable : les portraitistes, de David à Manet, ont suivi ses traces, les romantiques en ont fait leur chef incontesté. En dehors de Gros et de Géricault, l'artiste qui s'est ressenti le plus violemment de l'autorité de Goya a été Delacroix.

Il laisse de lui plusieurs autoportraits (Musée du Prado, Madrid, musées de Castres, de Bayonne et d'Agen).

Jean-Baptiste Greuze.
Arrestation de Charlotte Corday.
Musée Lambinet, Versailles.

Greuze, Jean-Baptiste
1725-1805
(Tournus/Paris)

Fils d'un couvreur de Tournus, Greuze étudie la peinture à Lyon avec le portraitiste, Charles Grandon. En 1750, il arrive à Paris, étudie aux Beaux-Arts, et, parrainé par Pigalle, il montre quelques-uns de ses tableaux aux membres de l'Académie, exécute publiquement le portrait, aujourd'hui disparu, du directeur Louis de Silvestre, et finit par être agréé comme « peintre de genre particulier » en 1755. *Un Père de famille expliquant la Bible à ses enfants* (Musée de l'Ermitage, Saint-Pétersbourg) obtient un vif succès au Salon de 1755 et ouvre la voie à une série de toiles, lucratives pour Greuze. De 1755 à 1757, il effectue un voyage en Italie où il visite Turin, Gênes, Bologne, Parme, Florence et Naples. A partir de 1761, Greuze expose avec grand succès des scènes de mœurs, moralisantes, dont la sentimentalité touche le public.

Francesco Guardi.
Le Doge sur le « Bucentaure » à San Nicolo di Lido, le jour de l'Ascension.
Musée du Louvre, Paris.

Parmi ses toiles les plus célèbres, l'*Accordée de village* 1761 (Musée du Louvre, Paris), *Le Paralytique soigné par ses enfants*, 1763 (Musée de L'Ermitage, Saint-Pétersbourg). En 1769, il s'essaye à la peinture d'histoire dans l'espoir d'être admis à l'Académie. L'échec de la présentation de *Septime Sévère blâmant Caracalla*, œuvre de qualité médiocre, le détourne des Salons. Il revient à la peinture de genre, qui lui assure le succès à nouveau ; *La Cruche cassée*, 1785 (Musée du Louvre, Paris) ou *La Malédiction paternelle : Le Fils ingrat*, 1777, et *Le Fils puni*, 1778 (tous deux au Musée du Louvre, Paris), exécutés dans l'esprit de ce que Diderot a appelé en 1763, « la peinture morale ».
Pendant la Révolution, il s'adonne au portrait en peignant des portraits de membres du Conseil révolutionnaire et du Directoire, ainsi que des autoportraits (Musée du Louvre, Paris et Marseille). Beaucoup de dessins datent de cette période. Les Français délaissant l'intimisme de la peinture de genre au profit des vertus civiques prônées par le classicisme de David, la production de Greuze diminue sensiblement. Il meurt ruiné.

Guardi, Francesco
1712-1793
(né et mort à Venise)

Francesco Guardi est issu d'une famille de peintres venue du Trentin, établie depuis le début du XVIIIᵉ siècle à Venise. Après la mort de son père, il poursuit sa formation sous la tutelle de son frère aîné, Giovanni Antonio. Ensemble, ils peignent en 1738 les trois lunettes de l'église de Vigo d'Anaunia, avec un *Miracle de l'Hostie* et un *Saint François*. Dans la *Foi et l'Espérance*, 1747 (Ringling Museum, Sarasota) apparaît déjà le paysage large et lumineux dans lequel évoluent des personnages, typiques de la manière de Guardi. De cette époque datent également l'*Histoire de Tobie*, 1749-1759, peinte pour l'église Angelo Raffaelle, et *Le Miracle de saint Dominique* (Kunsthistorisches Museum, Vienne). Dans ces œuvres, il est difficile de distinguer nettement la contribution des deux frères. En 1760, à la mort de Giovanni Antonio, Francesco prend la direction de l'atelier et son style s'affirme dans les « vedute », scènes de rues vénitiennes et les « caprices », œuvres d'imagination. Subissant tout d'abord

l'influence de Marco Ricci, puis celle de Canaletto et de Marieschi, il élabore une manière personnelle. Au réalisme, il préfère l'émotion, la fantaisie, le mouvement. La couleur prend une grande importance, les personnages ne sont plus que des taches éclatantes. Chaque touche de pinceau est donnée avec spontanéité, soulignée par l'éclat de la luminosité, comme dans la *Vue de Piazza San Marco*, vers 1765 (National Gallery, Londres). *Les Douze Fêtes ducales* dont le célèbre *Doge du Bucentaure* du Musée du Louvre datent des années 1770 et sont prétexte à une description insolite des monuments vénitiens.

Parallèlement, les « caprices », comme par exemple le *Caprice de la lagune* (Metropolitan Museum, New York) utilisent des ruines de l'Antiquité romaine parfaitement intégrées dans le paysage décrit avec un grand réalisme.

Vers 1782, Guardi devient le peintre officiel de Venise. Il peint deux séries importantes : la première avec le *Concert des Dames* (Alte Pinakothek, Munich), la seconde exécutée pour le Pape Pie VI, avec notamment *La Messe pontificale à San Giovanni e Paolo* (Museum of Art, Cleveland) caractérisée par une perspective fantaisiste et une lumière mélancolique saisie dans le crépuscule. Très âgé, Guardi se replie sur lui-même. Ses dernières compositions sont empreintes de cette mélancolie poétique et désespérée.

Hogarth, William
1697-1764
(né et mort à Londres)

Fils d'un instituteur, Hogarth démarre des études scientifiques qui ne l'attirent guère. Puis ensuite il entre en apprentissage chez un orfèvre londonien, puis il grave sur cuivre, dès 1724, des images satiriques, notamment contre le grand architecte William Trent. Il s'impose par ce moyen à l'attention du public et ne cesse désormais de produire des œuvres que les éditeurs et amateurs s'arrachent. De 1718 à 1720, il s'établit graveur à son compte. La première série de dessins satiriques, *A Harlot's Progress* traite de six scènes de la vie pénible des prostituées. *A Modern Midnigth Conversation* est une admirable scène de beuverie.

Ses premiers tableaux ne datent que de 1728 ; ils dénotent son talent de satiriste : *Le Mariage à la mode*, 1742-1746 (National Gallery, Londres), son chef-d'œuvre, s'attaque à tous les vices de la haute société anglaise. Par ce talent, Hogarth se montre le précurseur des caricaturistes anglais.

William Hogarth.
Mariage à la mode : le suicide de la comtesse,
1743.
National Gallery, Londres.

On doit aussi à Hogarth de beaux portraits, notamment le *Portrait de ma sœur Anne* (National Gallery, Londres) ou celui du *Capitaine Coram*, 1740 (Foundling Hospital, Londres). Il a également réalisé des autoportraits. Dans *L'Assemblée de Wanstead*, exécuté entre 1729 et 1731, il représente vingt-cinq portraits d'amis et de membres de la famille de Lord Castlemaine. Hogarth cherche à rendre dans ses portraits la formule la plus véridique, voire la plus réaliste. Mais considérant le portrait comme un travail peu intéressant, il préfère se tourner vers des scènes intimes et familières, où il y a toujours une intention moralisatrice et où il peut témoigner de qualités d'observation, d'esprit, de verve dans la satire. C'est dans ses œuvres inachevées, peintes pour son plaisir, comme *La Marchande de crevettes* (National Gallery, Londres) qu'il s'exprime avec le plus de talent.

Gendre de Sir James Thornhill, peintre du roi, il hérite de son école à sa mort et en fait l'une des plus importantes écoles anglaises avant la fondation de la Royal Academy en 1768.

En 1749, il écrit un ouvrage théorique, *Analysis of Beauty* (*l'Analyse de la Beauté*), dans lequel il critique les critères de la peinture classique.

Comme peintre, Hogarth dispose d'une palette harmonieuse et riche que dessert un dessin direct et habile. Comme graveur, il est vigoureux, spirituel, clair, bien qu'il néglige parfois la touche finale et l'élégance de la ligne.

La Tour, Maurice Quentin de
1704-1788
(né et mort à Saint-Quentin)

Fils d'un chantre à la collégiale de Saint-Quentin, Maurice Quentin de La Tour se rend à Paris à l'âge de quinze ans, et entre dans l'atelier du graveur Tardieu puis du peintre Spoëde, ami de Watteau. Un voyage à Londres, où il exécute ses premiers portraits, le met en contact avec les œuvres de Van Dyck qu'il apprécie. Dessinateur plutôt que peintre, il préfère le pastel à tout autre moyen d'expression, sans doute parce que le pastel, plus que la peinture à l'huile, laisse à l'artiste toute liberté de mouvement. En 1737, il est agréé par l'Académie et expose au Salon un *Autoportrait* (Musée d'Amiens) et un *Portrait de Madame Boucher* (Musée d'Art et d'Histoire, Genève). Au Salon de 1741, il présente une immense composition de 2,10 m de haut sur 1,50 m, faite au pastel, *Portrait du président des Rieux* (collection particulière, Genève). Il

William Hogarth.
Lord John Graham dans sa cabine.
National Maritime Museum, Greenwich.

renouvellera cette prouesse avec un *Portrait de Madame de Pompadour*, en 1755 (Musée du Louvre, Paris), réalisé en trois ans.

Rompant avec toutes les traditions officiellement admises par l'art du portrait, il saisit invariablement son personnage dans une attitude inattendue, un léger sourire aux lèvres. Il travaille beaucoup ses œuvres.

Soucieuse de préserver la technique de la peinture à l'huile, devant le succès rencontré par les pastels de La Tour, l'Académie ferme ses portes aux pastellistes en 1749.

Atteint de poliomyélite, il quitte Paris en 1784 pour Saint-Quentin, où il est soigné par son frère.

Après avoir fondé une école de dessin gratuite pour sa ville dont il obtient l'accréditation officielle en 1782, obtenu plusieurs prix à l'Académie, créé des fondations pour les femmes enceintes, les vieillards handicapés et les pauvres, il lègue au Musée Antoine Lécuyer de Saint-Quentin la majeure partie de son œuvre, principalement ses études et ses pastels.

Longhi,
Pietro Falca, *dit* **Pietro**
1702-1785
(né et mort à Venise)

Certains ont surnommé Pietro Longhi le « Goldoni de la peinture », d'autres « le Watteau italien », les uns en raison de son affinité avec le dramaturge vénitien pour représenter les scènes amusantes de son époque, les autres en raison de son art élégant et subtil de peindre la vie aristocratique quotidienne vénitienne. Peintre de genre, représentant du rococo vénitien, Pietro Longhi est tout d'abord élève de l'académicien Antonio Balestra, puis, à Bologne, de Giuseppe Crespi. Parmi ses œuvres peintes, on peut citer l'*Arracheur de dents* (Pinacothèque de Brera, Milan), *Un Rhinocéros exhibé à Venise*, après 1751 (National Gallery, Londres) ou *La Leçon de danse*, vers 1741 (Accademia, Venise). Il a également décoré le hall et la cage d'escalier du Palais Grassi.

Raphael Mengs.
Charles III, roi d'Espagne, en habit de chasse, vers 1567.
Musée de Versailles.

Mengs, Anton Raphael
1728-1779
(Aussig, Bohême/Rome)

Sous la direction de son père, Ismael Mengs, miniaturiste et directeur de l'école des Beaux-Arts de Dresde, Anton Raphael s'initie au dessin et à la peinture, et se fait remarquer très tôt par ses dons de portraitiste. Avant de se fixer à Rome et de se convertir au catholicisme — il est israélite — il y a déjà fait deux séjours prolongés (1741-1744 et 1746-1749) ; pour se conformer aux règles de l'enseignement académique, il dessine d'après l'antique, d'après Raphaël (auquel il doit l'un de ses deux prénoms) et Michel-Ange, et il étude en outre les œuvres des Bolonais et des Romains du XVIIe siècle. Il est nommé en 1754 professeur à l'Académie du Capitole fondée par le pape Benoît XIV. Lié avec son compatriote, l'archéologue Winckelmann, il se rallie à la théorie du « Beau Idéal » et en fait une première application dans la célèbre composition du *Parnasse* en complète rupture avec le rococo, peinte en 1761 sur le plafond de la Grande Galerie d'une villa appartenant au cardinal Albani, lui-même élève de Winckelmann et féru d'art antique. L'année suivante, il publie des *Réflexions sur la beauté*. Invité par le roi d'Espagne, Mengs partage son temps, à partir de 1761, entre Madrid et Rome. Nommé peintre de la cour, il participe aux décorations du Palais Royal de Madrid pour lequel il peint l'*Apothéose d'Hercule et Aurore*, et à celles du palais d'Aranjuez.

Ses peintures de chevalet sont empreintes de la même froideur et de la même austérité que ses travaux décoratifs. Portraitiste, il laisse quelques beaux portraits témoignant d'une liberté inattendue pour ce pur adepte de la doctrine néo-classique : *Marie-Amélie de Saxe* (Musée du Louvre, Paris), *Winckelmann*, vers 1761 (Metropolitan Museum, New York) et bon nombre d'*Autoportraits* (Musée des Offices, Florence ; Staatliche Museen, Berlin ; Kunsthalle, Hambourg).

La contribution de Mengs à l'art du portrait constitue probablement la seule partie encore valable de son œuvre.

Piazzetta, Giovanni Battista
1683-1754
(né et mort à Venise)

Fils d'un sculpteur sur marbre et sur bois, Piazzetta se forme auprès du peintre Molinari, avant d'aller à

Giovanni Battista Piazzetta.
Rebecca au puits.
Pinacothèque de Brera, Milan.

Bologne suivre l'enseignement de Crespi. De retour à Venise en 1711, sa peinture est à contre-courant de la peinture rococo alors en vogue et son style acquiert bientôt une originalité certaine. Les effets de clair-obscur acquis chez ses deux maîtres s'estompent. Sa palette devient de plus en plus subtile et lumineuse : *La Gloire de saint Dominique*, vers 1727 (fresque du plafond de San Giovanni e Paolo, Venise). En 1750, il est élu président de l'Académie de Venise. Il meurt dans la pauvreté à Venise. Tiepolo s'est inspiré de lui et a tiré de sa manière sa palette claire inondée de lumière.

Joshua Reynolds.
Lord Heathfield, gouverneur de Gibraltar,
1787.
National Gallery, Londres.

Reynolds, Joshua Sir
1723-1792
(Plympton, Devonshire/Londres)

Fils d'un pasteur anglican qui le destine à la médecine, Reynolds préfère suivre les leçons de Thomas Hudson, portraitiste en vogue. Un séjour à Rome en 1750-1752 lui permet d'étudier à fond les différentes écoles italiennes et principalement Raphaël, Michel-Ange ainsi que le Corrège et les Carrache. Il peint une caricature de *L'Ecole d'Athènes* de Raphaël, 1751 (National Gallery of Ireland, Dublin). Avant de regagner Londres, il s'arrête à Florence, Parme, Bologne, Venise et Paris. Comblé d'honneur, il est nommé peintre en titre de la cour de Grande-Bretagne. Ce succès, il le doit tout autant à son habile diplomatie qu'à son talent. Il reçoit six commandes par jour en moyenne. Pendant la seule année 1755, il exécute plus de cent portraits. L'œuvre décisive est sans doute le *Portrait du Commodore Keppel*, 1753-1754 (National Maritime Gallery, Greenwich), son ami. En 1760, il participe à la première exposition publique tenue par la Society of Artists et devient le chef de file de l'école anglaise. En 1768, il est nommé à l'unanimité président de la « Royal Academy of Arts » venant d'être fondée. Il y expose ensuite régulièrement. Adepte du classicisme par conviction, il est cependant influencé par l'idée que le but de l'art est de « frapper l'imagination » par la chaleur du sentiment et par la couleur qui animent beaucoup de ses portraits. Si l'on en juge par ses tableaux, on y voit un disciple de Shakespeare qui place au-dessus de tout l'expression dramatique et un coloriste à la façon de Rembrandt qui sacrifie volontiers la forme à l'effet. Parmi les tableaux où Reynolds a cherché l'expression dramatique, le plus célèbre représente Ugolin et ses enfants. Il exécuta principalement de nombreux portraits qui s'imposent à l'admiration. Il a représenté ses personnages dans leurs occupations, avec les caractéristiques de leurs fonctions, leurs manies et leur manière d'être.

Ses portraits de femmes sont des poèmes de grâce et d'élégance.

Robert, Hubert
1733-1808
(né et mort à Paris)

Grâce à la protection du marquis de Stainville qui emploie son père comme valet de chambre, Hubert Robert peut entreprendre des études classiques au Collège de Navarre et partir à Rome à la fin de 1753. Entré à l'Académie de France, il se fait apprécier de Natoire et, à travers lui, de Marigny qui lui commande un tableau en 1759, de Mariette à qui il envoie des dessins. Il devient aussi l'ami de Fragonard, rencontre Piranèse avec lequel il se rend probablement à Florence en 1763. Il est l'élève de Pannini, le peintre de ruines célèbres. Rentré à Paris, il devient en 1766 membre de l'Académie Royale, où il entre en présentant un *Port de Rome* et expose au Salon à partir de 1767, toujours avec des œuvres inspirées par l'Italie antique et moderne, ou par les faits quotidiens. Il dessine également des jardins, élabore plusieurs plans pour la transformation des Bains d'Apollon du parc de Versailles. En 1788, il est nommé dessinateur des jardins du Roi. Après la Révolution, il présente des projets, avec Fragonard, pour aménager la Grande Galerie du Louvre en musée, dont il sera le conservateur. C'est sans doute à Diderot qu'il doit son surnom de « Robert des ruines ». Hubert Robert souligne souvent dans ses œuvres le côté pittoresque et romantique des monuments et des ruines. Citons parmi ses œuvres : *L'Incendie de l'Opéra*, 1781 (Musée Carnavalet, Paris), ou *Le Capitole, Vue d'un parc, vers 1783* ou *Le Pont du Gard*, 1787 (Musée du Louvre, Paris).

Hubert Robert.
La Démolition de la Bastille.
Musée Carnavalet, Paris.

Tiepolo, Giambattista
1696-1770
(Venise/Madrid)

Après un apprentissage chez le peintre Gregorio Lazzarini, Tiepolo étudie à fond l'œuvre de Véronèse et celle de son contemporain, Piazzetta. En 1717, il est reçu à la guilde des peintres de Venise et, en 1719, épouse Cécilia, la sœur de Guardi, dont il a neuf enfants. Doué d'une facilité extraordinaire et d'un sens remarquable de la couleur, il devient un fresquiste étonnant, négligeant parfois le dessin et la composition au profit de la couleur. Dans les fresques, qu'il exécute à Udine dans le palais des Patriarches en 1725 et 1726, se révèle un nouveau sens de la lumière qui avive sa palette. En même temps il découvre un nouvel espace dans lequel les personnages ne semblent plus assujettis à la pesanteur. Ses deux fils, Giandomenico et Lorenzo, l'aident dans la réalisation des fresques du palais Archinto à Milan (1731) et de celles de l'église Santa Maria del Rosario dei Gesuati à Venise (1737-1739).

La première commande de tableaux réalisée par Tiepolo est destinée à l'église de l'Ospedaletto à Venise (en 1715-1716), œuvre dans laquelle éclate la théâtralité. A cette époque, il peint également de nombreux sujets issus de la Bible et de la mythologie antique. En 1750, Tiepolo est appelé par le prince-évêque de Würzburg en Allemagne pour décorer sa résidence. Il réalise dans ce palais une parfaite illustration de l'architecture allemande rococo : les fresques du Salon représentent une gigantesque allégorie de l'histoire allemande dans laquelle figure l'empereur Frédéric Barberousse sous les traits d'un mécène. Il décore également de fresques le plafond des escaliers de la résidence. Là éclate son génie qui fait de lui l'un des derniers des grands décorateurs vénitiens.

Giovanni Battista Tiepolo.
L'Ange apparaît à Agar et Ismaël dans le désert.
Ecole de San Rocco, Venise.

En 1756, Tiepolo est nommé président de la nouvelle académie de Venise. A la demande du roi Charles III, il se rend en Espagne et réalise dans le palais royal une grande fresque. C'est là qu'il meurt subitement. Il reste le plus important peintre italien du baroque tardif.

Van Loo, Carle
1705-1765
(Nice/Paris)

Originaire de Hollande, la famille Van Loo compte huit à dix peintres. Jean-Baptiste et son frère Carle sont les deux plus célèbres. Jean-Baptiste est en quelque sorte l'instituteur de Carle qui se destine tout d'abord à la sculpture. Mais à Rome, Carle s'occupe des décorations du théâtre et acquiert bientôt une facilité et un sentiment de l'effet qui font rechercher ses tableaux. Son succès devient prodigieux. On n'hésite pas alors à le comparer à Raphaël pour le dessin et à Titien pour la couleur. Cependant, à la recherche d'une nouvelle voie, ses peintures se modifient à la fin de sa vie et il est violemment critiqué.

Lorsque les principes sévères de l'école de David viennent à prédominer, les Van Loo sont enveloppés de l'anathème général contre le XVIIIe siècle. A l'atelier de David, les élèves conjuguent le verbe « vanlooter », ce qui signifie « faire exécrablement mauvais ».

Vernet, Claude-Joseph
1714-1789
(Avignon/Paris)

Fils d'un peintre de carrosses, Vernet est tout d'abord l'élève du peintre d'histoire Philippe Sauvan, puis de Jacques Viali chez qui il exécute ses premiers dessus-de-porte. Financé par des mécènes, il part en 1734 à Rome où il restera près de vingt ans. Là il acquiert une réputation internationale de peintre de marines et de paysages. A Naples, où il rencontre l'art de Salvator Rosa, il peint *Naples du Nord* et *Naples du Sud*, 1748 (Musée du Louvre, Paris). Dès ce moment, il trouve ses sujets et son style : soleils levants ou couchants, tempêtes, clairs de lune, etc. dans lesquels il s'en tient à des scènes d'imagination très pittoresques.

De retour à Paris en 1753, ses talents de topographe étant connus, il reçoit la commande de vingt-quatre tableaux

Carle Van Loo.
Le Déjeuner de Chasse.
Musée du Louvre, Paris.

représentant les principaux ports de France. C'est l'une des commandes royales les plus importantes du règne de Louis XV. Il n'en peint que quinze. Il reçoit des commandes de l'Europe entière. Précurseur dans ses paysages dans lesquelles dominent des scènes de tempêtes et de campagnes animées de plusieurs personnages, il annonce le romantisme. Vers la dernière année de sa vie, il fait un pas vers le « paysage historique » qui connaîtra un certain succès dans les années 1780, sous l'inspiration des idées néo-classiques.

Watteau, Antoine
1684-1721
(Valenciennes/Nogent-sur-Marne)

Fils d'un couvreur et charpentier de Valenciennes qui le destine à prendre sa succession, Watteau entreprend néanmoins ses premières études chez le peintre-décorateur Jacques-Albert Gérin. Il gagne ensuite Paris en 1702, entre chez le décorateur Métayer, qui fait faillite, et gagne sa vie chez un fabricant d'imagerie religieuse en ven-

dant des copies de tableaux religieux sur le Pont Notre-Dame. C'est alors que Watteau est atteint de tuberculose. Par l'intermédiaire de Mariette, collectionneur et marchand d'eaux-fortes, il est en contact avec le milieu artistique. En 1704 il entre dans l'atelier de Claude Gillot chez qui il réalise des décors théâtraux. En 1707, il se lie d'amitié avec le conservateur du Palais du Luxembourg (où il découvre Rubens), Claude Audran, qui lui confie la décoration du château de Meudon et celui de la Muette pour lequel il peint trente figures tartares et chinoises. C'est aussi l'époque de quelques œuvres burlesques, telles que *Qu'ai-je fait, assassins maudits ?* (Musée de l'Ermitage, Saint-Pétersbourg) ou le *Singe sculpteur* (Musée d'Orléans). Il parvient à vendre ses toiles, épargne et peut retourner à Valenciennes pour soigner sa santé défaillante. La ville menacée par les Impériaux est remplie de soldats. Il a Jean-Baptiste Pater pour élève, dont il peint le portrait (Musée des Beaux-Arts de Valen-

ciennes). Il réalise des scènes de la vie des soldats, telles que *Recrues rejoignant leur régiment* (Bibliothèque nationale, Paris) ou *La Recrue* (collection Ed. de Rothschild). Après avoir été classé second au Prix de Rome, en 1709, Watteau se présente trois ans plus tard à l'Académie où il devient membre associé, grâce à l'appui de Charles de la Fosse. Cette élection le fait accéder au milieu de l'aristocratie et de la bourgeoisie élégante. Il aurait dû alors présenter pour tableau de réception l'*Embarquement pour Cythère* (Musée du Louvre, Paris) que l'Académie ne cessait de lui réclamer, mais il attend 1717. Il reçoit à cette occasion le titre de « peintre de fêtes galantes ». Ce nouveau genre réagit contre le classicisme pompeux du XVIIᵉ siècle, en lâchant la bride à l'inspiration poétique, sensible pourtant à la réalité des choses. Cette conception, autant

Joseph Vernet.
Vue du port de La Rochelle.
Musée de la Marine, Paris.

que la manière (fluidité du pinceau, couleurs délicates), confère à Watteau un rôle déterminant sur la peinture rococo française. Ses toiles deviennent l'illustration du nouvel art de vivre de l'époque. Certaines sont consacrées à la musique, comme l'*Accord parfait* (collection particulière), *Les Charmes de la vie* (Wallace Collection, Londres), *Les Plaisirs du bal* (Dulwich College, Londres), d'autres aux plaisirs de l'amour, *Le Faux-Pas* (Musée du Louvre, Paris), *Fêtes d'amour* (Musée de Dresde). Il trouve ses modèles dans les réminiscences des maîtres italiens, Le Corrège, Le Primatice et Véronèse que l'on retrouve dans *L'Amour désarmé* vers 1714 (Musée Condé, Chantilly), ou encore dans Titien, *Jupiter et Antiope*, 1715 (Musée du Louvre, Paris).

Tourmenté par sa santé, il part en 1719 à Londres pour consulter le docteur Mead, pour qui il peint *Les Comédiens italiens* (National Gallery of Art, Washington). De retour à Paris en 1720, de plus en plus atteint par la tuberculose, il peint encore ses plus belles toiles, *le Jugement de Pâris* (Musée du Louvre, Paris) et *Gilles* (ibid.). Il meurt à Nogent-sur-Marne, dans les bras de son ami Gersaint, le marchand de tableaux, gendre et successeur de Sirois.

Antoine Watteau.
Gilles.
Musée du Louvre, Paris.

Le XIXᵉ SIÈCLE

FRANCE

Le Romantisme

Au commencement du XIXᵉ siècle, David domine en maître incontesté sur l'art français. D'une intolérance toute jacobine, il a érigé en doctrine le dédain des sujets de genre, le mépris de la peinture nouvelle ou simplement aimable. Pourtant, chez certains de ses contemporains, point déjà le romantisme. Gros, par exemple, montre du goût pour les sujets modernes et peu d'intérêt pour la tradition gréco-romaine. Quant à Girodet, sa peinture, classique par la forme, est déjà romantique par l'esprit. Géricault fait preuve d'un plus grand romantisme encore, il tient à donner de la robustesse à la peinture de l'école de David. C'est un merveilleux praticien qui a de la fougue, une couleur ardente, un naturalisme robuste. Avec *Le Radeau de la Méduse*, le « mouvement et le pathétique font une éclatante rentrée dans l'art ». Cependant, Géricault meurt trop jeune pour prendre la tête du mouvement romantique. Cette gloire échoit à Delacroix.

Le romantisme est tout d'abord une protestation contre la tradition classique. Plus de beauté idéale que l'on va rechercher dans l'Antiquité pour l'adapter aux temps modernes ; les œuvres n'ont d'intérêt que pour la sincérité. La vigoureuse personnalité de Delacroix éclate dans son œuvre fiévreuse. Il pose la couleur sur la toile avec une sorte de fureur. Ses ennemis disent qu'il peint avec un « balai ivre ». Ce lyrique tire son inspiration de son imagination ou de ses lectures, Dante, Shakespeare ou Byron ; le Moyen Âge, l'histoire des Croisades, l'Orient et la Grèce insurgée contre les Turcs habitent ses rêveries et ses mélancolies. S'il apporte dans la peinture une manière nouvelle de penser et de sentir, il transforme ainsi la technique par l'éclat et le raffinement de la couleur, la recherche des tons rares, tragiques. Tout cela se trouve déjà dans le tableau célèbre des *Massacres de Scio*, autour duquel se groupent les romantiques.

En face de Delacroix, se dresse Ingres dont la sévérité classique s'oppose au mouvement romantique. Elève de David, il affirme que ce qui est bien dessiné est toujours assez bien peint. Une des figures qu'il a le mieux aimée peindre et qui est le plus caractéristique de son génie, c'est l'*Odalisque* avec sa longue échine souple, sa couleur abstraite, égale, inaugurant un style de peinture décorative. Il a, dans son atelier, de nombreux élèves : Amaury Duval, Mottez, Hippolyte Flandrin.

La peinture d'histoire

D'autres peintres hésitent entre les deux doctrines rivales. Il se forme une école éclectique, où la poésie du romantisme, son goût un peu mystique pour le Moyen Âge, une pointe de sentimentalité à la Greuze et même des souvenirs de Boucher s'allient à la tradition du dessin d'après l'antique et de l'idéologie sculpturale à la manière de David. Les maîtres de cette école peignent des anecdotes en grandes dimensions et cherchent bien plus à émouvoir par le choix de leurs sujets, la grâce de leurs types de femmes et d'enfants que par la qualité intrinsèque de leur peinture. Ce sont des peintres comme Couture, Paul Delaroche, synthèse de Girodet et d'Ingres, Ary Scheffer, sentimental Hollandais, immigré en France. Chez Gleyre et chez Flandrin surtout, l'élève favori d'Ingres, la tendance mystique est plus forte. Chez Cabanel et Bouguereau, la sensualité domine. Charlet et Raffet, lithographes formés dans l'atelier de Gros, racontent les guerres de la Révolution et de l'Empire. L'un des plus éminents élèves de Léon Cogniet, Meissonier, traite la période napoléonienne avec l'habileté du miniaturiste. Edouard Detaille et Alphonse de Neuville développent ce genre, mais tachent de boue et de sang les costumes des soldats de la Grande Armée ou ceux de 1870.

Horace Vernet, très fécond, traite les épisodes de guerre en illustrateur patriote plus qu'en penseur.

Chassériau, élève d'Ingres et admirateur de Delacroix, unit l'art du dessin de l'un au romantisme de l'autre.

Gustave Moreau fait de la peinture d'histoire une mythologie fastueuse : il joint l'imagination du romantique à la forme très pure du classique. Dans son œuvre, apparaissent les figures mystérieuses de Salomé, Galatée et Bethsabée. Avec Rochegrosse nous remontons aux époques de l'Asie et de la Grèce primitives, avec Cormon, aux hommes de la préhistoire qui chassent l'ours et l'auroch.

Edouard Detaille.
Le Général Comte de Lasalle à Wagram en juillet 1809. 1912.
Musée de l'Armée, Paris.

Eugène Fromentin.
Chasse au faucon en Algérie.
Musée d'Orsay, Paris.

L'Orientalisme

Depuis Delacroix, l'Orient est à la mode : la guerre de l'indépendance hellénique, la conquête de l'Algérie, les relations de plus en plus actives avec Constantinople, la Syrie et l'Egypte fournissent aux peintres des motifs de paysage à la lumière éblouissante : Decamps se montre un coloriste hors pair et Fromentin campe hardiment dans une palette nuancée des Marocains aux larges burnous blancs sur de magnifiques chevaux au pelage satiné.

L'école de Fontainebleau

La révélation de la nature authentique « avec ses verdures franches et ses transparences d'atmosphère » est apportée en France par des Anglais, Bonington et Constable qui envoient leurs œuvres au Salon.
Tous les artistes français travaillent alors en ateliers. Certains d'entre eux s'installent à Barbizon et passent leurs journées à peindre dans la forêt de Fontainebleau. Théodore Rousseau s'en fait l'interprète minutieux, analysant les herbes, les troncs et l'univers des insectes. Auprès de lui peint Diaz, avec une fantaisie et comme une ivresse de la couleur. Dupré sacrifie les détails pour composer un ensemble solide, avec de fortes oppositions d'ombre et de lumière. Daubigny aime les eaux des rivières lentes. Troyon peint les vaches et les troupeaux de moutons. Millet, voisin de Rousseau à Barbizon, sort de la forêt pour peindre la plaine et l'homme aux champs. En lui, les paysans français se retrouvent.
Avec son pinceau chargé de matière grasse, qui rend l'effet des vêtements de laine grossière ou des murs crépis, Millet peint les humbles dans une atmosphère mélancolique et forte.
Il faut réserver à Corot une place à part. Par son éducation, c'est un classique qui n'a jamais cessé de peupler ses paysages de nymphes et de satyres. Il a voyagé, visité l'Italie. Dans la réalité, il voit d'abord la lumière, l'atmosphère ; sa vision se transforme en rêverie et les paysages les plus ordinaires se parent d'une fine poésie.

Le naturalisme et le réalisme

L'académisme et l'épuisement du romantisme produisent une réaction allant vers le réalisme et le naturalisme. Courbet est à la tête de ce mouvement. Il fait pour la nature humaine ce que les paysagistes de 1830 ont fait pour le paysage. Il la peint telle qu'elle est sans prétendre ni inventer, ni corriger. Manet partage la même conception. Il s'efforce de donner de la solidité à la réalité en cernant durement ses contours. Tous deux se sont inspirés des peintres espagnols, notamment de Vélasquez et de Goya. L'*Olympia* de Manet est encore plus révolutionnaire que *Les Baigneuses* de Courbet, car elle est une protestation contre ces femmes nues, déesses ou mortelles, dont l'académisme du XIXᵉ siècle s'est montré prodigue. La technique de Manet est plus imitée que sa conception de la forme. De sa technique, dont la formule est la juxtaposition des couleurs franches (« car, disait-il, le principal personnage d'un tableau, c'est la lumière »), dérive l'impressionnisme.

L'impressionnisme et le post-impressionnisme

Ce mouvement artistique, le plus important du XIXᵉ siècle, tire son nom de la peinture de Monet : *Impression, soleil levant*, de 1872 (Musée Marmottan, Paris).

Monet, Renoir, Sisley, Pissarro, Degas sont les protagonistes de cette nouvelle école en réaction contre le dessin et le coloris de l'école académique. Peignant sur le motif, ils étudient les reflets de la lumière et illustrent moins un sujet qu'un moment de la journée.

Recherchant la lumière pour elle-même, les peintres sacrifient les formes d'abord, les remplaçant par des taches colorées, qui se limitent encore à quelques couleurs essentielles. Puis ils essayent de rendre la lumière par la seule couleur, colorant les ombres elles-mêmes. Après, désireux de rendre avec le maximum d'intensité les reflets de la lumière, dans l'eau d'abord, sur tout autre corps ensuite, ils fragmentent leurs touches. Continuant à suivre cette voie, ils finissent par des toiles qui produisent nettement l'impression d'une vibration colorée, mais bannissent résolument les formes. Ils utilisent donc des couleurs pures, ne les mêlant plus sur leur palette, mais les juxtaposant sur leurs canevas, essayant ainsi de varier scientifiquement leur coloris.

Seurat a été le premier à utiliser cette application de la couleur, basée sur le traité scientifique de M.-E. Chevreul, avec une précision rigide et mathématique. Il devient bientôt le chef de file du mouvement néo-impressionniste, ou du divisionnisme dont Signac a consigné les théories dans son livre *De Delacroix au Néo-impressionnisme*, en 1899.

Les réactions contre l'impressionnisme n'ont pas tardé à se faire entendre dès les premières années, encore plus violentes et virulentes, au sein du groupe lui-même : Renoir tente de revenir au dessin, en recherchant la stylisation des formes. « La pensée n'y réside pas », commente Gauguin. Redon, dans un même esprit, juge le mouvement « trop bas de plafond ». Ces réflexions guident les uns, tels Redon et Gustave Moreau, vers le symbolisme, les autres, ceux de Pont-Aven, vers une peinture plus intellectuelle réduisant le monde à un plan bidimensionnel, dans une volonté rigoureuse de style.

La couleur n'obéit plus aux lois de l'optique, elle est un phénomène mental. Elle devient franche, sans mélange, et se combine avec d'autres couleurs pures, selon les volontés de l'artiste. Les théories de Bernard et d'Anquetin fournissent à Gauguin un moyen d'expression. « L'art est une abstraction ». Ce nouveau style se nomme le « cloisonnisme ».

Cézanne, attiré dans le groupe des impressionnistes par son ami Pissarro, s'engage dans une voie encore plus éloignée dont s'inspirera une révolution nouvelle : celle du

Paul Gauguin.
Les Quatre Bretonnes, vers 1886.
Neue Pinakothek, Munich.

cubisme. Les nabis (ou prophètes) ont pour chef de file Sérusier, qui, après avoir rencontré Gauguin en Bretagne en 1888, cherche à imiter son style plat, sinueux, haut en couleurs. Ses disciples, Denis, Bonnard, Vuillard et Xavier Ker-Roussel se sont beaucoup exercés aux arts appliqués et décoratifs et ont fait, en particulier, des décors de théâtre et des affiches.

Van Gogh, ébloui dans ses premières années par l'impressionnisme qui lui fera adopter une palette claire, manifestera lui aussi une vive réaction contre ces conceptions, non pas contre l'intellect, comme chez Gauguin ou Cézanne, mais une réaction issue droit du cœur, lui dictant le jeu des couleurs dans leur valeur symbolique et leur puissance émotive. De ses peintures débordantes d'humanité, naissent le fauvisme et l'expressionnisme, qui s'épanouiront au XXe siècle.

ITALIE

Dans l'Italie divisée du XIXe siècle, à la recherche de son unité politique et de son indépendance, l'activité artistique apparaît pauvre. Vers le milieu du siècle cependant apparaît un mouvement important, celui des Macchiaioli dont les principaux représentants sont Adriano Cecioni (1836-1886), Telemaco Signorini (1835-1901) qui en furent les théoriciens et surtout Giovanni Fattori (1825-1908). Silvestro Lega (1826-1895) évolua très rapidement vers une manière plus personnelle. Le nom du mouvement provient du mot « macchie » signifiant « tache », inspiré par leur technique de ces peintres, couvrant leurs canevas de larges taches de couleurs. Le groupe des Macchiaioli est pour la peinture italienne ce que l'impressionnisme a été pour la peinture française.

Plus proche des impressionnistes, cependant, est Giovanni Segantini (1858-1899), né à Arco, au Tyrol. Après une première période romantique, Segantini adopte une technique divisée pour traduire les paysages et les hauts sites alpins. Dans le même esprit, Antonio Fontanesi (1818-1882) fait quelque temps figure de chef d'école quand se regroupent autour de lui Filippo Carcano (1840-1914) ou Emilio Gola (1851-1923). Il détonne en suivant les théories et les pratiques de l'école de Barbizon. Le Napolitain, Domenico Morelli (1823-1901), réunit une synthèse de conceptions romantiques et naturalistes. Avec Filippo Palizzi (1818-1899), il compose des scènes religieuses, chères aux Napolitains. Ce courant quelque peu intellectualisé persiste avec Francesco Paolo Michetti (1851-1929). En signant *La Procession, le Vœu et la Fille de Jorio*, sujet traité par son ami d'Annunzio, il prouve son sens de profond réaliste, de mystique austère et surtout de technicien admirable par l'opulence de la matière et le sombre éclat de son coloris.

Giuseppe de Nittis.
Courses à Auteuil. Détail d'un triptyque.
Galerie d'Art Moderne, Rome.

Il convient de citer également, prenant la succession des Macchiaioli, un portraitiste indépendant, Mancini (1852-1930) et les adeptes du divisionnisme, Pellizza da Volpedo (1868-1907), paysagistes, et Gaetano Previati (1852-1920), peintre d'inspiration symboliste.

Quant aux peintres, Giuseppe de Nittis (1846-1884) et Giovanni Boldini (1842-1931) ils firent tous deux leur carrière à Paris. Tous deux obtiennent un vif succès en peignant les portraits de leurs contemporains.

C'est dans cette Italie du XIXe siècle sans courant spécifique que naissent les instigateurs du futurisme : Carlo Carrà (1881-1966), Luigi Rossolo (1885-1947), Giacomo Ballà (1871-1958), Umberto Boccioni (1882-1916) et Gino Severini (1883-1966), dont l'impact novateur sera sans précédent. Amadeo Modigliani, né à la même période (1884-1920), constitue un phénomène tout à fait isolé dans l'art italien de cette époque.

HOLLANDE

L'influence de l'école de Barbizon est considérable en Hollande, sans doute parce que l'esthétique de l'école rappelle aux peintres de ce pays le souvenir des traditions de leurs grands paysagistes du XVIIe siècle. Ainsi naît l'école de La Haye, dont plus d'un représentant débuta comme romantique : J. Bosboom (1817-1891) par exemple ou Josef Israëls (1824-1911), les initiateurs. Appartiennent à la même école J. Weissenbruch (1823-1880), Hendrik Mesdag (1831-1915), Anton Mauve (1838-1888), Jacob Maris (1837-1899). Des peintres, issus de l'école de La

Johan Barthold Jongkind.
Notre-Dame vue du quai Saint-Michel, 1864.
Musée d'Orsay, Paris.

Haye, subissent l'empreinte de l'impressionnisme français, tels que S. Bisschop-Robertson, F. Verster et le plus important, Georg Hendrik Breitner (1857-1923), qui se fait l'imagier d'Amsterdam. C'est en Johan Barthold Jongkind (1819-1891) que la renaissance du luminisme hollandais réalise sa plus haute expression. Maître de Monet, Sisley, Pissarro, il a pressenti et appliqué la technique de la division des tons, gardant à ses couleurs leur maximum d'intensité et de transparence.

C'est en Hollande que naît Vincent van Gogh (1853-1890), le père de l'expressionnisme moderne. Quoique son influence ait été sans précédent, il n'a jamais été chef d'école, et certainement pas en Hollande où, au même moment, des artistes comme Jan Toorop (1858-1928), Jan Thorn-Prikker (1868-1893) et W.A. Konijnenburg se poussent à l'avant-plan, et cherchent une méthode qui leur soit propre, en mêlant à un symbolisme littéraire des influences d'Art Nouveau.

Vincent van Gogh.
Autoportrait, 1888.
Fogg Art Museum, Harvard University, Cambridge, Mass.

Les œuvres de Jan Sluyters (1881-1957), pour qui Van Gogh a une importance essentielle, et de Leo Gestel (1881-1941) se situent au carrefour de diverses tendances qui dominent la peinture à ce moment : le fauvisme et le cubisme. Parmi les plus grands peintres fauves hollandais, il faut citer Kees van Dongen (1877-1968).

N'oublions pas que c'est à la fin du XIXᵉ siècle que naissent en Hollande, les deux protagonistes du mouvement « De Stijl » (le style), dont l'activité sera un facteur décisif dans la recherche et l'application des formes modernes : Theo van Doesburg (1883-1931) et Piet Mondrian (1872-1944), qui a porté l'art abstrait à sa plus grande rigueur.

BELGIQUE

Le mouvement artistique belge le plus important apparaît dans les environs de 1885. Né d'une réaction d'une part contre le positivisme scientifique en plein essor et contre l'impressionnisme trop soucieux de l'observation du réel, le symbolisme trouve son expression la plus achevée et la plus pure en Belgique. On trouve parmi les plus grands William Degoure de Nuncques (1867-1935), par la puissance de ses visions fantastiques peintes dans une palette très hardie, et Fernand Khnopff (1858-1921), le plus fidèle adepte du mouvement, dont les figures aristocratiques, au type anglais légèrement hellénisé, incarnent toujours une pensée rare, un mystère.

Parmi les artistes de valeur peu reconnus, il faut citer un ami de Verhaeren et de Zweig, Léon Spilliaert (1881-1946). Par sa puissance onirique, il est l'un des précurseurs du surréalisme. Il convient de mentionner également Jean Delville, dont les hautes conceptions sont servies par un dessin d'une grande pureté, Charles Doudelet (1861-1938), illustrateur de Maeterlinck, Léon Frédéric (1856-1940), décorateur par occasion (il a réalisé la salle des milices de l'Hôtel de Ville de Bruxelles).

Dans les manifestations artistiques belges d'importance, l'association fondée en 1883, à Bruxelles, par Octave Maus et Edmond Picard, « Les Vingt », parce que les membres étaient au nombre de vingt, a fait de Bruxelles une « plaque tournante » de la culture européenne. Chargée d'organiser chaque année, de 1884 à 1893, une exposition où étaient invités les vingt créateurs les plus originaux, l'association comptait parmi ses membres les Belges, Theo van Rysselberghe (1862-1926), adepte fervent du division-nisme de Seurat, et Henry van de Velde (1863-1957) qui a joué un rôle décisif dans l'évolution de l'architecture et dans la renaissance des arts appliqués en Europe.

C'est lors de l'exposition de 1890 que Van Gogh vendit de son vivant sa seule et unique toile.

Vincent van Gogh.
Autoportrait à l'oreille bandée, 1889.
Courtauld Institute Galleries, Londres.

ALLEMAGNE

Léon Frédéric.
Le Ruisseau, 1898/99.
Musées royaux des Beaux-Arts, Bruxelles.

C'est pour lutter contre le classicisme dérivé de Mengs et de David qu'une certain nombre d'artistes allemands, en liaison avec des écrivains et des poètes, vont instituer un art qui puisera sa force dans la foi et la littérature médiévales. Cet idéal chrétien va être exclusivement celui d'un petit groupe d'artistes, les nazaréens, dont le chef est Friedrich Overbeck (1789-1869). Avec ses amis, Franz Pforr (1788-1812), sans doute le plus doué, Ludwig Vogel (1788-1879) et Hottinger, il rompt avec l'Académie de Vienne, et part en 1810 pour Rome. Séduits par le charme des peintures primitives, ils désirent retrouver la fraîcheur d'inspiration, la pureté d'expression et aussi les naïvetés d'exécution des maîtres gothiques. Dans ce petit groupe : Peter Cornelius de Düsseldorf, Julius Schnorr von Carolsfeld de Leipzig.

Certains se convertissent au catholicisme, comme les deux frères Veit, beaux-fils de Friedrich Schlegel, comme Overbeck lui-même et Wilhelm von Schadow, fils d'un sculpteur berlinois.

Les œuvres des nazaréens, d'inspiration très élevée, manquent de toute base solide et sont d'une grande pauvreté de dessin et de couleur qui n'a rien de commun avec l'inexpérience de leurs modèles du Moyen Âge ; elles sont dépourvues de vie et de persuasion. On y trouve quelque chose de la sentimentalité rêveuse des vieux maîtres rhénans ou viennois, avec aussi cette « forme douce et coulante », cette suavité de miel, que les nazaréens apprécient dans les œuvres de Francia ou du Pérugin. Tout ceci ne saurait cependant faire oublier ce qu'un tel art comporte de préciosité, de fausse ingénuité, de poésie facile.

Il y a un peu moins d'artifice chez les paysagistes de l'école nazaréenne qui gardent le contact avec la nature. On peut placer à leur tête J.A. Koch (1768-1839).

La génération suivante paraît préférer les petits peintres de terroir, tels que Carl Spitzweg (1808-1885) et Franz

Philipp Otto Runge.
Le Matin, 1803.
Kunsthalle, Hambourg.

Krüger à Berlin (1797-1857), le peintre le plus caractéristique du « Biedermeier », style propre à l'Allemagne entre 1815 et 1850. L'Allemand moyen cherche alors son bonheur dans des plaisirs simples et y réussit. En peinture, cet état d'esprit inspire des paysages et des intérieurs, que leur sujet plus ou moins sentimental, mais charmant, imprègne d'une atmosphère très intime. Avec ses tableautins représentant des panoramas des Alpes et des lacs bavarois dans lesquels s'insèrent parfois des personnages vêtus du costume local, Wilhelm von Kobell (1766-1855) passe à juste titre pour être l'interprète complet du « Biedermeier munichois ».

Les dernières traces du romantisme doivent être finalement recherchées dans l'école de Düsseldorf qui connaît sa période la plus florissante entre 1830 et 1848, avant d'être éclipsée dans la seconde moitié du siècle par celle de Munich. La personnalité la plus intéressante est celle d'Alfred Rethel (1816-1859), qui a su se créer un style robuste, basé sur l'étude intelligente de Raphaël et de Dürer, mais en dehors des formules académiques.

A Hamburg, on trouve tout un groupe d'artistes dont le plus curieux est le Poméranien Philipp Otto Runge (1777-1810) qui n'a malheureusement pas su mettre en pratique des théories fort intéressantes sur le rôle essentiel de la lumière, de la couleur et de la « vie mouvante » qui aurait pu faire de lui le père spirituel de l'impressionnisme romantique mais il reste purement classique par le style.

A Dresde, Caspar David Friedrich (1774-1840), un ami de Runge, incarne le romantisme d'essence plus purement germanique, en face des paysagistes nazaréens, restés malgré tout sous l'emprise de l'art classique ou italien.

Bien qu'ils n'aient jamais rompu le contact avec les milieux académiques, trois peintres germaniques — deux Allemands et un Suisse alémanique — occupent une position plus indépendante. Tous trois sont touchés par le courant

« réaliste ». Pourtant on trouve chez eux des préoccupations idéalistes voire idéologiques qui, à première vue, sembleraient les rapprocher des maîtres de la première génération romantique, dont ils se distinguent en revanche par un goût plus vif de la couleur et une véritable nostalgie du paganisme qui, chez eux, se substitue au culte du Moyen Âge chrétien, professé par les peintres et les écrivains du début du siècle.

A l'instar des nazaréens, et d'une manière plus définitive, ces peintres sont des « Deutsch-Römer » ayant choisi de vivre en Italie (vers 1850-1870) pour y trouver un climat favorable à la création artistique. Il s'agit de Anselm Feuerbach (1829-1880), Hans von Marées (1837-1887) et le Suisse Arnold Böcklin (1827-1901), très vite adopté par l'Allemagne.

Une autre « gloire » de l'école allemande du XIXe siècle, est Franz von Lenbach (1836-1904). Après avoir peint des scènes populaires d'un grand réalisme un peu scolaire, il se voue à l'art du portrait. Malheureusement, si l'on remarque chez lui un sens très aigu de l'observation et le don de capter la personnalité du modèle, Lenbach est vite tombé dans la routine.

A ses côtés, les œuvres des portraitistes et peintres d'histoire officiels, tels que Ad. Eybel (1806-1882) ou Anton von Werner (1843-1915), directeur de l'Académie de Berlin, font preuve d'un art pompeux, conventionnel et froid, tout comme les non moins académiques décorateurs de palais et d'églises catholiques ou protestantes : W. Lindenschmit le Vieux (1806-1848), Heinrich Spiess (1832-1875) et August Spiess né en 1841.

A cette école historique, tout en décors et en costumes, s'oppose l'art d'Adolf Menzel (1815-1905) en qui s'incarne le plus pleinement l'esprit réaliste qui caractérise l'ancienne école berlinoise. Il est, avec Leibl, l'une des figures dominantes de l'école allemande du XIXe siècle, et au demeurant, le meilleur dessinateur et graveur de son temps. Wilhelm Leibl (1844-1900), le représentant le plus significatif du naturalisme allemand, est, aux environs de 1870, le pionnier d'une peinture réaliste dans le goût de Courbet. Il a pour adeptes des artistes comme Otto Schölderer (1834-1902) qui a fréquenté Fantin-Latour et Monet.

A la même époque, Max Liebermann (1847-1935) tente de rénover la peinture paysanne par la pratique du plein air et trouve sa voie grâce aux impressionnistes français qu'il connaît à travers l'œuvre du Bavarois Max Slevogt (1868-1932).

Mais il s'en faut de beaucoup que l'impressionnisme l'ait emporté sans coup férir. A Munich, le centre principal de la peinture allemande, la résistance est acharnée. F. von Uhde est le chef de l'avant-garde. Au cours des toutes dernières années du XIXe siècle, le « Jugendstil » ou « Art Nouveau » appelle l'attention des architectes et conquiert bientôt la peinture. Le groupe des artistes de Worpswede, dont le chef est von Mackensen, et celui des « die Scholle » à Vienne, qui compte un très grand nombre de peintres impressionnistes, en sont les défenseurs convaincus et avisés. Dès 1910, l'expressionnisme sera en Allemagne la tendance la plus forte.

SUISSE

La Suisse française

Genève et Neuchâtel ont été les centres d'une jeune école de peinture alpestre. Avec sa *Vue du Grand Eiger*, 1825 (Musée de Neuchâtel), Maximilien de Meuron (1785-1868) inaugure le style nouveau du paysage de montagnes. C'est dans cette voie que s'engagent François Diday (1802-1877) et son élève, Alexandre Calame (1810-1864). Le premier, pénétré de l'esprit romantique, dépeint souvent d'une manière théâtrale la grandeur sauvage des sommets helvétiques, *Le Wetterhorn* (Musée de Genève). Le second, meilleur observateur, esprit plus profond, peint volontiers la montagne sous son aspect le plus dramatique et le plus farouchement hostile à l'homme : l'*Orage à la Handeck*, 1839 (Musée de Genève).

Au début du XIXe siècle, La Suisse française compte deux grands peintres : Léopold Robert (1794-1835), né à la Chaux-de-Fonds, et Charles Gleyre (1806-1874), originaire du canton de Vaud. Elève de David, Léopold Robert peint avec la minutie propre au travail des populations horlogères dont il est issu. Il a, pour le geste italien et pour les tonalités méridionales qui s'offrent à lui pendant ses séjours à Naples et sur les rives de l'Adriatique, une admiration enthousiaste. Parmi ses œuvres, il faut citer *Pêcheurs de l'Adriatique* (Musée de Neuchâtel) et *Les Moissonneurs* (Musée du Louvre, Paris). Fixé à Paris à partir de 1838, successeur de Delaroche à la tête d'un atelier renommé dans toute l'Europe, Charles Gleyre se rattache directement à l'école française. Disciple d'Ingres, possédant un honnête talent de dessinateur, il s'efforce de marcher sur les traces de son maître.

Calame et Diday ont eu des successeurs à Genève : Alfred van Muyden (1818-1898) et Barthélémy Menn (1815-1893).

Les œuvres de ce dernier, empreintes de charme intime, dénotent l'influence de Corot, son ami. Menn a formé dans son atelier de nombreux artistes, dont Ferdinand Hodler (1853-1918) qui a évolué du naturalisme vers un art à tendance symboliste. Par son réalisme, ses compositions originales et ses qualités de dessin, il peut être considéré comme l'un des chefs de l'école moderne en Suisse.

Le canton de Vaud revendique un peintre dont le talent se distingue par sa souplesse et son ampleur : Eugène Burnand, à la fois paysagiste, animalier, peintre d'histoire et portraitiste. Il a également illustré des livres et abordé, à la fin du XIXe siècle, la peinture religieuse. Par la qualité de la lumière et de la couleur, le *Débarcadère d'Ouchy* (Musée de Lausanne) du « peintre du Léman », François Bocion (1828-1890), fait de cet autre peintre vaudois, un véritable pré-impressionniste.

Au Musée de Neuchâtel, figurent Charles-Edouard Dubois, paysagiste de marque, Léon Berthoud dont la grande imagination rappelle Turner, Albert de Meuron, fils de Maximilien de Meuron, et Paul Robert, neveu de Léopold Robert, à la fois dessinateur, coloriste, poète, dont les œuvres représentent des drames humains résolus par l'intervention divine.

Avec le paysagiste et portraitiste F. Franzoni (1857-1911), la Suisse italienne se dégage de l'académisme.

Né à Arco, dans le Tyrol méridional, Giovanni Segantini (1858-1899) appartient à l'école italienne, mais comme son activité s'est déroulée dans les Grisons à partir de 1886, on ne saurait oublier de mentionner ici cet autodidacte, directement influencé par Millet, qui s'est voué à l'évocation de la vie rustique de cette région. Sa technique très personnelle de juxtapositions régulières et mesurées des touches de couleur, rappelle celle des peintres « divisionnistes ».

Maximilien de Meuron.
Vue de l'Ile Saint-Pierre, 1825.
Musée d'Art et d'Histoire, Neuchâtel.

Albert Anker.
Les Orphelins de Stans lors de leur arrivée à Morat en 1798, 1878.
Musée d'Art et d'Histoire, Neuchâtel.

La Suisse alémanique

Les Suisses germaniques réservent dans leur activité une large place au portrait. Le plus important d'entre eux, Felix Diogg (1762-1834) s'est encore formé dans la tradition du XVIIIe siècle sous la direction de Wyrsch. Les autres portraitistes et peintres de genre sont issus pour la plupart de l'école de David, tels J.J. Oeri (1782-1868), son ami D. Sulzer (1784-1868) de Winterthur, et J.F. Dietler (1804-1874), élève de Gros, portraitiste de la bourgeoisie bernoise.

A part le portrait qui y est toujours cultivé, la peinture moderne ne se rattache pas, en Suisse allemande, à une tradition aussi continue qu'à Genève. Ludwig Vogel, né à Zurich (1788-1879), a laissé pourtant des peintures de mœurs qui frappent par la richesse des motifs et la clarté d'exposition.

Arnold Böcklin (1827-1901), né à Bâle, est exceptionnel. Son œuvre est considérable. Poète avant tout ; ce qui lui importe, c'est moins la formule que le sujet, comme il l'affirme dans une de ses œuvres « Poésie et Peinture », 1882 (collection particulière, Berlin). Il a renouvelé la mythologie antique en lui donnant pour cadre le paysage moderne. S'étant initié sept années durant au culte de la Beauté méditerranéenne (il est resté de 1850 à 1857 à Rome), il s'efforce de ressusciter les mythes anciens : appliquant aux personnages de la Fable les préceptes de la seconde école romantique, il cherche moins à les idéaliser qu'à leur donner une apparence de vérité, en même temps qu'une valeur expressive. Le côté faible de Böcklin est probablement le dessin de la figure humaine, racheté cependant par l'habileté de la mise en scène. Le symbolisme d'un disciple suisse de Böcklin, le Zurichois Albert Welti (1862-1912), révèle des dons d'invention très personnels. Ses sujets plus ou moins fantastiques, puisés dans le répertoire des vieilles légendes germaniques, ont la saveur d'une imagerie populaire.

A Zurich également, Guillaume Füssli (né en 1830), portraitiste, et Rudolph Koller (1828-1905), ami de Böcklin, de première force dans la peinture d'animaux, sont à mentionner.

ESPAGNE

Après la renaissance de la peinture espagnole marquée par Goya, à la fin du XVIIIe siècle, quelques peintres seulement méritent d'être cités : Antonio Maria Esquirel (1806-1857) qui a essayé de rattacher la peinture moderne aux anciennes écoles de Madrid et de Séville, mais avec trop de circonspection, et surtout Vicente Lopez (1772-1850), qui reprend, dans un style académique, l'enseignement de Mengs. Au nombre de ses portraits, on peut citer celui de *Goya âgé* (Musée du Prado, Madrid). L'éclosion du romantisme, en France, a eu son contre-coup en Espagne. La plupart des artistes viennent à Paris pour étudier les ouvrages de Géricault, Delacroix, Scheffer et Delaroche. Parmi ceux-ci, les deux frères Madrazo : Federico (né en 1815, à Rome) et Luis (né en 1825, à Madrid) qui obtient en 1848 le grand prix de Rome de l'Académie de Madrid. A côté d'eux, il faut placer Carlos Luis de Ribera (né en 1815, à Rome), élève de son père, puis de Delaroche. Les romantiques vont se tourner vers des thèmes d'inspiration plus populaires, surtout en Andalousie (Rodriguez de Guzman, Valeriano Becquer) ; quelques-uns peindront des œuvres rappelant Goya : Leonardo Alenza (1807-1845) et Eugenio Luca y Padilla (1824-1870), qui, sans copier servilement les œuvres du peintre de Charles IV, dessine et brosse dans son style des scènes se rapportant à la vie populaire et picaresque, aux courses de taureaux, à l'existence des moines et des religieux.

Le chef de file de l'art espagnol se trouve en Catalogne, en la personne de Mariano Fortuny (1838-1874). Son dessin spirituel et narquois, ses tonalités gaies et sautillantes, son attrait pour la mise en scène, son ingéniosité d'arrangement, font qu'il a exercé sur l'art espagnol de la seconde moitié du XIXe siècle, mais aussi sur l'art français et italien, une influence indéniable. Il a fondé une école de peinture de genre, insistant sur le détail et l'anecdote.

Joaquín Sorolla (1863-1923) se consacre essentiellement à des paysages d'une saveur très méditerranéenne, tandis que Aureliano de Bernete (1845-1912) peint de superbes vues de Madrid et de ses environs, dans un style franchement impressionniste. Dario de Regoyos (1857-1913) très marqué lui aussi par l'impressionnisme, évoque les Asturies.

Les toutes dernières années du siècle voient naître avec Ignacio Zuloaga (1870-1945), un renouveau dans l'art espagnol. Resté profondément original et personnel, il rend avec toute leur hostilité et tout leur caractère les scènes de la vie populaire contemporaine de son pays. Sa vision quasi primitive ranime tout ce que la peinture espagnole a comporté d'essentiellement national et tout ce que le XIXe siècle lui a fait perdre.

Cependant, Isidro Nonell (1873-1911) est le peintre le plus original de Barcelone, sinon de toute l'Espagne. Son art, sombre et austère, annonce l'art de Picasso qu'il a certainement influencé.

Il suffit de citer quelques noms de peintres nés à la fin du XIXe siècle pour évoquer le génie artistique espagnol au XXe siècle : Pablo Picasso (1881-1973), Joan Miró (1893-1983), Juan Gris (1887-1927) et Salvador Dali (1904-1989).

ANGLETERRE

Dans la première moitié du XIXe siècle, le plus grand artiste anglais est probablement Turner, peintre amoureux de la lumière, Claude Lorrain romantique et quelquefois théâtral. Constable peint le triste ciel du nord, à la manière hollandaise. Avec Lawrence, mort en 1830, s'est éteinte l'école des portraitistes du XVIIIe siècle. Turner, Constable, Lawrence, et, dans ses meilleures œuvres, David Wilkie démontrent que la peinture romantique anglaise de cette époque utilise un langage pictural fondé sur la lumière, la couleur et la liberté de facture, langage qui désormais devait faire partie du style européen du XIXe siècle. Un groupement d'artistes vient tirer de sa phase de torpeur l'Angleterre, plongée dans l'académisme. En 1848, trois amis, Hunt, Rossetti et Millais forment la Confrérie des Préraphaélites. Millais s'écarte plus tard du groupe, mais Rossetti a un brillant élève, Burne-Jones, tandis que Watts, indépendant à l'origine, vient se joindre à eux. Les préraphaélites voient dans Raphaël un idéal et un apôtre du savoir-faire. Ils prennent modèle sur Botticelli et sur Mantegna. Violemment attaqués par les partisans de l'académisme, ils sont défendus par l'esthéticien Ruskin qui a exercé une influence énorme sur l'art de son temps. Un peintre-graveur américain, Whistler, en exposant à Londres des portraits impressionnistes d'une délicate tonalité gris argent et des paysages lestement enlevés « à la française » fait sensation. Ruskin l'accuse d'avoir « jeté un pot de couleurs à la face du public ». Le procès qui fait suite aux injures lancées par les protagonistes des deux écoles se déclare en faveur de Whistler, jugement que l'histoire confirmera. L'école de Rossetti et de Burne-Jones est bientôt en dissolution, tandis que Whistler meurt, admiré et imité. L'école française a trouvé outre-Manche son meilleur représentant.

Bonington représente également l'un des principaux liens entre l'art français et l'art anglais pendant la période romantique. Bien que né en Angleterre, cet ami de Delacroix peut être considéré comme un artiste français qui partagea à un degré exceptionnel l'anglomanie des romantiques français dans les années 1820.

La peinture anglaise a produit un grand nombre d'artistes provinciaux, tels que Crome, Cotman et David Cox, qui tous doivent un peu de leur charme à l'indépendance dont ils ont fait preuve à l'égard de l'académisme. La manière dont ils traduisent la lumière et éprouvent les changements de la nature correspond au climat de la poésie anglaise.

James Abbott McNeill Whistler.
Nocturne in Blue and Gold: Old Battersea Bridge, vers 1872-1875.
Tate Gallery, Londres.

Charles Angrand.
Scène de moisson.
Collection Brown, San Antonio, Texas.

Angrand, Charles
1854-1926
(né à Criquetot-sur-Ouville, Normandie)

Angrand démarre sa carrière dans l'enseignement. En 1883, il est instituteur au lycée Chaptal à Paris.
En 1884, il est l'un des fondateurs du Salon des Indépendants. Ami de Seurat et de Signac, il connaît une période divisionniste de courte durée. Mais bien que ses peintures, dessins et pastels ne témoignent plus d'aucune trace de division, ils restent marqués dans leurs contrastes et l'emploi de tons purs par les théories du néo-impressionnisme. Ses dessins en noir et blanc avec des dégradés austères sont de réels chefs-d'œuvre et on comprend que Signac, Toulouse-Lautrec et Fénéon les aient collectionnés avec intérêt.

Anquetin, Louis
1861-1932
(Etrépagny, dans l'Eure/Paris)

Anquetin vient à Paris pour y suivre l'enseignement de Cormon. Subissant l'influence de Degas et des Japonais, il devient un admirateur fervent des impressionnistes, allant même jusqu'à s'installer dans la même ville que Monet pour en être plus près. Van Gogh admire tout particulièrement sa peinture, tandis que Toulouse-Lautrec, avec qui il est très lié, pense que nul artiste depuis Manet n'a autant de talent.
Vers 1887, il est fasciné par les théories de Signac et de ses amis et pratique la peinture synthétique en exposant au café Volpini.
Sa rencontre avec Bernard, la même année, est déterminante : ensemble, ils conçoivent une nouvelle structuration de l'espace pictural, appelée cloisonnisme, consistant à traiter la surface du tableau en vastes zones colorées, cernées d'un trait apparent, plus sombre, à la manière d'un vitrail. Mais dès 1890, sous l'influence de la peinture flamande du XVIIᵉ siècle, il se détourne des chemins novateurs pour rejoindre une forme d'art plus traditionnelle.

Bazille, Frédéric
1841-1870
(Montpellier/Beaune-la-Rolande)

Frédéric Bazille passe son enfance à Montpellier. Son père, riche banquier de la ville, souhaite le voir devenir médecin et décide qu'il ira à Paris poursuivre ses études après le baccalauréat. Mais déjà les fréquentes visites que l'étudiant fait au musée Fabre, la découverte de l'art moderne au travers de Delacroix et de Courbet chez un collectionneur voisin, font naître en lui une autre vocation, celle de la peinture.
Au début de l'année 1864, il écrit à son père, qui l'a obligé à poursuivre

Frédéric Bazille.
L'Atelier de Bazille, rue de la Condamine,
1870.
Musée d'Orsay, Paris.

néanmoins ses études de médecine : « ... Si je suis reçu à mon examen, je profiterai... pour te demander la permission d'aller passer une quinzaine de jours à Honfleur au mois de mai avec mon ami Monet, celui avec qui je suis allé l'année dernière à Fontainebleau... » Dans une autre lettre, il précise : « ... Mon ami Monet, qui est assez fort en paysage, m'a donné des conseils qui m'ont beaucoup aidé ». En réalité, il s'est déjà inscrit à l'atelier Gleyre où il est non seulement l'ami de Monet, mais aussi celui d'Auguste Renoir et d'Alfred Sisley. Il ne tarde pas à rencontrer Cézanne, Manet, Fantin-Latour, Pissarro et Guillaumin... Il se plaît à peindre les scènes paisibles de

la vie familiale, telles que *Réunion de famille*, 1867 (Musée d'Orsay, Paris) ou des paysages sereins à la luminosité tranquille, *Lisière de la forêt de Fontainebleau*, 1865 (ibid.).
Bazille ne vivra pas leur exceptionnelle destinée puisqu'il mourra au champ d'honneur en pleine jeunesse, alors qu'il s'était engagé comme soldat en 1870.

Bernard, Emile
1868-1941
(Lille/Paris)

Lorsque le jeune Emile Bernard entre en 1884 à l'école des Beaux-Arts, dans l'atelier de Cormon, il n'a que 16 ans. Adolescent précoce, sensible, curieux de tout, et de plus très cultivé, il ne tarde pas à se lier avec les moins conformistes de ses camarades, les plus brillants aussi, Louis Anquetin et Henri de Toulouse-Lautrec. Très vite, ils deviennent inséparables et leurs

discussions passionnées à propos de l'impressionnisme sont de plus en plus mal vues par leur maître, farouche représentant de l'académisme et peintre pompier lui-même. L'année suivante, Bernard est renvoyé pour insubordination et son père, furieux, le met à la porte. L'audacieux part donc à pied, sur les routes de Bretagne, accomplir son *Tro Breiz* ou *tour de Bretagne*. Il est séduit par l'archaïsme des calvaires, les pratiques, les costumes et par le paysage, les côtes en particulier.
De 1888 à 1891, Bernard et ses amis mettent en commun leurs idées et leurs recherches. Mais en 1891, cette collaboration s'interrompt, Bernard semblant prendre ombrage de ce que Gauguin, disait-on, tirait mieux parti du synthétisme. En 1891, il adhère au groupe symboliste avec Odilon Redon et Ferdinand Hodler.
A Pont-Aven, il rencontre Gauguin.

François Bocion.
François Bocion et sa famille à la pêche, 1877.
Musée cantonal des Beaux-Arts, Lausanne.

En 1893, il peint l'*Enterrement de Vincent van Gogh* (Collection M.-A. Bernard, Fort, Paris). Après un voyage de dix ans en Italie et en Egypte, il revient en France où il se lie avec Cézanne. Ses dernières compositions témoignent d'une évolution vers un art plus géométrique, marqué par l'influence de Cézanne que Bernard admire à l'égal de Gauguin.

Bocion, François
1828-1890
(né à Lausanne)

Né en Suisse, Bocion vient à Paris suivre l'enseignement de Charles Gleyre, natif comme lui du canton de Vaud, qui sera dans les années 1860, le professeur de Sisley, Monet, Bazille et Renoir. De retour en Suisse, reflétant les effets de lumière en fonction des heures et des saisons, il se consacre à peindre le lac Léman ainsi que les pics lointains des Alpes suisses et françaises.

Il exécute des centaines d'études des environs pour les transformer en œuvres achevées dans son atelier.

Bocion peut être considéré comme le peintre suisse impressionniste par excellence.

Böcklin, Arnold
1827-1901
(Bâle/Fiesole)

Eduqué à Düsseldorf, Böcklin entreprend une série de voyages à Anvers, Bruxelles et Paris, avec le peintre animalier, Rudolph Koller. De retour à Bâle, il termine sa formation chez Calame. En 1850, il se fixe à Rome. Sous l'influence de Rubens, de Titien et des peintures pompéiennes, il développe une esthétique basée sur l'ornement et la structure monumentale. Le nazaréen tardif, Heinrich Dreher, exerce une grande influence sur lui, avec ses paysages mystérieux, peuplés de personnages mythologiques. En 1859, *Pan dans les roseaux* (Neue Pinakothek, Munich) obtint un grand succès. Sa toile la plus connue est sans doute *L'Ile des morts*, vers 1880 (Kunstmuseum, Bâle), thème pour lequel il exécute quatre autres versions.

Boldini, Giovanni
1842-1931
(Ferrare/Paris)

Peintre italien, Boldini quitte Ferrare, sa ville natale, pour étudier à l'académie de Florence où il rejoint le groupe du café Michel Angiolo, les « Macchiaioli ». Son talent de portraitiste le rend vite célèbre. En 1871, il s'installe à Paris. Ami de Whistler, de Sargent et de Degas qui l'appelle aimablement un « monstre de talent », et avec lequel il se rend en Espagne en 1889, il leur emprunte certains procédés qu'il incorpore à sa propre manière.

Bien qu'il n'expose jamais avec les impressionnistes, il a l'habitude, comme eux, de croquer la vie quotidienne des fenêtres de son atelier, le jour, ou de sa loge de théâtre, la nuit. Au tournant du siècle, Boldini devient une célébrité internationale que tout le monde se dispute. Il a portraituré d'innombrables écrivains tels que Proust et a réalisé en une seule journée l'effigie en pied au pastel de *Verdi* (Galerie d'Art moderne, Rome). Il laisse un grand nombre de crayons, sanguines, aquarelles et esquisses.

Bonington, Richard Parkes
1802-1828
(Arnold près de Nottingham/Londres)

Bonington vient s'installer, très jeune, à Calais avec sa famille avant d'étudier en 1820 les Beaux-Arts à Paris dans l'atelier de Gros. Sous sa direction, il s'essaye à la peinture historique, mais sans grand succès. Il entreprend de 1821 à 1828 une série de voyages à la recherche de pittoresque, visitant le nord de la France, les Flandres et la Belgique. Ces randonnées, en même temps que ses études à Paris, au Louvre en particulier, lui fournissent le matériau de presque toute son œuvre. Sa rencontre avec Delacroix, avec lequel il vit une partie du temps qu'ils passent l'un et l'autre en Angleterre en 1825, est décisive. Alors que ces peintres français s'attardent encore à peindre dans des couleurs sombres, Bonington montre la voie vers la lumière et les couleurs claires. Son sens de l'atmosphère et de l'espace fait de lui un grand précurseur de l'impressionnisme.

Parmi ses œuvres, il convient de citer *Vue des Côtes normandes* (Musée d'Orsay, Paris) ou *Vue de la Seine, le soir* (Virginia Museum of Fine Art, Richmond, U.S.A.). Il meurt très jeune à Londres, emporté par la tuberculose.

Bonnard, Pierre
1867-1947
(Fontenay-aux-Roses/Le Cannet)

Issu d'une famille de bourgeoisie libérale, Pierre Bonnard est, à vingt et un ans, licencié en droit, mais il

Arnold Böcklin.
Autoportrait, 1872.
Nationalgalerie, Berlin.

Pierre Bonnard.
Les Courses à Longchamp, triptyque.
Collection particulière.

pense davantage à la peinture qu'à une carrière administrative qui pourrait s'avérer aussi enviable que celle de son père, Eugène Bonnard. Reçu aux Beaux-Arts, il s'adonne en 1891 à son art. Au mois de mars de cette année-là, les murs de Paris se couvrent de son affiche, *France-Allemagne*, enthousiasmant Toulouse-Lautrec qui se mettra, à son tour, à l'affiche. Bonnard l'emmènera chez son imprimeur Ancourt. Après un échec au Prix de Rome, il entre à l'Académie Julian où il rencontre les membres du groupe des nabis, Vuillard, Sérusier, Ranson, Vallotton et Denis. Il expose avec eux dans la Galerie Le Barc de Boutteville, mais travaille pour se créer son style propre. Dès 1891, il expose régulièrement au Salon des Indépendants et donne sa première exposition particulière en 1896. L'influence des estampes japonaises et les leçons de composition qu'il en tire le font surnommer par ses amis, le « nabi japonard ». Marquant une préférence très nette pour les couleurs appliquées en aplat et des compositions très stylisées, il aime les mises en pages décentrées, aux axes originaux, comme dans *Enfants jouant au cerceau*, de 1895.

En même temps, *La Partie de croquet*, en 1892, reflète son goût pour les prises instantanées, empreintes de paix et de douceur de vivre. Il aime les scènes d'intérieur, *Jeune Femme à la lampe*, 1900 (Musée de Berne) et peint des nus : *Nu aux bas noirs*, vers 1900 (Collection Lord Rosslyn, Angleterre) ou l'*Indolente*, 1899 (Musée d'Orsay, Paris). Ces sujets seront ses thèmes de prédilection tout au long de sa vie : *La Glace du cabinet de toilette*, 1908 (Musée Pouchkine, Moscou) qui lui fera découvrir un système de perspective ingénieux à travers les jeux de reflets, *Nu dans la baignoire*, 1937 (Musée du Petit Palais, Paris), dans lequel il retrouve la lumière impressionniste, tandis que *Le Jardin*, réalisé à la même époque (ibid.) retrouve l'ordonnance japonaise.

Bonnard poursuit en même temps sa carrière de peintre et d'illustrateur : *Parallèlement* de Verlaine, en 1900, *Histoires naturelles* de Jules Renard, en 1904-40. *Petites scènes familières*, de Claude Terrasse, annoncent l'arrivée de l'Art nouveau et lui amènent le succès. En 1891, il fonde avec les frères Natanson, *La Revue Blanche*. Installé à la campagne en 1902, il traverse une phase quasi impressionniste dont l'influence dominante est celle de Renoir. Il ne renonce cependant pas à sa recherche de la construction formelle : *Les Trois Grâces*, 1908 (Collection Bernheim-Jeune, Paris).

Attiré par Monet, il acquiert en 1912 une petite maison à Vernonnet, « Ma Roulotte ». Avec une technique plus libre, ses couleurs se font plus intenses, plus brillantes, tout en gardant, contrairement à ses contem-

porains, les fauves, une harmonie douce et subtile. Il prend pour sujet les paysages des alentours, les natures mortes, les scènes de la vie parisienne. L'hiver, il quitte sa maison de l'Eure, pour gagner le Midi. Les trois panneaux, peints en 1911 pour le collectionneur Morosoff montrent à quel point la luminosité méridionale lui inspire des couleurs et des formes nouvelles.

En 1925, il achète une autre maison au Cannet où, après des séjours de plus en plus nombreux, il finira par s'installer définitivement en 1939. Sa dernière œuvre, l'*Amandier en fleur*, 1947 (Musée national d'Art moderne, Paris) vibre d'une intense lumière. Le lyrisme et la poésie de son art s'y expriment dans une gamme de couleurs qui éclate en un tourbillon d'harmonies et de dissonances très hardies.

Boudin, Eugène
1824-1898
(Honfleur/Deauville)

Après avoir fait un apprentissage chez un papetier, marchand de couleurs, Boudin se met à son compte au Havre et fait la connaissance de peintres tels qu'Isabey, Troyon, Couture et Millet. Encouragé par ces artistes, Boudin part, à l'âge de vingt-trois ans, à Paris pour y apprendre son métier en copiant les maîtres au Louvre.

Fils de marin, Boudin va rester marqué toute sa vie par le monde de la mer. Même ses voyages semblent le ramener inexorablement aux rivages marins : de 1847 à 1848, il voyage en Belgique avec le sculpteur Rochet et

Frank Buchser.
Petites Alpes, vers 1865.
Kunstmuseum, Bâle.

découvre les plages du Nord ; en 1862, il passe ses vacances à Trouville, y promène son chevalet avec Jongkind et Monet ; puis c'est Rotterdam, Villefranche-sur-Mer, Venise qu'il peint avant de s'éteindre à Deauville. Peu de peintres ont su rendre, comme lui, la luminosité translucide de l'atmosphère grise et mélancolique, si caractéristique des plages du Nord. Mieux que tout autre, il sait manier le ciel et la mer qui revêtent la couleur du sel et de la brume.

Corot l'a appelé « le Roi des ciels », tandis que les impressionnistes reconnaissent en lui un précurseur. Il participe d'ailleurs à la première exposition de leur groupe en 1874.

Parmi ses nombreuses toiles, il faut citer *Le Pardon de Saint-Anne-la-Palud* (Musée du Havre), exposé, au Salon de 1859, que Baudelaire qualifiera de « fort bon et fort sage tableau », *Le Port de Quimper*, 1857 (Musée des Beaux-Arts, Quimper) et *La Plage de Trouville*, 1864 (Musée d'Orsay, Paris).

Buchser, Frank
1828-1890
(né à Feldbrunnen, près de Soleure)

Frank Buchser est l'un des peintres suisses les plus importants du XIXe siècle. Non seulement il fonde, avec un groupe d'amis, la Société des peintres, sculpteurs et architectes, dont il organise la première exposition nationale, mais il doit avant tout être considéré comme le promoteur d'un réalisme libéré des poncifs de l'académisme, l'un des précurseurs de l'impressionnisme.

Fils d'un aubergiste et marchand de chevaux qui le laisse orphelin à trois ans, Buchser est une force de la nature. Au terme d'un apprentissage de facteur d'orgues et de pianos, il prend la décision de se consacrer à la peinture tout en courant le monde, à l'aventure. Après un séjour studieux à Paris, il gagne Rome à pied et, mourant de faim, s'engage dans la Garde Pontificale, qu'il abandonne bientôt pour retourner à Paris parfaire sa formation artistique. Un séjour à

Anvers lui permet de copier Rubens. Vélasquez, à Madrid, l'enthousiasme, et Londres lui offre l'occasion de vendre enfin ses premières œuvres personnelles, des portraits, art où il excelle et souvent se montre digne d'être comparé aux plus grands maîtres, Manet, Degas ou Monet par exemple.

Passionné de voyages, épris d'aventure, il voyage énormément. De retour en Suisse, Buchser gagne largement sa vie en exécutant sur commande les portraits de personnages importants et en peignant des paysages pour son plaisir.

Burne-Jones, Sir Edward Coley
1833-1898
(Birmingham/Fulham, Londres)

Fils d'un encadreur, Edward Burne-Jones fait ses études à Birmingham, puis se rend en 1853 à Oxford dans l'intention de se faire ordonner prêtre. Cependant, la découverte des œuvres de Ruskin et de Rossetti l'en dissuade. En 1856, il rencontre Rossetti qui l'influence dans ses premières œuvres, principalement des aquarelles. Il vient s'installer à Londres où il restera jusqu'à la fin de sa vie. Se rendant à quatre reprises en Italie, entre 1859 et 1873, il assimile la manière de Mantegna, Botticelli et Michel-Ange. En 1864, il devient membre de la Old Water-Colour Society et atteint la célébrité en 1877, l'année où il présente sept toiles à la première exposition de la Grosvenor Gallery, foyer du nouveau préraphaélisme. Parmi les œuvres présentées figure *L'Enchantement de Merlin*, 1861 (Victoria and Albert Museum, Londres). Ce n'est qu'en 1889, en présentant *Le Roi Cophetua et la jeune mendiante* (Tate Gallery, Londres) qu'il est reconnu en France. La même année, il est fait Chevalier de la Légion d'Honneur, et, en 1884, reçoit le titre de baronnet. Les œuvres de la dernière période, d'un très grand format pour la plupart, délaissent la réalité au profit de qualités abstraites dont l'aspect décoratif reflète l'intérêt que Burne-Jones témoigne toute sa vie pour l'œuvre de William Morris. Ils fonderont d'ailleurs ensemble, le second groupe préraphaélite, vers 1856.

Caillebotte, Gustave
1848-1894
(Paris/Gennevilliers)

Caillebotte est d'une dizaine d'années le cadet de Monet, de Renoir, de Sisley et de Cézanne.

A l'âge de vingt-cinq ans, le jeune Caillebotte hérite de l'importante fortune de son père, ancien juge de tribunal de la Seine. Mais sa jeunesse et sa fortune ne l'aveuglent pas. Bien au contraire, il quitte l'atelier de Bonnat aux Beaux-Arts de Paris pour travailler en plein air et suivre la trace de ses aînés. Il prépare avec ardeur la deuxième exposition impressionniste qui se tient, en avril 1876, 11 rue Le Pelletier et y participe aux côtés de dix-huit autres impressionnistes. Caillebotte adhère totalement à ce mouvement qui n'est pas une école mais plutôt une attitude commune à quelques artistes qui refusent les conventions du moule traditionnel. Il y adhère tellement qu'il consacre une partie de sa fortune à soutenir le

Gustave Caillebotte.
Les Raboteurs de parquet, 1875.
Musée d'Orsay, Paris.

travail de ses amis. Il commence à acheter leurs peintures dès 1876. Grâce à sa clairvoyante générosité, on peut admirer aujourd'hui au Musée d'Orsay à Paris, des tableaux aussi remarquables que *Le Moulin de la Galette* et *Les Toits rouges* de Pissarro ; tableaux qui auraient pu traverser l'Atlantique ou l'Oural comme tant d'autres chefs-d'œuvre impressionnistes.

Le legs Caillebotte est unique dans l'histoire surtout lorsque l'on songe que Renoir, son exécuteur testamentaire,

dut se battre pour faire accepter à l'Etat français trente-huit toiles sur les soixante-sept de la collection.

Caillebotte, mécène et collectionneur, est aussi un remarquable peintre. Ses intérieurs et ses portraits se rapprochent de Degas, ses paysages sont proches de ceux de Bazille.

Ses sujets de prédilection sont les scènes de la vie parisienne, *Le Pont de l'Europe*, 1876 (Musée du Petit Palais, Genève) et celles de la vie ouvrière, *Les Raboteurs de parquet*, 1875 (Musée d'Orsay, Paris).

Calame, Alexandre
1810-1864
(Vevey/Menton)

Son apprentissage chez François Diday terminé, Calame séjourne en France, en Hollande et en Italie et y fréquente l'œuvre peinte de Rousseau, de Corot, de Ruysdael, de Paul Potter et des grands Italiens. Il devient ainsi un excellent paysagiste, parmi les meilleurs peintres suisses. Epris des cimes, des

Alexandre Calame.
La Vallée de Zermatt, 1854.
Musée d'Art et d'Histoire, Genève.

Mary Cassatt.
L'Enfant dans le Salon bleu, 1878.
National Gallery of Art, Washington.

glaciers et des lacs, il en interprète avec un art incomparable la grandiose majesté non moins que le charme ineffable. Il faut citer : *Le Wetterhorn vu du chemin de Rosenland* (Musée d'Anvers), *La Ville et le lac de Genève* (Musée du Puy), *Ruines de Paestum* (Musée de Perpignan).

Cassatt, Mary
1845-1926
(Pittsburgh, Pennsylvanie/ Le Mesnil-Théribus, près de Beauvais)

Fille d'un banquier descendant d'une famille huguenote française installée à la Nouvelle-Amsterdam en 1662, Mary Cassatt entre, en 1861, à la Pennsylvania Academy of Time Arts. Après un voyage en Europe, elle finit par s'installer à Paris, où elle se met à admirer l'œuvre de Degas, qui comme elle, privilégie le dessin à la

peinture. Elle finit par le rencontrer en 1877. Elle expose régulièrement à partir du Salon de 1872. Ses toiles ayant été refusées au Salon de cette année-là, Degas lui suggère d'exposer avec les impressionnistes. Aux côtés de Monet, Renoir et Pissarro, elle participe à la quatrième exposition du groupe ainsi qu'à celles de 1880, 1881 et 1886, et refuse, à l'exemple de Degas, de prendre part à la septième. Protégée par Degas avec lequel elle est très liée, elle n'en est pas pour autant son élève. Elle a posé pour lui à plusieurs reprises, *Chez la modiste*, 1882 (Metropolitan Museum, New York). Peintre de scènes de famille vibrantes de vie, elle peint les enfants avec une exquise grâce empreinte de tendresse, *La Mère et l'enfant* (Musée d'Orsay, Paris), *L'Enfant dans le Salon bleu*, 1878 (National Gallery of Art, Washington). En 1914, atteinte de problèmes de vue, elle doit cesser de peindre. Elle n'en poursuit pas moins son action d'ambassadrice de la peinture impressionniste française auprès de ses compatriotes américains

et continue d'acheter des toiles pour elle-même, sa famille ou ses amis, entre autres, Durand-Ruel, qu'elle soutient parfois financièrement.

Cézanne, Paul
1839-1906
(né et mort à Aix-en-Provence)

Ce n'est qu'à l'âge de vingt et un ans que Cézanne, étudiant en droit à l'université d'Aix-en-Provence, décide d'être peintre.
Etudiant les Beaux-Arts à l'Académie Suisse, passant le reste de son temps au musée du Louvre, il rencontre, grâce à Pissarro, au café Guerbois, Monet, Bazille et Renoir.
Dans les premiers temps, il prend Delacroix, Courbet, Daumier, Zurbaràn et Ribera pour modèles, puis décide, en 1872, d'aller rejoindre Pissarro dont il veut apprendre la manière impressionniste, avec ses menues touches, ses couleurs morcelées et son intérêt pour le jeu des lumières. Les toiles qu'il envoie au Salon sont invariablement rejetées, malgré les protestations de son ami Zola, avec

Paul Cézanne.
Portrait de l'artiste, 1875-1876.
Musée d'Orsay, Paris.

lequel il s'est lié dès seize ans, au collège Bourbon, et qui mène une campagne de presse active. Leur amitié ne se démentira que trente ans plus tard, lorsque Zola décrira, dans *L'Œuvre*, en 1886, Cézanne sous les traits d'un peintre raté.

C'est encore grâce à Pissarro que Cézanne accepte de figurer à la première exposition impressionniste de 1874. Il présente trois tableaux, dont *La Maison du pendu, 1873 (Musée d'Orsay, Paris). La Moderne Olympia* (ibid.), parodie de l'*Olympia* de Monet, dans laquelle on voit une femme noire révéler la nudité d'une femme aux yeux d'un spectateur en soulevant un coin de drap, déclenche les passions. Les coups de pinceaux sont épais et fougueux, la couleur violente. On l'accuse de « délirium tremens ».

Il refuse par contre d'exposer à la seconde exposition impressionniste, mais présente dix-sept toiles à la troisième manifestation du groupe.

Il s'installe à l'Estaque, près de Marseille. *L'Estaque*, 1882-1885 (Musée d'Orsay, Paris) est le premier chef-d'œuvre de sa maturité. Sa touche qui était encore romantique se fait plus systématique. Il trace des hachures étroites, compartimentant la toile dans une organisation géométrique savante. Par son analyse, il réinvente l'art du paysage.

Durant les vingt dernières années de sa vie, résolu à donner à ses toiles la structure essentielle que cache l'apparence des choses, il développe un style solide, analytique et s'éloigne de l'impressionnisme. « J'ai voulu faire de l'impressionnisme quelque chose de solide et de durable, comme l'art des musées », affirme-t-il.

Entre 1880 et 1890, il peint les *Joueurs de carte*, thème traité à cinq reprises. Les personnages, dont les modèles sont des paysans d'Aix, semblent taillés dans la pierre ou sculptés dans le bois. Les traits sont définis, hors de toute individualisation facile, afin d'atteindre, pour l'évidence même de l'image, à une géométrie rigoureuse. L'ambition de Cézanne est de réaliser une synthèse entre la perception de la

nature et l'esprit d'abstraction en mêlant deux univers : le naturel et l'imaginaire. Par cette recherche, s'amorce le cubisme.

En 1895, Ambroise Vollard organise une exposition des principales œuvres de Cézanne, dont le *Portrait de Gustave Geffroy* et *Le Jeune Homme au gilet rouge*, 1890-95 (collection particulière, Zurich), qui se déroule dans l'indifférence du public. En 1899, il expose trois toiles aux Indépendants. Le Salon d'Automne de 1904 lui accorde une salle entière, le consacrant ainsi, deux ans avant sa mort. Après avoir peint d'innombrables vues de la montagne Sainte-Victoire, près d'Aix, qu'il croyait habitée de présences

mythiques, composé plus de deux cents natures mortes, bâties comme des œuvres architecturales, ses dernières toiles s'enrichissent d'une palette aux couleurs vigoureuses, au rythme plus véhément sans en abandonner l'extrême rigueur. *Les Grandes Baigneuses*, 1898-1905 (Museum of Art, Philadelphie), font figure de manifeste.

En cherchant à approfondir l'impressionnisme, convaincu que la plénitude de la couleur donne aussi à la forme sa plus haute valeur plastique, il a révolutionné le monde de la peinture. Son influence est déterminante sur la peinture du XXe siècle, en particulier le fauvisme et le cubisme.

Constable, John
1776-1837
(East Bergholt dans le Suffolk/ Londres)

Constable est le plus grand paysagiste anglais avec Turner, mais il vit tout autrement que ce dernier, ne quittant jamais son pays, peignant seulement les paysages qu'il aime et connaît bien. Fils d'un propriétaire de moulins, il mène une existence paisible, en élevant une famille de sept enfants après la mort de sa femme qui succombe à la tuberculose à l'âge de vingt-huit ans. Il apprend à peindre en copiant avec

John Constable.
Branch Hill Pond, Hampstead Heath, vers 1820.
Bury Art Gallery and Museum, Lancashire.

passion, entre autres, des œuvres de Claude Gellée et de Ruysdael. Ses études à la Royal Academy, entreprises en 1799, peu de temps après son arrivée à Londres, ne l'initient qu'à dessiner la figure. Il expose pour la première fois, en 1802, à la Royal Academy dont il devient membre associé en 1819 et membre en 1829. Il exécute ses esquisses à l'huile et à la mine de plomb — il utilise moins l'aquarelle — d'après nature et les termine en atelier.

Constable a eu de la peine à se faire reconnaître, son art n'étant guère apprécié en Angleterre. En revanche, il est très admiré en France où il a influencé de nombreux peintres, parmi lesquels Delacroix et Monet. Refusant les conventions des paysages idéalisés,

il veut représenter directement la nature. Il étudie ce qu'il appelle « le clair obscur de la nature », le dégradé des tons. Le ciel joue un rôle prépondérant : c'est « l'organe principal du sentiment », déclare-t-il.

Corinth, Lovis
1858-1925
(Tapiau, Prusse orientale/ Zandvoort, Pays-Bas)

Peintre allemand, Lovis Corinth suit des cours à l'Académie de Munich avant de venir à Paris suivre ceux de l'Académie Julian. Ses maîtres sont Rembrandt, Rubens, Vélasquez et Courbet. Il ouvre une école d'art à Munich. Avec Max Liebermann, il devient l'un des maîtres de l'impressionnisme allemand. Particulièrement

Camille Corot.
Le Quai des Pâquis à Genève, 1842.
Musée d'Art et d'Histoire, Genève.

l'atelier de Flajoulot, un élève de David, qui lui apprend à croquer sur le vif des portraits et des scènes de rue. A vingt et un ans, il va à Paris. Trop indépendant pour fréquenter les établissements académiques, il quitte plusieurs professeurs pour finalement travailler seul, peignant sur le motif, et copiant, au Louvre, les Espagnols, les Flamands (principalement ceux du XVIIᵉ siècle), les Français, les Hollandais et particulièrement Rembrandt mais jamais les Italiens qu'il juge trop artificiels. A cette époque, ses toiles sont empreintes de romantisme.

En 1843, son *Autoportrait au chien noir* (Musée du Petit Palais, Paris) annonce le style qu'il défendra toute sa vie. Sa toile, violente, soucieuse du détail, formule déjà le manifeste du réalisme dont il sera le porte-parole. Elle est acceptée par le jury du Salon, qui, par la suite, lui refusera les suivantes. *L'Après-dîner à Ornans*, 1849 (Musée des Beaux-Arts, Lille) consacre définitivement le réalisme malgré l'hostilité de la critique qui se déchaîne contre sa « vulgarité » et son « manque de goût » et le révèle auprès du public. Fort de ce soutien, il réalise *Les Casseurs de pierre*, 1849 (détruit en 1945) et, la même année, *L'Enterrement à Ornans* (Musée d'Orsay, Paris). *Les Casseurs de pierre*, d'un réalisme saisissant, atteste de ses convictions politiques. Le casseur de pierre devient pour Courbet le symbole de la souffrance du prolétaire, victime des classes possédantes. Ami de Proudhon, Courbet prend en effet une part active au mouvement socialiste. Pour calmer la critique, il traite cependant de sujets plus plaisants : *Les Demoiselles de village*, 1852 (Metropolitan Museum of Art, New York) ou *Les Demoiselles de la Seine*, 1856 (Musée du Petit Palais, Paris). Il peint sur le motif, mais termine paysages et personnages dans son atelier. *Les Baigneuses*, 1853 (Musée Fabre, Montpellier) et *Les Lutteurs*, 1853 (Musée des Beaux-Arts, Budapest) provoquent à nouveau le scandale, jugés banals et vulgaires par leur sujet emprunté à la vie quotidienne.

intéressé par les recherches de lumière, il fragmente sa touche et sa palette devient plus colorée et plus riche. Après une attaque d'apoplexie en 1911, sa peinture se transforme radicalement. Ses thèmes favoris sont les paysages de la Côte d'Azur ainsi que les bords du Walchensee, en Bavière, où depuis 1918, il déprime fréquemment. Sur cette nouvelle base, il multiplie aussi les portraits dont celui de *Julius Meier-Graefe*, 1914 (Musée national d'Art moderne, Paris). On connaît de lui quelques autoportraits et quelques paysages vigoureux et pathétiques. Il délaissera cependant, dans la dernière partie de son œuvre, la technique impressionniste pour une facture plus violente et pour des tons plus intenses, annonciateurs de l'expressionnisme : *Ecce Homo*, 1925 (Kunstmuseum, Bâle).

Corot, Jean-Baptiste Camille
1796-1875
(né et mort à Paris)

Issu d'une famille de drapier prospère, Corot apprend le métier tout en dessinant et en peignant. Son père accepte, face à sa détermination, qu'il entre dans l'atelier d'Achille Etna Michallon puis dans celui de Victor Bertin qui l'initie aux traditions de la peinture classique et lui enseigne l'art du paysage à la manière de Poussin à laquelle il restera fidèle. Plusieurs voyages, en Suisse, en France, en Italie lui font trouver un genre qu'il n'abandonnera jamais plus : le paysage. Pur paysagiste, Corot peint le paysage et lui seul, que les constructions de l'homme y figurent ou non. Il est le peintre délicieux des matinées baignées de fraîcheur et des crépuscules aux ciels voilés. Baudelaire le défend mieux que personne : « Nous avons entendu reprocher à cet éminent artiste sa couleur un peu trop douce et sa lumière presque crépusculaire. On dirait que pour lui toute la lumière qui inonde le monde est baissée d'un ou plusieurs tons. Son regard fin et judicieux, comprend plutôt tout ce qui confirme l'harmonie que ce qui accuse le contraste ». Ses dernières toiles le rapprochent de l'impressionnisme bien qu'il ne se soit jamais rallié à ce groupe. Il peut être considéré comme un de leurs précurseurs.

Parmi ses œuvres figurent entre autres au Musée du Louvre à Paris, *Vue du Forum* et le *Colisée vu des jardins Farnèse*, tous deux de 1826, *Vue de Florence*, vers 1835 et *La Femme à la Perle*, vers 1868-70.

Courbet, Gustave
1819-1877
(Ornans/La-Tour-de-Peilz, Suisse)

Fils d'une famille de paysans aisés, Gustave Courbet reçoit une bonne éducation, mais ne témoigne d'aucun goût pour les études. Il est déjà entièrement acquis au dessin et à la peinture. A Besançon, il entre dans

L'Atelier du peintre, 1855 (Musée d'Orsay, Paris), est en quelque sorte le manifeste du réalisme. Refusé à l'Exposition universelle de 1855, Courbet décide de l'exposer avec trente-neuf autres toiles, dans un baraquement qu'il nomme « Pavillon du Réalisme ».

Durant la dernière partie de son œuvre, il peint surtout des paysages et des animaux : le *Rut du Printemps*, *Combat de cerfs*, 1861 (Musée d'Orsay, Paris) expriment son amour ineffable de la vérité.

Monet, Boudin et Jongkind viennent peindre à ses côtés, en Normandie, à Fécamp et à Etretat.

La Falaise d'Etretat après l'orage, 1869 (Musée d'Orsay, Paris) montre la maîtrise de Courbet, paysagiste ; sa vigueur ne s'y dément pas.

Lorsque la Commune qui l'avait nommé président d'un comité pour la défense des œuvres d'art s'effondre, Courbet doit s'expatrier en Suisse. C'est là qu'il passe ses quatre dernières années.

Gustave Courbet.
Château de Chillon, vers 1875.
Collection André Held, Ecublens.

Henri-Edmond Cross.
Les Cyprès à Cagnes, 1908. Détail.
Musée d'Orsay, Paris.

Cross, Henri-Edmond
1856-1910
(Douai/Saint-Clair)

Etudiant aux Beaux-Arts de Lille avec le jeune professeur Carolus Duran, Cross pratique, lors de ses débuts, une peinture sombre, à l'imitation de ses maîtres. Peu à peu sa palette s'éclaircit au fur et à mesure de ses rencontres avec les impressionnistes et les néo-impressionnistes, Seurat et Signac avec lesquels il fonde le Salon des Indépendants. Avec Signac, il ne va pas tarder à goûter aux plaisirs du climat provençal et à partager la technique pointilliste, qu'il manie bientôt avec méthode et virtuosité.

Les exigences de cette technique sont loin de lui déplaire ; il en aime la rigueur et la science.

« Dans la création, dit-il, il y aura, à côté de l'instinct, une grande part de volonté ; et la volonté ne peut s'appuyer que sur une base précise. Cette précision m'occupe. Je la cherche dans la loi du contraste des teintes… ». Sa maîtrise des tons purs fait de lui un précurseur du fauvisme. En 1904, Matisse viendra peindre avec lui à Saint-Tropez.

Charles-François Daubigny.
Les Graves de Villerville, 1859.
Musée d'Orsay, Paris.

Daubigny, Charles-François
1817-1878
(né et mort à Paris)

Né au sein d'une famille de peintres, Daubigny reçoit une formation classique. Il étudie tout d'abord en Italie pendant deux ans, avant de revenir en France pour se consacrer à l'étude du paysage observé d'après nature. Il est l'un des rares peintres, peut-être le premier en date, qui non seulement relève ses esquisses sur le motif, mais qui de plus achève ses plus grands tableaux in situ. Il est aussi l'un des premiers à s'installer à Auvers-sur-Oise, dès 1860, où Daumier et Corot viennent lui rendre visite.

En véritable annonciateur de l'impressionnisme, il est captivé par les jeux de la lumière sur l'eau. Il parcourt les rivières d'Ile-de-France sur son bateau, *le Bottin*, dont il fait un atelier flottant. Ses succès se confirment à partir de 1848, et il occupe, sous le Second Empire, une place très importante, lorsqu'il est élu membre du jury du Salon. Il peut alors soutenir activement les impressionnistes avec qui il est souvent en contact.

Daumier, Honoré
1808-1879
(Marseille/Valmondois)

Honoré Daumier vient à Paris à six ans quand son père, vitrier, décide d'installer son petit commerce dans la capitale. Il dessine très jeune, se promenant dans les faubourgs et croquant ses impressions. Puis il fréquente le Louvre.

Passionné de lithographie, il commence à collaborer en 1828 à un modeste journal, *La Silhouette*, ce qui lui vaut rapidement d'être remarqué par Philippon, le directeur de *La Caricature*.

Dès lors Daumier se spécialise dans la satire politique, à laquelle il consacre plus de quatre mille lithographies. L'une d'elles, la célèbre caricature du roi Louis-Philippe, lui vaudra d'ailleurs six mois de prison. Après l'interdiction de *La Caricature* en 1837, Daumier dessine pour *Charivari* où il restera pendant vingt-huit ans.

Honoré Daumier.
Joueurs d'Echecs, 1863.
Musée du Petit Palais, Paris.

Il aborde tardivement la peinture (vers 1848). Ses tableaux, généralement de petites dimensions, aux tons profonds, sont souvent empreints d'une ironie sévère et d'une certaine intensité dramatique. L'un des plus connus est sans conteste *Don Quichotte*. Le chevalier à la triste figure inspira beaucoup Daumier puisqu'il ne lui consacra pas moins de vingt-cinq toiles et trente-cinq dessins, lavis ou aquarelles.

Ayant entretenu des liens étroits avec les peintres de Barbizon, il compte, parmi ses amis, Millet, Théodore Rousseau, Corot et Delacroix.

Edgar Degas.
Hortense Valpinçon, 1871.
Minneapolis Institute of Art, Minneapolis.

Degas, Edgar
1834-1917
(né et mort à Paris)

Né dans une famille appartenant à la grande bourgeoisie bancaire, Edgar Degas fait de sérieuses études classiques et s'inscrit en 1853 à la Faculté de droit avant d'entrer dans l'atelier de Lamothe où se perpétue l'enseignement d'Ingres qu'il considère comme le plus grand peintre contemporain. Chaque année, il se rend dans sa famille, en Italie, à Naples où son grand-père dont il peint le portrait en 1857 est banquier (Musée d'Orsay, Paris), et à Florence, chez son oncle et sa tante, d'où il rapportera sa première grande œuvre, *La Famille Bellelli*, 1860 (Musée d'Orsay, Paris).

Edgar Degas.
Danseuse ajustant son chausson.
Musée Bonnat, Bayonne.

Il exécute pendant cette période de nombreux portraits. Désireux de renouveler la peinture d'histoire, il multiplie ses lectures et les reconstitutions archéologiques : *Jeunes Filles spartiates provoquant des garçons à la lutte* (version définitive en 1860, National Gallery, Londres).

Cet intérêt sera supplanté par la peinture de scènes de la vie quotidienne : *Les Repasseuses*, vers 1884 (Musée d'Orsay, Paris) ou *Blanchisseuses portant du linge*, courses de chevaux et jockeys. C'est dans ces toiles que l'artiste se libère des influences d'écoles pour dégager sa facture personnelle. *Devant les tribunes de Longchamp* constitue une très minutieuse étude de plein air et souligne la sincérité qui est l'un des traits essentiels de son tempérament.

Ses scènes de chevaux révèlent des qualités d'observation exceptionnellement pénétrantes.

Il peint avec tout autant de vérité, des scènes de café, telles que *L'Absinthe*, 1876 (Musée d'Orsay, Paris) ou *Femmes devant un café, le soir*, 1877 (ibid.), compositions éclatantes de réalisme et de vision pessimiste des temps modernes.

Son sujet de prédilection demeure cependant la danse qui est pour lui, un champ d'observation inépuisable. Ses premières danseuses et ses scènes de théâtre n'apparaissent que vers 1867. Deux ans auparavant il vient de rencontrer Manet au Louvre, avec lequel il se lie d'amitié, et les impressionnistes qui l'entraînent à leurs réunions au café Guerbois. Mais Degas est d'un tempérament solitaire.

D'autre part, son goût du réalisme, son sens du mouvement, son intérêt pour la modernité telle que la préconise Baudelaire poussent Degas tant hors des sentiers battus de la peinture officielle qu'en dehors de ceux des Refusés.

Contrairement à ses amis impressionnistes avec lesquels il participe à sept des huit manifestations, il refuse de peindre en plein air. « L'ennui me gagne vite à contempler la nature », et il vante les mérites de la forme et du dessin : « Faites des lignes, jeune homme, beaucoup de lignes d'après nature et de mémoire », éléments secondaires pour les impressionnistes

Edgar Degas.
Répétition d'un ballet sur la scène, 1874.
Musée d'Orsay, Paris.

qui préfèrent travailler la couleur et les nuances.

Toujours très préoccupé par les problèmes techniques, Degas a tenté de nombreuses pratiques différentes : la peinture à l'huile, le pastel, qu'il a parfois mélangé à la gouache, à la détrempe, à l'huile, à l'essence. Il a réalisé des éventails représentant le plus souvent des danseuses, en mariant les ors et les argents à l'encre de Chine, au pastel et à la gouache. Dans la toile, *La Leçon de danse*, et dans les *Danseuses bleues*, 1890 (Musée d'Orsay, Paris), il a appliqué la couleur avec son pouce avant d'utiliser un pinceau pour indiquer les contours. Sa vue déclinant, Degas doit reconsidérer à nouveau sa technique. Il délaisse la mine de plomb et la pierre noire pour le crayon gras, emploie des fusains et réalise des pastels de plus d'un mètre carré. Il lui faut abandonner les travaux demandant trop de minutie, tels que les portraits et retrouve dans ses nus et ses danseuses aux attitudes plus calmes l'essentiel de son œuvre.

Degas a également réalisé des sculptures.

Delacroix, Eugène
1798-1863
(Saint-Maurice/Paris)

Fils de Charles Delacroix, ministre de l'Extérieur sous le Directoire, Eugène entre tout d'abord dans l'atelier de Guérin, s'attache à l'étude de Rubens et de Véronèse au Louvre. Chez Guérin, il rencontre Géricault qui le pousse à s'éloigner du néo-classicisme de David, très à l'honneur dans les ateliers parisiens. L'influence de Géricault est évidente dans la première toile importante que Delacroix expose en 1822, *Dante et Virgile aux Enfers* (Musée du Louvre, Paris). *Scènes des massacres de Scio* (Musée du Louvre, Paris), toile exposée au Salon de 1824, s'inspire d'événements récents, les atrocités commises par les Turcs au cours de leur campagne de Grèce. Le coloris puissant, en violent contraste avec les tons neutres des partisans du classicisme, met vigoureusement en relief l'effet dramatique. En 1827, Delacroix présente au Salon douze toiles qui lui valent le titre de chef de l'école romantique. Parmi elles, *La Mort de Sardanapale* (Musée du Louvre, Paris), peinte sous l'influence

directe du drame de Byron. « A ce moment-là, dit-il, je devine l'abomination de la peinture, mais j'étais enchanté de moi-même. Inspiré par les événements de la Révolution de 1830, il peint l'allégorie de La *Liberté guidant le peuple*. L'année suivante, il exécute une mission diplomatique auprès du sultan du Maroc, suivie de voyages en Algérie et en Espagne, qui seront déterminants pour son œuvre. Ils font de lui un coloriste consommé, *Entrée des Croisés à Constantinople*, 1840 (Musée du Louvre, Paris).

Ce sont précisément ses harmonies de tous qui ont contribué le plus à l'évolution de la peinture ; ses décompositions vraiment subtiles des diverses couleurs ont enseigné aux impressionnistes les bases de leurs théories.

A partir de 1832, il reçoit des commandes officielles : le plafond de la Galerie d'Apollon au Louvre, les bibliothèques du Sénat et de la Chambre des députés, des peintures

Eugène Delacroix.
Hercule et le sanglier, 1854.
Musée Carnavalet, Paris.

murales à l'intérieur de Saint-Sulpice et de l'Hôtel de Ville de Paris. Delacroix, qui s'est imposé comme le chef incontesté du romantisme, a produit plus de huit cents tableaux et peintures murales et plus de cent lithographies et gravures.

Denis, Maurice
1870-1943
(Granville/Saint-Germain-en-Laye)

Maurice Denis est né dans la Manche. En 1888, il vient en Bretagne et rapporte de Pont-Aven les idées de Gauguin et de Sérusier. Très vite, Denis délaisse le pointillisme discret qu'il avait d'abord pratiqué pour une forme personnelle et adoucie du cloisonnisme. Suivant son exemple, les jeunes peintres de l'Académie Julian vont bientôt se constituer en un groupe qui prendra le nom de *nabi*, signifiant

prophète en hébreux. Denis s'en fait le théoricien et promulgue un manifeste où il donne cette très moderne définition de l'art : « Se rappeler qu'un tableau — avant d'être un cheval de bataille, une femme nue ou une quelconque anecdote — est essentiellement une surface plane recouverte de couleurs en un certain ordre assemblées. »

C'est l'occasion pour les peintres d'inventer mille possibilités nouvelles en se dégageant du carcan du réalisme de la peinture officielle et du point de vue trop superficiel adopté, selon eux, par les impressionnistes. Il faut partir de l'idée que le peintre doit « traduire en équivalents plastiques et colorés » les émotions que suscite en lui son sujet.

En 1908, il achète une maison en Bretagne, la villa « Silencio » construite

pour un artiste par un élève de Viollet-le-Duc « devant la plus belle vue du monde ». Là, dans son atelier dominant la plage de Trestignel à Perros-Guirec, il peint de nombreuses toiles ayant trait à l'eau, aux baigneuses et aux régates. Il y recevra désormais ses amis peintres et poètes, Sérusier, Gide et Valéry. Il les réunira dans un portrait de groupe datant de 1900, *Hommage à Cézanne* (Musée national d'Art moderne, Paris) dans lequel figurent Redon, Vuillard, Sérusier, Ranson, Ker-Roussel, Bonnard ainsi que le critique Melleria et le marchand de tableaux, Vollard.

Maurice Denis est l'un des fondateurs du Salon d'Automne où il ouvrit une

Georges Desvallières.
Hercule au Jardin des Hespérides, 1907.
Musée d'Orsay, Paris.

section d'Art religieux. En 1919, il fonde avec Georges Desvallières l'Atelier d'Art sacré. Il expose également au Salon de la Société nationale. En 1937, il figure au Petit Palais à Paris, lors de l'exposition des « Maîtres de l'Art indépendant » avec une quarantaine de toiles. Il a laissé de très nombreux écrits.

Desvallières, Georges
1861-1950

Elève d'Elie Delaunay et de Gustave Moreau, le jeune peintre reçoit surtout un enseignement libéral qui lui permettra d'accéder par la peinture à l'expression d'une foi catholique aiguë et tourmentée. Se détournant des distinctions, Desvallières s'attache à restaurer la peinture religieuse et fonde avec son ami, Maurice Denis, en 1919, l'Atelier d'Art sacré.

Malgré son inspiration pour les sujets mythologiques, il en revient rapidement, pour de nombreuses scènes de la vie du Christ, à réaliser des vitraux, particulièrement ceux de la chapelle de l'Ossuaire de Douaumont, près de Verdun.

En 1907, Desvallières décore le grand salon d'un hôtel particulier de la rue Offémont, appartenant à Jacques Rouché : *Hercule au Jardin des Hespérides* apparaît comme un tableau de très haut format à la vocation essentiellement décorative.

Dubois-Pillet, Albert
1846-1890
(Paris/Le Puy-en-Velay)

Officier de la Garde Républicaine, Dubois-Pillet pratique la peinture en amateur. Tout d'abord refusé par le Salon officiel de 1880 à 1884, il fonde, en 1884, le Salon des Indépendants et expose aux côtés de Seurat et de Signac. L'un des premiers, il adopte leur technique divisionniste, qu'il applique au portrait, ce qui est tout à fait novateur. Toutefois, c'est surtout dans le paysage qu'il trouve le meilleur de son inspiration en y exprimant « les crépuscules du matin et du printemps à Paris », empreints de délicatesse et de douceur.

Fantin-Latour, Henri
1836-1904
(Grenoble/Buré)

Fils d'un dessinateur, Fantin-Latour vient étudier les Beaux-Arts à Paris, où il se lie d'amitié avec Manet. Refusé au Salon, il expose dans l'atelier de Bonvin et décide de ne pas participer à la première exposition des impressionnistes en 1874, chez Nadar. Passionné de natures mortes où les fleurs tiennent une place dominante, il aime aussi les tableaux de groupe, témoignages intéressants de son époque. Dans *L'Atelier des Batignolles*, 1870 (Musée d'Orsay, Paris), derrière Manet tenant la palette, on peut reconnaître Otto Schölderer, Renoir, Zola, Edouard Maître, Bazille et Monet (debout), Zacharie Astruc (assis). De même, dans *Autour du piano*, 1885 (ibid.), on peut reconnaître, autour d'Emmanuel Chabrier, les membres de la nouvelle esthétique musicaliste.

Forain, Jean-Louis
1852-1931
(Reims/Paris)

Parmi les élèves de Degas, on compte Toulouse-Lautrec, Mary Cassatt et Forain.

Edgar Degas, épris de solitude et de silence, n'entrouvrait sa porte qu'à de rares fidèles recueillant avec bonheur ses avis plutôt que ses leçons ; parmi ceux-là se trouvait Jean-Louis Forain chez lequel existe le sentiment amer et cruel d'altier réalisme qui caractérisait Degas.

Dès son enfance, le jeune Forain passe des heures à dessiner et à copier inlassablement au Louvre Holbein et Goya. Plus tard, il travaille chez Carpeaux tout en fréquentant assidûment le Cabinet des Estampes.

Pour gagner sa vie, il se spécialise dans la caricature. Il publie alors pour *Le Figaro*, *La vie parisienne*, *Le Rire* et *l'Echo de Paris*.

Ses essais de peinture se font sous la houlette du satirique André Gill, alors qu'il fréquente le café de la Nouvelle Athènes où s'exerce la verve caustique de Manet et de Degas. Il expose de temps à autre avec eux, remarqué par le célèbre critique d'art Karl Huysmans. Avant tout autre critique, celui-ci découvre et signale les notations aiguës de Forain sur la vie parisienne, sa vision étonnamment juste, son « originale individualité ».

En effet, dès 1880, Forain s'affirme comme le narrateur du dessous des restaurants, des tripots, des frelatées élégances boulevardières et des coulisses de théâtre.

Le petit monde du ballet de l'Opéra lui fournit de nombreux sujets de tableaux.

Henri Fantin-Latour.
L'Atelier des Batignolles, 1870.
Musée d'Orsay, Paris.

Jean-Louis Forain.
Danseuse derrière un portant de coulisse.
Musée d'Orsay, Paris.

Friedrich, Caspar David
1774-1840
(Greifswald, Poméranie/Dresde)

Sixième des dix enfants d'un fabricant de savon, Friedrich perd sa mère à sept ans, puis une sœur, et un frère qui se noie, épuisé après l'avoir sauvé, la glace de l'étang où ils patinaient s'étant rompue. D'autres deuils achèvent de marquer profondément l'esprit du peintre, qui se montre tout au long de sa vie bizarre et sombre, avant de s'enfoncer dans la folie, caractérisée surtout par le délire de la persécution. Sa carrière lui a pourtant apporté de belles satisfactions, la gloire même. Commencée à Copenhague, où Friedrich se forme durant six ans dans l'académie d'art la plus importante du nord de l'Europe, elle se poursuit à Dresde, où il se marie à quarante-quatre ans et qu'il ne quitte guère que pour des voyages d'étude ou de recherche de thèmes nouveaux. Ses paysages imaginaires ou transformés pour favoriser l'expression d'un message poétique ont en général pour sujets les sites préférés du peintre : les rives et les ports de la Baltique, les falaises de craie de l'île de Rügfen — thème du célèbre tableau de la Fondation Reinhart de Winterthur — les plaines brumeuses de la vallée de l'Elbe et les régions désolées du massif du Harz. Lorsque la présence d'un crucifix, d'une église en ruine ou d'un cimetière ne charge pas le décor grandiose d'un sens religieux ou tragique, des personnages presque toujours vus de dos, intriguent et suggèrent une intention assez hermétique parfois. Sa première toile, *La Croix sur la montagne*, 1808 (Gemäldegalerie, Neue Meister, Dresde) est une commande réalisée pour l'autel de la chapelle du château de Tetschen. Transformant un paysage en tableau d'église, Friedrich déclenche les passions entre partisans du courant classique et ceux d'une tendance romantico-religieuse. Friedrich est l'un des plus célèbres paysagistes romantiques allemands.

Gauguin, Paul
1848-1903
(Paris/Atuona Hiva-Oa, îles Marquises)

Fils d'un journaliste aux opinions républicaines affirmées, Gauguin naît à Paris, mais passe son enfance à Lima. Marié à seize ans, plus tard employé de banque à Paris, il commence à peindre en amateur pour renoncer à son emploi. Ami de Pissarro, avec lequel il peint à Pontoise en compagnie de Cézanne, il rejoint les impressionnistes, expose plusieurs fois en leur compagnie, puis se sépare du groupe auquel il reproche « son esclavage à la nature qu'il copie servilement ». Après un court séjour en

Paul Gauguin.
Le Christ au jardin des Oliviers, 1889. Détail.
The Norton Gallery and Art School, West Palm Beach.

le synthétisme : écarter tout réalisme, car « l'Art est une abstraction » ; employer des couleurs pures, simplifier et unifier. L'anecdote décrite est sans importance pourvu qu'elle soit source de poésie. Le peintre doit « évoquer la pensée par la forme et la couleur ». En 1888, il séjourne à Arles où il fonde avec Van Gogh l'« Atelier du Midi ». De cette période, datent *Les Alyscamps* (Musée d'Orsay, Paris) et *Portrait de Van Gogh peignant les tournesols* (Rijksmuseum Vincent van Gogh, Amsterdam).

Après sa brouille avec Van Gogh, il revient en Bretagne, au Pouldu où il peint le *Christ jaune*, 1889 (Albright-Knox Art Gallery, Chicago) et *La Belle Angèle*, 1889 (Musée d'Orsay, Paris). Il reçoit un accueil chaleureux des symbolistes. Gauguin est promu chef de leur école, car il remplit les cinq exigences auxquelles devra se conformer l'œuvre d'art : « idéiste, symboliste, synthétique, subjective et décorative ».

Voulant remonter aux sources pures de l'art, Gauguin croit les trouver loin d'Europe pour atteindre le « primitivisme » recherché. Après un bref retour à Paris, il part en 1891 pour Tahiti qu'il quittera, pour s'installer en 1901, aux îles Marquises, définitivement. Décidant que les formes artistiques des Tahitiens se trouvent libérées d'entraves parce qu'elles

1887, à Panama et à la Martinique, passé avec Charles Laval, il revient en France et s'installe en 1888 à Pont-Aven. La rencontre avec Emile Bernard qui lui enseigne le cloisonnisme, système qui consiste à cerner

Paul Gauguin.
D'où venons-nous ? Que sommes-nous ? Où allons-nous ?
Museum of Fine Arts, Boston.

des aplats de couleurs d'un trait appuyé à la manière des estampes japonaises, est décisive. Il peint son premier chef-d'œuvre, *Vision après le sermon, ou La Lutte de Jacob avec l'Ange*, 1888 (National Gallery of Scotland, Edimbourg). Il expose dans cette toile l'art auquel il restera fidèle pendant quinze ans. Par l'utilisation technique du cloisonnisme, il invente

émanent, sinon d'une âme vierge, mais au moins d'un inconscient qu'aucune influence n'a jusque là fretalé, il pousse plus loin ses expériences. Transportant partout avec lui les reproductions des œuvres qui lui tiennent à cœur, telles que l'*Olympia* de Manet ou des photographies de fresques égyptiennes ou des bas-reliefs du temple javanais de Borobudur, il produit des œuvres comme *Ta Montete*, 1882 (Kunst-museum, Bâle), dont l'inspiration égyptienne est évidente, tandis qu'il atteint à la stylisation extrême tant recherchée. La même année, il réalise *Manao Tupapau (L'Esprit des morts veille)* (Albright-Knox Art Gallery, Buffalo). L'année 1897 est marquée par la mort : celle du bébé de Pau'ura (dont la naissance avait inspiré la *Nativité* et *Te tamari no atua*, l'année précédente), celle de sa fille Aline que Gauguin va bientôt apprendre, et la sienne, alors qu'il souffre en permanence de maux divers et que son art s'en ressent : « C'est mal peint (je suis si nerveux et je travaille par saccades) ».

Les œuvres de 1897 — une dizaine seulement — apparaissent toutes empreintes de la même solennité, hantées par la pression croissante de pulsions suicidaires chez un homme qui a la certitude d'avoir franchi le point de non-retour. Il peint *D'où venons-nous ? Que sommes-nous ? Où allons-nous ?* (Museum of Fine Arts, Boston) et *Nevermore, O Taïti* (Cour-tauld Institute Galleries, Londres).
L'œuvre de sculpteur de Gauguin se refuse à toute formule académique et prend son point de départ dans l'art populaire breton et dans les exemples exotiques. Parmi ses écrits, *Noa-Noa*, une autobiographie où il décrit sa vie dans les îles, est l'œuvre la plus importante.

Géricault, Théodore
1791-1824
(Rouen/Paris)

Elève du peintre de chevaux Carle Vernet, puis de Guérin, il s'enthou-siasme pour le réalisme à la manière du Caravage et de Rubens, et, disposant d'une palette aux couleurs vives et

Théodore Géricault.
Course de chevaux à Epsom (esquisse).
Musée du Louvre, Paris.

rutilantes, il peint avec une fougue sans pareille. Au Salon de 1812, il présente son *Officier de Chasseurs à cheval chargeant* (Musée du Louvre, Paris). Cette toile, qui célèbre la cavalerie dans tout l'éclat de sa gloire, fait sensation par le réalisme mordant et la hardiesse de son écriture. Le *Cuirassier blessé quittant le champ de bataille* (ibid.), qu'il expose au Salon de 1814, est de la même veine. Séjournant en Italie, il s'éprend de Michel-Ange, qu'il étudie avec passion. A son retour en France, il expose son *Radeau de la Méduse*, 1818-19 (Musée du Louvre, Paris), dont les figures sont proches parentes de celles du maître italien. Le sujet de cette toile, inspiré par le naufrage du navire français « La Méduse » au large de la côte occidentale de l'Afrique, lui donne l'occasion, non seulement de montrer sa grande science de l'anatomie humaine, mais encore de prouver que le mouvement dramatique

Vincent van Gogh.
Autoportrait, 1889/90.
Musée d'Orsay, Paris.

et les sentiments épiques illustrent autant les événements contemporains que ceux du lointain passé, et que dès lors il est licite que le peintre s'inspire non moins de ceux-là que de ceux-ci. Aussi bien, l'exposition de ce tableau marque-t-elle l'ouverture de la lutte que se livreront sans merci classiques et romantiques. Refusant de se prononcer, le peintre part en Angleterre, où il expose l'œuvre en cause. Elle y est fort bien accueillie, tandis que Londres enseigne à Géricault des conceptions nouvelles sur la beauté de la couleur. Le peintre s'y livre tout entier à l'étude de son sujet de prédilection : le cheval. Outre d'admirables études de chevaux, il apporte en France ses trois versions du *Derby*

d'Epsom, 1821 (Musée du Louvre, Paris), introduisant dans l'art français le premier exemple du « galop volant ». Sa passion du cheval lui est fatale : c'est des suites d'un accident de cheval qu'il meurt, avant d'avoir eu l'occasion de fournir la pleine mesure de ses talents et qu'il n'ait laissé entendre laquelle des deux écoles avait ses préférences : la romantique ou la classique. Il a exercé une très forte influence autant sur le romantisme (Delacroix) que sur le réalisme (Courbet).

Gogh, Vincent van
1853-1890
(Groot-Zundert, près de Breda/ Auvers-sur-Oise)

Fils d'un pasteur de l'Eglise réformée néerlandaise marié à une fille du relieur de la Cour de La Haye, Vincent est le premier de leurs six enfants. Le

1er août 1869, il entre comme apprenti dans la filiale de la galerie d'art parisienne Goupil & Cie, fondée par son oncle Vincent à La Haye. Quatre ans plus tard, après quelques jours à Paris où le Louvre l'impressionne beaucoup, il débute chez Goupil à Londres pour y rester jusqu'en octobre 1874. Vivant très seul, il lit beaucoup et traduit en secret la Bible, du néerlandais en plusieurs autres langues. Il revient à Paris et travaille à la maison-mère de Goupil & Cie. Il s'enthousiasme surtout pour les œuvres de Corot et des Néerlandais du XVIIe siècle, mais lorsque les marchands d'art Boussod et Valadon reprennent la firme Goupil & Cie, Vincent repart en Angleterre où il désire consacrer désormais sa vie à l'évangélisation des pauvres. En 1878, il décide de partir comme missionnaire dans les régions minières du Borinage en Belgique, mais son zèle fanatique et son engagement exagéré irritent ses supérieurs. En 1880, il se décide définitivement pour exercer une profession artistique et dessine intensément des scènes du milieu des mineurs. Il copie Millet, s'inspire de Daumier, entre à l'Académie des Beaux-Arts de Bruxelles où il étudie l'anatomie et la perspective. Après avoir dessiné et fait de l'aquarelle pendant deux ans, Vincent découvre le charme de la peinture à l'huile et se préoccupe des problèmes posés par la couleur. Il peint surtout des paysages de La Haye l'été et esquisse des portraits des gens du peuple, l'hiver. Au printemps il peint la plage de Scheveningue. Il s'exerce en outre à la lithographie. En 1883, il s'installe pour deux ans à Nuenen où habitent désormais ses parents. Il y réalise presque deux cents peintures exécutées dans un coloris sombre et terreux ainsi que de nombreux dessins et aquarelles. En avril-mai 1885, après d'innombrables études faites dans les maisons des paysans, Van Gogh peint *Les Mangeurs de pommes de terre* (Rijksmuseum Vincent van Gogh, Amsterdam), le tableau qui deviendra l'œuvre principale de sa période hollandaise. En 1886, il vient à Paris chez son frère Théo qui dirige une petite galerie d'art sur le boulevard Montmartre pour la firme Boussod et Valadon. Van Gogh entre à l'atelier

Cormon où il fait la connaissance de Toulouse-Lautrec et d'Emile Bernard. Par l'intermédiaire de Théo, il rencontre les impressionnistes, Monet, Renoir, Sisley, Degas, Signac et Seurat, se lie d'amitié avec Pissarro. Sous leur influence, le coloris devient plus clair dans ses natures mortes et ses tableaux de fleurs.

Il peint de sa fenêtre de la rue Lepic des rues de Paris dans le style des pointillistes. Le marchand de couleurs, Julien (le père Tanguy), lui commande deux portraits. Il peint avec Bernard à Asnières et avec Signac au bord de la Seine, à Asnières et à Saint-Ouen. Dans ses discussions avec Gauguin (qu'il a rencontré à son retour de Pont-Aven) et Bernard, Van Gogh refuse de considérer l'impressionnisme comme la dernière phase dans l'évolution de la peinture. C'est l'année où il peint le célèbre autoportrait devant le chevalet, et reproduit trois « japonaiseries », *Le Pont Ohashi sous la pluie* (Stedelijk Museum, Amsterdam) d'après des estampes japonaises qu'il achète à la galerie Bing. Il les expose sur le mur du « Café du Tambourin » dont il peint la patronne, Agostina Segatori, ancien modèle de Corot et de Degas.

Après avoir peint plus de deux cents tableaux en l'espace des deux ans passés à Paris, Van Gogh part à Arles en 1888, sur les conseils de Toulouse-Lautrec. Il y peint de nombreux tableaux de fleurs et d'arbres en fleurs qui lui rappellent les paysages japonais : *Les Vergers en fleurs* (Rijksmuseum Kröller-Müller, Otterlo).

Aux Saintes-Maries-de-la-Mer, il découvre la Méditerranée et peint ses *Barques sur la plage* (ibid.). Rentré à Arles il se lie d'amitié avec le facteur Joseph Roulin dont il réalise plusieurs portraits ainsi que d'autres de sa famille. Il peint souvent la nuit en plein air et on raconte qu'il aurait fixé des bougies sur le bord de son chapeau et sur son chevalet : *Le Café à Arles, le soir* (ibid.). A ce moment arrive Gauguin que, depuis leur rencontre à Paris, il n'a cessé de presser de venir pour créer avec lui « l'Atelier du Midi ». C'est à ce moment qu'il produit *Le Pont*, *L'Arlésienne*, *Portraits d'un acteur* (Rijksmuseum Kröller-

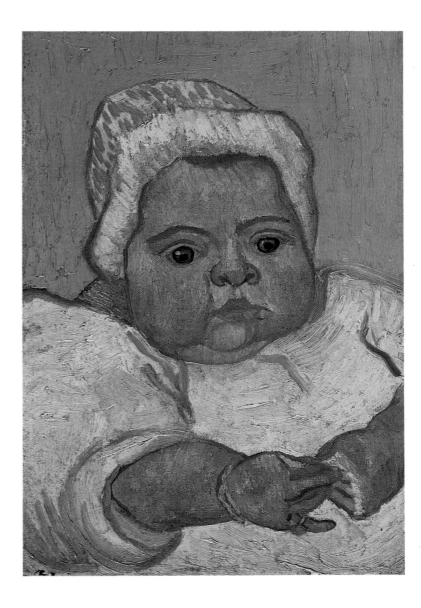

Müller, Otterlo). Après deux mois de vie commune et de querelles, Van Gogh, atteint d'une crise de démence après une dispute, se coupe l'oreille, la nuit du 23 décembre 1888. Les auto-portraits qu'il réalise le montrent la tête bandée, comme dans *L'Homme à la pipe*, 1889 (collection Leigh B. Block, Chicago). Les crises se répétant, Van Gogh accepte d'être interné dans un asile à Saint-Rémy-de-Provence. Durant cette période, où le docteur Rey le soigne avec dévouement et lui accorde une liberté relative, il brosse cent cinquante tableaux, parmi lesquels *L'Asile de Saint-Rémy*, *Les Cyprès*, *Les Moissons* (Rijksmuseum Kröller-Müller, Otterlo).

En février 1890, sa toile, *La Vigne rouge*, la seule qu'il ait vendue de son vivant, est achetée à Bruxelles. En

Vincent van Gogh.
Le Bébé (Marcelle Roulin), 1888.
Rijksmuseum Vincent van Gogh, Amsterdam.

mars de la même année, Vincent van Gogh est représenté par dix tableaux au Salon des Indépendants à Paris. En mai 1890, il se fixe à Auvers-sur-Oise, sur les conseils de Pissarro, où le docteur Gachet, un des premiers amateurs et amis des impressionnistes, le soigne : *Portrait du Docteur Gachet* (Musée d'Orsay, Paris).

Il se remet à peindre avec ardeur, paysages, scènes villageoises, vignes, portraits, maison et jardin du docteur Gachet. Plus de quatre-vingts tableaux sont réalisés au cours de ces deux mois qui lui restent à vivre.

Entre le 20 et le 23 juillet 1890, il écrit à sa mère : « Quant à moi, je suis totalement absorbé par cette étendue infinie de champ de blé, sur un fond de collines, grande comme à la mer, aux couleurs délicates, jaunes, vertes, le violet pâle d'un terrain sarclé et labouré, régulièrement marqueté par le vert des plants de pommes de terre en fleur, tout cela sous un ciel délicat, dans les tons bleus, blancs, roses, violets... » Au dos de la lettre, sa mère a écrit : « Toute dernière lettre d'Auvers ». Le 27 juillet, il se suicide en plein champ. Son cercueil est décoré d'une grande quantité de fleurs dont des dahlias et des tournesols qu'il avait peints.

Van Gogh a été le premier à mettre consciemment la déformation au service de l'expression. Il a rejeté tout ce qui tend à l'académisme pour puiser dans les sources vives de l'existence humaine. Couleur et forme deviennent les moyens d'expression d'une personnalité qui, au contraire des impressionnistes, donne la priorité dans la peinture au facteur humain. Dans son art, les éléments éthiques (Millet) et picturaux (Delacroix et les impressionnistes) du XIXe siècle, se fondent en une nouvelle synthèse.

Guigou, Paul-Camille
1834-1871
(né à Apt)

Tout d'abord notaire, Guigou finit par céder à ses dispositions de peintre. Un premier voyage à Paris, en 1856, le confirme dans sa vocation et lui permet de découvrir les peintures de Courbet, qui l'influencent beaucoup. Néanmoins, il ne quitte la carrière notariale qu'en 1862 et, fortement critiqué par ses compatriotes, s'installe à Paris. Il figure dès 1863 dans tous les Salons, mais la nostalgie de son terroir le fait retourner fréquemment en Provence.

Sa nouvelle carrière de peintre le met dans un embarras financier dramatique. Aussi, lorsqu'il est engagé comme professeur de dessin par la baronne de Rothschild en 1871, il se sent sorti d'affaire. Peu de temps en fait, puisqu'il meurt subitement à Paris, frappé d'une congestion cérébrale.

Paul-Camille Guigou.
Route de la Gineste, près de Marseille, 1859.
Musée d'Orsay, Paris.

Armand Guillaumin.
Le Petit déjeuner, 1886.
Musée du Petit Palais, Genève.

Il a trente-sept ans ! Alfred Daber pense que, « s'il fallait résumer son œuvre en quelques mots, on ne pourrait mieux faire que par le mot de Mistral : "Il a su faire un portrait fidèle et éternel de sa petite patrie" ». Deux de ses œuvres figurent au Musée d'Orsay : *Route de la Gineste, près de Marseille*, 1859 et *La Lavandière*, 1860.

Guillaumin, Armand
1841-1927
(né et mort à Paris)

Employé de commerce puis employé à la Compagnie des Chemins de Fer Paris-Orléans, Guillaumin étudie la peinture à l'Académie Suisse où, en 1864, il rencontre Pissarro et Cézanne. Après avoir travaillé avec eux près de Pontoise, il part dans la Creuse, à Crozant, en 1887 où il passera une grande partie de sa vie à peindre ses plus beaux paysages, *Neige fondante dans la Creuse*, 1878 (Musée du Petit Palais, Genève). Avec Cézanne et Pissarro, Guillaumin représente la tendance la plus constructive des impressionnistes, celle dont la prédilection va aux éléments solides et charpentés, aux volumes stables. « Coloriste féroce » comme se plaît à le qualifier Huysmans qui l'apparente à Van Gogh (dont il devient l'ami), il peint dans un style énergique, par larges touches.

Si Guillaumin, de ses relations avec les impressionnistes (il participera à toutes les expositions de leur groupe à l'exception de celles de 1876 et 1879), n'en garde pas la manière en n'employant pas les demi-teintes et en utilisant des accords non conventionnels de couleur allant jusqu'à friser la discordance, il en exploite les thèmes : adepte intransigeant du paysage en plein air à l'exclusion de toute autre approche, il se refuse à « donner une touche ailleurs que sur nature ».

Il est proche aussi de ses amis les impressionnistes par son goût à s'emparer des instants de la vie quotidienne et à les mettre en scène, tel *Le Petit Déjeuner* ou *Portrait du fils du peintre*, 1886, ou *Soleil couchant à Ivry*, 1873 (Musée d'Orsay, Paris).

Hodler, Ferdinand
1853-1918
(Gürzelen, canton de Berne/Genève)

Fils d'un menuisier qui meurt lorsqu'il a cinq ans, Hodler entre dans l'atelier d'un paysagiste de Thoune, Sommer-Collier, avant d'aller poursuivre son apprentissage à Genève où il étudie Holbein, Rembrandt et Corot. Après avoir obtenu un prix à l'Exposition universelle de 1879 à Paris pour sa toile *La Procession des Lutteurs*, il reçoit une médaille d'or à Munich en 1897 et est admis à la Sécession de Berlin, deux ans plus tard, en même temps qu'à celles de Vienne et de Munich. *La Nuit* et *Le Jour*, 1889 et 1900 (toutes deux au Kunstmuseum, Berne) marquent le début de son adhésion au symbolisme. En 1901, il découvre à Paris Gauguin, ainsi que Seurat dont il adopte les idées. Ses principes « parallèles » se fondent sur l'emploi rythmique réitéré de la ligne et de la forme et la recherche des éléments décoratifs et mystiques. Il a écrit plusieurs textes sur une esthétique du « Parallélisme », cette tendance à disposer les éléments de la composition — sommets des montagnes, nuages, personnages — en séries bien ordonnées. Il a peint des paysages très harmonieux tels que *Bords du Lac de Thoune*, vers 1905 et *Le Lac de Genève vu de Chexbres*, 1905 (Kunstmuseum, Bâle).

Jean-Auguste-Dominique Ingres: Odalisque de dos, *1864. Aquarelle, 34,5 × 23,5 cm. Musée de Bonnat, Bayonne. – Etude pour le Bain turc. L'Orient faisait admettre les sujets les plus sensuels.*

Jean-Auguste-Dominique Ingres. Odalisque, *1864. Musée Bonnat, Bayonne.*

Là, il peint la *Maison de Raphaël*, 1806 (Musée des Arts décoratifs, Paris) qui annonce la manière sûre et la luminosité de Corot, uniquement attentif (lui, le peintre de personnages) à l'architecture du site et à l'atmosphère.

En 1801, il remporte le premier Grand Prix de Rome avec *Les Ambassadeurs d'Agamemnon arrivent dans la tente d'Achille pour le prier de combattre* (Ecole des Beaux-Arts, Paris). Ses portraits dessinés, tels que *Monsieur Marotte d'Argenteuil*, 1810 (National Gallery of Art, Washington) font de lui le meilleur dessinateur de l'école française.

Un peu malgré lui d'abord, Ingres est considéré par ses contemporains comme le chef de file des «néoclassiques» face au romantisme incarné par Delacroix.

En vérité, par son style, Ingres échappe à toute classification par sa difficulté à réaliser de larges compositions, son mépris de la perspective l'éloignant de Raphaël. Sa couleur posée en aplats très élaborés, sans clair-obscur, le rapproche du romantisme, du moins du maniérisme. Ses figures de femmes, toutes dominées par l'arabesque et la sinuosité dépassent la géométrie.

Ingres se différencie des peintres académiques parce qu'il ne cherche pas à imiter les antiques, désireux, en les étudiant, «d'apprendre à voir».

«Croyez-vous, dit-il à ses élèves que je vais encore au Louvre pour y trouver le beau idéal, quelque chose d'autre que ce qui est dans la nature? Ce sont pareilles sottises qui, aux mauvaises époques, ont amené la décadence de l'art. Je vous envoie là parce que vous apprendrez des antiques à voir la nature, parce qu'ils sont eux-mêmes la nature…».

Formule étonnante qui rejoint la préoccupation des impressionnistes lorsqu'ils se rendent au Louvre.

Renoir voue une admiration aux nus d'Ingres dont le plus célèbre est *Le Bain turc*, 1862 (Musée du Louvre, Paris). Il les trouve très beaux, et éprouve du plaisir devant ces nuques, ces bras, ces ventres.

Ingres, Jean-Auguste-Dominique
1780-1867
(Montauban/Paris)

Fils d'un sculpteur ornemaniste de Montauban, Ingres vient à Paris, dans l'atelier de Roques, où il se fait apprécier de David. Admirateur inconditionnel de Raphaël, il part à Rome pour retrouver celui qu'il faut imiter et qu'on ne saurait surpasser.

Jongkind, Johan Barthold
1818-1891
(Latrop, Hollande/
Côte Saint-André, près de Grenoble)

Jongkind fait ses premières études artistiques à La Haye, sous la direction du paysagiste Andreas Schelfhout, et part à Paris en 1846, où il travaille avec Isabey et Picot. Il expose aux Salons de 1848 et 1852. Installé à Paris, Jongkind partage sa vie entre La Haye et la côte normande. Ses marines, dont Monet (qu'il rencontre avec Boudin à Honfleur) affirme qu'elles sont les

Fernand Khnopff.
En écoutant du Schumann, 1883.
Musées royaux des Beaux-Arts, Bruxelles.

seules qui comptent à l'époque, peintes sur le motif d'une touche directe et libre, allient la spontanéité de l'aquarelle à la fraîcheur et la vivacité de l'esquisse. Sa grande habileté à rendre les effets de lumière les plus fugitifs et à créer ainsi une atmosphère particulièrement saisissante, font de lui un impressionniste avant la lettre. Le Musée d'Orsay détient les *Ruines du château de Rosemont*, 1861 et *Plage de Sainte-Adresse*, 1863.

Atteint très tôt par une maladie nerveuse, il finit ses jours, en proie à la folie, après avoir été le vrai maître de Monet, Sisley et Pissarro qui déclara : « Sans lui, nous n'existions pas ».

Khnopff, Fernand
1858-1921
(Grembergen/Bruxelles)

Grand intellectuel, Khnopff suit d'abord son enseignement auprès de Mellery qui lui transmet le souci des lignes et des ombres qui parlent. Ses premières œuvres sont réalistes. L'influence de Burne-Jones et de Gustave Moreau, découverts à l'Exposition universelle de 1878, achève de fixer sa personnalité et fait de lui le plus fidèle adepte du symbolisme. Ses figures aristocratiques, de type anglais légèrement hellénisé, incarnent toujours une pensée. La femme revêt souvent la forme d'un sphynx ou d'une chimère, *La Méduse endormie*,

vers 1885 (Courtauld Institute, Londres). Il a exercé une grande influence sur le Jugendstill.

Lebasque, Henri
1865-1937
(Champigné/Le Cannet)

Originaire d'une petite ville angevine, le jeune peintre vient étudier à l'Ecole nationale des Beaux-Arts de Paris, dans l'atelier du très académique peintre Bonnat. Il acquiert là une bonne technique picturale qui lui permet de débuter en 1896 au Salon des Artistes français, bientôt à celui des Artistes indépendants et au Salon d'Automne.

Tout d'abord, sous l'influence des impressionnistes, il évolue entre le fauvisme de Matisse et l'art de Bonnard. Vers 1906, il se fixe dans le Midi.

Sa palette s'éclaire tout naturellement au contact de la lumière et des vibrations méditerranéennes, auxquelles il consacrera de nombreux tableaux aux couleurs claires et radieuses. Il décide de s'installer tout d'abord sur le flanc de la colline de Saint-Tropez, puis il finira sa vie au Cannet, non loin de la demeure de Bonnard. Il a exécuté quelques travaux décoratifs, notamment au théâtre des Champs-Elysées à Paris.

Lebourg, Albert
1849-1928
(Montfort-sur-Risle/Rouen)

Après avoir travaillé dans un bureau d'architecte à Rouen, Lebourg décide de se vouer à la peinture. A l'invite d'un collectionneur, il se rend à Alger où, de 1872 à 1877, il enseigne à l'Ecole des Beaux-Arts tout en exécutant bon nombre de paysages de la ville et de ses alentours. Sans avoir connaissance de la révolution impressionniste qui bouleverse les milieux parisiens d'avant-garde, il suit une voie semblable à la leur, éprouvant le besoin d'éclaircir sa palette et de peindre largement, contrairement à l'enseignement académique de l'époque, afin de mieux rendre l'éclatante lumière du nord de l'Afrique.

A son retour en France il découvre l'art de ses pairs, prend part à leurs expositions et se lie surtout avec Degas, Pissarro et Monet. Sa carrière se déroule dorénavant sans événements saillants, partagée entre le travail de son atelier de Puteaux, dans la banlieue parisienne, et de nombreux voyages en province ou à l'étranger, au cours desquels ce paysagiste, presque exclusif, fait moisson de thèmes. Il y déploie toutes les ressources de sa virtuosité, évoquant de quelques touches suggestives, en dépit de leur apparente désinvolture, les attitudes des pêcheurs, les broussailles de la rive et la chevelure ébouriffée d'un saule, usant sans trop de rigueur du pointillisme pour rendre la mobilité des eaux, dressant, par la seule vertu des traits de pinceau verticaux, les flancs abrupts et les carrières des Monts d'Arvel au-dessus de Villeneuve.

Liebermann, Max
1847-1935
(né et mort à Berlin)

Max Liebermann est élève à l'Ecole des Beaux-Arts de Weimar, considérée alors comme le bastion des tendances picturales les plus avant-gardistes. Un séjour à Barbizon lui fait rencontrer Millet, Corot, Courbet, Troyon et Daubigny. Il devient un adepte du pleinairisme. Sa palette en devient plus brillante. Un voyage en Hollande le conforte dans le réalisme en même temps qu'il lui révèle l'existence de la lumière et la nécessité de dépeindre l'atmosphère. Le mouvement impressionniste, dont il devient un ardent défenseur, n'a pas d'effet sur son style avant 1890. Bien que très attiré par

Albert Lebourg.
Saint-Gingolf, 1900.
Collection particulière.

Maximilien Luce.
Saint-Tropez, les pins parasols, 1904.
Collection particulière.

l'œuvre de Manet et par celle de Degas, il n'a d'ailleurs jamais été un impressionniste au sens strict du mot, car la lumière et la couleur ne prédominent jamais dans ses toiles. Avec Lovis Corinth, il devient l'un des chefs de la Sécession de Berlin en 1889, et veut en faire un moyen de développer l'influence française en Allemagne. Après une médaille obtenue au Salon de 1881, à Paris pour sa toile *Un Asile de vieillards*, il est nommé président de l'Académie de Berlin. Son art a influencé Max Beckmann.

Luce, Maximilien
1858-1941
(né et mort à Paris)

Fils d'un graveur sur bois, le jeune peintre parisien, Maximilien Luce, découvre l'art de Seurat en 1885 et adopte l'esthétique du divisionnisme. Dès 1887, il est reconnu dans les milieux officiels comme l'un des chefs du néo-impressionnisme. Comme l'écrira plus tard Signac dans son traité *D'Eugène Delacroix au Néo-impressionnisme*, il s'agit de « s'assurer tous les bénéfices de la luminosité, de la couleur et de l'harmonie : par le mélange optique de pigments uniquement purs (toutes les teintes du prisme et tous leurs tons) ; par la séparation des divers éléments (couleur locale, couleur d'éclairage, leurs réactions) ; par l'équilibre de ces éléments et de leurs proportions (selon les lois du contraste, de la dégradation et de l'irradiation) ; par le choix d'une touche proportionnée à la dimension du tableau ».

Luce maîtrise parfaitement la difficile technique de ce pointillisme que Gauguin appela « riripoint » en se gaussant.

Après avoir adhéré au Salon des Indépendants en 1885, il en devient le président, à la mort de Signac. Nombre de ses toiles évoquent le paysage urbain et témoignent du monde ouvrier, *La Construction du Sacré-Cœur*, 1900 (Musée du Petit Palais, Genève). En dehors de son œuvre de peintre, de dessinateur et de graveur, sa collaboration à certains journaux anarchistes lui a valu l'exil en Belgique où il a fait connaître le néo-impressionnisme.

Manet, Edouard
1832-1883
(né et mort à Paris)

Le père de Manet, avocat, est formel : ce sera le Barreau ou la Marine. Manet opte pour cette dernière, mais échoue deux fois au concours d'entrée à l'Ecole navale, bien qu'il soit, entre deux examens, engagé sur un bateau marchand.

On a dit que c'était à la suite de l'énorme succès remporté par la toile de Thomas Couture, *Les Romains de la décadence*, que le père de Manet avait finalement accepté que son fils se consacre à la peinture.

Bien que l'homme n'ait pas semblé particulièrement doué pour une carrière dans la Marine, le peintre restera sensibilisé aux choses de la mer. Il peint *Le Départ du vapeur le*

Folkestone la même année que *Clair de lune*, *Sur le port de Boulogne*, 1869 (Musée d'Orsay, Paris), puis *Le Grand Canal à Venise* en 1875.

Le succès n'est pas immédiat. Le Salon de 1859 lui refuse *Le Buveur d'absinthe* (Ny Carlsberg Glyptotek, Copenhague). Il doit attendre celui de 1861, pour que le jury accepte de présenter *Les Parents de l'artiste* (Musée d'Orsay, Paris).

En 1863, Manet envoie au Salon des Refusés trois toiles, dont le fameux *Déjeuner sur l'herbe* (Musée d'Orsay, Paris) qui provoque d'âpres polémiques. Echec et incompréhension accompagnent aussi ses expositions suivantes malgré le soutien fidèle de Baudelaire ou de Zola.

C'est aussi l'année où il peint *Olympia* (ibid.), la première femme nue de l'histoire de la peinture moderne. Au Salon de 1865 où elle est acceptée, il faut en permanence assurer la surveillance de la toile pour la préserver de l'agressivité du public.

En 1862, il peint *La Musique aux Tuileries* (National Gallery, Londres), cause d'un nouveau scandale par son thème et par les audaces de la composition et de la couleur.

Un voyage effectué en Espagne lui fait découvrir Vélasquez et Goya.

« Le japonisme, l'hispanisme, voilà mes sources. Mais mon but, c'est la peinture moderne », réplique Manet à un journaliste qui vient de le surnommer ironiquement « Don Manet y Courbetos y Zurbarán de Los Batignolles ». Il signe plusieurs *Combats de taureaux* dont le plus important, de 1866, est au Musée d'Orsay à Paris. S'inspirant de l'*Exécution du 3 Mai 1808* de Goya, il réalise plusieurs versions de l'*Exécution de Maximilien*, à l'annonce de la mort de l'empereur. *Le Balcon*, 1868-69 (Musée d'Orsay, Paris) dans lequel il représentera Berthe Morisot, sa belle-sœur, sera encore empreint de l'influence de Goya. Le Salon de 1873 avec la présentation du *Bon Bock* (Museum of Art, Philadelphie) lui amène pour la première fois un succès considérable.

En 1872, Durand-Ruel, protecteur des impressionnistes, achète un bon nombre de ses œuvres ; les critiques ne désarment pas pour autant jusqu'à la

mort du peintre en 1883. Il est vrai que le réalisme de Manet, fait de jeux d'ombre et de lumière où la couleur importe infiniment plus que le dessin, fait aussi de sa propre subjectivité perceptive, ne pouvait qu'irriter un milieu pictural dominé par l'académisme d'Ingres.

Malgré ses contacts avec les impressionnistes et ses relations privilégiées avec Claude Monet qu'il rejoint à Argenteuil, *Claude Monet dans son bateau-atelier*, 1874 (Neue Pinakothek, Munich), Manet refuse d'exposer avec

Edouard Manet.
Lola de Valence, 1862.
Musée d'Orsay, Paris.

eux. A cette époque, pourtant, il travaille directement sur le motif, suivant leur manière : *Argenteuil*, 1874 (Musée des Beaux-Arts, Tournai) et *En bateau*, 1874 (Metropolitan Museum, New York). Son écriture devient de plus en plus réaliste.

Comme Degas, les paradis artificiels, l'alcool sont des thèmes baudelairiens qui lui sont chers. Tous deux aiment

Edouard Manet.
Le Balcon, 1868/69.
Musée d'Orsay, Paris.

Berthe Morisot, 1872.
Collection particulière.

Marquet, Albert
1875-1947
(Bordeaux/Paris)

Marquet entre très jeune à l'Ecole des Arts décoratifs de Paris, où il rencontre Matisse qu'il retrouve plus tard à l'Ecole des Beaux-Arts dans l'atelier de Gustave Moreau. Il travaille beaucoup au Louvre, s'attachant à copier les Anciens : Vélasquez, Chardin, Poussin et, particulièrement, Claude Lorrain qui lui révèle une technique par éclatement de lumière. Marquet peint des nus et quelques portraits, mais ne tarde pas à se consacrer presque exclusivement aux paysages où il renoue avec un impressionnisme d'esprit plutôt que de technique : grand voyageur, il se passionne pour les notations tantôt violentes, tantôt tamisées de l'air et de l'eau. Ses sujets sont choisis parmi les ports, les berges d'un fleuve, les rues animées.

En 1905, il présente, au Salon d'Automne, la *Cage aux fauves* qui baptise le mouvement des jeunes

l'atmosphère des cafés. Manet poursuit là sa série naturaliste. Après *Nana*, la courtisane (il est à noter que ce n'est pas Zola qui a inspiré le peintre mais la toile qui a précédé le roman), *La Prune* qui est la réplique de *L'Absinthe* de Degas, *La Serveuse de bocks*, 1878-79 (Musée d'Orsay, Paris) ou *Un Bar aux Folies-Bergères*, 1881 (Courtauld Institute, Londres), le dernier chef-d'œuvre de Manet, ont la modernité d'une photographie.

En janvier 1882, le ruban de la Légion d'Honneur le confirme parmi les

artistes consacrés. Mais désormais, depuis 1876, il souffre d'une ataxie qui le fait boîter, et pour laquelle il doit subir l'amputation de la jambe gauche. Il en meurt dix jours plus tard.

Déjà en 1845, Baudelaire affirmait : « Celui-là sera le peintre, le vrai peintre, qui saura arracher à la vie actuelle son côté épique et saura nous faire comprendre combien nous sommes grands et poétiques dans nos cravates et nos bottes vernies ».

peintres "fous de couleurs". Marquet ne fera qu'une brève incursion dans ce mouvement, préférant jusqu'à la fin de sa vie, peindre, depuis son atelier surplombant la Seine, le fleuve et ses tonalités changeant au gré du temps. Ses brumes, ses formes enveloppées, toujours un peu lointaines, évoquent l'impressionnisme cependant ; ses couleurs étendues en localités autonomes et jamais mises au service de la lumière trahissent son origine fauve.

Albert Marquet.
Le Port de la Rochelle.
Musée des Beaux-Arts, La Rochelle.

Maufra, Maxime
1861-1918
(né à Nantes)

Maxime Maufra connaît tous les courants novateurs de son époque, mais c'est cependant à Turner qu'il devra la révélation de la palette claire qu'il affectionne dans ses peintures de paysage. C'est lors d'un séjour en Angleterre où son père l'a envoyé pour y apprendre le métier de négociant, qu'il fait la découverte du peintre. Dès son retour en France, il décide de s'adonner à la peinture, prenant conseil auprès de son compatriote nantais, le paysagiste Charles Leroux. Il apprend à connaître l'école de Barbizon dont il gardera toujours le

goût pour la peinture en plein air. Le contact avec l'Angleterre lui avait fait pressentir les découvertes de l'impressionnisme grâce à Turner ; les landes sauvages du pays de Galles et d'Ecosse l'amènent à apprécier le paysage breton.

Refusant toute assimilation à une école, il écrit : « le défaut des impressionnistes est que leur technique, leur recherche aérienne grisa l'œuvre sans y ajouter plus de lumière... Je perçois très bien la délicatesse, mais je préfère l'œuvre qui me prouve la force et la contient également ».

C'est pourquoi sa rencontre avec Gauguin à Pont-Aven, en 1890, est décisive, car elle va permettre

Maxime Maufra.
Paysage de Pont-Aven ou Calfatage de voilier,
vers 1890.
Musée des Beaux-Arts, Quimper.

« d'évoquer en lui des forces latentes ». S'il n'aime guère les discussions théoriques qui agitent les amis de Gauguin, il partage avec eux le goût du contact direct avec la nature et le désir d'aboutir à des œuvres construites.

Meissonier, Jean-Louis Ernest
1815-1891
(Lyon/Paris)

Après avoir étudié l'art dans l'atelier de Léon Cogniet, Meissonier séjourne à Rome et en Suisse, et expose sa première toile à l'âge de seize ans, *Les Bourgeois flamands* (Hertford House, Londres), premier essai en France de ce qu'on pourrait appeler la « peinture microscopique », c'est-à-dire la miniature à l'huile. Il multiplie les tableaux du genre reproduisant l'aristocratie. Dès cette époque, le peintre traduit sa passion du détail. Parti en 1859 accompagner Napoléon lors de la campagne d'Italie, il produit dès lors des peintures de batailles et se révèle parmi les meilleurs peintres de scènes militaires : *Solférino*, 1863 (Musée du Louvre, Paris) ou *Les Cuirassiers* (Musée de Chantilly).

Menzel, Adolph Friedrich Erdmann
von
1815-1905
(Breslau/Berlin)

Peintre et graveur en Allemagne, Menzel reçoit sa première formation de son père, imprimeur lithographe,

établi à Berlin. Tout en poursuivant son apprentissage des techniques de la gravure, il étudie la peinture en autodidacte, s'intéressant particulièrement aux œuvres réalistes des maîtres hollandais du XVIIe siècle.

Les dessins minutieux, tirés d'une attentive analyse de documents, lui valent la place de chroniqueur de Frédéric II et de sa cour, puis de la vie berlinoise.

Tout en poursuivant ses chroniques et ses tableaux d'histoire, dont le plus impressionnant est sans nul doute *L'Exposition des corps des victimes de mars* tiré d'un fait de la Révolution de 1848, sa peinture évolue. Il s'intéresse aux effets de lumière et aux rendus atmosphériques, se laisse influencer par Constable et le berlinois Karl Blechen.

Dans son tableau, *La Voie ferrée Berlin-Postdam*, 1847 (Neue national Galerie, Berlin) il est le premier à traiter le thème de la nature opposée à l'univers technologique.

Il fait plusieurs séjours à Paris durant lesquels il rencontre Courbet. En 1867, il peint *Un Dimanche au jardin des Tuileries* (Dresde) qui rappelle la toile que Manet peindra plus tard.

Mesdag, Hendrik Willem
1831-1915
(Groningen/La Haye)

Peintre et mécène, Mesdag, comme l'ont fait Gauguin et Schuffenecker,

abandonne la banque dans laquelle il travaille pour se consacrer à la peinture. Ses premières toiles sont des paysages réalistes, comme le *Panorama de Scheveningen* (Rijksmuseum Mesdag, La Haye). Il exécute ensuite des marines mouvementées dans lesquelles règne une atmosphère dramatique.

Représentant de l'école de La Haye, l'œuvre de Mesdag se situe entre le post-romantisme et l'impressionnisme. Il lègue de son vivant, à l'Etat hollandais, son importante collection de tableaux comprenant des œuvres de Millet, des peintres de Barbizon et de Courbet.

Millais, Sir John Everett
1829-1896
(Southampton/Londres)

Millais figure parmi les peintres préraphaélites les plus précoces puisqu'il entre à l'école de la Royal Academy à l'âge de onze ans. Sa première œuvre importante, *La Victoire de Pizarre sur les Incas* (Victoria and Albert Museum, Londres), date de 1846. Il reçoit une médaille d'or en 1847. L'année suivante, il fonde avec Hunt, Rossetti et d'autres peintres, « The Preraphaelite Brotherhood », c'est-à-dire la Confrérie Préraphaélite, mouvement influencé par John Ruskin. Avec Hunt, il met au point une technique qui consiste à peindre sur un fond blanc encore humide en utilisant des couleurs pures. Les tableaux de Millais témoignent d'un sens plus grand de la couleur, et ses meilleurs tableaux sont plus intuitifs et plus poétiques. Il convient de citer *Ophélie*, 1852 (Tate Gallery, Londres) ou *Lorenzo et Isabella*, 1849 (Walter Art Gallery, Liverpool).

Après 1855, il délaisse sa manière pour des scènes de genre sentimentales,

davantage en accord avec le goût du public.

En 1853, il devient membre associé de la Royal Academy, membre dix ans plus tard pour être nommé président peu de temps avant sa mort. Il expose à l'Exposition universelle de 1878 à Paris et reçoit une médaille d'or. En 1882, il est reçu membre associé de l'Académie des Beaux-Arts à titre d'étranger et est nommé Officier de la Légion d'Honneur.

Millet, Jean-François
1814-1875
(Gréville/Barbizon)

Né dans la Manche au sein d'une famille d'humbles paysans, Millet fait son apprentissage à Cherbourg, puis

à Paris, dans l'atelier de Delaroche. Le maître estime son élève « trop nouveau pour lui ». Millet quitte Delaroche et se fixe à Barbizon où il vivra et travaillera pendant vingt-sept ans, racontant la vie paysanne telle qu'elle est.

Ses premières œuvres sont des scènes de genre et des portraits, *Pauline Ono en peignoir*, sa femme, 1842-43 (Musée Thomas-Henry, Cherbourg), ainsi que des tableaux mythologiques, *Œdipe*, 1847 (National Gallery of Canada, Ottawa). En 1848, *Le Vanneur* (Musée d'Orsay, Paris), inaugure une nouvelle manière.

Les sujets paysans de Millet qui feront sa célébrité dès 1880, défrayent, dans un premier temps, les chroniques. Le

Jean-François Millet.
Le Printemps, 1868/73.
Musée d'Orsay, Paris.

Second Empire les juge trop subversifs. « Il faut », déclare Millet, « faire servir le trivial à l'exposition du sublime ». Ce à quoi répond Baudelaire : « Le style lui porte malheur ». Il reproche au peintre « l'abrutissement sombre et fatal » de ses héros, sa tendance au sacerdoce. Parmi ses œuvres les plus célèbres : l'*Angélus*, 1855-57 et les *Glaneuses* (toutes deux au Musée d'Orsay, Paris), qui seront plagiées à maintes reprises. Quelques années plus tard, Van Gogh appelle constamment dans ses lettres adressées à Théo : « Millet, mon maître », et ambitionne de prendre sa suite. Millet dont la peinture lui a imposé de longues méditations et la copie, à l'huile, de vingt-quatre gravures en noir et blanc.

Monet, Claude
1840-1926
(Paris/Giverny)

Né à Paris, Monet passe une partie de son enfance au Havre où ses parents sont commerçants. Sa rencontre avec Boudin, avec lequel il travaille en compagnie de Jongkind sur les plages du Havre et de Sainte-Adresse, lui fait prendre conscience de l'importance de peindre sur le motif. Il convainc ses amis de l'atelier, Gleyre, Bazille, Sisley et Renoir de peindre en plein air. « J'ai toujours eu horreur des théories... dira-t-il quelques mois avant sa mort. Je n'ai eu que le mérite d'avoir peint directement devant la nature, en cherchant à rendre mes impressions devant les effets les plus fugitifs (...) ».

Tandis qu'il réalise ses peintures estivales normandes, Monet peint des vues de Paris. Ses toiles représentant *Saint-Germain l'Auxerrois* (Kunstmuseum, Berlin), le *Jardin de l'Infante* ou *Le Quai du Louvre* (Musée de La Haye), offrent une belle description de la capitale. Ce sont là les premiers des paysages urbains, de ces vues panoramiques prises d'un plan élevé, des boulevards et du Pont-Neuf qui inspireront tant d'impressionnistes, à la recherche d'un nouvel art. En 1866, il présente au Salon le portrait de sa future femme, *Camille* ou *La Robe verte* (Kunsthalle, Brême), qu'il peindra à plusieurs reprises, notamment l'année suivante dans

Femmes au jardin (Musée d'Orsay, Paris). Peinte pour la première fois en plein air, cette toile, jugée trop avantgardiste, sera refusée au Salon de 1867, comme sera refusée *La Grenouillère*, en 1869. Incompris, criblé de dettes, il trouve avec Renoir, chez qui il se rend à Bougival, un réconfort à la fois moral et financier.

Pendant la guerre franco-allemande, de nombreux Français ont fui

Claude Monet.
*Femme à l'ombrelle tournée vers la gauche, Suzanne Hoschedé, fille de la seconde femme de l'artiste, 1886.
Musée d'Orsay, Paris.*

l'invasion allemande et l'enrôlement dans l'armée française. Claude Monet est de ceux-là. Il a déjà passé deux ans au régiment et maintenant qu'il est marié et père de famille, il ne veut pas se retrouver sous les drapeaux. Il arrive à Londres en septembre 1870.

Claude Monet.
Camille Monet et sa cousine sur la plage de Trouville, 1870.
Musée Marmottan, Paris.

Rejoint peu après par sa femme et son fils, il s'installe dans le quartier de Kensington qui commence à s'urbaniser.

Le peintre Daubigny, rencontré par hasard, le présente à Paul Durand-Ruel, également en exil, qui vient d'ouvrir une galerie à Bond Street. C'est lui qui apprend à Monet que son ami Pissarro vient d'arriver. Les deux artistes visitent ensemble les musées et admirent les paysagistes anglais, Turner et Constable.

Il écrit qu'il n'a le cœur à rien. Pourtant il a pas mal peint durant ce séjour dont il reste cinq tableaux : deux paysages de parcs, deux scènes du port de Londres et une vue de la Tamise, *La Tamise et Westminster*, 1871 (National Gallery, Londres).

Lorsqu'il s'en va, en mai 1871, il déclare qu'il a peu de regrets. Pourtant il reviendra avec plaisir, notamment en 1887 pour une visite à Whistler au cours de laquelle il annonce son intention de réaliser une série londonienne.

Londres a joué un rôle charnière dans la vie de Claude Monet. Peu après son retour, il peint la fameuse toile,

Impression, soleil levant, 1872 (Musée Marmottan, Paris), qui suscita l'étiquette « impressionniste ». Les autres séjours auront une égale importance pour son art.

De retour en France, il s'établit pour six ans à Argenteuil où il recevra ses amis Renoir, Manet et Caillebotte. A l'exemple de Daubigny, il se construit un bateau-atelier (*Le Bateau-atelier*, 1874, Rijksmuseum Kröller-Müller, Otterlo), pour y saisir les effets de la lumière sur l'eau. Il peint *Régates à Argenteuil*, vers 1872, *Le Pont d'Argenteuil*, 1874 et *Le Bassin d'Argenteuil* (toutes trois au Musée d'Orsay, Paris). Durant l'hiver 1876/77, toujours soucieux d'approfondir ses recherches sur le rendu de l'atmosphère, Monet exécute plusieurs versions de *La Gare Saint-Lazare* (Musée d'Orsay, Paris), saisie à différentes heures de la journée. La gare, avec son atmosphère de brume, ne peut que l'intéresser. Il peint des œuvres citadines telles que *Les Tuileries*, 1876 (Musée Marmottan, Paris) et la fameuse *Rue Montorgueil pavoisée* (Musée des Beaux-Arts, Rouen). En 1878, il quitte Paris pour s'installer à Vétheuil où il réside jusqu'en 1880. La Seine devient le sujet d'un ensemble de paysages d'hiver, les *Débâcles des glaces sur la Seine*, toiles empreintes de la tristesse éprouvée à la mort de sa femme,

Camille. C'est le moment où le groupe impressionniste se disloque. Il exécute aussi des natures mortes, comme les *Tournesols*, 1881 (Metropolitan Museum, New York), peints dans des tons sombres. L'installation à Giverny en 1883, après un séjour d'un an à Poissy, ramène le calme et la sérénité et témoigne d'un regain de passion pour les effets de lumière et les rendus atmosphériques.

C'est l'époque de nombreux voyages. En Hollande, en Bretagne où Monet peint les *Aiguilles de Port-Coton* (Musée des Beaux-Arts Pouchkine, Moscou) et *Tempête, côtes de Belle-Ile*, 1886 (Musée d'Orsay, Paris). Travaillant sous la pluie, cramponné à son matériel, il est fasciné par ce pays « superbe de sauvagerie », par « l'amoncellement de rochers terribles et par la mer invraisemblable de couleurs », comme il le dira lui-même. En décembre 1883, il accompagne Renoir sur la Côte d'Azur. C'est pour lui une telle fascination qu'il décide d'y revenir seul l'année suivante pour y peindre, à son rythme, Bordighera, en Italie, et Menton, juste à la frontière.

A partir de 1890, la façon de travailler de Monet se transforme radicalement. La lumière seule l'intéresse. « Je suis dans la nature sans pouvoir la saisir », se plaint-il. A la fin de l'été 90, alors qu'il peint des meules de foin dans un champ voisin de Giverny, il s'aperçoit que la couleur et les jeux de lumière variant selon l'heure, il ne peut à chaque fois terminer sa toile. Aussi demande-t-il à Blanche Hoschedé d'aller lui chercher d'autres toiles. C'est ainsi que les œuvres peintes sur un sujet unique se multiplient. Il vient de faire une découverte. « Pour moi, un paysage n'existe pas en soi puisqu'il change d'apparence tout le temps, seule l'atmosphère environnante donne sa valeur au sujet ».

C'est dans cet esprit que sont traitées les séries des *Meules de foin*, 1891 (Museum of Fine Arts, Boston), des *Peupliers*, 1891 (Tate Gallery, Londres) ou encore, des *Cathédrales de Rouen*, 1894 (Musée d'Orsay, Paris). Aucune recherche sur l'architecture, mais au contraire, sur toutes les transformations que la lumière fait subir à la façade. La deuxième période de Monet, à Londres, en 1904, se révèle plus fructueuse encore que la première ; le succès l'a libéré des soucis financiers et il réalise un projet qui lui tenait depuis longtemps à cœur : il s'installe au sixième étage de l'hôtel Savoy, au bord de la Tamise, pour travailler, fasciné par le brouillard et ses mystères. Les détails vont disparaître peu à peu au profit de l'atmosphère. *Le Parlement, Londres, Trouée de soleil dans le brouillard* (Musée d'Orsay, Paris).

Jamais Monet n'a été aussi proche de Turner. Sa couleur s'exalte et annonce Giverny. « J'ai retrouvé la vue semblable, la même brume, le même éclairage, le tout de plus en plus admirable », écrit-il à sa femme restée à Giverny.

De retour en France, il retravaille trente-sept toiles qui rencontreront un immense succès à Paris.

Dans son atelier de Giverny, il exécute ses dernières œuvres, dont la série des *Nymphéas* (Musée de l'Orangerie, Paris) commencée dès 1900, mesurant chacune 2 mètres sur 4 mètres. « Ces paysages d'eau et de reflets sont devenus une obsession. C'est au-delà de mes forces de vieillard, et je veux cependant arriver à rendre ce que je ressens », écrit-il en 1908. Cet ensemble des *Nymphéas* fait de Monet, devenu presque aveugle, le maître des impressionnistes et le précurseur des abstraits.

Moreau, Gustave
1826-1898
(né et mort à Paris)

Fils d'un architecte, Gustave Moreau commence ses études d'art avec Théodore Chassériau qui l'influence beaucoup. Il parvient toutefois à se former un style propre, amalgame d'éléments purement académiques et de données symboliques, mais servi par un coloris étincelant. Déjà présent au Salon de 1852, il ne connaît le succès qu'à celui de 1864, où il expose *Œdipe et le Sphynx*.

Son œuvre comporte des peintures mythologiques païennes, des sujets tirés de l'Orient, *Moïse exposé sur le Nil*, *Salomé* (Musée d'Orsay, Paris),

Gustave Moreau.
Eve, vers 1880/85.
Collection de M. et Mme J. Wolgin, Philadelphie.

des sujets pris dans le Nouveau Testament, des épisodes de la vie des saints, une illustration des *Fables* de La Fontaine. Trop souvent, les personnages sont de la matière froide et durcie que Gustave Moreau, dans sa mise en scène, se plaît à orner de marbre, de cristaux et d'ors. La richesse de ses coloris est sans pareille. Devenu professeur à l'Ecole des Beaux-Arts, il a formé Matisse, Marquet, Rouault et tous ceux qui ont lancé le fauvisme. Très admiré des symbolistes, il est redécouvert par les surréalistes qui voient en lui un précurseur.

Il a légué à l'Etat son hôtel particulier, devenu aujourd'hui le « Musée Gustave Moreau ». Rouault en a été le premier conservateur.

Berthe Morisot.
Le Berceau, 1872.
Musée d'Orsay, Paris.

Morisot, Berthe
1841-1895
(Bourges/Paris)

La famille bourgeoise et riche de Berthe Morisot encourage sa vocation et lui donne pour maîtres les plus grands, tels que Fantin-Latour qui lui présenta Manet et Puvis de Chavannes. Corot l'initie à l'art du paysage lorsqu'elle désire peindre « sur le motif », ce qui, en 1860, est encore une grande nouveauté. Manet la prend pour modèle et lui apportera une vision moderniste de la peinture. Les penchants qu'elle aura pour lui lui feront épouser son frère Eugène, dont elle aura une fille, Julie. Il l'initie au portrait, *La Femme au miroir*, 1875-76.

Elle peint des scènes familiales, prenant ses modèles dans son entourage, ainsi que des paysages d'une facture impressionniste. Le critique et écrivain J.-K. Huysmans lui reproche « ses ébauches expéditives, fines de ton, charmantes même, mais quoi ! — nulle certitude, nulle œuvre entière et pleine. » Berthe Morisot meurt, jeune encore, d'une maladie contractée auprès de sa fille malade, trois ans après la mort de son mari.

Cette existence, partagée entre sa famille et son œuvre, suscite des commentaires curieux sur sa peinture. C'est ainsi que Paul Valéry dans la préface de l'exposition organisée à l'Orangerie en 1941, écrit : « Jeune fille, épouse, mère, ses croquis et ses tableaux suivent son sort et l'accompagnent de fort près. Je suis tenté de dire que l'ensemble de son œuvre fait songer à ce que serait le journal d'une femme dont le moyen d'expression serait la couleur et le dessin ». Ses amis impressionnistes, par contre, la considèrent comme leur égale. Elle expose avec eux à toutes leurs manifestations, depuis la première, où elle présente son œuvre la plus connue, *Le Berceau*, 1872 (Musée d'Orsay, Paris). Lors de la cinquième exposition, elle en est la vedette en présentant *En barque*, *Jeune Fille dans une serre* et *Eugène Manet et sa fille à Bougival*. Au sein d'une composition équilibrée, elle y atteint une harmonie dans les couleurs jusqu'alors inconnue. En 1887, elle s'associe au Salon des Vingt, à Bruxelles. Berthe Morisot a été également une excellente aquarelliste.

Pissarro, Camille
1830-1903
(Saint-Thomas, Antilles/Paris)

Fils d'une créole et d'un père français juif, il vient à Paris à l'âge de douze ans. Il fréquente les Beaux-Arts, l'Académie Suisse où il rencontre Cézanne. Il commence sa carrière par des peintures grises et fines à la manière de Corot qu'il sollicite pour des conseils, et aussi par des peintures solides et vertes, à la manière de Courbet. En compagnie de Claude Monet, il s'adonne à l'étude des phénomènes lumineux. Monet est plus instinctif, avec un sentiment inné de la forme, une puissance de réalisation plus grande ; Pissarro est plus théorique, plus raisonneur, plus épris de procédés.

Camille Pissarro.
Printemps, pruniers en fleurs, Pontoise, 1877.
Musée d'Orsay, Paris.

Son art est fait de délicatesse et de charme. Il peint les champs, les potagers, les vergers, les prairies et les arbres fruitiers en fleurs : *Jardins de l'Ermitage à Pontoise*, 1867-68 (Galerie Národni, Prague), *Paysage près de Pontoise*, 1874 (National-museum, Stockholm).

En janvier 1866, Pissarro s'installe à Pontoise en compagnie de sa maîtresse et de leurs deux enfants, Adèle et Georges. C'est sans doute le Docteur Gachet, médecin homéopathe de la mère de Pissarro, qui devient plus tard l'ami des impressionnistes et de Van Gogh, qui suggére au peintre de venir y vivre.

Depuis ce temps, la présence de Pissarro et la qualité des premiers paysages exécutés à l'Ermitage y attirent de nombreux peintres, réunis plus tard sous le nom de groupe de Pontoise. Le père de l'impression-nisme, Pissarro, joue un rôle très actif dans la promotion du mouvement et soutient bon nombre d'artistes tels que Cézanne, Gauguin et Daubigny qui représentent le site à plusieurs reprises. Entre-temps, comme Monet, Daubigny, le marchand Durand-Ruel et d'autres Français, Camille Pissarro se réfugie à Londres durant la guerre franco-allemande. Il arrive plus tard qu'eux, accompagné de Julie Vellay (qu'il épousera à la fin de leur séjour) et de leurs deux fils, dont Lucien qui, ultérieurement, s'installera définitive-ment en Angleterre. Il retrouve des membres de sa famille, sa mère, un frère, des neveux, et s'installe près d'eux dans le sud-est de Londres, à Norwood, « une charmante banlieue », selon lui. Les douze tableaux qu'il peint pendant son séjour, entre décembre 1870 et juin 1871, représen-tent les environs immédiats. « J'ai étudié les effets du brouillard, de la neige et du printemps », dira-t-il plus tard. La palette du peintre s'est éclaircie. On peut considérer cette période londonienne comme un tournant dans son art, une rupture avec son passé. Subit-il l'influence des peintres anglais ? En tout cas, il visite les musées avec son ami Monet et déclare qu'il se sent plus proche de la nature que Turner et Constable.

Etant né aux Antilles britanniques où il parlait anglais, il aurait pu s'intégrer. Mais la vie à Londres le déçoit. On manifeste peu d'intérêt pour son œuvre. « Ici il n'y a pas d'art : tout est une question de gros sous, déclare-t-il. Ce n'est qu'à l'étranger qu'on se rend compte à quel point la France est belle et grande et hospitalière ». Dès qu'il le peut, il quitte l'Angleterre, mais pas définitivement.

Dès 1872, il s'installe à nouveau à Pontoise, où il peint des jeux de lumière. En 1874, il participe à la première exposition impressionniste. Il sera présent à chacune des manifes-tations du groupe, allant même jusqu'à en rédiger les statuts et à parrainer Gauguin, en 1879. Sa rencontre avec Seurat le fait adhérer avec enthousiasme au divisionnisme : *L'Ile Lacroix, Rouen, Effet de brouillard*, 1888 (Museum of Art, Philadelphie). Malgré son enthousiasme du début, il qualifiera cette méthode d'« embêtante théorie » en 1895.

Dans les dernières années de sa vie, Pissarro passe ses hivers à Paris.

Le nouveau Paris de Napoléon III et du Baron Haussmann, le Paris des boulevards, bien plus que les quartiers traditionnels dominés par Notre-Dame ou la Butte Montmartre, le séduit tout comme ses amis impressionnistes. Ces scènes de la vie contemporaine répondent aux besoins urgents de « modernité » préconisée par Baudelaire. Les paysages urbains sont la plupart du temps saisis, en vue plongeante, avec des effets de perspec-tive traduisant l'influence exercée sur les impressionnistes par les mises en page des estampes japonaises : *Les Grands Boulevards sous la neige*, 1879 (Musée Marmottan, Paris) ou l'*Avenue de l'Opéra*, 1898 (Musée des Beaux-Arts, Belgrade). La fin de son existence, assez mouvementée, le rapproche des sites portuaires où l'eau et ses reflets l'attirent autant que l'activité incessante d'une foule grouillante de vie. Ses vues de Rouen, de Dieppe et du Havre sont particu-lièrement animées : *Le Quai de Southampton* au Havre, et l'*Avant-port de Dieppe, marée basse* (toutes deux de 1903, Musée des Beaux-Arts, Le Havre).

Redon, Odilon
1840-1916
(Bordeaux/Paris)

De santé fragile, alors que ses parents habitent Bordeaux, Redon passe son enfance dans la propriété de son oncle, dans le Médoc.

En 1863, Odilon Redon entre à l'atelier libre de Gérôme mais n'y fait qu'un bref passage. Une rencontre capitale de son existence est celle de Bresdin qui l'initie à la gravure, support idéal pour ce peintre dont l'enfance maladive a été traversée de grandes crises mystiques.

A partir des années 1890, lorsqu'il se lance dans la couleur, elle explose littéralement sur la toile ou le papier, aussi irréelle que le noir absolu de ses fusains. Le *Char d'Apollon*, la toile de Delacroix que Redon préférait, lui inspira, quand il eut abandonné ses « noirs » pour la couleur, plusieurs tableaux, dont *Le Char du Soleil*, vers 1905 (Musée du Petit Palais, Genève). Et ce qu'il disait de la composition de Delacroix pourrait exactement s'appliquer à son *Char du Soleil* : « C'est le triomphe de la lumière sur les ténèbres. C'est la joie du grand jour opposée aux tristesses de la nuit et des ombres. »

Odilon Redon.
Char du Soleil, vers 1905.
Musée du Petit Palais, Paris.

Regoyos Y Valdes, Dario de
1857-1913
(Les Asturies/Barcelone)

Regoyos est pratiquement le seul peintre espagnol à participer directement au mouvement impressionniste européen. Lors d'un voyage d'étude à Paris, il rencontre Degas, Mallarmé, Redon, Signac et Pissarro dont l'influence est la plus grande. A Bruxelles où il vit, il participe au groupe des Vingt. A la recherche de nouvelles formes d'expression, il pratique souvent la technique du divisionnisme, mais d'une façon souple et non systématique, lui laissant ainsi la liberté de sauvegarder la spontanéité des émotions. Il expose également au Salon des Indépendants à partir de 1890.

Renoir, Pierre Auguste
1841-1919
(Limoges/Cagnes-sur-Mer)

Fils d'un tailleur, Renoir est mis en apprentissage dans une fabrique de porcelaine, bien que son professeur de musique, Charles Gounod, veuille en faire un compositeur. Vers 1858, il quitte la fabrique pour devenir peintre sur éventail, s'inspirant dans son travail des *Scènes galantes* de Watteau, de Lancret ou de Boucher. Ces travaux de jeunesse lui donnent le goût de la décoration, des couleurs pures et transparentes et de la touche délicate. Après avoir gagné un peu d'argent, il lui est possible, en 1862, de s'inscrire aux Beaux-Arts où il rencontre Fantin-Latour. En même temps, il entre dans l'atelier de Gleyre où il se lie d'amitié avec Monet, Sisley et Bazille. Avec eux, il va peindre sur le motif à Barbizon et à Chailly-en-Bière. L'œuvre de Courbet l'incite à étudier la nature, le coloris de Delacroix le fascine, Corot l'enthousiasme, Ingres est son idéal. Diaz, qu'il rencontre dans la forêt de Fontainebleau, lui conseille de ne pas peindre « aussi noir » et d'abandonner les tons sombres au profit de plus clairs. En 1867, le Salon lui refuse *Diane chasseresse* (National Gallery, Washington). Sous l'impulsion de Monet, il travaille à des toiles dont le style est déjà nettement impressionniste. Ensemble, ils peignent les reflets de l'eau de l'île de Croissy, près de Bougival, *La Grenouillère*, 1868 (Nationalmuseum, Stockholm). Il découvre la division de la touche qui s'affirmera totalement dans *Le Pont Neuf*, 1872 (Collection Marshall Field, New York).

Avec Monet encore, il peint *La Seine à Argenteuil*, 1873 (Art Museum, Portland).

Avec leurs amis Cézanne, Degas, Sisley, Berthe Morisot et Pissarro, Renoir et Monet participent à la première exposition « sans jury et sans récompense honorifique », organisée par la « société anonyme coopérative d'artistes, peintres sculpteurs, graveurs, à capital et personnel variable ». Elle a lieu 35, boulevard des Capucines, dans l'ancien atelier du photographe Nadar, du 15 avril au 15 mai 1874. Parmi les cent soixante et une toiles exposées figure *La Danseuse*, 1874 (National Gallery of Art, Washington) à côté de *La Loge* (Courtauld Institute, Londres), de quatre autres toiles et d'un pastel ; en tout sept œuvres signées « Renoir », le peintre le plus passionné de tous par la figure humaine, sa représentation charnelle, visuelle et tactile.

Si les impressionnistes sont proches dans leur façon d'appréhender le monde et la lumière, ils respectent aussi leurs différences. Le modèle de *La Danseuse* est venu poser dans son atelier. Il ne cherche pas, comme aurait pu le faire Degas, à peindre les états d'âme de celle-ci. Il cherche à traduire, par la forme et la couleur, une merveilleuse vision du monde extérieur.

En 1876, Renoir rencontre Manet, Carolus Duran, Henner, de Nittis, Georges Rivière qui entreprend la rédaction du journal *L'Impressionniste*, au milieu du cercle d'écrivains tels que Daudet, Zola ou Flaubert. Pendant cette période, le problème de la figure saisie dans la lumière qui avait déjà intéressé Monet en 1870, préoccupe Renoir. S'il peint la figure en plein air, il marque une préférence pour les lumières tamisées produites par le sous-bois ou le velum d'une guinguette. Croqués ainsi, dans une pénombre chaude, les personnages, tour à tour plongés dans l'ombre et la lumière, s'animent. Les thèmes choisis sont ceux de la vie quotidienne, celle de la joie de vivre et du plaisir : déjeuners, guinguettes. C'est l'époque où il peint *La Balançoire*, *Le Bal du Moulin de la Galette* (toutes deux de

Pierre-Auguste Renoir.
Danse à la ville, 1882/83.
Musée d'Orsay, Paris.

avec simplicité et le peint dans des tons plus aigres. *Les Grandes Baigneuses*, 1884-87 (Museum of Art, Philadelphie) en est l'achèvement. Tout en y travaillant, il peint des toiles représentant la femme. Peu d'artistes tels que Renoir, ont su peindre la femme avec un tel plaisir sensuel. « J'aime les peintures qui me font désirer, m'y promener si elles représentent des paysages, les caresser, si elles représentent des femmes ». Un visage, un corps, représentent pour lui un ensemble de volumes que l'on doit avoir plaisir à contempler. Il peint des nus superbes : *Les Trois Baigneuses*, 1897 (Museum of Art, Cleveland).

Auguste Renoir, atteint de rhumatismes, a soixante-six ans lorsqu'il s'installe définitivement au domaine des Collettes, propriété de deux hectares et demi, située à Cagnes-sur-Mer, au-delà de la rivière Cagne. Cette propriété deviendra dorénavant la principale source de ses paysages, son point d'observation privilégié. Il aura choisi Cagnes, entre toutes les cités provençales, après maints séjours et maints voyages en compagnie de Cézanne, de Monet, ou seul, pour mieux posséder le paysage.

La *Terrasse à Cagnes*, 1905 (Collection Ishibashi, Tokyo), sujet qu'il peignit de nombreuses fois, précède de peu son installation aux Collettes.

« Nous habitions alors à *La Poste*, se souvient son fils Claude. Cette grande maison, devenue depuis la mairie de Cagnes, était divisée en deux parties : du côté droit, le bureau de poste, à gauche, notre logement. »

A partir de 1907, il s'essaie à la sculpture. *Coco*, un buste en bronze de son fils (Walraf-Richartz Museum, Cologne) est le seul qu'il ait cependant réalisé seul, car c'est un élève de Maillol, Richard Guini, qui a exécuté les autres.

Rousseau, Henri
dit Le Douanier
1844-1910
(Laval/Paris)

Henri Rousseau travaille dans la petite administration, chez un avocat et dans

---

1876, Musée d'Orsay, Paris). Renoir est très sollicité pour peindre des portraits d'enfants, *Petite Fille à l'arrosoir*, 1876 (National Gallery, Washington). Pourtant, ce n'est qu'à partir de 1879, que Renoir connaît vraiment le succès, avec *Madame Charpentier et ses enfants*, 1878 (Metropolitan Museum of Art, New York) et le *Portrait de Jeanne Samary* (Musée de l'Ermitage, Saint-Pétersbourg). Peu à peu cependant, il se détache des impressionnistes pour retourner à une écriture plus classique. *Le Déjeuner des canotiers*, 1881 (Phillips Collection, Washington), dans lequel on peut reconnaître Caillebotte, est l'une de ses dernières œuvres impressionnistes.

Il voyage en Algérie et en Italie. Sur le chemin du retour, il s'arrête travailler avec Cézanne, exécute *L'Estaque*, 1882 (Museum of Fine Arts, Boston), à la touche encore impressionniste mais au coloris puissant. La période 1883 à 1890 consacre son retour à Ingres. *La Danse à la ville* et son pendant, *La Danse à la campagne*, 1882-1883 (Musée d'Orsay, Paris), ainsi que *La Danse à Bougival* (Musée des Beaux-Arts, Boston), marquent le début de cette période « ingresque » de Renoir qu'il appellera lui-même sa « manière aigre » où le dessin prend le dessus sur la couleur. Cette manière lui est inspirée par son séjour en Italie et l'étude de Raphaël. Il traite son sujet un bureau de l'octroi à Paris, mais se fait pensionner en 1885. C'est alors qu'il commence à peindre en auto-didacte. Il reçoit quelques conseils de peintres académiques, Clément et Gérôme. Bouguereau est son idéal. En 1885, il participe, pour la première fois, au Salon des Indépendants. Il fait la connaissance de Gauguin, de Redon et de Seurat. En 1905, il expose au Salon d'Automne. En 1906, Picasso, Delaunay, Apollinaire et Vlaminck le découvrent. En son honneur, ils organisent en 1908, chez Picasso, le banquet devenu célèbre. En 1909, il est injustement impliqué dans une affaire de fraude bancaire. Rousseau est aussi musicien, il joue du violon, du piston et de la flûte. On lui doit des pièces dramatiques et des poésies. Il peint à ses débuts des paysages naïfs, non pas en peintre du dimanche, mais pour gagner sa vie. En 1896, il atteint un style personnel, dans *La Bohémienne endormie*, toile de grand format, de conception large, dans un coloris sans demi-teintes, mais délicat ; plus tard, il traite des sujets exotiques et des visions de rêve. En 1905, il participe à la première exposition des fauves avec *Le Lion affamé* qui suscite un grand intérêt. L'œuvre de Rousseau

Paul Sérusier.
La Cueillette des pommes. Triptyque, vers 1891.
Collection J.-C. Bellier, Paris.

occupe une place importante dans l'histoire de l'art moderne. Les cubistes comme les surréalistes ont découvert sa valeur tandis que les peintres du *Blaue Reiter* à Munich l'ont considéré comme « le maître ». Dans son œuvre, les forces élémentaires de son imagination poétique créent une réalité magique.

Rysselberghe, Theo van
1862-1926
(Gand/Saint-Clair, Var)

Theo van Rysselberghe appartient à l'école belge néo-impressionniste et participe à la fondation du groupe des Vingt qui se donne pour but d'activer les échanges entre la France et la Belgique. Paul Signac entretient avec ce groupe d'étroits liens d'amitié. Il n'est donc pas surprenant que, quittant son plat pays et les frimas septentrionaux, le peintre belge soit venu rejoindre Signac et Cross pour goûter avec eux un peu de saveur des chaleurs provençales. Parmi les toiles réalisées dans le Midi, on retrouve dans *Campagne à Bormes*, 1908 (Musée de l'Annonciade, Saint-Tropez), non seulement les couleurs de Cross et de Signac mais aussi celles que les fauves juxtaposent : le bleu, l'orangé, le vert et le violet.
Van Rysselberghe a également réalisé des affiches, des meubles et des bijoux.

Segantini, Giovanni
1858-1899
(Arco, près de Trente/Shafberg)

Segantini subit l'influence, lors de ses années d'étude à l'Académie de Brera, du groupe lombard de la *Scapigliatura* (la bohème) dont le chef de file, Cremona, noyait les sujets de ses œuvres dans un flou plus sensuel qu'émouvant.
Grâce à l'influence de son grand ami Grubicy qui, lors d'un séjour à Paris, s'est enthousiasmé pour les toutes récentes découvertes des pionniers de l'art moderne, il abandonne la facture quelque peu « sirupeuse » de l'école lombarde au profit d'un divisionnisme de la touche, issu des recherches de Seurat et Signac, qu'il découvre vers 1886.

Sérusier, Paul
1863-1927
(Paris/Morlaix)

Fils d'un homme d'affaires, Paul Sérusier entre à l'Académie Julian où il est élu « massier » ou chef des étudiants. Après avoir gagné une mention au Salon de 1888 pour sa toile, l'*Atelier du tisserand*, Sérusier est en bonne voie pour faire une carrière académique.
Sa rencontre avec Paul Gauguin à Pont-Aven, la même année, lui fait l'effet d'une révélation. Sous sa dictée,

Georges Seurat.
Jeune femme se poudrant.
Courtault Institute Galleries, Londres.

Seurat, Georges
1859-1891
(né et mort à Paris)

Fils d'un huissier, Seurat fait ses études à l'Ecole des Beaux-Arts de Paris. Après le service militaire, il se forme par des études dans les musées et par la lecture. En 1882 et 1883, il se consacre surtout au dessin. Il se lie d'amitié avec Signac. Les deux peintres deviennent les chefs de file du néo-impressionnisme. En 1890, Seurat formule ses idées sur l'esthétique et la technique dans un style concis et presque scientifique.

A une époque où l'impressionnisme triomphe, Seurat cherche une peinture plus méthodique et plus rationnelle en étudiant les théories scientifiques sur les effets des couleurs et sur la vue (entre autres ; il lit les ouvrages de Charles Blanc, Rood, Chevreul). Il « divise » les couleurs pour obtenir l'effet optique maximum. Le « divisionnisme », appelé plus populairement pointillisme, est caractérisé par une touche très petite et ronde. Signac et, par la suite, nombre de suiveurs ont adopté cette technique. La peinture devient plus plate, la ligne requiert une nouvelle signification et la couleur une plus grande pureté. La composition participe davantage à la création. En dépassant l'impressionnisme, Seurat encourage le mouvement de l'« Art Nouveau ». Aussi, par son œuvre

il compose alors un petit tableau de 22 × 27 cm, *Le Talisman* (Collection de la famille de Maurice Denis, Saint-Germain-en-Laye), qui produira l'effet d'une bombe auprès de ses amis de l'Académie.

De retour à Paris, il rassemble un petit groupe d'amis qui se nommeront « nabis » ou « prophètes ». Sérusier en est le théoricien.

Paul Signac.
Le Pont des Arts, 1928.
Musée du Petit Palais, Paris.

Pendant la Première Guerre mondiale, Sérusier décore les parois du baptistère de l'église du village de scènes bibliques, en tirant parti des théories de Lenz et du style de Fra Angelico. Plus tard, sa maîtrise du synthétisme continue à se manifester premièrement dans des paysages et des natures mortes et des scènes de figures. Cherchant continuellement à concilier ses théories et la nature réelle, il publie finalement ses théories en 1921 dans l'*ABC de la Peinture.*

Alfred Sisley.
La Route de Hampton Court, 1874.
Christie's, Londres.

raffinée, claire et bien équilibrée, Seurat fait figure, sous maints aspects, de véritable précurseur de l'art du XXᵉ siècle.

Parmi ses œuvres : *Un Dimanche d'été à la Grande Jatte*, 1884-86 (Art Institute, Chicago) et *Le Cirque*, 1890-91 (Musée d'Orsay, Paris).

Signac, Paul
1863-1935
(né et mort à Paris)

Une visite à une exposition de Monet conduit Signac à la peinture. A vingt et un ans, il expose au premier Salon des Indépendants qu'il contribue à fonder avec ses amis refusés au Salon officiel. Il rencontre Seurat auquel il révèle l'impressionnisme, mais bientôt Seurat le gagne au pointillisme, dont Signac devient le théoricien. En 1899, il rédigera *D'Eugène Delacroix au Néo-impressionnisme*. A bord des trente-deux bateaux qu'il a possédé, il n'est

pas un port de France qu'il n'ait visité et peint : parmi ceux-ci, *Le Port de Saint-Tropez*, 1899 (Musée de l'Annonciade, Saint-Tropez), ou *L'Entrée du port de Marseille*, 1911 (Musée national d'Art moderne, Paris). Signac a également collaboré au journal anarchiste, *Le Cri du Peuple*.

De 1908 jusqu'à sa mort, il est président de la Société des Artistes indépendants.

Sisley, Alfred
1839-1899
(Paris/Moret-sur-Loing)

Issu d'une famille de commerçants anglais — il n'obtint jamais la nationalité française — Sisley étudie à l'atelier de Gleyre où il rencontre les impressionnistes. Avec eux, il part peindre dans la forêt de Fontainebleau. La guerre de 1870 ruine sa famille, et malgré ses graves difficultés financières, il poursuit sa carrière artistique. Il commencera à connaître le succès lors de la septième exposition du groupe en 1882. Il travaille dès

lors à Moret, à la lisière de la forêt de Fontainebleau où il mourra d'un cancer à la gorge.

Paysagiste par excellence de l'Ile de France, Sisley a été le plus modeste des peintres impressionnistes, mais il en a été, plus d'une fois, le plus pur et le plus poétique. Ses œuvres les plus connues se trouvent au Musée d'Orsay à Paris : *L'Inondation à Port-Marly*, 1876 et *La Neige à Louveciennes*, 1878.

Sorolla y Bastida, Joaquín
1863-1923
(Valencia/Cercedilla, Madrid)

De tous les impressionnistes espagnols, Sorolla est l'un des plus attentifs et des plus virtuoses dans l'art des jeux de lumière. Elève à l'Ecole d'Art de San Carlos à Valence, Sorolla voyage tout d'abord en France, puis à Rome, où il travaille de 1884 à 1888. Dès vingt-deux ans, il se fait remarquer par sa composition, *Deux Mai*.

De sa Valence natale, il sait rendre le poudroiement des lumières, les vibrations violemment colorées dans les

Henri de Toulouse-Lautrec.
La Danse au Moulin Rouge.
Collection Henry P. McIlhenny, Philadelphie.

ombres. Par la caution de ses propres succès officiels, par son application à condamner la tradition de la peinture d'atelier, il est le meilleur ambassadeur de l'impressionnisme en Espagne dont il assure le succès.

Steer, Philip Wilson
1860-1942
(Birkenhead/Londres)

Steer étudie à l'Ecole d'Art de Gloucester avant de venir à Paris suivre les cours de l'Académie Julian. A vingt-six ans, il revient à Londres et devient membre fondateur, avec Sickert, du New English Art Club, ce qui le rapproche de Whistler. Une exposition des impressionnistes organisée en Angleterre en 1880 lui fait connaître Monet et Renoir. Aux influences dominantes de Whistler et de Manet, succède un impressionnisme consciemment travaillé, très proche du néo-impressionnisme français, et il devient, pendant quelque temps, le peintre aux idées les plus avancées dans son pays. Il revient cependant, dans la dernière partie de sa vie, vers une peinture de paysages plus traditionnels, inspirés de Constable, Gainsborough ou Turner.

Toorop, Johannes Theodoor
dit Jan
1858-1928
(Purworejo, Java/La Haye)

Après quelques œuvres réalistes, Toorop est bientôt conquis par le néo-impressionnisme que lui révèlent les expositions des Vingt à Bruxelles. Ami de Khnopff, il peint ses œuvres symbolistes sous l'influence des pré-raphaélites qu'il étudie à Londres et devient le chef de file du mouvement Jugendstill. Son œuvre la plus célèbre est sans doute *Les Trois Epouses*, 1893 (Rijksmuseum Kröller-Müller, Otterlo). Il a vu les prairies hollandaises, les sables de la mer du Nord et les marais de Waterland avec une justesse aiguë et toujours harmonieuse.

Toulouse-Lautrec, Henri de
1864-1901
(Albi/Château de Malromé, Gironde)

Atteint très tôt par une maladie qui le rend infirme, Henri, vicomte de Toulouse-Lautrec, s'inscrit à seize ans dans les ateliers officiels, chez Bonnat et chez Cormon à Montmartre, mais lorsqu'il conçoit qu'il n'apprend plus rien dans ces ateliers, il se met en quête de ses propres pulsions.
Les conseils du peintre de chevaux Princeteau, son amitié avec Jean-Louis Forain et sa rencontre avec Degas lui permettent de trouver sa voie.
Il s'essaye tout d'abord à la technique pointilliste et participe à la huitième et dernière exposition des impressionnistes.
En 1882, il part pour Paris où Montmartre lui fournit d'inépuisables sujets d'inspiration avec ses bars, musics-halls et maisons closes.

D'un trait rapide et précis, il campe les personnages de la *Vie nocturne de son temps*. Il immortalise Yvette Guilbert, Jane Avril et la Goulue, peint *Le Bal au Moulin de la Galette*, 1889 (Art Institute, Chicago), *La Danse au Moulin Rouge*, 1890 (Collection Henri P. McIlhenny, Philadelphie). Pris toujours par le même esprit, il donne des nus, des études de femmes, au charme desquels se joint beaucoup de lassitude, d'amertume, de désespoir, *La Clownesse Cha-U-Kao*, 1895 (Fondation Oskar Reinhart, Winterthur).

En 1891, le Moulin Rouge, concurrencé par le Casino de Paris, lui confie sa publicité. Conseillé par Bonnard, Toulouse-Lautrec réalise une affiche lithographique révolutionnaire dans laquelle l'image si évocatrice rend le texte quasiment inutile. Le succès est immédiat. A partir de cette date, ses peintures deviennent, à quelques exceptions près, des préparations à ses affiches. Toulouse-Lautrec réalise aussi couvertures de livres et illustrations pour les écrivains qu'il rencontre (*Histoires naturelles* de Jules Renard, en 1899), et décore de nombreux programmes, notamment pour le Théâtre Libre d'Antoine.

Joseph Mallord William Turner.
Zurich, 1842.
British Museum, Londres.

Turner, Joseph Mallord William
1775-1851
(né et mort à Londres)

Travaillant d'abord à colorier des gravures et des dessins d'architecture, Turner transforme, à partir du milieu des années 1790, son œuvre en manifeste sur la peinture du paysage, proclamant sa dette, non seulement envers Claude Lorrain, mais aussi envers Poussin, Titien, Rembrandt et Cuyp. En 1799, après y avoir été élève, il devient membre associé de la Royal Academy, puis membre en 1802. De 1807 à 1837, il y est professeur de perspective, fonction qui l'amène, pendant un temps, à concentrer son attention sur l'aspect théorique de la peinture. Voyageur acharné, il visite Paris et la Suisse en 1802, les Pays-Bas et la Rhénanie en 1817, l'Italie en 1819, et à partir de cette date ses voyages sur le continent deviennent presque annuels. Il revient à plusieurs reprises dans les mêmes sites, y exécutant de nouveaux croquis. Cependant, ces impressions, plutôt que d'être transcrites instantanément, sont emmagasinées dans sa mémoire pour devenir, quelques années plus tard, des peintures et des aquarelles souvent d'une extraordinaire liberté. Venise, la Suisse et les Alpes sont ses plus grandes sources d'inspiration : *L'Avalanche*, vers 1810

et *Hannibal et son armée traversant les Alpes*, 1812 (tous deux à la Tate Gallery, Londres). Ses contemporains ont souvent reproché à Turner ses couleurs flamboyantes, l'accusant d'exagérer et de sacrifier la réalité au surnaturel.

Le feu, l'eau et les désastres l'ont toujours fasciné. Déjà en 1792, il dessine le Panthéon au lendemain du sinistre qui le détruisit. En 1834, il peint à nouveau *L'Incendie du Parlement* (Tate Gallery, Londres) conjuguant les trois éléments. De même, il a souvent choisi pour ses compositions historiques les catastrophes décrites dans la mythologie ou l'Ancien Testament.

Vallotton, Félix
1865-1925
(Lausanne/Paris)

Vallotton fréquente tout d'abord le collège cantonal de Lausanne puis, en 1882, est accepté à l'Ecole des Beaux-Arts à Paris. Il préfère toutefois fréquenter l'Académie Julian. Il y demeure à l'écart des étudiants plus bruyants et réussit à gagner plusieurs concours. Le succès suit au Salon annuel et à plusieurs expositions en Suisse, mais des difficultés financières l'amènent à chercher du travail comme restaurateur d'art et critique. Il fournit gravures et articles pour

Edouard Vuillard.
Jardins publics. Détail.
Musée d'Orsay, Paris.

la *Revue Blanche*. Parallèlement, il illustre les revues satiriques telles que *L'Assiette au Beurre*, *Le Rire* et *Le Courrier Français*.

En 1891, il commence à exécuter des gravures sur bois publiées dans plusieurs journaux et albums. Dès le début de 1894, il fréquente les réunions du mardi chez Mallarmé avec Vuillard dont il a fait la connaissance à l'Académie Julian. La participation de Vallotton aux activités des nabis débute en 1892 et a pour résultat l'exécution de divers programmes de théâtre, affiches et cartons pour vitrail tout comme des expositions à la Galerie Le Barc de Boutteville, en 1893 et 1894. Il illustre des ouvrages tels que *La Maîtresse* de Jules Renard ou *Le Livre des Masques* de Rémy de Gourmont.

En 1899, il épouse Gabriella Rodrigues-Henriques, sœur des frères Bernheim-Jeune. Le style de son existence change pour répondre aux goûts plus luxueux de celle-ci, ce qui le conduit à s'éloigner de ses amis nabis. Après 1909, il peint en un style remarquable pour sa lumière aiguë et ses contours précis.

Vuillard, Edouard
1868-1940
(Cuiseaux, Saône-et-Loire/La Baule)

Issu d'une famille de vieille souche bourgeoise, Vuillard fait ses études au lycée Condorcet, à la mort de son père en 1883. Là, il rencontre Xavier Ker-Roussel qui épousera sa sœur et qui le pousse à poursuivre une carrière artistique. Ses moyens financiers étant limités, Vuillard entre à l'Ecole libre de la manufacture des Gobelins. Il fréquente bientôt l'Académie Julian où il rencontre Sérusier, Denis et Ranson avec lequel il constitue le groupe des nabis. En 1891, il partage son atelier avec Bonnard, son ami de longue date, et prend part, la même année, à l'exposition des peintres impressionnistes. Son amitié avec Lugné-Poe amène Vuillard au monde du théâtre symboliste et il réalise de nombreux programmes et décors pour le Théâtre de l'Œuvre. En 1908, il est nommé professeur à l'Académie Ranson et travaille aussi comme peintre-décorateur. Il exécute, à la demande d'amateurs d'art, une série de panneaux décoratifs. *Jardins publics*, 1894 (Musée d'Orsay, Paris) sont des panneaux destinés à décorer la salle à manger d'Alexandre Natanson, le fondateur de la *Revue blanche*. Il décore également des bâtiments publics, entre autres, la Comédie des Champs-Elysées et le Théâtre de Chaillot.

Vers 1930, sa technique et son style se transforment ; il devient le portraitiste de la bourgeoisie, ce qui lui ouvre, en 1938, les portes de l'Académie des Beaux-Arts.

A ses débuts, influencé par Gauguin et par l'art japonais, Vuillard réalise quelques peintures qui, par le coloris exubérant et les arabesques pleines de vie, se rangent parmi les œuvres pré-fauvistes. Mais sa vision subtile et son sens inné de l'harmonie trouvent leur véritable voie dans un coloris plus tempéré et dans une composition plus sobre. Les délicates harmonies de gris, les demi-tons voilés confèrent à ses intérieurs, ses portraits et ses natures mortes un caractère intimiste. Dans les dernières œuvres, et principalement dans les portraits, son style devient plus conventionnel et perd par là de son intérêt.

Whistler, James Abbott McNeill
1834-1903
(Lowell, Massachusetts/Londres)

« Avec Whistler, l'Amérique cesse d'être provinciale pour arriver artistiquement à maturité », a écrit l'un des biographes du peintre né dans le Massachusetts. Désigné par ses parents à la carrière militaire, il entre à l'Académie de West Point où il apprend à dessiner et graver des cartes et des plans. Cela lui sert pour gagner sa vie quand il arrive en Europe, se partageant entre Paris, Londres et Venise. Il réalise une série de gravures sur la Tamise, publiée en 1871, où l'on décèle l'influence de Courbet, qui l'appelait « mon élève », et de Baudelaire qui l'encourage à dépeindre la vie moderne. L'art japonais le marque également, ce qui est particulièrement visible ici.

Il se détache cependant de ces maîtres et découvre son propre style, qu'il rapproche de la composition musicale. Il donne pour titres à ses œuvres des *Nocturnes*, *Harmonies*, *Symphonies*, ou *Variations*, comme il l'a fait pour *Le Balcon : Variations en couleur chair et vert : le Balcon*, 1865 (Freer Gallery of Art, Washington).

Portraitiste mondain, Whistler demeure un témoin précieux de la vie du XIXe siècle.

Autour des années 1865-78, il arrive au sommet de son art, avec par exemple, *Nocturne en bleu et or : le vieux pont de Battersea*, vers 1865 (Tate Gallery, Londres).

Avec les années, ses tableaux s'éloignent de plus en plus de la représentation littérale. « La nature a très rarement raison », dit-il avec son goût du paradoxe. « La peinture d'après nature doit être dans l'atelier », car en peignant de mémoire, on réduit à l'essentiel.

Cet ouvrage
a été imprimé
par Publiphotoffset
93500 Pantin
Dépôt légal : Octobre 1994